Introduction au droit des biens

Introduction au droit des biens

par
Sylvio Normand

2000

FILIALE DE COMMUNICATIONS QUEBECOR INC.
Wilson & Lafleur ltée
40, rue Notre-Dame Est
Montréal H2Y 1B9
(514) 875-6326
(sans frais) 1-800-363-2327

Données de catalogage avant publication (Canada)

Normand, Sylvio, 1954-

Introduction au droit des biens

(Manuel de l'étudiant)
Comprend des réf. bibliogr. et un index.

ISBN 2-89127-504-7

1. Biens (Droit). I. Titre. II. Collection : Manuel de l'étudiant (Montréal, Québec).

K720.N67 2000 346.04 C00-941236-0

L'auteur remercie la Fondation pour la recherche juridique pour la subvention que l'organisme lui a accordée. Il exprime également sa gratitude à son collègue François Brochu pour ses commentaires judicieux.

Canadä

Nous reconnaissons l'aide financière du gouvernement du Canada par l'entremise du Programme d'aide au développement de l'industrie de l'édition (PADIÉ) pour nos activités d'édition.

Typographie et mise en pages : Dynagram inc.

Dépôt légal
3e trimestre 2000
3e tirage revu et corrigé, 2e trimestre 2002

Bibliothèque nationale du Québec
Bibliothèque nationale du Canada

ISBN 2-89127-504-7

Table des matières

Abréviations

A.Q.:	Arrêts du Québec [banque de données de Quicklaw]
art.:	article
B.R.:	Cour du Banc du roi ou Cour du Banc de la reine
B.R.E.F.:	Bureau de révision de l'évaluation foncière
c.:	chapitre
C.A.:	Cour d'appel
C.A.F.:	Cour d'appel fédérale
C.A.M.:	Cour d'appel, district de Montréal
C.A.Q.:	Cour d'appel, district de Québec
C.c.B.-C.:	Code civil du Bas-Canada
C.c.Q.:	Code civil du Québec
C. cir.:	Cour de circuit
C. de D.:	*Les Cahiers de Droit*
C. de M.:	Cour de magistrat
C. de rév.:	Cour de révision
C.F.:	Cour fédérale
C.P.:	Cour provinciale
C.p.c.:	Code de procédure civile
C.P. du N.:	*Cours de perfectionnement du notariat*
C.P.M.:	Cour provinciale, district de Montréal
C.Q.:	Cour du Québec
C.Q.M.:	Cour du Québec, district de Montréal
C.Q.Q.:	Cour du Québec, district de Québec
C.S.:	Cour supérieure
C.S.C.:	Cour suprême du Canada
C.S.M.:	Cour supérieure, district de Montréal
C.S.P.:	Cour des sessions de la paix
C.S.Q.:	Cour supérieure, district de Québec
J.E.:	Jurisprudence Express

J.Q.:	Jugements du Québec [banque de données de Quicklaw]
L.Q.:	Lois du Québec
L.R.C.:	Lois révisées du Canada
L.R.Q.:	Lois refondues du Québec
McGill L.J.:	*McGill Law Journal*
par.:	paragraphe
Q.L.R.:	Quebec Law Reports
r.:	règlement
R.C.S.:	Recueil de la Cour suprême du Canada
R.D.F.:	Recueil de droit de la famille
R.D.I.:	Recueil de droit immobilier
R.D. McGill:	*Revue de droit de McGill*
R.D.U.S.:	*Revue de droit de l'Université de Sherbrooke*
R. de J.:	*Revue de jurisprudence*
R. du B.:	*La Revue du Barreau*
R. du N.:	*La Revue du Notariat*
R.J.Q.:	Recueil de jurisprudence du Québec
R.J.R.Q.:	Rapports judiciaires révisés de la province de Québec
R.J.T.:	Revue juridique Thémis
R.L.:	Revue légale
R.L.n.s.:	Revue légale, nouvelle série
R.P.R.:	Real Property Reports
R.R.A.:	Recueil en responsabilité et assurance
Rev. hist. dr. fr. et ét.:	*Revue historique du droit français et étranger*
Rev. trim. dr. civ.:	*Revue trimestrielle de droit civil*
Rev. trim. dr. comm.:	*Revue trimestrielle de droit commercial*
S.Q.:	Statuts de la province de Québec
S.R.Q.:	Statuts refondus de la province de Québec
T.D.P.:	Tribunal des droits de la personne

Introduction

1. MATIÈRE

Pour assurer leur subsistance, améliorer leur bien-être ou simplement accroître leur richesse et affirmer leur pouvoir, les personnes cherchent depuis longtemps à tirer des avantages des biens auxquels elles ont accès. Diverses techniques ont été mises de l'avant pour organiser les rapports aux biens. Force est de constater que les prérogatives auxquelles sont susceptibles de prétendre les personnes sur les biens ont considérablement varié au cours de l'histoire de l'humanité ou suivant les aires culturelles.

La propriété, telle que nous la concevons actuellement en Occident, confère des avantages fort étendus à son titulaire. La loi le reconnaît maître de son bien et lui donne, en principe, le droit d'en user suivant sa volonté et d'en disposer à sa guise. En revanche, à l'époque de la colonisation de la Nouvelle-France, les Amérindiens ne connaissaient pas la notion de propriété ainsi qu'en témoigne le baron de Lahontan dans un texte du début du XVIIe siècle : « On a beau leur donner [aux Amérindiens] des raisons pour leur faire connaître que la propriété des biens est utile au maintien de la Société; ils se moquent de tout ce qu'on peut dire sur cela »[1]. Cette manière de concevoir le rapport aux biens a survécu dans les sociétés inuit, au moins jusqu'au milieu du XXe siècle. Peuple semi-nomade, il ne considère pas la terre comme objet possible d'une appropriation individuelle. La relation au foncier demeure essentiellement communautaire[2]. Notre conception

1. Louis Armand de Lom d'Arce, baron de Lahontan, *Mémoires de l'Amérique septentrionale*, Amsterdam, François L'Honoré, 1705, p. 100.
2. Norbert Rouland, « Le droit de propriété des esquimaux et son intégration aux structures juridiques occidentales : problèmes d'acculturation juridique », dans *Actes du XLIIe congrès international des américanistes*, Paris 2-9 septembre 1976, Paris, 1978, tome 5, p. 131-138.

des rapports aux biens, fortement imprégnée par la pensée européenne moderne, manifeste rarement de l'intérêt pour les modes d'organisation de la relation aux biens propres aux sociétés traditionnelles.

Dans le droit positif québécois, les rapports des personnes avec les biens occupent une place centrale. Le Code civil identifie quels types de rapports peuvent être exercés sur les biens (911 C.c.Q.) et mentionne qui peut les exercer (915 C.c.Q.). Il s'intéresse également aux différentes façons d'acquérir les biens (916 C.c.Q.).

QUOI?	QUI?	COMMENT?
Art. 911 On peut, à l'égard d'un bien, être titulaire, seul ou avec d'autres, d'un droit de propriété ou d'un autre droit réel, ou encore être possesseur du bien. On peut aussi être détenteur ou administrateur du bien d'autrui, ou être fiduciaire d'un bien affecté à une fin particulière.	Art. 915 Les biens appartiennent aux personnes ou à l'État, ou font, en certains cas, l'objet d'une affectation.	Art. 916 (1) Les biens s'acquièrent par contrat, par succession, par occupation, par prescription, par accession ou par tout autre mode prévu par la loi.

Ces trois articles proviennent du chapitre troisième du titre premier du livre *Des biens*, intitulé *Des biens dans leurs rapports avec ceux qui y ont des droits ou qui les possèdent*. La portée de ces dispositions va bien au-delà de leur environnement immédiat. Ces articles déploient de nombreuses ramifications à l'intérieur des autres livres du Code et même dans la législation statutaire.

L'article 911, à lui seul, propose un véritable panorama du droit des biens (illustration 1). Il édicte à son premier paragraphe qu'une personne, le sujet de droit, peut *exercer des droits* sur un bien. L'intensité des rapports existant entre une personne et un bien varie considérablement selon les situations envisagées. Dans tous les cas, elle permet à la personne de bénéficier de l'ensemble ou d'une partie des prérogatives ou des avantages offerts par le bien (947-948 C.c.Q.).

Le rapport le plus étroit qui puisse exister entre la personne et un bien demeure la *propriété*. Son titulaire peut tirer du bien l'ensemble des prérogatives que celui-ci offre (947, 948 C.c.Q.). S'agissant d'une

> Art. 947
>
> La propriété est le droit d'*user*, de *jouir* et de *disposer* librement et complètement d'un bien, sous réserve des limites et des conditions d'exercice fixées par la loi. Elle est susceptible de modalités et de démembrements.
>
> Art. 948
>
> La propriété d'un bien donne *droit à ce qu'il produit et à ce qui s'y unit*, de façon naturelle ou artificielle, dès l'union. Ce droit se nomme droit d'accession.
>
> (Italiques ajoutés)

maison, il lui est loisible de l'habiter, mais il pourrait tout aussi bien décider de s'en départir en la vendant. La relation qui lie une personne à un bien peut être modifiée par la constitution d'une *modalité* ou d'un *démembrement de la propriété*.

Aux côtés de ces différents rapports de droit entre une personne et un bien, il existe un *rapport de fait* que le Code connaît comme étant la possession. En plus de conférer des avantages à celui qui l'exerce, la possession peut même, dans certaines circonstances, se muter en véritable rapport de droit. Elle permet ainsi à une personne incapable de produire un titre d'acquérir la propriété.

Le second paragraphe de l'article 911 traite toujours de l'aménagement des rapports entre la personne et les biens, mais il réfère non plus à l'exercice de droits mais à l'*exercice de pouvoirs*. La personne ne bénéficie donc pas des prérogatives susceptibles d'être offertes par le bien. En revanche, elle peut, à titre d'administrateur, se voir reconnaître l'exercice de pouvoirs fort étendus sur le bien d'autrui ou même sur un patrimoine autonome.

La matière couverte par l'ouvrage a été divisée en 16 chapitres qui, malgré des recoupements inévitables entre eux, se regroupent sous les intitulés suivants : Les notions générales (Chapitre premier : Le patrimoine; chapitre 2 : Les droits réels et les droits personnels; chapitre 3 : Les objets de droits réels); La propriété (Chapitre 4 : La propriété; chapitre 11 : La publicité foncière; chapitre 16 : Le domaine public); Les modalités de la propriété (Chapitre 5 : La copropriété; chapitre 6 : La propriété superficiaire); Les démembrements de la propriété (Chapitre 7 : L'usufruit et l'usage; chapitre 8 : L'emphytéose; chapitre 9 : Les servitudes; chapitre 10 : Les démembrements innommés); Le rapport de fait en droit des biens (Chapitre 12 : La possession; chapitre 13 : La prescription acquisitive); Le patrimoine d'affectation (Chapitre 14 : La fiducie) et L'exercice de pouvoirs sur les biens (Chapitre 15 : L'administration du bien d'autrui).

Illustration 1
Rapports des personnes avec les biens

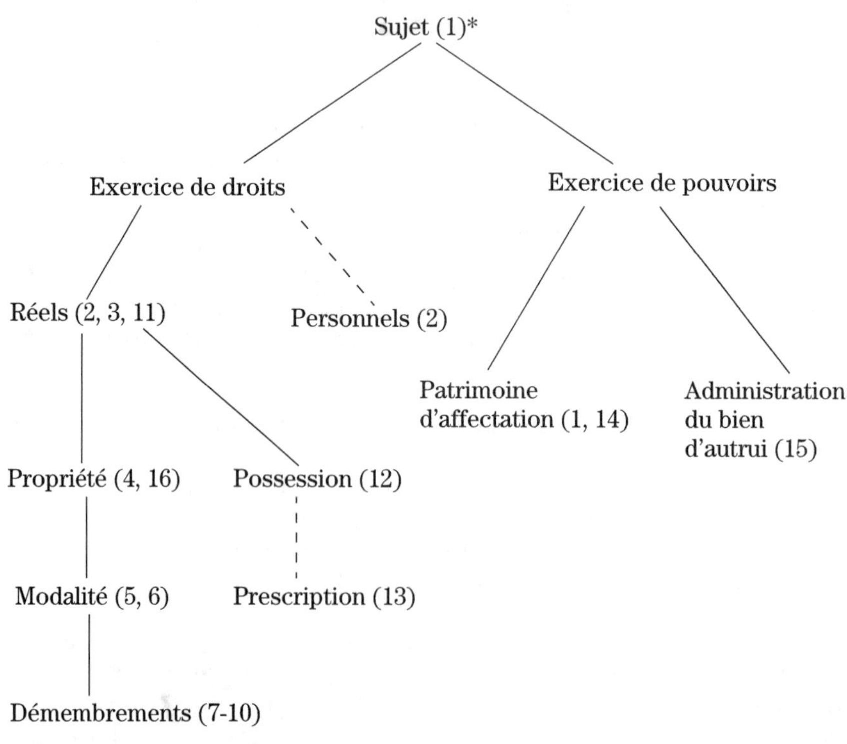

* Les chiffres entre parenthèses renvoient aux chapitres où sont traitées ces matières. Un trait continu indique un rapport prévu par l'article 911 et le trait scindé un rapport qui, même s'il n'est pas prévu par cet article, existe ou est susceptible d'exister.

2. SOURCES

Le droit des biens tient sa source de la loi, de la jurisprudence, de la pratique et de la doctrine. Un incessant dialogue s'établit entre ces différentes sources.

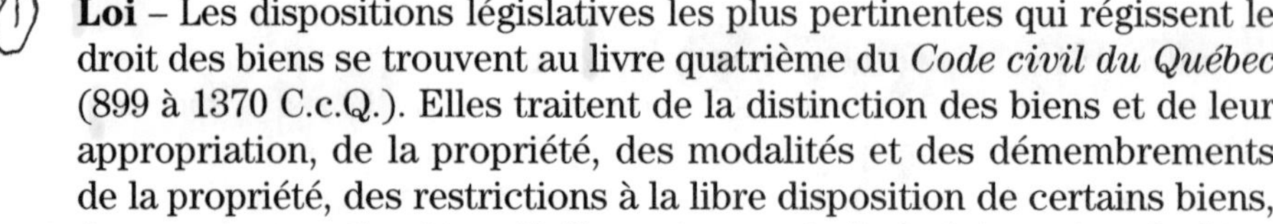

Loi – Les dispositions législatives les plus pertinentes qui régissent le droit des biens se trouvent au livre quatrième du *Code civil du Québec* (899 à 1370 C.c.Q.). Elles traitent de la distinction des biens et de leur appropriation, de la propriété, des modalités et des démembrements de la propriété, des restrictions à la libre disposition de certains biens, de certains patrimoines d'affectation et de l'administration du bien d'autrui. Les livres huitième et neuvième comprennent respectivement les dispositions régissant la prescription (2875-2933 C.c.Q.) et la publicité des droits (2934-3075 C.c.Q.). Le Code, pour reprendre la disposition préliminaire, établit le droit commun.

Même si le Code civil énonce le fondement du droit des biens, il faut se garder de négliger le droit statutaire. Jusqu'aux années 1960, le droit des biens était à peu près exclusivement régi par le Code. Plusieurs lois particulières complètent maintenant ces dispositions. Pensons notamment au *Code du bâtiment*[3], à la *Loi sur les cités et villes*[4], au *Code municipal du Québec*[5], à la *Loi sur la fiscalité municipale*[6], à la *Loi de l'impôt sur la vente au détail*[7] et à la *Loi sur la protection du territoire agricole et des activités agricoles*[8].

Jurisprudence – La jurisprudence n'a pas la même importance en droit privé qu'en droit public. L'intérêt des décisions rendues par les tribunaux sur une question de droit civil vient davantage de la qualité du raisonnement que de la raison d'autorité[9]. Le droit étant établi par la loi, les décisions des tribunaux ont, en droit civil, une portée plus restreinte qu'en droit public. En plus des tribunaux judiciaires de première instance et d'appel, le Tribunal administratif du Québec (section des affaires immobilières) se prononce sur des affaires touchant le droit des biens.

Pratique – La pratique joue un rôle actif dans la constitution du droit positif des biens[10]. Des notions ou des règles du droit des biens trouvent leurs racines dans la pratique du droit. Certains de ces emprunts remontent à un lointain passé, alors que d'autres sont récents. Des dispositions du Code témoignent de l'influence de la pratique. L'article 1200, par exemple, qui mentionne que l'acte constitutif d'une emphytéose peut limiter l'exercice du droit des parties, a été inséré afin d'assurer la légalité de nombreuses clauses que les praticiens du droit intégraient couramment dans des contrats d'emphytéose[11]. En

3. L.R.Q., c. B-1.1.
4. L.R.Q., c. C-19.
5. L.R.Q., c. C-27.1.
6. L.R.Q., c. F-2.1.
7. L.R.Q., c. I-1.
8. L.R.Q., c. P-41.1.
9. Ernest Caparros, « La Cour suprême et le Code civil », dans Gérald-A. Beaudoin (dir.), *The Supreme Court of Canada / La Cour suprême du Canada*, Cowansville, Les Éditions Yvon Blais Inc., 1985, p. 110.
10. Pierre Ciotola, « L'influence de la pratique notariale sur l'évolution des droits réels », [1989] R.D.I. 673-707.
11. Le second paragraphe de l'article 1200 C.c.Q. est une réaction à l'arrêt suivant: *Weissbourd* c. *The Protestant School Board of Greater Montreal*, [1984] C.A. 218.

contribuant ainsi à la formation des règles de droit, la pratique participe à la constitution du droit objectif[12].

Le plus souvent les actes juridiques permettent de créer des droits subjectifs qui, comme l'expression le révèle, confèrent des pouvoirs à une personne sur un bien[13]. Les droits constitués au moyen d'un acte juridique unilatéral (par exemple un testament) ou d'un contrat peuvent être soit des droits personnels (par exemple une obligation) ou un droit réel (par exemple une servitude). En plus de donner naissance à un droit, l'acte juridique permet d'en préciser le régime juridique. Ainsi, une convention d'indivision établit les droits et les obligations des indivisaires sur un bien (1012 C.c.Q.).

Doctrine – La doctrine est constituée par les écrits des auteurs qui présentent, expliquent, commentent ou critiquent le droit dans des traités, des monographies et des articles de périodiques. Son influence dans l'élaboration du droit civil a été prépondérante. Elle est abondamment utilisée par les praticiens et les tribunaux pour étayer leurs raisonnements. Elle ne lie toutefois pas les tribunaux. Il s'agit plutôt d'une source persuasive de droit[14]. La doctrine contribue, en outre, par ses analyses et ses suggestions à la réforme du droit. Ainsi, lors de la révision du Code civil, les auteurs ont influencé le législateur en proposant l'introduction du concept de patrimoine d'affectation[15].

En plus de recourir aux sources nationales, il est relativement fréquent que les juristes québécois se réfèrent à des sources étrangères à titre comparatif[16]. L'utilisation des décisions des tribunaux et de la doctrine des pays de tradition civiliste, notamment de la France, se justifie aisément. Notre droit civil a en effet emprunté considérablement à la tradition juridique française lors de la codification des lois civiles en 1866 et même par la suite. Cette immense production juridique offre souvent des avenues de solutions intéressantes. Par ailleurs, même si plusieurs se montrent réticents à prendre en compte la *common law* dans des affaires de droit civil, elle est parfois susceptible de fournir un

---

12. « Le droit objectif est l'ensemble des règles de droit, tel qu'il s'exprime dans des sources formelles, loi et coutume. » (Jean Carbonnier, *Droit civil*, tome 1, *Introduction, les personnes*, 9e éd., Paris, P.U.F., 1971, p. [89]).
13. *Ibid.*, p. [87].
14. Guy Tremblay, *Une grille d'analyse pour le droit du Québec*, 2e éd., Montréal, Wilson & Lafleur ltée, 1989, p. 14.
15. Sylvio Normand et Jacques Gosselin, « La fiducie du *Code civil* : un sujet d'affrontement dans la communauté juridique québécoise », (1990) 31 *C. de D.* 681, 719-726.
16. H. Patrick Glenn, « Le droit comparé et l'interprétation du Code civil du Québec », dans *Le nouveau Code civil : interprétation et application*, Montréal, Les Éditions Thémis Inc., 1993, p. 175-222.

éclairage que les juristes québécois auraient tort de refuser, notamment dans l'interprétation d'institutions, telle la fiducie[17].

3. CARACTÈRES

Le droit des biens est profondément *marqué par l'histoire*. Le poids du passé se reflète, en effet, dans la filiation du droit des biens. Ses sources historiques, qu'il s'agisse du droit romain ou du droit coutumier français, facilitent la compréhension du droit positif et même parfois permettent de résoudre des problèmes juridiques contemporains.

Le droit romain formait un système de droit fort élaboré. Il a joué un rôle important au cours de l'évolution du droit civil français. Aussi, ne faut-il pas s'étonner que des concepts ou des solutions applicables en droit moderne puissent prétendre à une parenté avec le droit romain par le biais d'une filiation parfois complexe. La possession (921-933 C.c.Q.) constitue un bon exemple d'une institution redevable au droit romain[18]. Lors de la rédaction du Code de 1866, le droit romain a cependant été davantage utilisé comme *raison écrite*, en ce qu'il facilitait une mise en ordre rationnel du droit, plutôt que comme *texte de droit positif*[19].

Le droit civil québécois constitue un héritier direct du droit coutumier français qui a été appliqué au Québec jusqu'à la codification du droit civil en 1866. Ce droit se caractérisait par sa très grande souplesse[20]. Il permettait une exploitation plus poussée des biens que ne l'autorisent souvent les techniques du droit positif.

La manifestation la plus apparente des sources historiques du droit des biens demeure sans doute le recours aux maximes juridiques, ces formules qui en quelques mots expriment une règle de droit. Ces adages, souvent exprimés en latin, ont une origine qui remonte fréquemment au Moyen Âge. Certaines maximes sont en filigrane derrière des dispositions du Code civil. L'article 935, par exemple,

---

17. John E.C. Brierley, « The New Quebec Law of Trusts : The Adaptation of Common Law Thought to Civil Law Concepts », dans H. Patrick Glenn (dir.), *Droit québécois et droit français : communauté, autonomie, concordance*, Cowansville, Les Éditions Yvon Blais Inc., 1993, p. 382-397.
18. Sur la possession en droit romain : Paul Ourliac et Jehan de Malafosse, *Histoire du droit privé*, tome 2, *Les biens*, Paris, P.U.F., 1971, p. 215-234.
19. Thomas-Jean-Jacques Loranger, *Commentaire sur le droit civil du Bas-Canada*, tome 1, Montréal, A. Brassard, 1873, p. 103.
20. Anne-Marie Patault, *Introduction historique au droit des biens*, Paris, P.U.F., 1989, p. 15-137.

reprend en substance la maxime : *Res nullius primo occupanti* (Les choses sans maître sont au premier occupant)[21]. De même la maxime *Quod solo inœdificatur, solo cedit* (Ce qui est édifié sur le sol, s'incorpore au sol)[22] énonce le principe fondamental de l'accession immobilière (951 C.c.Q.)[23].

Certaines situations litigieuses se prêtent plus que d'autres au recours aux sources historiques du droit des biens. Ces récentes années, la revendication de la propriété des rives de cours d'eau a favorisé l'utilisation de telles sources[24].

En dehors d'événements dramatiques, tels la Révolution française de 1789 ou la Révolution russe de 1917, qui marquèrent de profondes ruptures, les principes généraux qui gouvernent le droit des biens évoluent lentement. Ce droit se caractérise par sa *stabilité*. Les dernières grandes modifications du droit des biens au Québec remontent au Canada-Uni (1840-1866), alors que fut notamment aboli le régime seigneurial[25]. La volonté d'assurer la stabilité des rapports économiques explique pour beaucoup ce conservatisme. Il faut cependant se garder de considérer que le droit des biens est figé. Au contraire, sous les pressions économiques et sociales, il connaît des transformations qui modifient peu à peu sa configuration, même si souvent les textes législatifs demeurent inchangés.

À première vue le droit des biens paraît se caractériser par un *sens concret*. Ce droit demeure en effet en lien direct avec la vie quotidienne, puisqu'il prend en compte des réalités bien matérielles. Pourtant, il est aussi un *droit abstrait*. Il fait souvent appel à des notions – tel le patrimoine ou la perpétuité – qui constituent de pures créations de l'esprit. Il montre aussi une certaine prédilection pour la *fiction*. Ainsi, il établit qu'un meuble, attaché ou réuni à un immeuble, prend la qualification d'immeuble (904 C.c.Q.). Il n'hésite pas non plus à recourir à des *présomptions* qui facilitent l'établissement de qualifications ou de règles (934 (2), 955, 1003, 1028 C.c.Q.).

L'exposé que le législateur et ses différents interprètes font du droit trahit les *valeurs* qu'ils privilégient. Un premier constat s'impose :

---

21. Henri Roland et Laurent Boyer, *Adages du droit français*, 2e éd., Paris, Éditions L'Hermès, 1986, vol. 2, p. 929-934.
22. *Ibid.*, p. 991-994.
23. *Lower St. Lawrence Power Co.* c. *Immeuble Landry ltée*, [1926] R.C.S. 655, 668 (juge Rinfret).
24. *Société du port de Québec* c. *Lortie-Côté*, [1991] R.J.Q. 25 (C.A.); *Procureur général du Québec* c. *Auger*, [1995] R.J.Q. 1980 (C.A.).
25. Sylvio Normand, « La codification de 1866 : contexte et impact », dans H. Patrick Glenn (dir.), *supra*, note 16, p. 44-51.

l'orientation libérale du droit québécois des biens. Le Code proclame la liberté d'agir du propriétaire (947 C.c.Q.) et fait de la libre expression de la volonté une force motrice du droit des biens. Les parties à un acte portant sur un droit réel possèdent, en effet, un large pouvoir créateur. Par ailleurs, ce libéralisme n'en connaît pas moins des limites. La loi, en introduisant des dispositions impératives, interdit ou limite certaines pratiques (1101; 1271 (1) C.c.Q.). Le Code opte aussi, à plusieurs reprises, pour des aménagements fondés sur l'équité et le comportement raisonnable des personnes plutôt que sur la rigueur des normes. Le chapitre troisième du titre deuxième *De la propriété* qui établit des règles particulières applicables à la propriété immobilière fournit de bons exemples de ces orientations (976, 989, 992 (1), 997 C.c.Q.). En édictant ces dispositions, le législateur s'est donné pour objectif de maintenir la paix entre les voisins[26]. Il fait appel à la tolérance entre eux et au respect des droits à l'égard des uns et des autres. Aux côtés de la fameuse maxime *Dura lex, sed lex* (La loi est dure, mais c'est la loi), prend place une maxime moins implacable : *Jus est ars boni et æqui* (Le droit est l'art du bon et de l'équitable).

4. BIBLIOGRAPHIE GÉNÉRALE

Le droit des biens exige souvent une prise en compte de son évolution historique. Les ouvrages de Paul Frédéric Girard (*Manuel élémentaire de droit romain.* 8e éd. revisée et mise à jour par Félix Senn. Paris, A. Rousseau, 1929. xvi, 1223 p.) et de Jean Gaudemet (*Droit privé romain.* Paris, Monschrestien, 1998. vii, 415 p.) offrent une présentation du droit romain. Pour une introduction à l'histoire du droit civil français, on pourra consulter les ouvrages de Paul Ourliac et Jehan de Malafosse (*Histoire du droit privé.* 2e éd. Tome 2. *Les biens.* Paris, P.U.F., 1971. 452 p.) et de Anne-Marie Patault (*Introduction historique au droit des biens.* Paris, P.U.F., 1989. 336 p.).

La bibliographie québécoise portant sur le *Code civil du Bas-Canada* considère d'abord le traité classique de Pierre-Basile Mignault (*Le droit civil canadien basé sur les « Répétitions écrites sur le Code civil » de Frédéric Mourlon.* Tome 2. Montréal, C. Théoret, 1896. xxxvii, 671 p.; Tome 3. Montréal, C. Théoret, 1987. xxvi, 666 p.; Tome 9. Montréal, Wilson & Lafleur ltée, 1916. xxxviii, 596 p.). Longtemps ce traité a dominé la doctrine québécoise. Après la Seconde Guerre

26. *Commentaires du ministre de la Justice*, Québec, Publications du Québec, 1993, p. 569-570.

Mondiale, le *Traité de droit civil du Québec* devient l'ouvrage de base (André Montpetit et Gaston Taillefer. Tome 3. Montréal, Wilson & Lafleur ltée, 1945. 550 p.; Léon Faribault. Tome 4. 1954. 620 p.; Claude Demers. Tome 14. 1950, 528 p.; Witold Rodys. Tome 15. 1958. 439 p.). À ces traités, il faut ajouter les ouvrages de William de Montmollin Marler et George C. Marler (*The Law of Real Property. Quebec*. Toronto, Burroughs, 1932. xxxvi, 649 p.), de Pierre Martineau (*Les biens*. 5e éd. Montréal, Les Éditions Thémis Inc., 1979. 174 p.), de Jean Goulet, Ann Robinson, Danielle Shelton et François Marchand (*Théorie générale du domaine privé*. 2e éd. révisée. Montréal, Wilson & Lafleur ltée/Sorej, 1986. xxvii, 343 p.) et les notes de cours d'Ernest Caparros et de Paul Laquerre (*Droit des biens*. Québec, Faculté de droit/Université Laval, 1976. 2 tomes.).

Lors de son entrée en vigueur, le *Code civil du Québec* a donné lieu aux *Commentaires du ministre de la Justice* (Québec, Publications du Québec, 1993. 2253 p.). On se reportera aussi à l'ouvrage collectif publié sous la direction des professeurs John E.C. Brierley et Roderick A. Macdonald (*Quebec civil law: an introduction to Quebec private law*. Toronto, Emond Montgomery Publications, 1993. lviii, 728 p.) et à celui paru sous l'égide du Barreau du Québec et la Chambre des notaires (*La réforme du Code civil*. Québec, P.U.L., 1993. 3 tomes). En droit des biens, les récents ouvrages de Denys-Claude Lamontagne (*Biens et propriété*. 3e éd. Cowansville, Les Éditions Yvon Blais Inc., 1998. xiii, 549 p.) et de Pierre-Claude Lafond (*Précis du droit des biens*. Montréal, Les Éditions Thémis Inc., 1999. xxxvii, 1308 p.) présentent les premières synthèses.

La production doctrinale française abonde. Parmi les traités anciens qui ont exercé une influence au Québec, on peut citer les œuvres des auteurs suivants: Charles Aubry et Frédéric-Charles Rau (*Cours de droit civil français*. 4e éd. Paris, Marchal et Billard, 1869. Tome 2: 543 p.; tome 3: p. [1]-111), Gabriel Baudry-Lacantinerie et M. Chauveau (*Traité théorique et pratique de droit civil*. Tome 6. *Des biens*. Paris, Librairie de la Société J.-B. Sirey et du Journal du Palais, 1905. 926 p.), Charles Demolombe (*Cours de Code Napoléon*. 3e éd. *Traité de la distinction des biens*. Paris, Auguste Durand/L. Hachette Cie, 1866. Tome 9: ii, 648; tome 10: ii, 740 p.), Marcel Planiol et Georges Ripert (*Traité pratique de droit civil français*. 2e éd. Tome 3. *Les biens*, par Maurice Picard. Paris, L.G.D.J., 1925. viii, 1035 p.), François Laurent (*Principes de droit civil français*. 3e éd. Bruxelles/Paris, Bruylant/Christophe & Cie/Librairie A. Marescq, 1878. Tome 5: 676 p.; tome 6: 717 p.; tome 7: 696 p. et tome 8: 693 p.). Même si son influence est demeurée limitée, le traité de Louis Josserand mérite d'être signalé (*Cours de droit civil positif français: conforme aux programmes officiels des facultés de droit.* 2e éd. Paris, Librairie du Recueil Sirey, 1932-1933. 3 vol.).

Parmi la production récente, les ouvrages suivants attirent particulièrement l'attention : Christian Atias (*Droit civil. Les biens.* 4e éd. Paris, Litec, 1999. 422 p.), Jean Carbonnier (*Droit civil.* Tome 3. *Les biens.* 16e éd. Paris, P.U.F., 1995. 438 p.), Philippe Malaurie et Laurent Aynès (*Cours de droit civil : les biens, la publicité foncière.* 4e éd., par Philippe Thery. Paris, Éditions Cujas, 1998. 415 p.); Gabriel Marty et Pierre Raynaud (*Droit civil.* vol. 2 : *Les biens*, par Patrice Jourdain. Paris, Dalloz, 1995. 563 p.), Henri, Léon et Jean Mazeaud (*Leçons de droit civil.* Tome II, 2e vol. 6e éd., par François Gianviti, Paris, Éditions Montchrestien, 1984. 437 p.), François Terré et Philippe Simler (*Droit civil : Les biens.* 5e éd. Paris, Dalloz, 1998. 748 p.) et Frédéric Zénati (*Les biens.* Paris, P.U.F., 1988. 397 p.).

À titre comparatif, le regard se porte naturellement sur la *common law.* L'ouvrage de Bruce Ziff (*Principles of Property Law.* 2e éd. Toronto, Carswell, 1996. xlviii, 443 p.) présente une synthèse éclairante du droit canadien.

Les locutions latines et les adages reviennent fréquemment en droit des biens. On en trouve l'explication dans les travaux de Henri Roland et Laurent Boyer (*Locutions latines du droit français.* 4e éd. Paris, Litec, 1998. xvii, 566 p.; *Adages du droit français.* 2e éd. Lyon, L'Hermès, 1986. 2 vol. 1214 p.) et Albert Mayrand (*Dictionnaire de maximes et locutions latines utilisées en droit.* 3e éd. Cowansville, Les Éditions Yvon Blais Inc., 1994. 575 p.).

Dans les bibliographies suggérées à la fin des chapitres, aucun renvoi ne sera fait aux ouvrages généraux présentés ici. Le lecteur devra toutefois tenir pour acquis que plusieurs de ces ouvrages consacrent des développements élaborés sur les questions étudiées. Il devra donc songer à s'y référer au besoin.

Certaines notions sont mentionnées alors que leur étude détaillée sera faite ultérieurement, le lecteur qui en ignore le sens est invité à utiliser l'index pour repérer un développement explicatif.

Bibliographie

ATTALI, Jacques. *Au propre et au figuré : une histoire de la propriété.* Paris, Fayard, 1988. 553 p.

BRIERLEY, John E.C. « The New Quebec Law of Trusts : The Adaptation of Common Law Thought to Civil Law Concepts », dans H. Patrick

Glenn (dir.). *Droit québécois et droit français : communauté, autonomie, concordance.* Cowansville, Les Éditions Yvon Blais Inc., 1993, p. 382-397.

CAPARROS, Ernest. « La Cour suprême et le Code civil », dans Gérald-A. Beaudoin (dir.). *The Supreme Court of Canada / La Cour suprême du Canada.* Cowansville, Les Éditions Yvon Blais Inc., 1985, p. 117-113.

CIOTOLA, Pierre. « L'influence de la pratique notariale sur l'évolution des droits réels », [1989] R.D.I. 673-707.

GLENN, H. Patrick. « Le droit comparé et l'interprétation du Code civil du Québec », dans *Le nouveau Code civil : interprétation et application.* Montréal, Les Éditions Thémis Inc., 1993, p. 175-222.

NORMAND, Sylvio. « La codification de 1866 : contexte et impact », dans H. Patrick Glenn (dir.). *Droit québécois et droit français : communauté, autonomie, concordance.* Cowansville, Les Éditions Yvon Blais Inc., 1993, p. 43-62.

NORMAND, Sylvio et Jacques GOSSELIN. « La fiducie du *Code civil* : un sujet d'affrontement dans la communauté juridique québécoise », (1990) 31 *C. de D.* 681-729.

TREMBLAY, Guy. *Une grille d'analyse pour le droit du Québec.* 2e éd. Montréal, Wilson & Lafleur ltée, 1989. vi, 58 p.

CHAPITRE PREMIER

LE PATRIMOINE

Dans son sens usuel, le mot patrimoine est employé pour désigner les biens d'une personne ou d'une famille[1]. Depuis peu, le mot est également utilisé pour désigner les éléments essentiels des êtres vivants qui sont transmissibles de génération à génération; on parle alors du patrimoine génétique[2]. En droit, ce mot prend un sens particulier selon le domaine considéré.

Le droit international public a, depuis quelques temps, introduit la notion de patrimoine commun de l'humanité pour désigner certaines réalités que l'on souhaitait mettre à l'abri de l'appropriation exclusive des États. Il en va ainsi de la lune et des ressources naturelles qu'elle contient[3], de même que du sol et du sous-sol des fonds marins situés au-delà des limites des juridictions nationales et des ressources qui y sont comprises[4]. Dans le but de veiller à la préservation de monuments et de sites culturels ou naturels qui présentent une valeur universelle exceptionnelle du point de vue de l'histoire de l'art, de la science ou de l'esthétique, l'UNESCO a adopté une convention qui permet de désigner de tels éléments comme faisant partie du patrimoine mondial[5].

---

1. « Biens de famille, biens que l'on a hérités de ses ascendants », dans *Le Robert*, Paris, Société du Nouveau Littré, 1990, p. 1378.
2. Michel Chauvet et Louis Olivier, *La biodiversité, enjeu planétaire : préserver notre patrimoine génétique*, Paris, Éditions Sang de la terre, 1993, 413 p.
3. *Accord de 1979 régissant les activités des États sur la lune et les autres corps célestes*, 5 décembre 1979, art. II, dans (1980) 5 *Annales de droit aérien et spatial* 705.
4. « La Zone [les fonds marins et leur sous-sol au-delà des limites de la juridiction nationale] et ses ressources sont le patrimoine commun de l'humanité. » *Convention des Nations Unies sur le droit de la mer*, 1982, art. 136 et 1 (http://www.un.org/french/law/los/losfcon1.htm).
5. *Convention pour la protection du patrimoine mondial culturel et naturel*, 16 novembre 1972, dans *Un patrimoine pour tous : les principaux sites naturels, culturels et historiques dans le monde*, Paris, UNESCO, 1984, p. 131-136; Lyndel

En droit privé, la notion de patrimoine est introduite dans la doctrine au milieu du XIXe siècle. Une première théorie, qualifiée de personnaliste ou de subjective, apparaît dans le droit français à l'instigation de Charles Aubry et de Frédéric-Charles Rau[6] qui se sont inspirés des travaux du juriste allemand Karl-Salomo Zachariæ[7]. Le patrimoine est présenté par ces auteurs comme une émanation de la personnalité. Cette théorie ne trouve pas son fondement dans des principes clairement exprimés par le législateur. Il s'agit plutôt d'une construction intellectuelle élaborée par induction partant de règles disséminées dans le Code civil. À la fin du XIXe siècle, des auteurs soulignent certaines faiblesses du système soumis et développent la théorie de l'affectation ou théorie objective. La virulence des critiques adressées à la théorie développée par Aubry et Rau a pu laisser croire à son discrédit[8]. François Gény va même jusqu'à la présenter comme un exemple typique des excès de la logique abstraite dans la pensée juridique[9]. Or, malgré des ajustements inévitables, les auteurs contemporains y demeurent fidèles[10].

Le *Code civil du Bas-Canada* accordait une place bien réduite à la notion de patrimoine; la présence du mot se limitait à quelques occurrences[11]. À la faveur de la révision du Code civil, le patrimoine jouit désormais de la reconnaissance du droit positif. Il est devenu une donnée fondamentale du droit civil.

1. DÉFINITION

Malgré la place centrale qu'occupe la notion de patrimoine dans le *Code civil du Québec* (2, 302, 625, 1256 C.c.Q.), le législateur, invoquant

---

V. Prott, « Les normes internationales pour le patrimoine culturel », dans *Rapport mondial sur la culture : culture, créativité et marchés*, Paris, Unesco, 1998, p. 247-264.

6. « L'idée du patrimoine se déduit directement de celle de la personnalité. » (Charles Aubry et Frédéric-Charles Rau, *Cours de droit civil français*, 4e éd., Paris, Marchal et Billard, 1873, tome 6, p. 229).
7. Karl-Salomo Zachariæ, *Le droit civil français*, trad. de l'allemand par G. Massé et C. Vergé, tome 2, Paris, Auguste Durand, 1855, p. 38-48.
8. Henri de Page avec la collaboration de René Dekkers, *Traité élémentaire de droit civil belge*, Bruxelles, Émile Bruylant, 1952, tome 5, p. 540-543.
9. François Gény, *Méthode d'interprétation et sources en droit privé positif*, 2e éd., Paris, L.G.D.J., 1954, tome 1, p. 124-134 et 141-144.
10. Philippe Malaurie et Laurent Aynès, *Cours de droit civil : les biens, la publicité foncière*, 4e éd., par Philippe Thery, Paris, Éditions Cujas, 1998, p. 16-23; François Terré et Philippe Simler, *Droit civil. Les biens*, 5e éd., Paris, Dalloz, 1998, p. 4-12.
11. Il s'agissait des articles 743, 744, 802, 879, 880, 1990, 2106 et 2475 (Christopher B. Gray, « Patrimony », (1981) 22 *C. de D.* 81, 121 note 197).

la complexité de la notion, a renoncé à la définir[12]. En s'inspirant de la définition proposée par Jean Carbonnier[13], et avant lui par Aubry et Rau, il est possible d'avancer la définition suivante : *le patrimoine est un ensemble de droits, considéré comme formant une universalité juridique.* La définition soumise ne lie pas le patrimoine à la personne, puisque le droit québécois a intégré la théorie objective du patrimoine qui reconnaît l'existence d'un patrimoine sans titulaire (1261 C.c.Q.)[14].

Un ensemble – D'après cette définition, le patrimoine est un ensemble. Les auteurs ont aussi parlé de masse pour le décrire. L'unicité du patrimoine demeure une idée relativement récente en droit civil; elle remonte à la codification française[15]. Auparavant, le droit coutumier considérait les biens d'une personne suivant diverses catégories (meubles et immeubles, propres et acquêts; propres réels et propres fictifs; propres naissants et propres anciens, biens nobles et biens roturiers, etc.) qui chacune pouvait être assujettie à un régime juridique particulier. Le droit civil québécois a retenu l'innovation française lors de la codification du droit civil en 1866[16] et l'a maintenue par la suite dans le *Code civil du Québec*[17].

De droits – Cet ensemble réunit des droits, tant réels que personnels. Il ne se limite cependant pas à un actif, il comprend aussi un passif. Le Code reconnaît ce principe aux articles 2644[18] et 2645[19] qui énoncent que l'ensemble des biens d'un débiteur répond de ses obligations.

---

12. *Commentaires du ministre de la Justice*, Québec, Les Publications du Québec, 1993, p. 5.
13. Jean Carbonnier, *Droit civil*, tome 3, *Les biens*, 16e éd., Paris, P.U.F., 1995, p. [13]. Les commentaires qui découlent de cette définition sont inspirés des propos de Carbonnier (présente section et section 3.1).
14. En cela elle s'apparente à la définition proposée par Pierre Lepaulle : « un ensemble de droits et de charges appréciables en argent et formant une universalité de droit ». (*Traité théorique et pratique des trusts en droit interne, en droit fiscal et en droit international*, Paris, Rousseau et cie, 1932, p. 40).
15. Anne-Marie Patault, *Introduction historique au droit des biens*, Paris, P.U.F., 1989, p. 101.
16. *Quatrième rapport des commissaires à la codification des lois civiles du Bas-Canada*, Québec, George É. Desbarats, 1865, p. 110 et 112.
17. Art. 614 C.c.Q. : « La loi ne considère ni l'origine ni la nature des biens pour en régler la succession; tous ensemble, ils ne forment qu'un seul patrimoine ». Voir aussi : *Commentaires du ministre de la Justice*, *supra*, note 12, p. 361-362.
18. Art. 2644 C.c.Q. : « Les biens du débiteur sont affectés à l'exécution de ses obligations et constituent le gage commun de ses créanciers ».
19. Art. 2645 C.c.Q. : « Quiconque est obligé personnellement est tenu de remplir son engagement sur tous ses biens meubles et immeubles, présents et à venir, à l'exception de ceux qui sont insaisissables et de ceux qui font l'objet d'une division de patrimoine permise par la loi ».

Une universalité juridique – Le patrimoine constitue une universalité juridique et non uniquement une universalité de fait[20]. Il résulte de cet énoncé que le patrimoine doit être considéré sans s'arrêter à prendre en compte sa composition. Il serait donc incorrect de réduire le patrimoine au rassemblement des biens qui sont la propriété d'une personne. La notion se caractérise par son dynamisme. Les fluctuations dans la composition du patrimoine d'une personne sont inévitables, elles n'entraînent aucun effet sur son existence. De plus, le patrimoine ne se limite pas aux éléments qui s'y trouvent à une époque déterminée, il prend en compte aussi les biens qui, dans le futur, pourront s'y ajouter, ainsi que le rappelle d'ailleurs l'article 2645 du Code.

2. COMPOSITION

Un actif – Un patrimoine se compose essentiellement d'éléments qui possèdent une valeur pécuniaire, ainsi qu'a déjà eu l'occasion de le préciser la Cour suprême : « [e]ntrent seuls dans le patrimoine les biens qui ont une valeur économique [...] »[21]. Dans un monde capitaliste, la monnaie est devenue la mesure du patrimoine. La valeur du patrimoine est tantôt positive, tantôt négative, suivant qu'il s'agisse d'un élément rattaché à l'actif du patrimoine ou à son passif. La perspective d'intégrer dans le patrimoine des éléments présentant une valeur négative heurte la conception populaire du patrimoine qui y voit essentiellement la réunion des biens d'une personne, sa richesse en quelque sorte. L'inclusion des obligations comme élément du patrimoine, si elle est généralement acceptée par les auteurs, a aussi ses détracteurs qui estiment qu'elle va à l'encontre du sens commun[22].

L'actif du patrimoine comprend des droits (réels ou personnels), présentant une valeur pécuniaire, peu importe l'objet auquel ils s'attachent. Cet actif inclut ainsi un droit de propriété sur une maison ou une automobile, des obligations émises par un gouvernement et même des actions en justice, telle une action ayant pour but le recouvrement d'une somme d'argent. Les éléments patrimoniaux rassemblent des droits susceptibles de s'inscrire dans un rapport d'obligations.

Choses communes – Certaines choses, qui évoluent à l'écart du marché, échappent à l'emprise du patrimoine. Les choses communes

20. Jean Carbonnier, *supra*, note 13, p. 15-16.
21. *Driver* c. *Coca-Cola Ltd.*, [1961] R.C.S. 201, 204 (juge Taschereau).
22. Alain Sériaux, « La notion juridique de patrimoine : brèves notations civilistes sur le verbe avoir », (1994) 93 *Rev. trim. dr. civ.* 801, 802.

(*infra*: chapitre 3, section 3.1), quoiqu'elles s'avèrent souvent utiles sinon essentielles au bien-être des personnes, se situent en marge du patrimoine. Ainsi, l'eau et l'air sont, en principe, non susceptibles d'appropriation (913 (1) C.c.Q.).

Droits extrapatrimoniaux – Les droits extrapatrimoniaux, à qui on ne reconnaît généralement pas de valeur pécuniaire, n'entrent pas davantage dans le patrimoine. Ne font donc pas partie de l'actif du patrimoine les droits publics et politiques (le droit de vote et le droit de se porter candidat aux élections), les droits de la personnalité (le droit à la vie, le droit à l'inviolabilité et à l'intégrité de la personne, le droit au respect de son nom, de sa réputation et de sa vie privée)[23] (3 C.c.Q.), les droits parentaux (l'autorité parentale) et les actions d'état (l'action en réclamation d'état et l'action en contestation d'état) (531-537 C.c.Q.).

L'exclusion des droits extrapatrimoniaux du champ du patrimoine s'avère toutefois moins radicale qu'il n'y paraît. Ainsi, même si les droits de la personnalité sont incessibles (3 (2) C.c.Q.), une personne a la faculté d'accorder à autrui, et ce, contre rémunération, le droit d'utiliser, sinon d'exploiter, son nom, son image[24] ou sa voix. Dès lors, certains droits de la personnalité semblent se muter en « biens de la personnalité »[25] ou en « droits patrimoniaux de la personnalité »[26]. L'exploitation d'éléments étroitement liés à l'identité de la personne demeure surtout le fait du monde des médias qui cherche à tirer profit de la réputation ou de la célébrité de certaines personnalités.

Par ailleurs, fait aussi partie du patrimoine d'une personne le droit à une indemnité pour violation d'un droit extrapatrimonial[27]. Ainsi, se trouve inclus dans l'actif du patrimoine, le droit d'intenter une action en dommages-intérêts (1457 C.c.Q.) pour atteinte à la

---

23. Édith Deleury et Dominique Goubau, *Le droit des personnes physiques*, 2e éd., Cowansville, Les Éditions Yvon Blais Inc., 1997, p. 91-196.
24. Sur le droit de personnes célèbres de tirer des revenus de l'utilisation de leur nom ou de leur image par des tiers : « It is from the evidence that their name and likenesses have a real commercial value capable of being translated into money terms. » (*Deschamps* c. *Renault Canada*, C.S.M. no 500-05-810140-71, 24 février 1972, (1977) 18 *C. de D.* 937, 940; *Aubry* c. *Éditions Vice-Versa Inc.*, [1998] 1 R.C.S. 591, 605 (juge en chef Lamer, dissident); *Malo* c. *Laoun*, C.S.M. no 500-17-002955-980, 12 janvier 2000, [2000] A.Q. (Quicklaw) no 7, par. 83-113).
25. François Rigaux et autres, *La vie privée: une liberté parmi les autres?*, Bruxelles, Maison Larcier, 1992, p. 153.
26. Grégoire Loiseau, « Des droits patrimoniaux de la personnalité en droit français », (1996-1997) 42 *R.D. McGill* 319-353.
27. *Driver* c. *Coca-Cola Ltd.*, *supra*, note 21, p. 205 (juge Taschereau).

réputation[28] ou à la vie privée d'une personne (35-36 C.c.Q.), notamment par l'utilisation de son nom, de son image[29], de sa ressemblance ou de sa voix à une fin autre que l'information du public. Un tel recours pourrait être fondé non seulement sur les dispositions du Code civil, mais aussi sur celles de la *Charte des droits et libertés de la personne*[30].

La reconnaissance de certains droits extrapatrimoniaux aux personnes morales (302 C.c.Q.) fait entrer dans leur patrimoine les avantages pécuniaires qui découlent de tels droits. Une personne morale possède ainsi le droit d'intenter une action en dommages-intérêts pour violation de son droit à la réputation[31].

Un passif – Le passif du patrimoine, pour sa part, comprend les charges, les obligations et les dettes auxquelles est assujettie une personne. Il arrive parfois que le passif d'une personne excède son actif. Une telle situation est susceptible de conduire un débiteur en faillite, sans nier pour autant l'existence de son patrimoine.

3. ESPÈCES

Il existe deux espèces de patrimoine : le patrimoine général de la personne et le patrimoine objet d'une division ou d'une affectation (*infra* : chapitre 14).

3.1 Patrimoine général de la personne

Toute personne, énonce le Code civil, a nécessairement un patrimoine. Il s'agit d'un attribut de la personne (2 C.c.Q.)[32]. Le Code formule ce principe, à ses tout premiers articles, juste après avoir établi que l'être humain possède la personnalité juridique (1 C.c.Q.), c'est dire la place privilégiée accordée à cette notion dans l'économie générale du droit civil.

---

28. « Porter atteinte à la réputation d'une personne est grave. La réputation d'une personne fait partie de son patrimoine; chacun la bâtit quotidiennement au prix d'efforts soutenus. » (*Rizzuto* c. *Rocheleau*, [1996] R.R.A. 448, 456 (C.S.)).
29. *Rebeiro* c. *Shawinigan Chemicals (1969) Ltd.*, [1973] C.S. 389.
30. *Charte des droits et libertés de la personne*, L.R.Q., c. C-12, art. 1-9.1 et 49. Sur la dualité des recours, voir : *Rocois construction* c. *Quebec Ready Mix*, [1990] 2 R.C.S. 440, 458.
31. *Saar Fondation Canada* c. *Baruchelm*, [1990] R.J.Q. 2325 (C.S.).
32. Paul Esmein parlait d'un « corollaire de l'idée de personnalité » (Charles Aubry et Frédéric-Charles Rau, *Droit civil français*, 6e éd. par Paul Esmein, Paris, Librairies Techniques, 1953, tome 9, p. 306).

Un patrimoine est attribué autant aux personnes physiques[33] (2 C.c.Q.) qu'aux personnes morales[34] (302 C.c.Q.). Contrairement à ce que la théorie classique a soutenu[35], le principe de l'attribution d'un patrimoine à toute personne n'implique pas qu'à l'inverse un patrimoine ne puisse exister sans titulaire puisque le droit positif reconnaît les patrimoines autonomes (*infra*: section 3.2.2). Dès lors que la personne existe, le droit civil lui attribue un patrimoine, qui peut être qualifié de *patrimoine personnel*[36]. L'enfant, même avant sa naissance, se voit reconnaître des droits patrimoniaux. Ainsi, est-il apte à recevoir une succession ou une donation à la condition suspensive toutefois de naître vivant et viable (617, 1814 C.c.Q.)[37].

Conséquences – Reconnaître à chaque personne la titularité d'un patrimoine entraîne des conséquences que la doctrine a identifiées[38].

Le lien qui unit la personne et le patrimoine interdit de nier à quiconque la titularité d'un patrimoine. Ainsi, une personne totalement démunie de biens matériels et un malade souffrant de troubles mentaux graves et incapable de subvenir à ses besoins demeurent titulaires d'un patrimoine. Cette constatation illustre le caractère abstrait de la notion. Elle montre aussi la potentialité du patrimoine appelé à connaître éventuellement des transformations au fil des ans. Par là, le droit affiche résolument son optimisme.

La personne possède des pouvoirs étendus sur son patrimoine. Il lui revient de poser les actes nécessaires à sa conservation et à son accroissement. Toutefois, les pouvoirs généralement reconnus à la personne sont parfois limités. Ainsi, le mineur, qui ne bénéficie pas d'une

---

33. Autrefois la mort civile (30 C.c.B.-C.), qui découlait de la condamnation à une peine afflitive – par exemple la condamnation à mort ou l'emprisonnement perpétuel – privait la personne de son patrimoine (35-36 C.c.B.-C.).
34. En droit québécois, la personnalité morale ne serait reconnue qu'à la société par actions et non à la société civile ou commerciale. Aussi, seule la première pourrait prétendre à un patrimoine propre: « [...] le droit de propriété est un attribut d'une personne et ne peut donc exister qu'en faveur d'une personne physique ou morale. Mon argumentation est à l'effet premier que la société n'a pas de personnalité juridique distincte de celle des personnes qui la composent et que, par voie de conséquence, elle ne peut avoir un patrimoine distinct de celui des associés ». (*Ville de Québec* c. *Compagnie d'immeubles Allard ltée*, [1996] R.J.Q. 1566, 1575 (C.A.) (juge Brossard).
35. « [...] les personnes physiques ou morales peuvent seules avoir un patrimoine ». (Charles Aubry et Frédéric-Charles Rau, *supra*, note 6, p. 231).
36. L'expression est employé à l'article 1223 du Code civil.
37. Pour un exemple d'une donation fiduciaire pour le bénéfice d'enfants à naître, voir: *Royal Trust Co.* c. *Tucker*, [1982] 1 R.C.S. 250.
38. Jean Carbonnier, *supra*, note 13, p. 17-20.

pleine capacité contractuelle, ne peut, en principe, s'engager sans être représenté par son tuteur (155-158 C.c.Q.).

Le patrimoine est incessible entre vifs. Avant son décès, une personne ne peut donc pas se défaire de son patrimoine qui constitue une composante intrinsèque de sa personnalité (2 (1) C.c.Q.). Ce principe ne lui interdirait pas de se départir d'une part appréciable, sinon de la totalité de ses biens. Une telle opération ne priverait pas pour autant cette personne de son patrimoine. Céder ses biens présents n'équivaut pas à se départir de son patrimoine, puisque le patrimoine possède un caractère potentiel. Une personne conserve, en effet, jusqu'à sa mort, la possibilité d'acquérir de nouveaux biens et de nouveaux droits. L'interdiction de céder son patrimoine ne s'étend toutefois pas à la cession du patrimoine pour cause de mort, puisque *la mort d'une personne coupe le lien entre le patrimoine et son titulaire.* Les héritiers sont saisis du patrimoine du défunt, soit de l'ensemble de son actif et de son passif (625 (1) C.c.Q.)[39]. Les droits dépourvus de valeur pécuniaire ne sont pas transmis aux héritiers. En règle générale, les droits extrapatrimoniaux – notamment les droits de la personnalité (3 (2) C.c.Q.) – disparaissent avec le décès de leur titulaire : ils sont incessibles. Les héritiers ne peuvent donc pas se fonder sur le droit à la vie pour obtenir une indemnité au nom de la victime d'un accident décédée sous le choc ou n'ayant pas repris conscience[40]. Un liquidateur successoral ne peut non plus reprendre une requête pour obtenir la garde d'enfants après le décès de la partie requérante[41]. Il est plus difficile de se prononcer sur la transmission aux héritiers du droit d'exploiter des éléments de la personnalité du défunt. Tout dépend de l'interprétation donnée aux pouvoirs conférés aux héritiers par la loi.

---

39. « La règle générale veut que les héritiers soient investis du patrimoine du défunt, c'est-à-dire de l'ensemble de ses droits et de ses obligations, appréciables en argent, dont le *de cujus* était titulaire. La totalité de ces biens constitue une universalité juridique. Entrent seuls dans le patrimoine les biens qui ont une valeur économique, et ceux-là sont les *biens patrimoniaux* et sont évidemment transmissibles aux héritiers ». (*Driver* c. *Coca-Cola Ltd.*, *supra*, note 21, p. 204-205 (juge Taschereau).
40. « S'il est indéniable que la mort constitue l'atteinte ultime au droit à la vie, les tribunaux, au Québec comme en common law, ont pourtant refusé de considérer la perte de vie ou d'expectative de vie comme étant un préjudice indemnisable, c'est-à-dire donnant droit à des dommages compensatoires. À cette fin, le droit à la vie a été interprété comme prenant fin avec la mort [...] ». (*Augustus* c. *Gosset*, [1996] 3 R.C.S. 268, 303 (juge L'Heureux-Dubé)). La cour fonde cet énoncé sur une raison de politique judiciaire, principalement sur la difficulté de « quantifier la vie » (par. 64). Sur le droit au nom : « [...] le droit à son nom [de la personne] ne forme pas partie de ses biens et ne tombe pas dans son patrimoine. » (*Jean-Louis* c. *Directeur de l'État civil*, [1998] R.J.Q. 518, 522 (C.S.)).
41. *Droit de la famille – 2669*, [1997] R.D.F. 331, 333 (C.S.).

L'article 35 du Code civil peut être compris comme accordant aux héritiers un simple droit moral ou un droit mixte qui serait aussi de nature patrimoniale. Le libellé de la disposition semble justifier la seconde hypothèse. Si le pouvoir des héritiers demeure difficile à évaluer, il est évident qu'ils possèdent le droit d'intenter une action en dommages-intérêts pour violation d'un droit de la personnalité du défunt (625 (3) et 1610 (2) C.c.Q.)[42]. Par ailleurs, même si tout l'actif compris dans un patrimoine est en principe transmissible, certains droits intimement liés à la personne (les obligations *intuitu personnœ*)[43] sont exclus d'une telle cession. Quant au passif du défunt, l'héritier n'est pas tenu des dettes au-delà de la valeur des biens qui lui ont été transmis (625 C.c.Q.).

Dans l'esprit des auteurs classiques, le patrimoine général de la personne demeure le seul susceptible d'exister. Pour eux, le patrimoine se présente comme une manifestation de la personnalité et ne peut exister sans être rattaché à une personne physique ou morale. Le patrimoine ne saurait être fractionné, puisque l'ensemble des biens d'une personne répond de ses obligations (2645 C.c.Q.). La rigueur de la règle, si elle a prévalu dans le passé, est cependant temporisée par des exceptions contenues dans le droit positif.

3.2 Patrimoines affectés à une fin particulière

Au milieu du XIXe siècle, la définition donnée à la notion de patrimoine apparaît manquer de souplesse. Les auteurs remettent notamment en question le caractère indivisible du patrimoine et proposent qu'il puisse, en certaines circonstances, être fractionné. Cette nouvelle théorie a eu droit à sa part de critique, elle a même été décrite à son tour comme étant « aussi abstraite que la théorie classique »[44]. Loin de s'arrêter aux oppositions entre les deux théories, le législateur québécois s'est plutôt efforcé de les concilier : « L'article 2 [du *Code civil du Québec*] reflète donc globalement la théorie classique d'un patrimoine unique et indivisible lié à la personne, mais il rejoint aussi la théorie moderne en reconnaissant que ce patrimoine peut [...] faire l'objet de divisions ou d'affectations »[45].

42. Sur la transmissibilité aux héritiers du droit à des dommages moraux et à des dommages exemplaires voir : *Commission des droits et libertés de la personne* c. *Brzozowski*, [1994] R.J.Q. 1447, 1473-1474 (T.D.P.).
43. Il s'agit d'obligations contractées en considération de la personne même du créancier ou du débiteur.
44. Marcel Planiol et Georges Ripert, *Traité pratique de droit civil français*, 2e éd., tome III, *Les biens*, par Maurice Picard, Paris, L.G.D.J., 1952, p. 27.
45. *Commentaires du ministre de la Justice*, *supra*, note 12, p. 5.

Le patrimoine scindé est fondé, non sur l'existence d'une personne à laquelle seraient rattachés les biens distraits du patrimoine d'origine, mais plutôt sur le but ou l'affectation[46] conféré à la nouvelle masse. Le patrimoine, ainsi conçu, peut exister même en l'absence de titulaire. En cela, cette théorie se distingue de façon significative de la théorie personnaliste.

Pour qu'un patrimoine soit l'objet d'un fractionnement, il faut que la loi le permette. En effet, la loi demeure toujours la source d'une telle opération, ainsi que le mentionne l'article 2 du Code civil : « Celui-ci [le patrimoine] peut faire l'objet d'une division ou d'une affectation, mais dans la seule mesure prévue par la loi ». L'autorisation du législateur cherche à éviter que l'institution serve à soustraire des biens aux créanciers en recourant à des manœuvres frauduleuses.

La personne possède donc le pouvoir d'affecter des biens qui composent son patrimoine à une certaine finalité. Elle pourra ainsi, par l'expression de sa volonté, constituer, à même son patrimoine, une société commerciale, une fiducie ou une sûreté réelle ou encore prévoir une clause d'inaliénabilité dans l'acte qui règle le transfert d'un bien. Ces affectations conduiront tantôt à la constitution de patrimoines distincts rattachés à la personne, tantôt à la création de patrimoines sans titulaire.

3.2.1 Patrimoines distincts rattachés à la personne

Il existe des masses de biens qui tout en étant séparés du patrimoine général de la personne n'en continuent pas moins de graviter dans l'orbite de ce patrimoine. Aubry et Rau, même s'ils proclamaient l'unité du patrimoine, reconnaissaient déjà l'existence d'universalités juridiques distinctes[47]. Cette division de patrimoine permet de regrouper certains éléments du patrimoine d'une personne et de les soumettre à un régime juridique particulier. Quelques exemples peuvent être donnés de ces patrimoines-satellites que la doctrine a parfois qualifiés de « petits patrimoines »[48].

Au décès d'une personne, on pourrait croire que le patrimoine du défunt et celui de l'héritier sont confondus puisque l'héritier est dès lors saisi des biens du défunt (625 C.c.Q.). Or, il n'en est rien puisque la loi prévoit la séparation des patrimoines « tant que la succession n'a

---

46. Serge Guinchard, *L'affectation des biens en droit privé français*, Paris, L.G.D.J., 1976, p. 330-344.
47. Charles Aubry et Frédéric-Charles Rau, *supra*, note 6, p. 232-234.
48. Marcel Planiol et Georges Ripert, *supra*, note 44, p. 25.

pas été liquidée» (780 C.c.Q.). Le patrimoine du défunt conserve son autonomie durant le temps nécessaire à la liquidation. L'actif de ce patrimoine sert au paiement des créanciers (776, 781 C.c.Q.)[49].

Certains biens d'une personne jouissent d'une protection spéciale qui a pour effet de les mettre à l'abri de la saisie dont ils pourraient être l'objet par des créanciers (552-553 C.p.c.). Ces biens comprennent ce qui a été considéré, par le législateur, comme un minimum vital dont une personne ne pouvait être privée. Il s'agit notamment des meubles qui garnissent la résidence principale d'un débiteur et servent à l'usage du ménage, et ce, jusqu'à concurrence d'une valeur de 6 000 $.

Est également l'objet d'un régime particulier, le bien déclaré inaliénable en raison d'une stipulation prévue à cet effet lors de son transfert par donation ou testament (1212 C.c.Q.). Ce bien est insaisissable pour répondre d'une dette contractée par la personne qui l'a reçu puisqu'il est, en quelque sorte, placé en marge du patrimoine du donataire (1215 C.c.Q.). La substitution, qui restreint également la libre disposition des biens, entraîne aussi une division de patrimoine. En effet, selon cette institution, une personne – le grevé – reçoit des biens par libéralité (testament ou donation) avec l'obligation de les remettre à une autre personne – l'appelé – après un certain temps (1218 C.c.Q.). Le grevé a la propriété des biens substitués. Toutefois, ces biens constituent à l'intérieur de son propre patrimoine, un patrimoine distinct qui reviendra plus tard à l'appelé (1223 C.c.Q.). Les créanciers du grevé devront donc rechercher le paiement de leur créance sur le patrimoine personnel du grevé.

La constitution d'une hypothèque a pour conséquence de désigner un bien dans la masse du patrimoine et de l'affecter à l'exécution d'une obligation (2660 C.c.Q.). Le législateur va ainsi à l'encontre du principe qui veut que l'ensemble des biens d'un débiteur réponde de ses obligations (2644 C.c.Q.).

La loi autorise donc l'existence d'une pluralité de patrimoines, en retrait du patrimoine général de la personne. La division du patrimoine entraîne un effet non négligeable dans les relations entre créanciers et débiteurs. L'opération exclut, en effet, de la masse des biens du débiteur, la part qui en a été distraite pour constituer un patrimoine spécifique. Le gage commun des créanciers s'en trouve amputé d'autant (2644 et 2645 (1) C.c.Q.)[50].

---

49. Germain Brière, *Le nouveau droit des successions*, Montréal, Wilson & Lafleur ltée, 1994, p. 317-322.
50. Denise Pratte, *Priorités et hypothèques*, Sherbrooke, Éditions de la Revue de droit de l'Université de Sherbrooke, 1995, p. 17-19.

3.2.2 Patrimoines sans titulaire

L'affectation de certains biens peut conduire à la création d'un patrimoine autonome (2 (2), 302 et 915 C.c.Q.). Il revient aux Allemands Brinz et Bekker d'avoir développé le concept de patrimoine sans sujet. L'innovation gagne ensuite la France où elle est introduite par Raymond Saleilles[51]. Avec plus ou moins de conviction, la doctrine française consacre des développements variables à cette notion dont les assises normatives demeurent frêles en droit civil français. La reconnaissance de l'existence d'un patrimoine de ce type en droit positif est une des nouveautés parmi les plus marquantes du *Code civil du Québec*.

L'intégration du patrimoine d'affectation en droit civil québécois visait d'abord et avant tout à faciliter le développement de la fiducie dans le régime de tradition civiliste[52]. Jusqu'à l'introduction de ce concept, le droit québécois avait souvent été confronté à des problèmes complexes que la jurisprudence et la doctrine s'étaient efforcées de solutionner, mais sans jamais parvenir à élaborer un régime général qui satisfasse tous les intéressés. La fiducie s'insérait difficilement dans un système civiliste classique qui n'admet pas qu'un patrimoine soit détaché d'une personne. Or, la relation du fiduciaire avec la fiducie paraît fort ténue. En effet, les biens de la fiducie sortent du patrimoine d'une personne pour être transférés à une fiducie dont la gestion est confiée à un fiduciaire qui ne tire pas d'avantages personnels de ces biens. Malgré la singularité de la situation, Pierre-Basile Mignault n'en estimait pas moins que : « Les biens compris dans la fiducie constituent un patrimoine, et ce patrimoine se rattache à une personne »[53]. Le fiduciaire se voyait reconnaître la propriété des biens en fiducie et la théorie personnaliste était sauve.

À défaut d'une réception hâtive par le droit positif, la notion de patrimoine d'affectation est prise en considération, au moins en filigrane, par la jurisprudence[54] et la doctrine[55]. Le législateur y recourt

---

51. Raymond Saleilles, *De la personnalité juridique, histoire et théories*, 2e éd., Paris, Librairie Arthur Rousseau, 1922, p. 475-484.
52. Sylvio Normand et Jacques Gosselin, « La fiducie du *Code civil* : un sujet d'affrontement dans la communauté juridique québécoise », (1990) 31 *C. de D.* 681, 719-726.
53. Pierre-Basile Mignault, « À propos de fiducie », (1933-1934) 12 *R. du D.* 73, 76-77. Voir aussi : Frédérique Cohet-Cordey, « La valeur explicative de la théorie du patrimoine en droit positif français », (1996) 95 *Rev. trim. dr. civ.* 819, 828.
54. « Le créateur du *trust* est déssaisi de la chose qui en a fait l'objet. Cette chose ne fait plus partie de son patrimoine. Elle est dès lors subordonnée à l'affectation qu'il en a faite. » (*Curran* c. *Davis*, [1933] R.C.S. 283, 307 (juge Rinfret).
55. Marcel Faribault, *Traité théorique et pratique de la fiducie ou trust du droit civil dans la province de Québec*, Montréal, Wilson & Lafleur ltée, 1936, p. 94-104.

également dans le droit statutaire[56]. La reconnaissance de la notion vient des travaux consacrés à la révision du Code civil. Parmi les diverses hypothèses alors prises en considération afin de permettre une meilleure insertion de la fiducie dans le droit civil, le législateur a finalement décidé, après des hésitations, d'introduire le patrimoine d'affectation. La notion permet l'existence d'un patrimoine sans titulaire. Désormais, en droit québécois, un patrimoine autonome peut donc être constitué sans que personne ne puisse en revendiquer la titularité. Ceci heurte la théorie personnaliste qui clamait haut et fort la nécessité absolue de l'existence d'un droit de propriété sur les biens : « [...] la propriété, au concret, est d'ordre public et chaque chose doit avoir son maître. A défaut d'autre, c'est la couronne qui est propriétaire [..]; la propriété ne peut rester en suspens »[57]. Toutefois, les positions très claires prises par le législateur québécois ont levé toutes les incertitudes sur l'existence d'un patrimoine aussi peu conforme à la tradition civiliste. Le législateur s'est efforcé d'atténuer cette rupture dans la tradition juridique en insistant plutôt sur l'harmonie ainsi acquise[58]. Le Code nous fournit désormais deux exemples de patrimoines d'affectation : la fondation (1256 C.c.Q.) et la fiducie (1260 C.c.Q.) (*infra* : chapitre 14). Dans l'un et l'autre cas, une personne a transféré des biens de son patrimoine à un patrimoine autonome et distinct, dépourvu de titulaire.

Le patrimoine affecté à une fin particulière s'impose aux créanciers et fait que ce type de patrimoine est indépendant de la personnalité.

---

56. Voir, par exemple, les dispositions des lois suivantes : *Loi sur les fabriques* : « Les biens de chaque fondation [cédée à une fabrique] forment un patrimoine distinct qui est géré et administré séparément et pour lequel la fabrique tient une comptabilité distincte. » (L.R.Q., c. F-1, art. 23 (2)); *Loi sur les régimes supplémentaires de rentes* : « Elle forme [la caisse de retraite] un patrimoine confié à l'administration d'un employeur, d'un groupe d'employeurs ou d'un comité de retraite. » (L.R.Q., c. R-17, art. 45; *TSCO of Canada Ltd.* c. *Châteauneuf*, [1995] R.J.Q. 637 (C.A.) (où la qualification de patrimoine d'affectation est retenue par le juge LeBel (p. 679-681), opinion partagée par le juge Baudouin (p. 704), mais rejetée par la juge Deschamps (p. 706)).

57. Pierre-Basile Mignault, *Le droit civil canadien basé sur les « Répétitions écrites sur le Code civil » de Frédéric Mourlon*, tome 2, Montréal, C. Théoret, 1896, p. 477 et « Considérant qu'en droit la propriété des biens ne peut demeurer en suspens. » (*Chester* c. *Galt*, (1884) 12 R.L. 54, 56 (C.S.)).

58. « (...), en reliant les institutions de la fondation et de la fiducie à la théorie du patrimoine d'affectation, le code vise à mettre fin à la controverse quant au sort du droit de propriété des biens qui en sont l'objet. Cette théorie, dont le droit antérieur comportait déjà certaines illustrations et qui admet essentiellement l'existence de patrimoines sans propriétaire, constitue une solution qui s'harmonise avec les principes du droit civil, tout en laissant intact le fonctionnement de ces deux institutions. » (*Commentaires du ministre de la Justice*, *supra*, note 12, p. 741-742).

Bibliographie

AUBRY, Charles et Frédéric-Charles RAU. *Cours de droit civil français.* 4e éd. Paris, Marchal et Billard, 1873. Tome 6. 743 p.

AUBRY, Charles et Frédéric-Charles RAU. *Droit civil français.* 6e éd. par Paul ESMEIN. Paris, Librairies Techniques, 1953. Tome 9. 546 p.

BOUCHARD, Charlaine. *La personnalité morale démythifiée. Contribution à la définition de la nature juridique des sociétés de personnes québécoises.* Sainte-Foy, P.U.L., 1997. 312 p.

BRIÈRE, Germain. *Le nouveau droit des successions.* Montréal, Wilson & Lafleur ltée, 1994. xxv, 523 p.

BRIERLEY, John E.C. « Substitutions, stipulations d'inaliénabilité, fiducies et fondations », (1988) 3 *C.P. du N.* 253-279.

CHARBONNEAU, Pierre. « Les patrimoines d'affectation : vers un nouveau paradigme en droit québécois du patrimoine », (1982-1983) 85 *R. du N.* 491-530.

COHET-CORDEY, Frédérique. « La valeur explicative de la théorie du patrimoine en droit positif français », (1996) 95 *Rev. trim. dr. civ.* 819-839.

DELEURY, Édith et Dominique GOUBAU. *Le droit des personnes physiques.* 2e éd. Cowansville, Les Éditions Yvon Blais Inc., 1997. xxxiii, 708 p.

FARIBAULT, Marcel. *Traité théorique et pratique de la fiducie ou trust du droit civil dans la province de Québec.* Montréal, Wilson & Lafleur ltée, 1936. v, 459 p.

GÉNY, François. *Méthode d'interprétation et sources en droit privé positif.* 2e éd. Paris, L.G.D.J., 1954. Tome 1. xxv, 446 p.

GRAY, Christopher B. « Patrimony », (1981) 22 *C. de D.* 81-157.

GUINCHARD, Serge. *L'affectation des biens en droit privé français.* Paris, L.G.D.J., 1976. xxii, 429 p.

LEPAULLE, Pierre. *Traité théorique et pratique des trusts en droit interne, en droit fiscal et en droit international.* Paris, Rousseau et cie, 1932.

LOISEAU, Grégoire. « Des droits patrimoniaux de la personnalité en droit français », (1996-1997) 42 *R.D. McGill* 319-353.

MACDONALD, Roderick A. « Reconceiving the Symbols of Property : Universalities, Interests and Other Heresies », (1994) 39 *McGill L. J.* 761-812.

MIGNAULT, Pierre-Basile. « À propos de fiducie », (1933-1934) 12 *R. du D.* 73-79.

NORMAND, Sylvio et Jacques GOSSELIN. « La fiducie du *Code civil* : un sujet d'affrontement dans la communauté juridique québécoise », (1990) 31 *C. de D.* 681-729.

PHILONENKO, Maximilien. *La divisibilité du patrimoine et l'entreprise d'une personne*. Paris/Liège, L.G.D.J./DESOER, 1957. xlvi, 341 p.

PRATTE, Denise. *Priorités et hypothèques*. Sherbrooke, Éditions de la Revue de droit de l'Université de Sherbrooke, 1995. xxx, 466 p.

PROTT, Lyndel. « Les normes internationales pour le patrimoine culturel », dans *Rapport mondial sur la culture : culture, créativité et marchés*. Paris, Éditions Unesco, 1998, p. 247-264.

SALEILLES, Raymond. *De la personnalité juridique, histoire et théories*. 2e éd. Paris, Librairie Arthur Rousseau, 1922. 6, 684 p.

SÉRIAUX, Alain. « La notion juridique de patrimoine : brèves notations civilistes sur le verbe avoir », (1994) 93 *Rev. trim. dr. civ.* 801-813.

SÈVE, René. « Détermination philosophique d'une théorie juridique : *La Théorie du patrimoine* d'Aubry et Rau », (1979) 24 *Archives de philosophie du droit* 247-257.

TERRÉ, François. « Variation de sociologie juridique sur les biens », (1979) 24 *Archives de philosophie du droit* 17-29.

ZACHARIÆ, Karl-Salomo. *Le droit civil français*. Trad. de l'allemand par G. Massé et C. Vergé. Tome 2. Paris, Auguste Durand, 1855. 455 p.

CHAPITRE 2

LES DROITS RÉELS ET LES DROITS PERSONNELS

Les droits qui composent le patrimoine appartiennent à deux grandes catégories : les droits réels et les droits personnels. Le rattachement à l'une ou l'autre catégorie demeure fondamental en droit civil. Il établit le type de rapport juridique qui lie la personne et les biens, autrement dit il permet de comprendre le mécanisme suivant lequel une personne peut tirer profit des biens.

Le *droit réel* est le droit qu'une personne a directement sur un bien (tel le droit de propriété), tandis que le *droit personnel* est le droit qu'une personne (le créancier) a d'exiger d'une autre (le débiteur) une prestation ou un service (par exemple le droit d'un propriétaire à l'égard d'un ouvrier qui s'est engagé à peindre sa maison).

1. DROIT RÉEL

Le Code civil renvoie fréquemment à la notion de droit réel[1] sans cependant fournir une définition de la notion. La doctrine a largement contribué à combler cette lacune.

1.1 Définition

Un droit réel est un droit sur un bien (*jus in re*), soit un pouvoir direct qu'exerce une personne (le sujet du droit) sur un bien donné (l'objet du droit).

---

1. Plusieurs dispositions du Code civil renvoient à la notion de droit réel : 404, 423, 442, 469, 795, 822, 870, 877, 886, 904, 911, 912, 921, 928, 930, 932, 1026, 1055, 1076, 1119, 1261, 1307, 1433, 1453-1456, 1642, 1786, 2654, 2660, 2698, 2700, 2772, 2783, 2790, 2794, 2885, 2923, 2925, 3097 et 3110. Par ailleurs, le livre neuvième, intitulé *De la publicité des droits* compte plusieurs mentions (2934-3075).

Le *sujet du droit* est susceptible de se présenter sous diverses formes. Une seule personne peut profiter de toutes les prérogatives du bien : il s'agit du cas de la propriété (947 C.c.Q.). Plusieurs personnes peuvent bénéficier en commun d'un bien : c'est la copropriété (1010 C.c.Q.). Des personnes différentes peuvent détenir des droits réels distincts sur un même bien. Ainsi en est-il du titulaire d'une servitude de passage qui exerce son droit sur un terrain appartenant à une autre personne (1177 C.c.Q.). L'*objet du droit* réel, quant à lui, est nécessairement un bien, corporel ou incorporel, immobilier ou mobilier.

Le titulaire d'un droit réel tire directement avantage du bien objet de son droit sans devoir recourir à l'intervention d'une autre personne[2]. Le contact est immédiat entre la personne et le bien, c'est pourquoi on parle d'un droit sur la chose (*jus in re*). Le propriétaire d'une maison est ainsi justifié « d'user, de jouir et de disposer librement et complètement » de son bien (947 C.c.Q.) sans requérir la permission d'autrui. La situation du locataire est différente puisque, n'étant pas titulaire d'un droit réel, mais d'un droit personnel, il n'a la jouissance du bien loué que par l'intermédiaire du locateur (1851 C.c.Q.).

Art. 947 (1)	Art. 1851 (1)
La propriété est le *droit d'user, de jouir et de disposer librement et complètement d'un bien*, sous réserve des limites et des conditions d'exercice fixées par la loi.	Le louage, aussi appelé bail, est le contrat par lequel une personne, le locateur, *s'engage* envers une autre personne, le locataire, *à lui procurer*, moyennant un loyer, *la jouissance d'un bien*, meuble ou immeuble, pendant un certain temps. (Italiques ajoutés)

1.2 Espèces de droits réels

Trois catégories de droits réels sont reconnues par le droit civil : les droits réels principaux, les droits réels accessoires et les charges réelles.

2. « Le droit *réel* est un pouvoir *direct et immédiat* sur une chose. La relation qu'il établit existe, *sans aucun intermédiaire*, entre la personne qui en est nantie et la chose qui en est l'objet. » (Pierre-Basile Mignault, *Le droit civil canadien basé sur les « Répétitions écrites sur le Code civil » de Frédéric Mourlon*, tome 2, Montréal, C. Théoret, 1896, p. 390).

1.2.1 Les droits réels principaux

Les droits réels principaux ont trait à la *matérialité* du bien. Le titulaire d'un tel droit a donc l'objet même de son droit sous sa gouverne, il en a la jouissance.

Propriété – Le droit de propriété est expressément mentionné dans le Code civil comme un droit réel. La loi lui accorde même préséance sur les autres droits réels lorsqu'elle précise : « On peut, à l'égard d'un bien, être titulaire [...] d'un droit de propriété ou d'un autre droit réel » (911 C.c.Q.). Il se situe au faîte de la hiérarchie des droits réels. Le droit de propriété confère à son titulaire la faculté de profiter de tous les avantages qu'offre un bien. Le propriétaire, en effet, rassemble entre ses mains l'ensemble des attributs inhérents au droit de propriété, soit le droit d'utiliser le bien (l'*usus*), le droit d'en jouir (le *fructus*), le droit d'en disposer (l'*abusus*) et le droit de faire sien ce qui vient se greffer à ce bien (l'*accessio*).

Modalités de la propriété – La propriété est susceptible d'adopter une forme particulière, on parlera alors d'une modalité de la propriété (947, 1009 C.c.Q.). Le Code civil en identifie deux : la copropriété et la propriété superficiaire (1009 C.c.Q.). Dans l'un et l'autre cas, le faisceau des attributs de la propriété (*usus*, *fructus*, *abusus* et *accessio*) reste uni entre les mains du titulaire de la modalité. Alors que la *copropriété* est une propriété à plusieurs sujets pour un même objet (1010 C.c.Q.), la *propriété superficiaire* est une propriété qui se caractérise par la superposition verticale des immeubles (1011 C.c.Q.).

Démembrements de la propriété – Le démembrement de la propriété (947, 1119 C.c.Q.) constitue une modification apportée à la propriété. Il provoque un partage du faisceau des attributs de la propriété ce qui a pour conséquence de faire passer un ou plusieurs attributs inhérents au droit de propriété entre les mains d'une autre personne : le titulaire du démembrement.

L'*usufruit* est le droit d'user et de jouir temporairement d'un bien appartenant à autrui. Il transmet à son titulaire l'*usus* et le *fructus*, tandis que le propriétaire conserve l'*abusus* et l'*accessio* (1120 C.c.Q.). L'*usage*, qui est un usufruit réduit, permet à son titulaire de se servir du bien d'autrui, pour un certain temps. Il restreint le droit aux fruits et aux revenus jusqu'à concurrence des besoins de l'usager et des personnes qui habitent avec lui ou qui sont à sa charge. L'usager n'a qu'un *usus* et un *fructus* limités (1172 C.c.Q.). La *servitude* est une charge imposée sur un immeuble au bénéfice d'un autre immeuble; il confère un *usus* réduit (1177 C.c.Q.). Finalement, l'*emphytéose* permet au titulaire d'utiliser pleinement un immeuble appartenant à autrui et d'en tirer tous ses avantages à la condition d'y apporter des améliorations.

Ce démembrement fait passer à peu près tous les attributs de la propriété au titulaire de l'emphytéose, le propriétaire ne se réservant qu'une facette de l'*accessio* (1195 C.c.Q.).

Droits réels innommés – En dehors du Code civil, des lois peuvent qualifier de droits réels certains droits dont elles prévoient la reconnaissance ou la création. La *Loi sur les mines* désigne ainsi certains droits miniers, tels le claim, le permis d'exploration minière, le bail minier ou la concession minière[3].

Le caractère limitatif ou non de la liste des modalités et des démembrements de la propriété prévus au Code civil a été une question fréquemment discutée par les auteurs. La doctrine française, qui en a fait l'un de ses sujets favoris de prédilection, s'est montrée plutôt opposée à accorder une telle liberté aux parties à une convention[4]. Ce refus trouve son fondement dans la méfiance des juristes à l'endroit des nombreuses maîtrises réelles qui existaient en droit coutumier français avant la Révolution[5]. Au Québec, malgré quelques oppositions[6], la jurisprudence[7] et la doctrine[8] admettent que le nombre des modalités et des démembrements de la propriété n'est pas limitatif (*infra*: chapitre 10). Le libellé des articles 1009[9] et 1119[10] du Code vient confirmer cette hypothèse.

---

3. *Loi sur les mines*, L.R.Q., c. M-13.1, art. 8.
4. Philippe Malaurie et Laurent Aynès, *Cours de droit civil: les biens, la publicité foncière*, 4e éd. par Philippe Thery, Paris, Éditions Cujas, 1998, p. 89-94.
5. Anne-Marie Patault, *Introduction historique au droit des biens*, Paris, P.U.F., 1989, p. 251-252.
6. « [...] nous estimons que les droits réels ne peuvent être constitués qu'à l'intérieur du cadre du droit de propriété et de ses démembrements ». (Denys-Claude Lamontagne, *Biens et propriété*, 3e éd, Cowansville, Les Éditions Yvon Blais Inc., 1998, p. 57); « Tandis que la liste des droits réels est dressée limitativement par la loi, il n'y a pas de liste des droits personnels [...] ». (Maurice Tancelin, *Des obligations. Actes et responsabilités*, 6e éd., Montréal, Wilson & Lafleur ltée, 1997, p. 5).
7. « Mais peut-on parler de démembrement du droit de propriété constituant droit réel en dehors des cas spécifiquement définis et réglementés au code? Je ne crois pas que la prétention de certains à l'effet que le code civil québécois ne connaît pas de servitudes personnelles autres que l'usufruit, l'usage et l'habitation, soit encore soutenable aujourd'hui. Il n'y a aucune raison de défendre une interprétation aussi restrictive des dispositions du code, ni sur le plan de l'exégèse ni sur celui de la rationalité. » (*Boucher* c. *R.*, (1982) 22 R.P.R. 310 (C.F.)).
8. Madeleine Cantin Cumyn, « De l'existence et du régime juridique des droits réels de jouissance innommés: essai sur l'énumération limitative des droits réels », (1986) 46 *R. du B.* 3.
9. « Les *principales* modalités de la propriété sont la copropriété et la propriété superficiaire » (italique ajouté); l'emploi de l'adjectif « principales » laisse entendre qu'il existe des modalités « secondaires ».
10. « L'usufruit, l'usage, la servitude et l'emphytéose sont *des* démembrements du droit de propriété [...] » (italique ajouté); l'emploi de l'article indéfini révèle que l'énumération n'est pas limitative.

Absence de relations de droits réels – Il existe des situations relativement fréquentes dans la vie juridique où des personnes exercent des pouvoirs étendus sur des biens sans pour autant prétendre à un droit réel sur ceux-ci. Le Code cite le cas du détenteur, de l'administrateur du bien d'autrui et du fiduciaire (911 (2) C.c.Q.). Le détenteur quoiqu'il ait la maîtrise matérielle d'un bien reconnaît qu'il n'en a pas, pour autant, la maîtrise juridique. Ainsi, le locataire, même s'il habite un logement appartenant à autrui, admet l'existence d'un domaine supérieur au sien du simple fait qu'il verse mensuellement un loyer au propriétaire. L'administrateur du bien d'autrui, comme le révèle d'emblée le titre de la fonction, gère un bien qui ne lui appartient pas. En ce qui a trait au fiduciaire, le législateur coupe court aux éventuelles prétentions qu'il aurait pu soutenir, non sans une certaine légitimité d'ailleurs, en affirmant avec la force de son autorité qu'il n'a pas de droit réel sur le bien qui lui a été transféré par le constituant de la fiducie (1261 C.c.Q.).

La relation de droit réel entre une personne et un bien ne s'établit donc pas en considérant les seuls pouvoirs, aussi considérables soient-ils, qu'exerce une personne sur un bien. Elle est plutôt fondée sur la nécessité absolue de l'exercice de droits. Or, depuis quelques décennies, une part appréciable des richesses que recèle notre société ne repose justement plus sur cette relation étroite qui joignait de manière quasi indissociable « pouvoir » et « droit ». Les fiducies d'utilité privée constituées à titre onéreux, telles les fiducies de placements ou d'investissements, témoignent de cette nouvelle donne.

1.2.2 Les droits réels accessoires

Les droits réels accessoires sont fondés sur la *valeur pécuniaire* du bien. Ils servent à garantir le paiement d'une créance. Le titulaire d'un droit de cette nature ne bénéficie donc pas des prérogatives de la propriété (*usus*, *fructus*, *abusus* et *accessio*). Cependant, il jouit d'avantages non négligeables par rapport aux créanciers ordinaires qui eux ne comptent que sur un droit personnel.

En droit québécois, l'hypothèque (2660 C.c.Q.) constitue le seul exemple d'un droit réel accessoire[11]. Cette sûreté, qui est susceptible de porter sur les biens meubles ou immeubles, transfère à son titulaire une partie de la valeur du bien hypothéqué en contrepartie d'une

11. François Frenette, « De l'hypothèque : réalité du droit et métamorphose de l'objet », (1998) 39 *C. de D.* 803, 810.

somme d'argent[12]. Elle confère d'importants droits au créancier qui la détient. Elle lui accorde le droit de suivre le bien hypothéqué, de le prendre en possession pour l'administrer (2773 C.c.Q.) ou de le prendre en paiement (2778 C.c.Q.), de le vendre (2784 C.c.Q.) ou de le faire vendre (2791 C.c.Q.) et d'être alors préféré sur le produit de la vente (2660 et 2748 C.c.Q.). L'existence d'une hypothèque est portée à la connaissance des tiers par la publicité dont elle est l'objet (2663 C.c.Q.). L'action qui vise à faire valoir une hypothèque se prescrit par trois ans et non par dix ans. Elle suit le sort de l'obligation à laquelle elle est attachée[13].

Les priorités constituent elles aussi des sûretés (2650-2651 C.c.Q.). Certaines portent spécifiquement sur les biens meubles ou les biens immeubles, alors que d'autres peuvent porter sur les deux. Contrairement à l'hypothèque toutefois, la priorité ne constitue pas un droit réel complet étant donné qu'elle *ne confère pas de droit de suite* à son titulaire[14]. Ceci s'explique aisément puisque la priorité n'est pas assujettie au régime de la publicité des droits (2655 C.c.Q.).

1.2.3 Les charges réelles

Le tableau des droits réels ne saurait être complet sans considérer les *charges réelles* que les auteurs de doctrine considèrent parfois comme une catégorie intermédiaire parce qu'elle tiendrait à la fois des droits réels et des droits personnels[15].

La qualité de propriétaire d'un bien ou de titulaire d'un droit réel est susceptible d'assujettir une personne à des contraintes particulières. Ces charges pèsent successivement sur tous ceux qui acquièrent les droits de leurs devanciers. Pour se soustraire à ces charges, il suffit d'abandonner sa qualité de propriétaire ou de titulaire d'un droit réel.

---

12. François Frenette a récemment proposé de considérer l'hypothèque comme un démembrement de la propriété (*ibid*, p. 811-812).
13. « En raison de son caractère accessoire, il n'y a pas lieu d'appliquer à l'hypothèque la prescription de 10 ans prévue à l'article 2923 du *Code civil du Québec*, qui, à l'évidence, concerne les droits réels immobiliers non accessoires, comme, par exemple, le droit de propriété, l'usufruit ou les servitudes. » (*Charlebois* c. *Société d'habitation et de développement de Montréal*, [1998] R.D.I. 152, 153 (C.Q.)).
14. « [...] la créance prioritaire ne confère qu'un droit de préférence et ne crée pas de droit réel. » (*Syndic de la faillite de Hélène Kostadinova Gantcheff* c. *Ville de Westmount*, C.S.M. n° 500-11-002615-942, [1996] A.Q. (Quicklaw) n° 3556, par. 23); voir aussi : Louis Payette, « Des priorités et des hypothèques », *La réforme du Code civil*, tome 3, Sainte-Foy, P.U.L., 1993, p. 63-66.
15. Jean Carbonnier, *Droit civil*, tome 3, *Les biens*, 16e éd., Paris, P.U.F., 1995, p. 84; Gabriel Marty et Pierre Raynaud, *Droit civil. Les biens*, 2e éd., Paris, Sirey, 1980, p. 6-8.

Obligation *propter rem* – L'obligation *propter rem*[16] constitue l'accessoire d'un droit réel. Elle exige d'un débiteur, en sa qualité de titulaire d'un droit réel, de rendre un service à un créancier, lui aussi titulaire d'un droit réel. Les droits respectifs du débiteur et du créancier portent sur un même bien ou sur des biens voisins[17]. Le Code, au chapitre des servitudes, donne l'exemple d'une obligation *propter rem*, lorsqu'il prévoit qu'une « obligation de faire peut être rattachée à une servitude et imposée au propriétaire du fonds servant » (1178 C.c.Q.). Ainsi, le propriétaire d'un fonds grevé d'une servitude de passage qui, en vertu d'une convention, a l'obligation d'entretenir le passage en hiver pour le bénéfice du titulaire de la servitude est tenu d'une obligation *propter rem*. Cette obligation singulière permet d'aménager « l'exercice simultané de droits portant sur une même chose ou sur deux choses voisines »[18]. Le débiteur sera libéré des prestations qu'il est tenu de rendre dès lors qu'il cessera d'être titulaire du droit réel. En revanche, le tiers acquéreur de ce droit deviendra débiteur de cette obligation réelle.

Obligation *scripta in rem* – L'obligation *scripta in rem* est une charge dont la particularité est d'être en même temps réelle et personnelle[19]. L'hypothèque en fournit un bon exemple. Le premier débiteur d'un bien hypothéqué est tenu de sa dette, d'une part, en tant que propriétaire du bien grevé d'un droit réel accessoire et, d'autre part, à titre personnel sur son patrimoine qui répond de toutes ses dettes. En revanche, un acquéreur subséquent du bien hypothéqué n'est engagé qu'à titre de propriétaire du bien (*propter rem*), l'obligation personnelle demeurant celle du débiteur originaire (*scripta in rem*). Le débiteur d'une telle obligation ne peut s'en libérer par l'abandon du bien[20].

Les charges réelles constituent une entrave à la libre jouissance d'un bien. Aussi, s'avère-t-il essentiel de les dénoncer en procédant à leur publication à titre d'accessoire à un droit réel (2938 C.c.Q.) afin d'y assujettir tout futur acquéreur[21].

---

16. Cettte charge est aussi qualifiée de droit réel *in faciendo* et d'obligation réelle (Gabriel Marty et Pierre Raynaud, *ibid.*, p. 6).
17. Hassen Aberkane, *Contribution à l'étude de la distinction des droits de créance et des droits réels: essai d'une théorie générale de l'obligation propter rem en droit positif français*, Paris, L.G.D.J., 1957, p. 18-19.
18. Hassen Aberkane, *ibid.*, p. 26.
19. Shalev Ginossar, *Droit réel, propriété et créance*, Paris, L.G.D.J., 1960, p. 164-168.
20. Hassen Aberkane, *supra*, note 17, p. 255.
21. Shalev Ginossar, *supra*, note 19, p. 136-138.

1.3 Régime juridique

Le droit réel confère d'importantes prérogatives à son titulaire. Ces avantages offrent une protection à celui qui les détient. Prétendre à de tels avantages ou en nier l'existence expliquent l'intérêt manifesté par les juristes pour qualifier un droit de droit réel ou, au contraire, pour repousser cette qualification.

1.3.1 Opposabilité

Le titulaire d'un droit réel a la faculté d'opposer son droit *erga omnes*, c'est-à-dire à l'égard de tous. Le propriétaire peut ainsi faire valoir son droit de propriété et se défendre de tout empiétement sur son immeuble qu'il soit causé par des voisins, propriétaires eux-mêmes, ou par toutes autres personnes (912 et 953 C.c.Q.). Ce pouvoir exceptionnel tranche de la situation du créancier, titulaire d'un droit personnel, qui lui n'a de recours qu'à l'égard de son débiteur.

Le privilège reconnu au titulaire d'un droit réel de pouvoir opposer ce droit à toute personne est d'autant plus facilement acceptable qu'une grande part des actes juridiques portant sur des droits réels immobiliers et sur certains droits réels mobiliers sont soumis à la publicité (2938 C.c.Q.). La loi prévoit d'ailleurs que toute personne peut requérir de l'officier de la publicité des droits un état certifié des droits réels qui grèvent un bien (3019 C.c.Q.). Le caractère occulte de certains droits réels s'en trouve considérablement amenuisé.

1.3.2 Droit de suite

Le droit de suite présente un attrait indéniable à celui qui en bénéficie. Il transmet au titulaire d'un droit réel le droit de suivre son bien et de le revendiquer du possesseur ou de celui qui le détient sans droit.

Le propriétaire peut ainsi réclamer son bien immeuble ou meuble de celui qui en a pris possession (953 C.c.Q.). Le créancier hypothécaire peut, pour sa part, suivre le bien affecté à l'exécution d'une obligation, et ce, « en quelques mains qu'il soit » (2660 C.c.Q.). À ses côtés, le créancier ordinaire est loin de jouir d'un tel avantage. Dépourvu de droit de suite, il subit la concurrence des autres créanciers de son débiteur et, jusqu'au remboursement de sa créance, il demeure à la merci des fluctuations susceptibles d'affecter le patrimoine de son débiteur.

Puisque le droit de suite est prévu par la loi, il ne peut être constitué simplement par convention, ainsi qu'a eu l'occasion de le rappeler la Cour supérieure: « C'est le législateur qui a voulu que certains contrats créent un droit de suite; autrement, il n'existerait pas, même stipulé. »[22]

1.3.3 Droit de préférence

Le titulaire d'un droit réel accessoire – en l'occurrence l'hypothèque – jouit d'un droit de préférence sur le bien objet de son droit (2660 C.c.Q.). Cette prérogative permet à un créancier d'être préféré à tout autre créancier sur le produit de la vente en justice d'un bien (711-723, 910.1-910.3 C.p.c.). Le régime de publicité des droits réels s'avère fort utile à la mise en œuvre du droit de préférence puisqu'il permet d'établir le rang des droits suivant le moment de réalisation de la publicité (2945 C.c.Q.).

Ainsi, Louis, qui en 1993 a contracté un prêt personnel de 30 000 $ auprès de Martine, souhaite aujourd'hui emprunter la somme de 40 000 $. Malgré ses besoins d'argent, Louis possède un terrain d'une valeur de 50 000 $. Julie est disposée à lui prêter la somme qu'il désire. Elle a toutefois avantage à demander que le terrain dont Louis est propriétaire soit grevé d'une hypothèque en sa faveur plutôt que d'accepter un simple prêt personnel qui ne ferait d'elle qu'une créancière ordinaire. En effet, une hypothèque lui conférerait un droit de préférence sur le terrain. Aussi, s'il advenait que Louis ne respectait pas ses engagements, Julie pourrait faire vendre le terrain en justice, suivant les prescriptions de la loi, et elle serait payée avant Martine, même si la créance de celle-ci est antérieure à la sienne.

1.3.4 Faculté d'abandon

Le droit réel attaché à un bien s'éteint par abandon. Cette faculté est un acte unilatéral qui exprime la volonté du titulaire d'un droit réel de renoncer à son droit. L'acte n'exige donc pas le concours d'un tiers. Une telle prérogative découle de l'étendue des pouvoirs reconnus au titulaire d'un droit réel sur l'objet de son droit. L'abandon présente un caractère abdicatif, il n'est pas translatif d'un droit réel[23]. Le droit abandonné ne constitue plus un élément du patrimoine de

---

22. *Frères Maristes (Iberville)* c. *Gestion N. Cammisano*, [1993] R.D.I. 187, 191 (C.S.).

23. « [...] l'abandon constitue une institution autonome entraînant *l'extinction d'un droit* et non sa transmission ». (*Banque laurentienne du Canada* c. *200 Lansdowne Condominium Association*, [1996] R.J.Q. 148, 152 (C.S.); *Galipeau* c. *Plante*, (1930) 36 R.L.n.s. 228, 231-232 (C.S.)).

celui qui y renonce, il est désormais un droit éteint[24]. Le caractère abdicatif de l'abandon explique qu'il soit possible de renoncer à un droit incessible[25].

En plus d'entraîner la disparition d'un droit réel, l'abandon libère celui qui l'exerce des charges réelles qui pesaient sur son droit. Le Code fournit deux exemples éclairants d'une telle situation. Le propriétaire d'un mur mitoyen peut abandonner son droit sur le mur et se dégager de son obligation d'entretien (1006 C.c.Q.). Aussi, le propriétaire d'un fonds servant tenu à l'entretien d'une servitude se soustrait de cette charge en abandonnant au propriétaire du fonds dominant le fonds servant ou une partie suffisante de celui-ci pour l'exercice de la servitude (1185 C.c.Q.). L'abandon libère le débiteur des obligations *propter rem*, et ce, tant pour le passé que pour le futur[26]. En revanche, le déguerpissement n'entraîne pas d'effet libératoire à l'égard des obligations personnelles[27]. Ainsi, le propriétaire, qui par des travaux qu'il réalise sur son fonds détériore un mur mitoyen, est tenu de le remettre en état et ne peut se dégager de cette obligation en déguerpissant. De même, un propriétaire ne pourra être à l'abri d'une poursuite judiciaire s'il abandonne un immeuble qu'il a contaminé au fil des ans[28]. Il s'affranchira de cette responsabilité pour le futur seulement.

Étant donné les conséquences que risque d'entraîner la renonciation à un droit réel, on comprend la nécessité d'une expression non équivoque de l'intention d'exercer la faculté d'abandon. La difficulté ou même l'impossibilité d'identifier le propriétaire d'un bien ne permet pas de présumer son abandon[29]. L'abandon d'un droit réel immobilier que l'on désire rendre opposable aux tiers doit donner lieu à une ins-

---

24. *Banque laurentienne du Canada* c. *200 Lansdowne Condominium Association*, *ibid.*, p. 152.
25. « Or, si la renonciation unilatérale, pure et simple, c'est-à-dire simplement abdicative d'un droit, n'en est ni une cession ni une donation, si les deux actes ne sont pas juridiquement les mêmes, la clause déclarant incessible un droit, usufruit ou autre, en prohibe bien l'aliénation par vente, cession ou donation, mais non la renonciation. » (*Galipeau* c. *Plante*, *supra*, note 23, p. 238).
26. *Banque laurentienne du Canada* c. *200 Lansdowne Condominium Association*, *supra*, note 23, p. 153; Hassen Aberkane, *supra*, note 17, p. 157-159.
27. « [...] l'abandon ne peut libérer des obligations personnelles. Il en va ainsi dans tous les cas où une faute intervient même à l'occasion de rapports réels ». (Hassen Aberkane, *ibid.*, p. 159); André Breton, « Théorie générale de la renonciation aux droits réels : le déguerpissement en droit civil français », (1928) 27 *Rev. trim. dr. civ.* 261, 358-359.
28. Viateur Chénard, « La théorie de l'abandon », dans Barreau du Québec, *Développements récents en droit commercial (1993)*, Cowansville, Les Éditions Yvon Blais Inc., 1993, p. 151-166.
29. *Ville de Québec* c. *Curateur public du Québec*, [1998] R.J.Q. 2475, 2486-2487 (C.S.).

cription au registre foncier (2938 (1) C.c.Q.). Une fois qu'un droit réel a été abandonné, il ne peut plus, en principe, être revendiqué par son ancien titulaire[30].

2. DROIT PERSONNEL

Malgré ses qualités et les avantages qu'il confère à son titulaire, le droit réel n'englobe pas à lui seul l'ensemble des situations qui permettent à une personne de retirer des bénéfices d'un bien. Il faut nécessairement considérer la place occupée par le droit personnel dans l'univers des droits patrimoniaux[31]. Cette place est d'autant plus importante que la catégorie des droits personnels est résiduaire puisque les droits patrimoniaux qui ne peuvent être qualifiés de droits réels appartiennent à cette première catégorie[32].

2.1 Définition

Un droit personnel est un pouvoir reconnu à une personne d'exiger un bien ou un service d'une autre personne[33]. Le droit personnel comporte trois éléments : un débiteur, un créancier et une prestation. Il demeure fréquent de désigner les droits personnels en recourant à l'expression « droit de créance », le Code civil retient l'appellation d'« obligations » (1371 C.c.Q.). Celles-ci, précise la loi, prennent leur source soit dans des actes juridiques (par exemple un contrat), soit dans des faits juridiques (par exemple un comportement fautif qui entraîne une responsabilité extra-contractuelle). On dira généralement d'une personne qu'elle est titulaire d'un droit personnel, d'une obligation ou d'une créance.

Un droit personnel s'exerce contre une personne. Il ne s'agit pas d'un *jus in re* (droit sur la chose), mais d'un *jus ad rem* (droit à la chose).

2.2 Espèces de droits personnels

Actes juridiques – Les droits personnels nés d'actes juridiques sont de deux espèces (1373 C.c.Q.) : l'obligation de faire (par exemple un

---

30. Hassen Aberkane, *supra*, note 17, p. 154-156.
31. La notion de droit personnel est mentionnée aux articles suivants : 423, 442, 469, 795, 822, 1642, 2654, 2698, 2700, 2925. Par ailleurs, le livre neuvième, intitulé *De la publicité des droits* compte plusieurs mentions (2934-3075).
32. Maurice Tancelin, *supra*, note 6, p. 4.
33. Jean Carbonnier, *supra*, note 15, p. 80.

peintre qui s'engage à peindre l'extérieur d'une maison) et l'obligation de ne pas faire (par exemple un épicier qui se départit de son fonds de commerce et s'engage auprès de l'acquéreur à ne pas ouvrir un établissement semblable à celui qu'il a cédé).

Le contrat, cet accord de volontés entre sujets de droit qui a pour effet de créer des obligations, constitue souvent « un cheminement vers le droit réel »[34]. Il permet de le constituer, de le transférer, de le modifier ou de l'éteindre (1433 (2) et 916 (1) C.c.Q.). Ainsi, le propriétaire d'un immeuble, tenu de faire un long détour pour atteindre la voie publique, peut s'entendre avec un voisin pour obtenir en faveur de son lot un passage plus commode sur la propriété du voisin. Cette convention crée un droit réel, une servitude de passage.

Faits juridiques – Les faits juridiques génèrent également des obligations à la suite du préjudice causé par une personne (le débiteur) à autrui (le créancier), soit par son fait, soit par sa faute (1457 C.c.Q.).

Cas particuliers – Il arrive que la qualification de certains droits créés par la loi ou par une convention présentent des difficultés. Le droit du locataire au maintien dans les lieux loués pourrait ainsi être vu comme un droit réel[35]. Le législateur a cependant levé l'ambiguïté en précisant au Code civil qu'un tel droit constituait un droit personnel (1936 C.c.Q.). Par ailleurs, le fait de publier un bail (1852 C.c.Q.) ne fait pas muter en droits réels les droits résultant d'un tel contrat[36]. La clause de préférence est parfois présentée dans des actes juridiques comme si elle conférait un droit réel. Les tribunaux y voient plutôt un engagement entre deux personnes. Aussi, estiment-ils que le non-respect d'une telle clause est sanctionné par l'octroi de dommages-intérêts[37].

2.3 Régime juridique

Le droit personnel ne confère pas au créancier des avantages comparables à ceux dont bénéficie le titulaire d'un droit réel, loin de là.

---

34. Pierre-Basile Mignault, *supra*, note 2, p. 390.
35. Henri, Léon et Jean Mazeaud, *Leçons de droit civil*, tome 3, volume 2, *Principaux contrats*, 4e éd. par Michel de Juglart, Paris, Éditions Montchrestien, 1967, p. 452-453.
36. « [...] l'enregistrement d'un bail sur un immeuble n'a d'autre effet que d'en faire la publication et de renseigner les tiers; ». (*Nassif* c. *Bisson*, (1931) 51 B.R. 118, 121 (juge Bernier)); William DeMontmollin Marler et George C. Marler, *The Law of Real Property. Quebec*, Toronto, Burroughs, 1932, p. 499.
37. *Cadieux* c. *Hinse*, [1989] R.J.Q. 352, 365 (C.S.); *St-Gelais* c. *Tremblay*, (1950) C.S. 475.

L'obligation n'a d'effet qu'entre les parties contractantes, elle n'affecte pas les tiers (1440 C.c.Q.). Ce principe d'inopposabilité n'est peut-être pas aussi rigoureux qu'on l'a souvent prétendu. En effet, un tiers qui connaît l'existence d'un droit personnel, doit vraisemblablement se garder de se rendre complice de la violation d'un tel droit[38].

Le créancier ne détient pas de droit de suite. Il n'a pas non plus le droit de préférence, le créancier est donc sur le même pied qu'un autre créancier ordinaire. Finalement, il ne jouit pas de faculté d'abandon, puisqu'il ne peut pas renoncer unilatéralement à ses engagements. Ainsi, la remise d'une dette doit être l'objet d'une convention entre un créancier et son débiteur (1687-1692 C.c.Q.).

3. PERTINENCE DE LA DISTINCTION

La doctrine accepte généralement comme fondamentale la division des droits patrimoniaux en deux catégories, les droits réels et les droits personnels. La plupart des ouvrages doctrinaux, tant en droit des biens qu'en droit des obligations, retiennent ce système sans trop s'interroger sur sa pertinence. Certains se montrent davantage critiques mais, faute d'une meilleure théorie, y demeurent fidèles[39]. Pourtant, depuis plusieurs décennies déjà, cette distinction a attiré des critiques de ceux qui proposaient tantôt de fondre les catégories, tantôt de les redéfinir.

Au début du siècle, Marcel Planiol, tout en reconnaissant les qualités de la définition du droit réel, refuse de considérer la propriété comme un rapport juridique entre une personne et une chose[40]. Il estime qu'un

---

38. « [...] si le droit réel enregistré est opposable, *erga omnes*, le droit personnel n'est opposable qu'aux seuls tiers qui en ont connaissance » et plus loin « nous sommes d'avis que la simple connaissance d'un droit personnel entraîne l'obligation légale de ne pas participer à la violation de ce droit. Le tiers qui, en pleine connaissance de cause, fera défaut de respecter ce droit engagera donc sa responsabilité civile délictuelle envers le créancier de l'obligation ». (Serge Gaudet, « Le droit à la réparation en nature en cas de violation d'un droit personnel Ad Rem », ((1989) 19 *R.D.U.S.* 473, 483; *St-Denis* c. *Quévillon*, (1915) 51 R.C.S. 603, 612).
39. Après une présentation critique de la distinction établie entre des droits réels et des droits personnels, François Gény conclut : « Il n'en subsiste pas moins que, jusqu'à ce qu'on nous offre cette construction préférable, nous devons maintenir, à titre de moyen technique, justifié par une longue expérience, notre séparation traditionnelle, avec toutes ses conséquences légitimes ». (*Science et technique en droit privé positif. Nouvelle contribution à la critique de la méthode juridique*, Troisième partie : *Élaboration technique du droit positif*, Paris, Sirey, [1921], xvi, p. 242).
40. Marcel Planiol, *Traité élémentaire de droit civil*, 2e éd., Paris, F. Pichon, 1901, tome 1, p. 278-281.

droit suppose nécessairement un rapport entre des personnes. Le droit réel ne fait pas exception à cette règle, il met en présence un sujet actif (le créancier), un sujet passif (le débiteur) et une chose (le bien). Il identifie le titulaire du droit réel comme étant le sujet actif et attribue le rôle de sujet passif à toutes les autres personnes de la collectivité qui, à ce titre, doivent se garder d'entraver l'exercice du droit du titulaire. Face au créancier du droit réel, se trouvent les débiteurs de l'obligation passive universelle[41]. La théorie proposée par Planiol gagna peu d'adeptes, malgré les nombreux commentaires, souvent bienveillants[42], qu'elle suscita.

Les efforts de rationalisation sont poursuivis par de nombreux auteurs. Shalev Ginossar, en se fondant en partie sur les travaux de devanciers, propose une nouvelle classification des droits patrimoniaux[43]. Sa théorie étend la qualification de droit de propriété à tous les éléments de l'actif d'un patrimoine, peu importe leur nature. La notion de titularité perd ainsi son intérêt puisque l'on peut dire d'une personne qu'elle est propriétaire d'un démembrement de la propriété ou même d'une créance. Par ailleurs, Ginossar considère que le droit réel crée un rapport d'obligation permettant au propriétaire du droit d'exiger une prestation du propriétaire du bien grevé. À défaut de s'imposer dans la doctrine, cette réflexion a contribué à approfondir la connaissance des obligations *propter rem*.

Force est de conclure que la distinction entre les droits réels et les droits personnels a conservé sa pertinence en droit positif, et ce, malgré les critiques formulées à son égard et les diverses tentatives cherchant à revoir sa définition.

Bibliographie

ABERKANE, Hassen. *Contribution à l'étude de la distinction des droits de créance et des droits réels : essai d'une théorie générale de l'obligation propter rem en droit positif français*. Paris, L.G.D.J., 1957. vii, 283 p.

---

41. Au Québec, Mignault – reprenant les propos de Mourlon – adopte une vue similaire : « Le droit *réel* a pour corrélatif une obligation *générale* et *négative*, c'est-à-dire l'obligation imposée, non pas à tel ou tel individu, mais à *toute personne* autre que celle investie du droit, de s'abstenir de tous actes qui pourraient en entraver l'exercice. » (Pierre-Basile Mignault, *supra*, note 2, p. 390).
42. Jean Carbonnier, *supra*, note 15, p. 86.
43. Shalev Ginossar, *supra*, note 19. L'ouvrage a suscité la critique (Jean Dabin, « Une nouvelle définition du droit réel », (1962) 60 *Rev. trim. dr. civ.* 20-44) à laquelle l'auteur a répliqué (« Pour une meilleure définition du droit réel et du droit personnel », (1962) 60 *Rev. trim. dr. civ.* 573-589).

BRETON, André. « Théorie générale de la renonciation aux droits réels : le déguerpissement en droit civil français », (1928) 27 *Rev. trim. dr. civ.* 261-364.

CANTIN CUMYN, Madeleine. « De l'existence et du régime juridique des droits réels de jouissance innommés : essai sur l'énumération limitative des droits réels », (1986) 46 *R. du B.* 3-56.

CHÉNARD, Viateur. « La théorie de l'abandon », dans Barreau du Québec. *Développements récents en droit commercial (1993)*. Cowansville, Les Éditions Yvon Blais Inc., 1993, p. 151-166.

DABIN, Jean. « Une nouvelle définition du droit réel », (1962) 60 *Rev. trim. dr. civ.* 20-44.

FRENETTE, François. « De l'hypothèque : réalité du droit et métamorphose de l'objet », (1998) 39 *C. de D.* 803-822.

GAUDET, Serge. « Le droit à la réparation en nature en cas de violation d'un droit personnel Ad Rem », (1989) 19 *R.D.U.S.* 473-494.

GÉNY, François. *Science et technique en droit privé positif. Nouvelle contribution à la critique de la méthode juridique*. Troisième partie : *Élaboration technique du droit positif*. Paris, Sirey, [1921]. xvi, 522 p.

GINOSSAR, Shalev. *Droit réel, propriété et créance*. Paris, L.G.D.J., 1960. 212 p.

GINOSSAR, Shalev. « Pour une meilleure définition du droit réel et du droit personnel », (1962) 60 *Rev. trim. dr. civ.* 573-589.

PAYETTE, Louis. « Des priorités et des hypothèques », dans Barreau du Québec et Chambre des notaires, *La réforme du Code civil*, Québec, P.U.L., 1993. Tome 3, p. 9-301.

PLANIOL, Marcel. *Traité élémentaire de droit civil*. 2e éd. Paris, F. Pichon, 1901, tome 1. xv, 998, 8 p.

TANCELIN, Maurice. *Des obligations. Actes et responsabilités*. 6e éd. Montréal, Wilson & Lafleur ltée, 1997. xxxvi, 836 p.

CHAPITRE 3

LES OBJETS DE DROITS RÉELS

Les personnes ont accès à diverses ressources et richesses. Une grande part d'entre elles assurent leur subsistance. D'autres, même si elles s'avèrent moins essentielles à la vie, n'en possèdent pas moins un attrait manifeste. Elles accordent un meilleur bien-être aux personnes ou, par leur cumul, permettent l'édification de fortunes qui, bien souvent, octroient un pouvoir accru à ceux qui les détiennent.

Le droit rassemble en diverses catégories les ressources et les richesses mises à la disposition des personnes. Ainsi, il distingue les meubles et les immeubles, les biens corporels et les biens incorporels, le capital et les fruits et les revenus, ou les choses communes et les choses susceptibles d'appropriation, etc. Ces catégories, on le verra, demeurent des créations de l'esprit, elles trahissent le vif intérêt manifesté par le droit pour les fictions. L'objectif de ces regroupements est d'assujettir chaque catégorie à un régime juridique spécifique.

Ainsi qu'il a été permis de le constater jusqu'ici, les droits réels portent nécessairement sur des objets. Reste maintenant à établir quels sont ces objets. Le Code montre qu'ils se présentent sous diverses formes. Avant de pousser plus à fond l'analyse, il convient de s'arrêter à la distinction entre deux catégories reconnues par le droit : les choses et les biens.

Le droit civil positif, qui se fonde sur le droit romain[1], distingue les personnes et les choses. Traditionnellement, la *chose* est définie

1. « Les droits dont nous faisons usage se rapportent tous, soit aux personnes, soit aux choses, soit aux actions. » (Gaius, *Institutes*, 1, 8 (texte établi et traduit par Julien Reinach, Paris, Les Belles lettres, 1950)).

comme comprenant tout ce qui existe *matériellement*, à l'exclusion de la personne humaine[2]. Cette définition a été jugée insuffisante et il a été proposé d'en étendre l'acception. En plus de comprendre tout ce qui possède une existence physique, y compris la personne humaine, la notion inclurait ce qui existe sous forme *abstraite*[3]. Dès lors, la notion de chose devient une mégacatégorie susceptible d'englober les mondes réel et virtuel. La nouvelle définition, si elle peut sembler spéculative, offre l'avantage de tenir compte de la révolution du savoir qui accorde maintenant une place considérable à l'abstraction. Elle s'harmonise aussi à l'évolution des biotechnologies qui entraîne, qu'on le veuille ou non, la réification de la personne[4], phénomène dont le *Code civil du Québec* a pris acte[5]. Par ailleurs, l'intérêt pour la protection de l'écologie amène des juristes[6] et des philosophes[7] à s'en prendre au caractère anthropocentriste du droit et à proposer de reconnaître la qualification de sujets de droit à l'écosystème, aux animaux ou aux arbres. Même si

---

2. Jean Goulet, Ann Robinson, Danielle Shelton et François Marchand, *Théorie générale du domaine privé*, 2e éd. révisée, Montréal, Wilson & Lafleur ltée/Sorej, 1986, p. 3.
3. « Tout ce qui existe à l'état concret ou abstrait est une chose »; l'auteur précise en note « L'homme lui-même est une chose, mais n'est pas un bien ». (François Frenette, « Commentaires sur le rapport de l'O.R.C.C. sur les biens », (1976) 17 *C. de D.* 991, 993 et note 3). Paul Esmein qualifie lui aussi la « personne même » de « chose corporelle » (Charles Aubry et Frédéric-Charles Rau, *Droit civil français*, 7e éd. par Paul Esmein, Paris, Librairies Techniques, 1961, tome 2, p. 86.) Une distinction pourrait éventuellement être établie entre le corps et la personne, le premier seulement pouvant être considéré comme une chose. D'emblée, l'hypothèse est rejetée par certains : « **Le corps humain n'est pas une chose; c'est la personne même.** Il s'agit de l'être, non de l'avoir. Le corps constitue la personne. La personne humaine existe et consiste dans cette réalité : le droit est ici naturel; la personne est physique [...]. » (Gérard Cornu, *Droit civil*, tome 1, *Introduction – Les personnes – Les biens*, 7e éd., Paris, Montchrestien, 1994, p. 170). À l'évidence, ces propos se fondent sur des considérations morales.
4. François Gros, *L'ingénierie du vivant*, Paris, Éditions Odile Jacob, 1990, p. 212; Édith Deleury, « Le personne en son corps : l'éclatement du sujet », (1991) 70 *R. du B. can.* 448-472.
5. « Les dispositions des articles 10 à 25 ne permettent pas non plus de douter de la détermination du législateur québécois de réifier le corps humain. » (Jean Goulet, « S'approprier l'être humain : Essai sur l'appropriation du corps humain et de ses parties », dans Commission royale sur les nouvelles techniques de reproduction, *Les aspects juridiques liés aux nouvelles techniques de reproduction*, tome 3, Ottawa, Ministre des Approvisionnements et Services Canada, 1993, p. 667).
6. Marie-Angèle Hermitte, « Le concept de diversité biologique et la création d'un statut de la nature », dans Bernard Edelman et Marie-Angèle Hermitte, *L'homme, la nature et le droit*, Paris, Christian Bourgeois, 1988, p. 254-256; Christopher D. Stone, *Should trees have standing? : and other essays on law, morals, and the environment*, Dobbs Ferry, Oceana Publications, 1996, xiv, 181 p.
7. Michel Serres, *Le contrat naturel*, Paris, Flammarion, 1990, p. 67-69.

la proposition ne fait pas l'unanimité[8], elle montre que des catégories juridiques, qui longtemps ont été présentées comme immuables, sont présentement remises en question.

Le *bien* s'entend d'une chose qui procure une utilité et est appropriée ou est susceptible de l'être[9]. La notion désigne des objets corporels et des droits qui possèdent une valeur pécuniaire en raison des avantages qu'ils procurent et surtout de leur intégration dans l'ordre économique. Autrement dit, un bien est un *objet de droit*.

Il n'existe pas une parfaite équivalence entre les notions de chose et de bien. Une chose n'est pas nécessairement un bien, puisque certaines choses ne peuvent pas être appropriées (par exemple le corps humain, l'air et l'eau courante). En outre, suivant que l'on retienne une définition extensive ou restrictive de la notion de chose, elle inclura ou pas les biens qui ne possèdent pas une existence matérielle (par exemple une servitude de passage).

Le législateur a nettement privilégié l'usage de la notion de biens plutôt que de choses dans le *Code civil du Québec*[10], sans toutefois bannir totalement l'usage de la dernière notion[11]. Par ailleurs, il semble considérer que la notion de choses ne s'entend pas seulement de ce qui connaît une existence physique. En effet, les *Commentaires du ministre de la Justice* sur la définition du mot « bien » mentionnent que « [...] les biens [sont] comme les choses vues sous l'angle du droit »[12]. Il y aurait donc davantage de synonymie entre les deux notions qu'on l'a souvent prétendu. Suffisamment, au moins, pour conclure qu'en droit toutes les choses ne connaissent pas nécessairement d'existence physique.

---

8. Luc Ferry, *Le nouvel ordre écologique: l'arbre, l'animal et l'homme*, Paris, Grasset, 1992, 277 p.; Bjarne Melkevik, « La nature un sujet de droit? Interrogation philosophique et critique », *Cahiers Dikè*, série 2, 1999, p. 29-38.
9. *Commentaires du ministre de la Justice*, Québec, Publications du Québec, 1993, p. 527.
10. Comparer, par exemple, la définition de la notion de propriété dans le *Code civil du Bas-Canada* et dans le *Code civil du Québec*.

    Code civil du Bas-Canada, art. 406 : « La propriété est le droit de jouir et de disposer des *choses* de la manière la plus absolue, pourvu qu'on en fasse pas un usage prohibé par les lois ou les règlements. »

    Code civil du Québec, art. 947 : « La propriété est le droit d'user, de jouir et de disposer librement et complètement d'un *bien*, sous réserve des limites et des conditions d'exercice fixées par la loi. »

    Les italiques ont été ajoutés.
11. Voir les articles 905, 913, 914, 1556 C.c.Q.
12. Voir les *Commentaires du ministre de la Justice, supra*, note 9, p. 528. Déjà, le *Troisième rapport des commissaires chargés de codifier les lois civiles du Bas-Canada, en matières civiles* laissait entendre que la notion de *choses* s'étendait

1. LA CLASSIFICATION DES BIENS

Les biens sont distingués les uns des autres au moins suivant deux grandes classifications selon le Code civil. Ils sont corporels ou incorporels et immeubles ou meubles (899 C.c.Q.).

1.1 Biens corporels et incorporels

Le Code distingue les biens corporels et les biens incorporels (899 C.c.Q.). Cette classification, qui peut sembler essentiellement doctrinale, possède tout de même un intérêt particulier puisque parfois l'assujettissement à un régime juridique particulier découle de l'appartenance à l'une ou l'autre catégorie, ainsi en va-t-il lors de la vente de certains biens incorporels (1779-1784 C.c.Q.).

1.1.1 Biens corporels

Les biens corporels existent physiquement. Ces biens sont généralement perceptibles par les sens. Ainsi peut-on toucher et sentir la matière qui constitue les objets qui nous entourent (une maison, une automobile, un livre, etc.). Par ailleurs, d'autres biens corporels, tels les ondes ou l'énergie maîtrisée par l'être humain, connaissent une existence matérielle, mais sont imperceptibles aux sens (906 C.c.Q.).

1.1.2 Biens incorporels

Les biens incorporels n'ont aucune existence physique, ils sont immatériels[13]. Ces biens, qui se singularisent par leur caractère abstrait, constituent une part appréciable de la richesse de nos sociétés modernes. Les éléments appartenant à cette catégorie présentent un caractère assez disparate.

---

au-delà de ce qui connaît une existence physique : « Ces deux expressions [biens et choses] ne sont pas synonimes [sic] en jurisprudence, la seconde étant plus étendue et comprenant tout ce qui peut être à l'homme de quelqu'utilité, quoiqu'il ne la possède pas; la première étant resteinte à ce que l'on possède et qui fait partie du patrimoine. En un mot les choses sont tout ce que l'on peut utiliser, les biens tout ce que l'on possède de fait. » (Québec, George É. Desbarats, 1865, tome 1, p. 362).

13. Henri Batiffol, « Problèmes contemporains de la notion de biens », (1979) 24 *Archives de philosophie du droit* 9, 10-13.

Droits réels – L'exemple de biens incorporels le plus souvent signalé demeure les *droits réels*[14], qui même s'ils portent fréquemment sur un bien corporel, constituent eux-mêmes des abstractions. Ainsi, le droit de propriété d'une maison est un bien distinct de l'objet matériel sur lequel il porte. La maison est un bien corporel, tandis que le droit réel qui la grève est un bien incorporel.

Droits personnels – Les droits personnels (droits de créance), qui exercent un attrait manifeste dans une société capitaliste, forment une part appréciable dans la composition des patrimoines. Ces droits permettent à une personne – le créancier – d'exiger d'une autre personne – le débiteur – le respect d'une obligation. Ces droits comprennent notamment les dettes, les valeurs mobilières, les parts sociales et les rentes.

Universalités – Des universalités constituent également des biens incorporels. Ainsi en est-il des droits successoraux[15] qui consistent en l'universalité des droits de nature pécuniaire que détient un héritier dans une succession.

Droits intellectuels – Outre les biens incorporels déjà énumérés, il existe une catégorie difficile à cerner, mais d'une importance non négligeable dans notre société, il s'agit des droits intellectuels. Les premières manifestations modernes de ce type de biens remontent à la fin du XVIIIe siècle, alors que commence à être reconnue la propriété littéraire[16]. Ces droits prennent naissance grâce à l'activité intellectuelle, commerciale ou professionnelle d'une personne. Ce mode particulier de création caractérise ces biens par rapport aux autres biens incorporels. La catégorie comprend le fonds de commerce, l'achalandage, la propriété industrielle et la propriété littéraire et artistique. Il faut se garder de confondre le droit avec son support matériel. Ainsi, un roman en tant qu'œuvre littéraire se distingue du livre – comme objet matériel – qui le contient. Malgré la configuration particulière des droits intellectuels, on ne peut nier qu'il s'agisse de biens, vu leur valeur pécuniaire souvent considérable. Il n'est pas exagéré d'affirmer que les droits intellectuels se situent désormais au cœur de l'économie, comme le mentionne une récente analyse : « Avec l'évolution de la nouvelle économie mondiale, les secteurs des produits de base ne sont

---

14. Pierre-Basile Mignault, *Le droit civil canadien canadien basé sur les « Répétitions écrites sur le Code civil de Frédéric Mourlon »*, tome 2, Montréal, C. Théoret, 1896, p. 395.
15. Thérèse Rousseau-Houle, *Précis du droit de la vente et du louage*, 2e éd., Québec, P.U.L., 1986, p. 255.
16. Anne-Marie Patault, *Introduction historique au droit des biens*, Paris, P.U.F., 1989, p. 241.

plus le moteur de la croissance économique. Des biens incorporels comme le talent, la propriété intellectuelle, les marques, les clientèles et les modèles financiers novateurs ont une valeur sensiblement plus grande »[17].

Le *fonds de commerce* d'une entreprise constitue un ensemble d'éléments divers qui comprend à la fois des biens corporels et des biens incorporels. Cet ensemble forme une entité distincte des éléments qui le composent[18]. Les biens corporels d'un fonds de commerce sont susceptibles d'inclure des immeubles, de l'outillage, de l'ameublement et des marchandises[19]. Pour leur part, les biens incorporels peuvent comprendre l'achalandage, le droit au bail, le nom de l'entreprise et des droits de propriété industrielle et commerciale[20]. La composition d'un fonds de commerce loin d'être statique varie suivant la nature et l'importance du commerce[21].

L'*achalandage* réfère à la clientèle, soit « aux gens ayant pris l'habitude de faire affaire avec un commerce en particulier »[22] ou de requérir les services d'un professionnel[23]. Dans plusieurs entreprises, la clientèle forme une part appréciable de l'actif[24].

La *propriété industrielle* comprend les éléments distinctifs d'un commerce et des droits exclusifs d'exploitation de propriétés intellectuelles. Les *éléments distinctifs* servent à l'identification d'un com-

---

17. Ces propos ont été tirés d'un rapport produit par la direction de la recherche économique de BMO Nesbitt Burns : « La nouvelle économie selon BMO Nesbitt Burns. Les impôts et la réglementation désavantageraient le Canada », *Le Devoir*, 22 février 2000, p. B 2.
18. Albert Bohémier et Pierre-Paul Côté, *Droit commercial général*, 3e éd., tome 1, Montréal, Les Éditions Thémis Inc., 1985, p. 83-84.
19. Antonio Perrault, *Traité de droit commercial*, tome 2, Montréal, Éditions Albert Lévesque, 1936, p. 112-113.
20. *Ibid.*, p. 114-117.
21. « Le terme « fond de commerce » désigne, en France, un ensemble de valeurs diverses se rattachant à l'exercice d'un commerce, mais on conçoit très bien un fond sans marchandises, sans enseigne. On peut même rencontrer un fond sans clientèle ou achalandage appréciable ». (*Kirouac* c. *Gauthier*, (1922) 60 C.S. 192, 194).
22. Albert Bohémier et Pierre-Paul Côté, *supra*, note 18, p. 84.
23. Barry Landry ne reconnaît pas l'achalandage comme un « bien *en soi* » (« L'achalandage en droit québécois et les obligations implicites le protégeant », dans *Développements récents en droit commercial (1991)*, Cowansville, Les Éditions Yvon Blais Inc., 1991, p. 160-161).
24. « La clientèle constitue habituellement l'actif le plus précieux, mais aussi le plus fragile de l'entreprise ». (*Excelsior, compagnie d'assurance-vie* c. *Mutuelle du Canada, compagnie d'assurance-vie*, [1992] R.J.Q. 2666, 2681 (C.A.) (juge LeBel)).

merce (le nom commercial[25] ou l'enseigne), à la désignation d'un produit (les marques de commerce[26]) ou à l'attribution d'un signe distinctif à un produit[27] (un contenant spécial ou en emballage particulier). Ces éléments permettent de singulariser une entreprise, ainsi que les produits et services qu'elle offre. La marque de commerce, en plus de jouer un rôle d'identification, possède un contenu hautement symbolique à une époque où la communication occupe une place de plus en plus importante dans les entreprises. Elle renvoie souvent dans l'esprit d'un consommateur à la renommée de l'entreprise. Aussi, constitue-t-elle parfois un actif de grande valeur. Dans le but d'assurer une protection accrue à ces diverses appellations et marques de commerce, les entreprises voient à les protéger en les enregistrant. Au Canada, une multitude de marques jouissent d'une protection, à titre d'exemple citons: *Les Ailes de la mode*, *Twik*, *Le Devoir*, *National Post* et *Quebecor*. Dès lors qu'un droit est enregistré, les titulaires peuvent exercer un contrôle contre tout usage abusif et imitation qui pourraient en être faits[28]. Des *droits de création intellectuelle* sont aussi inclus dans la propriété industrielle[29]. La loi accorde un monopole d'exploitation aux titulaires de tels droits. Un inventeur peut requérir un brevet afin d'empêcher que le produit de son travail soit exploité par autrui[30]. La protection lui est accordée pour une durée de 20 ans. La loi protège également, pour une durée de 10 ans, les dessins

---

25. Henri Simon, *Le nom commercial*, Montréal, Wilson et Lafleur ltée/Sorej, 1984, xv, 147 p.; Nicole L'Heureux, *Précis de droit commercial du Québec*, 2e éd., Québec, P.U.L., 1975, p. 84-87.
26. La « marque de commerce » est ainsi définie par la loi: « marque employée par une personne pour distinguer, ou de façon à distinguer, les marchandises fabriquées, vendues, données à bail ou louées ou les services loués ou exécutés, par elle, des marchandises fabriquées, vendues, données à bail ou louées ou des services loués ou exécutés, par d'autres » (*Loi sur les marques de commerce*, L.R.C. (1985), c. T-13, art. 2).
27. Le « signe distinctif » est ainsi défini par la loi: « Selon le cas: a) façonnement de marchandises ou de leurs contenants; b) mode d'envelopper ou empaqueter des marchandises, dont la présentation est employée par une personne afin de distinguer, ou de façon à distinguer, les marchandises fabriquées, vendues, données à bail ou louées ou les services loués ou exécutés, par elle, des marchandises fabriquées, vendues, données à bail ou louées ou des services loués ou exécutés, par d'autres. » (*Ibid.*, art. 2 et 13).
28. Office de la propriété intellectuelle du Canada, *Le guide des marques de commerce*, Hull, Office de la propriété intellectuelle du Canada, 1997, p. 4-5.
29. François Guay, « La propriété intellectuelle: une vue d'ensemble », dans *Développements récents en droit de la propriété intellectuelle (1995)*, Cowansville, Les Éditions Yvon Blais Inc., 1995, p. 293-334.
30. *Loi sur les brevets d'invention*, L.R.C. (1985), c. P-4; Raymond Trudeau, « Réforme du droit sur les brevets et récents développements », dans *Développements récents en droit de la propriété intellectuelle (1995)*, Cowansville, Les Éditions Yvon Blais Inc., 1995, p. 225-237.

industriels[31]. Depuis peu, de nouvelles formes de propriétés industrielles sont reconnues. Les topographies de circuits intégrés[32], soit les microplaquettes qui se retrouvent dans de nombreux produits issus des technologies nouvelles, jouissent d'une protection spécifique durant une période de 10 ans. Finalement, celui qui crée une nouvelle variété de plantes, désignées par la loi comme des obtentions végétales[33], peut se voir reconnaître des droits exclusifs d'utilisation durant 18 ans. Si, dans le passé, la protection était habituellement accordée à l'inventeur lui-même, il est de plus en plus fréquent qu'elle le soit au bénéfice des laboratoires et des entreprises pour lesquels travaillent des scientifiques. En contrepartie de l'octroi d'un monopole d'exploitation, l'enregistrement des droits de propriété intellectuelle permet de rendre public l'essentiel des renseignements déposés par le propriétaire au soutien de sa demande. Cette diffusion favorise le partage des connaissances entre les différents intervenants du monde de la recherche.

Le *droit d'auteur* couvre la création d'œuvres littéraires (roman, poème, etc.), dramatiques (pièce de théâtre, film, vidéo, etc.), musicales et artistiques (peinture, sculpture, photographie, gravure, etc.)[34]. La notion d'œuvres littéraires s'étend également aux programmes d'ordinateur[35], ceux-ci prenant la forme d'un texte. Le titulaire du droit d'auteur détient le droit exclusif de diffuser lui-même son œuvre ou de permettre à un tiers de le faire. Il peut, moyennant ou non des redevances, céder son droit ou octroyer à autrui une licence d'utilisation. En cas de contrefaçon, la loi lui permet d'intervenir pour protéger son œuvre. Le droit dure la vie de l'auteur et se prolonge, à la suite de son décès, pendant une période de 50 ans. La protection accordée au créateur n'exige aucun enregistrement, même s'il est préférable de le faire. En plus des droits de nature patrimoniale qui lui sont accordés, un auteur possède des « droits moraux » qui lui permettent d'intervenir pour protéger l'intégrité de son œuvre[36].

---

31. Le « dessin » est ainsi défini par la loi : « Caractéristiques ou combinaison de caractéristiques visuelles d'un objet fini, en ce qui touche la configuration, le motif ou les éléments décoratifs. » (*Loi sur les dessins industriels*, L.R.C. (1985), c. I-9, art. 2).
32. *Loi sur les topographies de circuits intégrés*, L.R.C. (1985), c. I-14.6.
33. *Loi sur la protection des obtentions végétales*, L.R.C. (1985), c. P-14.6. Voir aussi le site internet du Bureau de la protection des obtentions végétales : http://www.cfia-acia.agr.ca/francais/plant/pbr/home_f.html.
34. *Loi sur le droit d'auteur*, L.R.C. (1985), c. C-42; Office de la propriété intellectuelle du Canada, *Le guide des droits d'auteur*, Hull, Office de la propriété intellectuelle du Canada, 1994, 23 p.
35. *Loi sur le droit d'auteur*, *ibid.*, art. 2, « œuvre littéraire ».
36. *Ibid.*, art. 14.1 (1).

L'*information*, qui est composée d'un ensemble de renseignements mis en forme pour être communiqué, constitue un bien. Elle possède une valeur pécuniaire qui s'affirme de plus en plus dans une société qui connaît un développement fulgurant de ses modes de communication. La collecte de données concernant les personnes doit cependant être réalisée dans le respect du droit à la vie privée (35-41 C.c.Q.)[37].

1.2 Biens meubles et immeubles

La distinction entre les meubles et les immeubles remonte au droit romain, elle repose sur le critère physique, celui de la fixité. Le droit coutumier français, parmi les nombreuses divisions des biens qu'il connaît, distingue lui aussi ces deux catégories de biens. Il accorde sa prédilection à l'immeuble, source de richesse et symbole de puissance[38]. Le meuble, en revanche, ne reçoit pas pareille attention de l'Ancien droit, comme le rappelle l'adage : *Res mobilis, res vilis*. L'attachement à la terre, longtemps fondement de l'économie, explique la prédominance de l'immeuble jusqu'à la montée en force du meuble, au XIXe siècle, comme élément essentiel des fortunes.

Depuis, la distinction entre les meubles et les immeubles a perdu de l'intérêt. Elle demeure cependant une des classifications fondamentales du droit des biens, puisque « [l]es biens, tant corporels qu'incorporels, se divisent en immeubles et en meubles » (899 C.c.Q.). Un bien, quel qu'il soit, appartient donc nécessairement à l'une ou l'autre des deux catégories. Le rattachement conserve une application non négligeable en droit des sûretés puisque certaines priorités portent sur les immeubles alors que d'autres portent sur les meubles (2651 C.c.Q.). Par ailleurs, le régime juridique applicable aux hypothèques varie selon la nature immobilière (2693-2695 C.c.Q.) ou mobilière (2696-2714 C.c.Q.) du bien. Cette qualification pourra exercer une influence sur le régime juridique applicable à différentes matières, citons à titre d'exemple : le droit des donations

---

37. Pierre Catala, « Ébauche d'une théorie juridique de l'information », *Recueil Dalloz Sirey*, 1984.97 (nº 17), voir aussi les lois québécoises suivantes : *Loi sur l'accès aux renseignements personnels dans le secteur privé*, L.R.Q., c. P-39.1; *Loi sur l'accès aux documents des organismes publics et sur la protection des renseignements personnels*, L.R.Q., c. A-2.1; et la loi fédérale suivante : *Loi sur la protection des renseignements personnels*, L.R.C., c. P-21.
38. Paul Ourliac et Jehan De Malafosse, *Histoire du droit privé*, 2e éd., *Les biens*, tome 2, Paris, P.U.F., 1971, p. 31.

(1824 C.c.Q.), le droit du louage (1885, 1887 C.c.Q.), le droit de la prescription (2918-2919 C.c.Q.), le droit de la publicité des droits (*passim* C.c.Q.) et la saisie des biens (568-732 C.p.c.).

De plus, la distinction permet parfois de déterminer le champ d'application de certaines lois statutaires. Ainsi, la *Loi sur la protection du consommateur* s'applique à tout contrat, conclu entre un consommateur et un commerçant dans le cours de son commerce, portant sur un bien mobilier ou un service[39]. Il faut préciser cependant que certaines parties de la loi s'appliquent aussi à la vente, à la location ou à la construction d'un immeuble[40]. Quant à elle, la *Loi sur la fiscalité municipale* accorde aux municipalités le pouvoir d'imposer les immeubles[41]. Toutefois, dans cette loi, la définition d'immeuble diffère quelque peu de celle prévue au Code civil.

La nature mobilière ou immobilière d'un bien est établie suivant les critères prévus par la loi. Toute stipulation contraire comprise dans un acte juridique ne pourrait être opposée aux tiers[42].

1.2.1 Immeubles

Le droit commun établit des règles de qualification des immeubles qui peuvent être modifiées par les lois particulières.

1.2.1.1 *Suivant le Code civil*

La notion d'immeuble est définie aux articles 900 à 904 du Code. Le critère essentiel de qualification demeure la fixité.

Fonds de terre – L'immeuble par excellence reste le *fonds de terre* (900 (1) C.c.Q.). Cette notion comprend la surface du sol et le sous-sol.

---

39. L.R.Q., c. P-40.1, art. 1 d) et 2.
40. *Ibid.*, art. 6.1.
41. L.R.Q., c. F-2.1.
42. « La nature mobilière ou immobilière des biens est fixée par la loi; il importe peu, dès lors, que les parties, dans un acte, aient attribué tel ou tel caractère aux meubles garnissant une maison, et les tiers intéressés ont toujours le droit de faire tomber une stipulation qui leur est contraire, quand ils peuvent établir que la nature des meubles résultant de la convention n'est pas celle que le Code civil leur attribue. » (*Nadeau* c. *Rousseau*, (1928) 44 B.R. 545, 549 (juge Rivard); il s'agit d'une citation puisée dans la jurisprudence française : *Marconnet* c. *Mercier*, C.A. de Besançon, 13 avril 1892, Dalloz 92.2.551).

Immeuble par adhésion – Loin de se limiter au seul fonds de terre, la notion d'immeuble comprend les *constructions et ouvrages*[43] *à caractère permanent situés sur un fonds de terre* (900 (1) C.c.Q.)[44].

Le critère pour qualifier d'immeuble une construction ou un ouvrage à caractère permanent a été précisé par la jurisprudence. Cet ouvrage ou cette construction doit adhérer à un immeuble (fonds de terre ou bâtiment) – il ne peut simplement reposer sur le sol – et doit acquérir par cette adhésion une assiette fixe[45]. L'ouvrage ou la construction participe alors à l'immobilité de l'immeuble auquel il est rattaché. Toutefois, il est important de signaler qu'il ne perd pas pour autant son individualité. Un meuble dont l'adhésion à un immeuble ne serait que « passagère ou accidentelle »[46] ne remplirait pas la condition de permanence exigée pour entraîner son immobilisation.

Un édifice, ancré dans le sol, constitue ainsi un immeuble. Il en va de même de nombreuses autres structures, comme un pont[47], un barrage, un transformateur[48], une antenne[49], un réseau de distribution d'électricité constitué de poteaux reliés par des fils[50], une canalisation de gaz et d'électricité, un réseau d'aqueduc et d'égout[51].

Immeuble par intégration – *Un bien meuble peut également devenir immeuble s'il fait partie intégrante d'un immeuble* (900-901 C.c.Q.). L'intégration fait en sorte que le meuble perd son individualité. Dorénavant, le meuble fait partie intégrante de l'immeuble

---

43. Le *Code civil du Bas-Canada* désignait ces constructions et ouvrages sous le nom de *bâtiments* (376 C.c.B.-C.). Par ailleurs, la Cour suprême avait déjà eu l'occasion de préciser que le mot *bâtiment* était pris à l'article 376 de l'ancien Code au sens de *structure* : « The words « *bâtiments* » – « buildings » in Art. 376 C.C. may therefore be taken to mean « structures » [...] » (*Bélair* c. *Ville de Sainte-Rose*, (1922) 63 R.C.S. 526, 530 (juge Anglin)).
44. Sous le *Code civil du Bas-Canada* ces immeubles étaient qualifiés d'immeubles par nature (376 C.c.B.-C.).
45. « [...] le critère de l'immobilisation par nature est satisfait quand un ouvrage que l'on peut qualifier de bâtiment adhère à un immeuble par nature, fonds de terre ou bâtiment, et qu'il acquiert par là une assiette fixe. » (*Cablevision (Montréal) Inc.* c. *Sous-ministre du revenu du Québec*, [1978] 2 R.C.S. 64, 73 (juge Beetz)).
46. *Lower St. Lawrence Power Co.* c. *Immeuble Landry ltée*, [1926] R.C.S. 655, 668 (juge Rinfret).
47. *Bélair* c. *Ville de Sainte-Rose*, *supra*, note 43.
48. *Montreal Light, Heat and Power Consolidated* c. *Cité de Westmount*, [1926] R.C.S. 515.
49. *Cablevision (Montréal) Inc.* c. *Sous-ministre du revenu du Québec*, *supra*, note 45.
50. *Lower St. Lawrence Power Co.* c. *Immeuble Landry ltée*, *supra*, note 46, p. 670 (juge Rinfret).
51. *Neveu* c. *Corporation municipale de Sainte-Mélanie*, C.A.M. nº 500-09-000798-777, 11 février 1980.

auquel il est incorporé[52]. De plus, le meuble a pour fonction d'assurer l'utilité de l'immeuble en le complétant. Ce dernier critère est particulièrement déterminant[53]. L'utilité doit être considérée compte tenu de l'évolution de la technologie et des modes de vie. Un tribunal a ainsi estimé qu'au début des années 1970 un immeuble d'habitation de 16 étages devait être muni d'un ascenseur[54].

Le processus d'immobilisation par intégration a pour conséquence que les matériaux ou les éléments incorporés perdent leur qualité de meubles pour devenir immeubles au fur et à mesure de leur incorporation : « Les matériaux qui entrent dans la construction d'un bâtiment sont meubles au moment où on les emploie, mais à mesure de leur incorporation au sol, ils perdent leur individualité; juridiquement ils sont anéantis, confondus avec le sol, dont ils deviennent parties intégrantes [...]. »[55]. Cette incorporation qui entraîne l'immobilisation des matériaux vaut même dans l'hypothèse où l'ouvrage entrepris ne serait pas terminé[56].

La jurisprudence et la doctrine fournissent des exemples de meubles intégrés à un immeuble au sens des articles 900 et 901 C.c.Q., citons : un escalier[57], des volets[58], une fournaise[59], un ascenseur[60] et un aspirateur central[61].

---

52. « Lorsqu'un meuble est attaché à un immeuble ou y est incorporé, [...] il devient immeuble par nature, s'il y est attaché de telle sorte qu'il en fasse dorénavant véritablement partie intégrante [...] ». (*Nadeau* c. *Rousseau*, *supra*, note 42, p. 548 (juge Rivard)); « Un objet mobilier par nature peut devenir un immeuble par nature s'il est incorporé au fonds et au bâtiment, de telle sorte qu'il en demeure partie intégrante ou constitutive et qu'il perde son individualité [...] ». (*Aluminium du Canada ltée* c. *Village de Melocheville*, [1973] R.C.S. 792, 795 (juge en chef Fauteux)).
53. *Commentaires du ministre de la Justice*, *supra*, note 9, p. 529. Exiger que le meuble assure *l'utilité* de l'immeuble est moins contraignant que de demander qu'il soit « indispensable à l'existence même de l'immeuble », comme l'avait précisé l'arrêt *Nadeau* c. *Rousseau*; *ibid.*, p. 548.
54. « On ne conçoit pas, de nos jours, une maison appartement de seize étages sans ascenseur, et encore moins avec des puits vides pratiqués lors de la construction de l'édifice ». (*Horn Elevator Ltd.* c. *Domaine d'Iberville ltée*, [1972] C.A. 403, 409 (juge Rivard)).
55. *Ruco Entreprises Inc.* c. *Shink*, [1967] B.R. 638, 641 (juge Pratte).
56. *Canadian Elevator Co. Ltd.* c. *Foresta*, C.A.M. nº 500-09-000374-751, 22 juin 1976 (juge Bernier).
57. *Horn Elevator Ltd.* c. *Domaine d'Iberville ltée*, *supra*, note 54, p. 408 (*obiter dictum*).
58. Pierre-Basile Mignault, *supra*, note 14, p. 420.
59. *Nadeau* c. *Rousseau*, *supra*, note 42.
60. *Horn Elevator Ltd.* c. *Domaine d'Iberville ltée*, *supra*, note 54.
61. *Laurin* c. *Allaire*, [1996] R.L. 651, 652 (C.Q.).

Immeuble par attache ou réunion – Le *meuble lié à l'immeuble, mais non incorporé à lui, peut devenir immeuble*, en vertu de l'article 903 du Code. Il s'agit de l'ancienne catégorie des immeubles par destination[62]. Cette catégorie a l'avantage de sauvegarder l'unité de l'immeuble en évitant que des éléments qui y sont attachés ou réunis ne soient traités séparément de celui-ci.

Pour qu'il y ait immobilisation, certaines conditions doivent être respectées :

1) L'immobilisation du meuble est révélée par la présence d'un lien qui unit le meuble et l'immeuble. *Ce lien doit être matériel.* Le lien simplement intellectuel ne suffit pas[63]. Le meuble doit être attaché ou réuni à l'immeuble. Il peut cependant être emboîté.

2) Le meuble doit avoir été attaché ou réuni *à demeure*, c'est-à-dire de façon permanente[64]. L'immobilisation n'est donc pas établie pour un temps limité, mais indéfiniment[65]. L'existence du lien matériel permet d'établir qu'il y a permanence.

3) Le meuble, uni à l'immeuble, ne doit pas perdre son individualité, ni être incorporé, sinon il devient immeuble au sens des articles 900 et 901 du Code[66].

4) Le meuble doit *assurer l'utilité de l'immeuble*, il doit le compléter[67]. S'il s'agit d'un immeuble utilisé par une entreprise, le meuble ne doit pas servir à l'exploitation de cette entreprise ou à la poursuite d'activités. C'est là une distinction importante par rapport aux immeubles par destination du *Code civil du Bas-Canada*[68]. Il en découle que les meubles utilisés comme machinerie ou outillage dans une entreprise, même lorsqu'ils sont attachés à un immeuble[69], ne pourront plus être immobilisés. Le

62. Art. 379 C.c.B.-C.
63. Il s'agit d'une distinction importante par rapport à l'ancienne catégorie des immeubles par destination qui elle se contentait d'un lien intellectuel (*Cité de Sherbrooke* c. *Bureau des commissaires d'écoles catholiques romains de la cité de Sherbrooke*, [1957] R.C.S. 476, 486 (juge Taschereau).
64. *In re Amédée Leclerc Inc.* : *Thibault* c. *De Coster*, [1965] C.S. 266, 270.
65. Pierre-Basile Mignault, *supra*, note 14, p. 420.
66. *Nadeau* c. *Rousseau*, *supra*, note 42.
67. *Loi sur l'application de la réforme du Code civil*, L.Q. 1992, c. 57, art. 48 :
   « L'article 903 du nouveau code est censé ne permettre de considérer immeubles que les meubles visés qui assurent l'utilité de l'immeuble, les meubles qui, dans l'immeuble, servent à l'exploitation d'une entreprise ou à la poursuite d'activités étant censés demeurer meubles. »
68. Art. 379-380 C.c.B.-C.
69. *Cité de Sherbrooke* c. *Bureau des commissaires d'écoles catholiques romains de la cité de Sherbrooke*, *supra*, note 63, p. 494 (juge Taschereau).

législateur explique cette modification apportée au droit par la perte d'utilité de la catégorie depuis l'introduction de l'hypothèque mobilière[70]. Auparavant, l'immobilisation fictive permettait justement d'étendre l'application de l'hypothèque à l'ensemble des biens d'une entreprise, y compris aux meubles.

Il est vraisemblable que l'article servira à qualifier d'immeuble les meubles qui complètent un bâtiment. À titre d'exemples, les biens suivants ont été qualifiés d'immeubles: des appliques électriques[71], un réservoir à eau chaude[72], des miroirs et des lustres[73], un tapis mur à mur, un ventilateur de plafond, des projecteurs, un lave-vaisselle et un four encastrés et finalement une cuisinière « Jenn-Air »[74].

Malgré la reconnaissance de l'immobilisation par attache ou réunion, suivant l'article 903, le Code tempère parfois les effets de ce type d'immobilisation. En effet, lorsqu'ils sont grevés d'hypothèque, les meubles conservent leur nature mobilière pour l'exécution de cette hypothèque (2672 C.c.Q.); de même le bien qui est l'objet d'un crédit-bail conserve sa nature mobilière tant que dure le contrat (1843 C.c.Q.).

Lors d'une *saisie*, le bien meuble immobilisé ne peut faire l'objet d'une saisie qu'avec l'immeuble auquel il s'attache ou est réuni. Toutefois, il peut faire l'objet d'une saisie séparément par un créancier prioritaire ou hypothécaire ou par un autre créancier si le meuble et l'immeuble n'appartiennent pas au même propriétaire (571 C.p.c.[75]).

L'immobilisation prend fin lorsque le meuble est définitivement séparé de l'immeuble. Le meuble immobilisé peut cependant être retiré temporairement sans perdre sa qualification pour être réparé ou pour tout autre motif similaire.

Végétaux et les minéraux – *Les végétaux et les minéraux tant qu'ils ne sont pas séparés du fonds sont immeubles* (900 (2) C.c.Q.). En revanche, les grains coupés et les fruits détachés deviennent meubles.

---

70. *Commentaires du ministre de la Justice*, *supra*, note 9, p. 530.
71. *Geoffrion* c. *Gauthier*, (1926) 64 R.S.C. 510.
72. *Boulet* c. *Pelchat*, (1940) 46 R. de J. 306 (C. de M.).
73. *Corbeil* c. *Horner-Corbeil*, [1978] C.S. 703.
74. *Karkour* c. *Woerner*, [1986] R.D.I. 200 (C.P.).
75. « Les meubles qui selon l'article 903 du Code civil du Québec sont immeubles ne peuvent être saisis qu'avec l'immeuble auquel ils s'attachent ou sont réunis; ils peuvent cependant être saisis séparément par un créancier prioritaire ou hypothécaire, ou encore par un autre créancier s'ils n'appartiennent pas au propriétaire de l'immeuble. »

Les mines – qui appartiennent à l'État – constituent cependant une propriété distincte de la propriété du sol[76].

Immeuble par l'objet auquel il s'attache – Le Code établit que *des biens incorporels constituent des immeubles par l'objet auquel ils s'attachent* (904 C.c.Q.). Cette catégorie comprend les droits réels principaux portant sur des immeubles (l'usufruit et l'usage des biens immobiliers, les servitudes, l'emphytéose), les droits réels accessoires portant sur des immeubles (les hypothèques), les actions en justice qui tendent à faire valoir les droits réels immobiliers (912, 953 C.c.Q.) et celles qui visent à obtenir la possession d'un immeuble (929 C.c.Q.)

1.2.1.2 *Suivant les lois particulières*

La qualification des immeubles suivant les critères établis par le Code civil peut se voir écarter ou, à tout le moins, modifier par des lois particulières. La *Loi sur la fiscalité municipale* constitue probablement l'exemple le plus significatif à cet égard. Cette loi accorde à une municipalité le pouvoir d'imposer les biens immobiliers qui se trouvent sur son territoire. Elle donne à la notion d'immeuble la définition suivante : « "Immeuble" : un immeuble au sens de l'article 900 du Code civil ou un meuble attaché à demeure à un tel immeuble »[77].

La disposition pose un problème d'interprétation quant à la portée à donner au mot « attaché ». La Cour d'appel a décidé que l'existence d'un lien entre le meuble et l'immeuble s'avérait essentielle. Toutefois, ce lien ne doit pas nécessairement être une attache physique. Un meuble qui, sans être attaché matériellement à un immeuble, est intégré à celui-ci de telle sorte qu'il ne peut être déplacé sans être démantelé est considéré comme immobilisé[78]. Il en va de même d'un meuble encastré dans une structure qui empêche son déplacement[79]. De l'avis du tribunal, la simple adhérence d'un meuble à un immeuble, par l'effet de son poids par exemple, ne suffit cependant pas à entraîner l'immobilisation[80]. Le lien entre le meuble et l'immeuble doit être établi « à perpétuelle demeure », c'est-à-dire pour une durée de temps indéterminée.

---

76. *Loi sur les mines*, L.R.Q., c. M-13.1, art. 3.
77. *Supra*, note 41, art. 1.
78. *Ville de Québec* c. *Corporation d'assurance de personne La Laurentienne*, [1995] R.J.Q. 731, 738 (C.A.) (juge Brossard), la Cour se prononçait sur la qualification d'une allée de quilles.
79. *Ibid.*, p. 739, la Cour se prononçait sur la qualification du guichet automatique d'une banque.
80. *Ibid.*, p. 737.

1.2.2 Meubles

Les choses qui peuvent se transporter d'un lieu à l'autre sont qualifiés de meubles par le Code (905 C.c.Q.). Les meubles rassemblent des biens de différentes natures. D'abord, les choses qui se meuvent elles-mêmes, soit les animaux. Ensuite, les choses qui ont besoin d'une force étrangère pour les déplacer, soit les biens inanimés. Certains biens mobiles ne sont cependant pas des meubles, pensons notamment aux ascenseurs[81] considérés comme des immeubles par intégration au sens des articles 900 et 901 du Code. Finalement, les biens impalpables soit les ondes et l'énergie maîtrisées par l'être humain[82], peu importe le caractère mobilier ou immobilier de leur source sont meubles (906 C.c.Q.).

Catégorie résiduaire – La catégorie des meubles est résiduaire. Aussi, tout bien que la loi ne qualifie pas autrement est un meuble (907 C.c.Q.). Les biens appartenant au vaste ensemble des biens incorporels et qui ne se rattachent pas à la catégorie des immeubles sont donc des meubles (l'usufruit des biens mobiliers, les sûretés mobilières, les droits de propriété industrielle, etc.). Il en va de même des droits de créance, notamment des actions dans les sociétés commerciales, des parts dans les sociétés et des loyers[83]. Les actions en justice ayant pour but de faire valoir un droit de nature mobilière sont également qualifiées de biens meubles.

Meubles par anticipation – Des biens immeubles peuvent par avance être qualifiés de meubles par la volonté des parties à l'acte qui en règle la disposition (900 (2) C.c.Q.). Les biens susceptibles d'être qualifiés de meubles par anticipation sont les fruits et les produits du sol, y compris le sable et le gravier[84], et même la vente d'une construction pour fins de démolition.

---

81. *Horn Elevator Ltd.* c. *Domaine d'Iberville ltée*, *supra*, note 54.
82. L'énergie comprend notamment l'électricité, le gaz et la chaleur (*Commentaires du ministre de la Justice*, *supra*, note 9, p. 531).
83. *Compagnie Montréal Trust du Canada* c. *Koprivnik*, [1996] R.J.Q. 443, 445-446 (C.S.).
84. « Il va de soi que les fonds de terre sont des immeubles par nature tant en surface qu'en profondeur (article 376 C.C.) [900 C.c.Q.]; de même les récoltes pendantes par les racines et même les fruits des arbres (article 378 C.C.) [900 C.c.Q.]. Cependant, lors de la vente sous seing privé, le propriétaire par indivis Louis Vézina, vendant la couche de surface d'une partie limitée du lot numéro 193, n'a-t-il pas rendu mobilière cette vente puisque déjà il entendait que cette couche de surface soit séparée du fonds et transportée ailleurs. » (*Vézina* c. *Morneau*, [1977] C.S. 668, 670; *Maurice* c. *Morin*, [1995] R.D.I. 10 (C.A.)).

2. LES BIENS ET CE QU'ILS PRODUISENT

Le Code établit une importante distinction entre, d'une part, le capital et, d'autre part, les fruits et revenus générés par les biens. Cette distinction sera utile notamment lorsqu'il faudra déterminer l'étendue des droits de l'usufruitier (1129-1130 C.c.Q.) ou encore les pouvoirs de la personne chargée de l'administration du bien d'autrui (1302-1303 C.c.Q.). Le Code fournit plusieurs exemples de personnes chargées de l'administration du bien d'autrui pour qui cette distinction sera importante, signalons : le tuteur au mineur (208 C.c.Q.) ou au majeur (286 C.c.Q.), le liquidateur d'une succession (802 C.c.Q.) et le gérant d'une copropriété indivise (1029 C.c.Q.) ou divise (1085 (2) C.c.Q.).

2.1 Le capital

Le capital, suivant l'article 909 du Code, comprend les biens dont on tire des fruits et revenus, les biens affectés au service ou à l'exploitation d'une entreprise, les actions ou les parts sociales d'une personne morale ou d'une société, le remploi des fruits et des revenus, le prix de la disposition d'un capital ou son remploi, les indemnités d'expropriation ou d'assurance qui tiennent lieu de capital, les droits de propriété intellectuelle et industrielle, sauf les sommes qui en proviennent sans qu'il y ait eu aliénation de ces droits, les obligations et autres titres d'emprunt payables en argent, les droits dont l'exercice tend à accroître le capital, tels les droits de souscription des valeurs mobilières.

2.2 Les fruits et revenus

Les fruits et revenus sont, selon l'article 910 du Code, ce que le bien produit sans que sa substance soit entamée, ce qui provient de l'utilisation d'un capital et les droits dont l'exercice tend à accroître les fruits et revenus du bien.

Les *fruits* comprennent ce qui est produit spontanément par le bien (les fruits naturels), ce qui est produit par la culture ou l'exploitation d'un fonds (les fruits industriels) et le produit ou le croît des animaux.

Les *revenus* comprennent les sommes d'argent que le bien rapporte (les fruits civils), soit les loyers, les intérêts, les dividendes, sauf s'ils représentent la distribution d'un capital d'une personne morale, les sommes reçues en raison de la résiliation ou du renouvellement d'un bail ou d'un paiement par anticipation ou les sommes attribuées ou perçues dans des circonstances analogues. Les revenus, dont il est ici question, comprennent seulement ceux tirés d'un capital. Or, en 1993, au Québec, ce type de revenus constituait seulement 12 % du revenu personnel total[85], par rapport à celui provenant du travail qui s'élevait à 68 % et aux transferts courants des administrations aux particuliers qui atteignaient 20 %. Quoique la part des revenus issus d'un capital varie sensiblement suivant les personnes, il faut se garder d'en surévaluer l'importance.

3. L'APPROPRIATION DES CHOSES

Toutes les choses ne sont pas appropriées et certaines ne peuvent même pas être appropriées, elles ne constituent pas des biens.

3.1 Les choses communes

Une catégorie de choses n'est pas susceptible d'appropriation, ce sont les choses communes (les *res communes*). Cette qualité les tient à l'écart de tout patrimoine. Elles ne peuvent, en effet, être qualifiées de biens. L'usage de ces choses, précise le Code, est commun à tous (913 C.c.Q.).

Les choses communes comprennent l'eau et l'air (913 (2) C.c.Q.) et vraisemblablement la lumière[86]. La qualification de ces éléments comme choses communes se justifie du fait qu'ils s'avèrent indispensables à la vie sur terre. Chaque être humain tire même un avantage personnel de l'existence de ces composantes essentielles de notre environnement naturel[87]. Ces choses ne peuvent, en principe, faire l'objet d'une appropriation. Cette prohibition n'est cependant pas absolue. L'eau des étangs privés peut être objet d'un droit de propriété[88]. De même, l'air et l'eau, qui ne sont pas destinés à l'utilité publique, sont susceptibles d'appropriation à la condition d'être recueillis et mis en récipient. Cette exception vise l'eau et l'air qui ne servent pas à approvisionner une population, il s'agit notamment de l'eau de source, de l'eau minérale et de l'air comprimé[89]. En les rendant objets d'appropriation, le législateur a fait passer ces éléments de la catégorie des choses communes à celle des biens.

---

85. *Le Québec statistique*, Québec, Bureau de la statistique, 1995, p. 781.
86. Pierre-Basile Mignault, *Le droit civil canadien basé sur les « Répétitions écrites sur le Code civil de Frédéric Mourlon »*, tome 3, Montréal, C. Théoret, 1897, p. 232.
87. Isabelle Moine, *Les choses hors commerce: une approche de la personne humaine juridique*, Paris, L.G.D.J., 1997, p. 395-397.
88. René Dussault et Louis Borgeat, *Traité de droit administratif*, 2e éd., tome II, Québec, P.U.L., 1986, p. 116-117; *Morin* c. *Morin*, [1995] R.D.I. 339, 343-344 (C.S.).
89. *Commentaires du ministre de la Justice*, *supra*, note 9, p. 536.

La reconnaissance de l'usage commun des *res communes* explique que le législateur ait vu par diverses interventions statutaires à préserver la qualité de l'air et de l'eau[90]. Le Code civil lui-même prévoit des mécanismes de préservation de la qualité de l'eau (982 C.c.Q.). Les tribunaux sanctionnent fréquemment l'usage abusif des *res communes* en s'appuyant tantôt sur des lois statutaires, tantôt sur le droit commun[91].

La catégorie des choses communes transcende les époques et les systèmes juridiques. Son existence est attestée dans le droit romain[92]. Les commentateurs du droit coutumier l'acceptent d'emblée. Au XVIIe siècle, le publiciste hollandais Hugo Grotius s'appuie sur le caractère commun de l'eau pour défendre la liberté de navigation sur les mers au profit de tous les peuples[93]. Les auteurs réfèrent souvent à la catégorie comme si elle ne saurait être mise en doute. Or, la présence de nombreuses entreprises spécialisées dans le traitement des eaux et les efforts tentés pour développer un marché de l'exportation de l'eau montrent qu'elle est de plus en plus perçue comme un objet de commerce[94]. En outre, la rareté de l'eau sur plusieurs continents risque de provoquer une remise en question de son caractère de chose commune. Dans certaines régions du monde, les pénuries d'eau, en plus d'engendrer des troubles sociaux, risquent d'entraîner des conflits commerciaux ou politiques. Dans ce contexte, la réflexion sur l'eau et sur sa qualification suscite de plus en plus d'intérêt. Tendant sans doute à inscrire la discussion dans une terminologie nouvelle et vraisemblablement plus opérationnelle, il a été récemment proposé de qualifier l'eau de « bien vital, patrimonial, commun mondial »[95] ou de « droit

---

90. Dans la législation québécoise, voir : *Loi sur la qualité de l'environnement*, L.R.Q., c. Q-2, art. 20; dans la législation fédérale, voir : *Loi canadienne sur la protection de l'environnement*, L.R.C. (1985), c. C-15.3, art. 61, 66-67; *Loi sur les pêches*, L.R.C. (1985), c. F-14, art. 36.
91. *Gravel* c. *Carey Canadian Mines Ltd.*, [1982] C.S. 1097.
92. Justinien, *Institutes*, 1, 1, 3-5 et Michel Hallé, « La pêche dans le droit romain », (1980) 21 *C. de D.* 985, 986.
93. Hugo Grotius, *De la liberté des mers*, trad. du latin par Antoine de Courtin (1703), Caen, Université de Caen – Centre de philosophie politique et juridique, 1990, p. 675-681.
94. Une loi, d'application temporaire, interdit le transfert hors du Québec d'eaux prélevées au Québec. Il est cependant fait exception pour l'eau en contenants commercialisée à des fins de consommation humaine (*Loi visant la préservation des ressources en eau*, L.Q. 1999, c. 63).
95. Riccardo Petrella, *Le manifeste de l'eau : pour un contrat mondial*, Bruxelles, Labor, 1998, p. 110. Sur les conflits causés par la rareté de l'eau, voir : « L'histoire des civilisations et des conflits humains au fil de l'eau », *Le Monde*, 28 janvier 2000, p. 27.

fondamental de l'homme »[96]. Les expressions témoignent de la pertinence du maintien d'une catégorie de choses non appropriées qui demeurent au bénéfice des humains.

3.2 Les biens susceptibles d'appropriation, mais non appropriés

Des choses susceptibles appropriation, donc des biens, peuvent ne pas être appropriées, il s'agit de biens sans maître (914 C.c.Q.). Ces biens s'acquièrent par occupation, soit suivant un mode primaire d'appropriation des biens, en ce sens qu'il n'est fondé sur aucun titre (916 C.c.Q.). La personne qui se les approprie doit le faire avec l'intention de s'en rendre propriétaire.

3.2.1 Les biens vacants

Certains biens ne sont pas appropriés mais sont susceptibles de l'être (934 C.c.Q.). Ils demeurent vacants jusqu'au jour où une personne en prend possession et les intègre dans son patrimoine.

3.2.1.1 *Les meubles*

Parmi les biens dépourvus de propriétaire, les meubles demeurent les plus nombreux. Ils comprennent des animaux sauvages (les *res nullii*) et des biens abandonnés (les *res derelictae*) par leur propriétaire.

Animaux sauvages – Le droit distingue les animaux domestiques des animaux sauvages (les *feræ bestiæ*). Les premiers sont sous la maîtrise des humains qui, depuis des générations, les ont intégrés dans le vaste ensemble des richesses appropriées. Les seconds, au contraire, se situent en marge de cet ensemble, ils sont des biens vacants. Le Code distingue les animaux demeurés sauvages de ceux qui ont déjà vécu en captivité (934 (1) C.c.Q.).

Les animaux sauvages en liberté comprennent le gibier[97] et la faune aquatique (les poissons et les produits de la mer en général). Des lois spéciales réglementent la chasse ou la pêche[98], elles pré-

---

96. Alain Franco, « L'eau est indispensable mais n'est pas un droit de l'homme », *Le Monde*, 24 mars 2000, p. 40.
97. *Beaudoin* c. *Rancourt*, [1977] C.P. 217.
98. Dans la législation québécoise, voir : *Loi sur la conservation et la mise en valeur de la faune*, L.R.Q., c. C-61.1; dans la législation fédérale, voir : *Loi sur la convention concernant les oiseaux migrateurs*, L.R.C. (1985), c. M-7.

voient notamment les modalités qui gouvernent ces activités, comme les permis requis, les qualifications nécessaires pour détenir ces permis, les types d'armes à employer, les périodes de chasse ou de pêche, le nombre de prises et la sanction en cas de violation de la loi. Longtemps considérée comme une richesse inépuisable, la faune a été victime de chasse et de pêche excessives quand ce n'est pas de la pollution. Aussi, il s'est avéré nécessaire de veiller à la sauvegarde de plusieurs espèces et, parfois, au rétablissement de leur habitat[99].

Des animaux sauvages peuvent, à certaines conditions, être gardés en captivité[100]. Lorsqu'ils recouvrent la liberté, ils redeviennent alors des biens vacants susceptibles à nouveau d'appropriation[101].

Biens abandonnés – Des biens sont parfois abandonnés par leurs propriétaires qui renoncent, dès lors, au droit réel qu'ils détenaient à l'égard de ces mêmes biens. L'exercice de la faculté d'abandon fait que ces biens ne sont plus objets de propriété (*res derelictæ*). Les déchets et les objets jetés au rebut constituent les meilleurs exemples de biens de cette catégorie[102]. Des divergences existent entre les auteurs sur la qualification des résidus du corps humain comme des *res derelictæ*[103].

Le Code prévoit une présomption selon laquelle ont été abandonnés par leur propriétaire les meubles de peu de valeur ou très détériorés laissés en des lieux publics (934 (2) C.c.Q.). Cette présomption absolue (2847 (2) C.c.Q.) vise à éviter les contestations quant à la propriété de ces biens[104].

Occupation – La propriété des meubles sans maître est acquise par occupation (916 et 935 C.c.Q.). Par ce mode d'acquisition, le bien cesse d'être vacant. La personne qui prend le bien doit le faire avec l'intention de s'en rendre propriétaire (914 C.c.Q.). Ainsi, un chasseur

---

99. Par exemple, voir : Ministère des Pêches et des Océans, *Politique de gestion de l'habitat du poisson*, disponible à l'adresse électronique suivante : http://www.dfo-mpo.gc.ca/communic/comm1_f.htm#Oceans.

100. *Loi sur la conservation et la mise en valeur de la faune*, *supra*, note 98, art. 42; *Règlement sur les animaux en captivité*, décret 1029-92, 8 juillet 1992, *Gazette officielle du Québec*, vol. 124, n° 31 (22 juillet 1992), p. 4709-4721.

101. *Dubeau* c. *Rule*, [1943] R.L. 273, 296 (C.S.).

102. *A. F. Byers Construction Co. Ltd.* c. *Little Daisy Dress Co. Ltd.*, [1952] B.R. 645.

103. Marie Galarneau, *La propriété des déchets biomédicaux : une étude de la pensée juridique*, Mémoire de maîtrise présenté à la Faculté des études supérieures de l'Université Laval pour l'obtention du grade de maître en droit (LL.M.), Québec, 1997, p. 34-40.

104. *Commentaires du ministre de la Justice*, *supra*, note 9, p. 547.

acquiert par occupation un animal sauvage lorsqu'il le tue ou le blesse au point où il ne puisse s'enfuir[105].

Les meubles abandonnés, non appropriés, appartiennent aux municipalités qui les recueillent ou à l'État (935 (2) C.c.Q.). Ceci permet une disposition rapide des rebuts. Il est possible que des lois prévoient expressément à qui revient la propriété des déchets municipaux[106].

3.2.1.2 *Les immeubles*

Un adage du droit coutumier français veut que toutes les terres du royaume soient appropriées: « Nulle terre sans seigneur ». On ne s'étonnera donc pas que les immeubles appartiennent, soit à des particuliers, soit à l'État. Le Code civil édicte d'ailleurs que les immeubles sans maître sont une propriété étatique (936 C.c.Q.). De tels immeubles demeurent plutôt rares, il pourrait s'agir d'immeubles acquis par succession ou vacance (696 (1) C.c.Q.) ou d'immeubles abandonnés par leur propriétaire. Un tel abandon doit donner lieu à une inscription au registre foncier par le propriétaire qui décide de renoncer ainsi à sa maîtrise sur le bien (2918 C.c.Q.). Cet avis sert à établir la preuve que l'immeuble est bel et bien sorti du patrimoine de son propriétaire. Un immeuble n'entre donc pas dans le domaine public du seul fait que son propriétaire est inconnu ou introuvable[107]. L'administration des immeubles vacants relève habituellement du curateur public avant que l'État n'en devienne éventuellement propriétaire[108].

Il est possible, à un particulier, d'acquérir les immeubles vacants par accession naturelle ou par prescription, sauf s'ils sont confondus au patrimoine de l'État, parce que ce dernier a agi à titre de possesseur ou en a été déclaré propriétaire par un avis inscrit au registre foncier (936 C.c.Q.). L'État se garde de confondre trop rapidement les immeubles vacants avec son propre patrimoine. Il cherche par là à se protéger de l'acquisition d'immeubles sans valeur ou susceptibles d'engager sa responsabilité à cause de leur configuration particulière (trous, précipices, falaises, etc.) ou des substances dangereuses qu'ils pourraient contenir[109].

---

105. *Beaudoin* c. *Rancourt*, *supra*, note 97.
106. *Loi concernant la Régie intermunicipale de gestion des déchets sur l'île de Montréal*, L.Q. 1990, c. 95.
107. *Ville de Québec* c. *Curateur public du Québec*, [1998] R.J.Q. 2475, 2487-2488 (C.S.).
108. *Loi sur le curateur public*, L.R.Q., c. C-81, art. 24 et 40. En 1998, le curateur public a ainsi traité 1398 dossiers de successions vacantes qui pouvaient contenir des immeubles (Curateur public du Québec, *Rapport annuel*, 1998, p. 28-29).
109. *Commentaires du ministre de la Justice*, *supra*, note 9, p. 548.

3.2.2 Les trésors

Le Code civil ne définit pas ce qu'est un trésor[110]. Le ministre de la Justice précise que la notion prend dans le Code son sens ordinaire et usuel[111]. Il paraît opportun de s'inspirer de la définition qu'en donnent les dictionnaires[112] et d'y voir un bien meuble, caché ou enfoui, découvert par hasard, sur lequel personne ne peut justifier sa propriété.

En vertu de cette définition, un trésor est nécessairement un meuble. Ce bien est caché ou enfoui en un lieu sûr – dans le sol, dans un mur, sous un plancher, entre les pages d'un livre – avec l'idée de le récupérer éventuellement. Par la suite – et souvent longtemps après avoir été caché ou enfoui – il est découvert par hasard, c'est-à-dire que sa découverte est fortuite en ce sens que le bien n'a pas donné lieu à une recherche systématique. Le trésor, à l'époque où il est trouvé, n'a pas de propriétaire identifiable qui pourrait le revendiquer.

L'attribution de la propriété d'un trésor est fonction de la personne qui le découvre (938 C.c.Q.). S'il est découvert par le propriétaire du fonds, le trésor lui appartient en entier. Par ailleurs, s'il est découvert dans le fonds d'autrui, une moitié revient au propriétaire de ce fonds et l'autre moitié à celui qui l'a découvert, sauf si le découvreur agissait pour le compte du propriétaire.

La *Loi sur les biens culturels* distingue les biens et les sites archéologiques du trésor[113]. Ils ne peuvent donc pas être assimilés l'un à l'autre.

3.2.3 Les épaves

En droit des biens, une épave est un bien meuble, perdu ou oublié, entre les mains d'un tiers ou en un lieu public (939 C.c.Q.).

L'épave, contrairement au bien sans maître (*res derelictœ*), n'est pas un bien abandonné, souvent même son propriétaire ignore qu'il l'a perdue ou oubliée. Cette situation explique que la loi précise

---

110. Le *Code civil du Bas-Canada* définissait ainsi le trésor : « Le trésor est toute chose cachée ou enfouie sur laquelle personne ne peut justifier sa propriété et qui est découverte par l'effet du hazard » (art. 586 (2) C.c.B.-C.).
111. *Commentaires du ministre de la Justice*, *supra*, note 9, p. 549.
112. *Boivin c. Procureur général du Québec*, C.A.Q. nº 200-09-001503-975, 3 mars 2000, [2000] A.Q. (Quicklaw) nº 686, par. 26-28.
113. « Toute aliénation de terres du domaine public est sujette à une réserve en pleine propriété en faveur du domaine public, des biens et sites archéologiques qui s'y trouvent à l'exception des trésors qui demeurent régis par l'article 586 du *Code civil du Bas-Canada* ». L.R.Q., c. B-4, art. 44.

qu'une épave continue d'appartenir à son propriétaire et, qu'en conséquence, elle ne peut être appropriée par occupation (939 C.c.Q.). Le bien perdu ou oublié, ou le prix qui lui est subrogé, pourra cependant être prescrit, s'il n'est pas revendiqué à temps par son propriétaire.

3.2.3.1 *Le bien perdu*

Un bien perdu est un bien qui a été involontairement abandonné par son propriétaire[114]. Les situations rencontrées peuvent être très diversifiées. Le bien, le plus souvent, a simplement été égaré par son propriétaire ou s'est enfui (animaux domestiques devenus errants).

Ces biens continuent d'appartenir à leur propriétaire (939 (1) C.c.Q.). La personne qui trouve un bien perdu doit tenter de retrouver le propriétaire et, s'il le trouve, lui remettre le bien (940 C.c.Q.). La découverte du bien doit être dénoncée à un agent de la paix, à la municipalité sur le territoire de laquelle il a été trouvé ou à la personne qui a la garde du lieu où il a été trouvé (941 C.c.Q.). La personne qui a trouvé le bien ou celle à qui la découverte a été dénoncée peut agir à titre de détenteur du bien. Un détenteur a comme singularité de posséder un bien pour autrui. Il a le pouvoir de vendre le bien s'il n'est pas réclamé dans les 60 jours[115] (942 C.c.Q.). La vente dont il s'agit est une vente aux enchères (1757-1766 C.c.Q.). Elle répond à un formalisme rigoureux. Elle est précédée de la parution d'un avis dans un journal (942 (2) C.c.Q.). Cette vente ne peut avoir lieu avant l'expiration d'un délai d'au moins 10 jours après la publication de l'avis. Dans certains cas, ce délai est plus court. En effet, il peut être disposé d'un bien *sans délai* lorsqu'il s'agit d'un bien susceptible de dépérissement. En outre, l'État ou une municipalité est en mesure de disposer d'un bien *sans autres délais que ceux requis pour la publication* (943 C.c.Q.), lorsque : 1) le propriétaire du bien le réclame, mais ne rembourse pas au détenteur les frais d'administration; 2) plusieurs personnes réclament le bien sans être capables d'établir la preuve de leurs prétentions; 3) le bien, déposé au greffe d'un tribunal, n'est pas réclamé par son propriétaire.

Le propriétaire peut, avant que son droit de propriété ne soit éteint par prescription, revendiquer le bien (946 C.c.Q.), à la condition cependant d'offrir de payer les frais d'administration du bien. Le déten-

114. *Malette c. Sûreté du Québec*, [1994] R.J.Q. 2963, 2965 (C.S.).
115. Les 60 jours dont il est question ici partent vraisemblablement de la détention.

teur jouit d'un droit de rétention. Les biens réclamés après la vente n'ont pas à être restitués à leur propriétaire. Le droit du propriétaire ne s'exerce que sur le reste du prix de vente, déduction faite des frais d'administration et d'aliénation (946 (2) C.c.Q.).

Le détenteur peut acquérir par prescription le bien ou le prix qui lui est subrogé (939 (2) C.c.Q). Le délai de prescription acquisitive est, en principe, de dix ans (2917 C.c.Q.)[116]. Toutefois, lorsque l'inventeur a tenté de retrouver le propriétaire (940 C.c.Q.) et, ne l'ayant pas retracé, a déclaré cette découverte à une autorité (941 C.c.Q.), il y a vraisemblablement lieu de le considérer de bonne foi et d'abréger à trois ans le délai de prescription (2919 C.c.Q.)[117].

3.2.3.2 *Le bien oublié*

Le bien oublié est un bien dont une personne a la propriété et qui est confié à une autre personne, mais n'a pas été réclamé par la suite.

Bien confié pour être gardé, travaillé ou transformé – Un bien est parfois confié à une personne pour être gardé, travaillé ou transformé (944 C.c.Q.). Ce bien doit ne pas avoir été réclamé dans les 90 jours de la fin du travail ou de la période convenue. Le détenteur doit donner un avis de 90 jours au propriétaire. Le délai écoulé, le détenteur peut alors disposer des biens. Il lui est loisible de le vendre aux enchères (1757-1766 C.c.Q.) ou de gré à gré (945 C.c.Q.). Si le bien ne peut être vendu, il peut le donner à un organisme de bienfaisance. S'il ne peut être donné, il en dispose à son gré.

Le propriétaire peut, avant que son droit de propriété ne soit prescrit[118], revendiquer le bien (946 C.c.Q.). Il doit offrir de payer les frais d'administration du bien et éventuellement la valeur du travail effectué. Le détenteur jouit d'un droit de rétention. Si le bien a été aliéné, le droit du propriétaire ne s'exerce que sur le reste du prix de vente, déduction faite des frais d'administration et d'aliénation, de même que de la valeur du travail effectué (946 (2) C.c.Q.).

---

116. *Malette c. Sûreté du Québec*, *supra*, note 114, p. 2965. Cette conclusion est conforme à la jurisprudence française : Henri, Léon et Jean Mazeaud, *Leçons de droit civil*, tome II, 2e vol., 6e éd., par François Gianviti, Paris, Éditions Montchrestien, 1984, p. 274-275.
117. Cette interprétation, qui va à l'encontre de l'arrêt *Malette* c. *Sûreté du Québec ibid.*, découle des *Commentaires du ministre de la Justice*, *supra*, note 9, p. 550-551.
118. Le délai de prescription est de 10 ans (2919 et 2917 C.c.Q.).

Le détenteur peut prescrire le bien ou le prix qui lui est subrogé (939 (2) C.c.Q). Pour prescrire, la personne doit déclarer, à une personne responsable, qu'il a trouvé le bien (941 C.c.Q.).

Sommes d'argent – Des sommes d'argent sont considérées non réclamées, lorsque, durant un certain délai, leurs ayants droit n'ont transmis aucune réclamation, opération ou instruction les concernant[119]. Les sommes visées par la loi sont de diverses natures, il s'agit notamment de dépôts d'argent dans des institutions financières, de sommes payables en cas de remboursement ou de rachat de valeurs, de fonds, de titres ou d'autres biens confiés à un conseiller ou à un courtier ou détenus par un fidéicommis et de revenus générés par des capitaux. Dans les mêmes circonstances, sont considérées non réclamées, des sommes payables en vertu d'un contrat d'assurance sur la vie, d'un contrat ou d'un régime de rentes ou de retraite.

En principe, l'administration provisoire de ces sommes est confiée au curateur public qui en a la simple administration[120]. Une fois les biens liquidés, les sommes restantes sont remises au ministre des Finances et acquises à l'État. Toutefois, l'ayant droit a la faculté de récupérer les sommes qui lui reviennent auprès du curateur public. Ce droit, en principe, est imprescriptible[121].

Un régime spécial est toutefois prévu pour les dépôts inactifs durant une période de dix ans dans les banques régies par la *Loi sur les banques*. Les sommes comprises dans ces comptes bancaires doivent être versées à la Banque du Canada qui en assume alors l'administration. Le propriétaire peut réclamer la somme versée sauf si le montant est inférieur à 500 $ et a été prescrit[122]. À chaque année, une liste des soldes non réclamés dans les comptes détenus par les banques à charte est publiée dans un supplément de la *Gazette du Canada*[123]. En 1995, les sommes non réclamées confiées à la Banque du Canada s'élevaient à 135 000 000 $[124].

---

119. *Loi sur le curateur public*, L.R.Q., c. C-81, art. 24.1.
120. *Ibid.*, art. 24, 6° et 30; voir aussi: Curateur public du Québec, *supra*, note 108, p. 28-29.
121. *Ibid.*, art. 40 (2), 41 et 41.1.
122. *Loi sur les banques*, L.R.C. (1985), c. B-1.01, art. 438 et 525; *Loi sur la Banque du Canada*, L.R.C. (1985), c. B-2, art. 22.
123. Voir: « Banques à charte – soldes non réclamés », *Gazette du Canada*, vol. 113, *supplément*, 17 juillet 1999. Une liste des soldes non réclamés est disponible sur le site de la Banque du Canada à l'adresse électronique suivante: http://www.bank-banque-canada.ca/french/ucbal-f.htm.
124. « Des millions de dollars dorment dans les comptes bancaires oubliés », *Le Soleil*, 3 juillet 1995, p. C-13.

4. LE COMMERCE DES CHOSES ET DES BIENS

Des choses sont d'emblée exclues du négoce. Les biens, pour leur part, ont habituellement vocation à être objets de commerce. Toutefois certains d'entre eux peuvent être retirés du commerce (section 4.1). Le droit, toujours sous l'angle de la circulation des biens, considère ceux-ci suivant qu'ils soient interchangeables (section 4.2) ou consommables (section 4.3).

4.1 Les choses et les biens hors commerce

En plus des choses qui ne peuvent être appropriées à cause de leur nature spéciale, des biens évoluent en marge du monde du commerce. Ce retrait – souvent temporaire – résulte de l'affectation particulière d'un bien ou d'une stipulation d'inaliénabilité comprise dans un acte juridique.

4.1.1 D'après la nature de la chose

Personne – Considérer le corps humain comme une chose[125], ne fait pas de la personne un objet de commerce. Cette règle, qui semble aller de soi, demeure somme toute récente en droit positif puisque, jusqu'au milieu du XIXe siècle, plusieurs pays occidentaux s'adonnent ouvertement à l'esclavage. En Nouvelle-France et durant les premières décennies du régime anglais, l'esclavage est attesté. Les esclaves sont alors considérés comme des biens meubles et cédés comme tels dans divers actes juridiques. Ils sont ainsi vendus, donnés en garantie, échangés, saisis ou transmis par succession[126]. L'esclave entre dans la catégorie des objets et non des sujets de droit. Loin d'être complètement éliminé, l'esclavage existe encore aujourd'hui dans certains pays[127].

Corps humain – Même si le corps humain est tenu hors du commerce, une personne peut aliéner entre vifs, à titre gratuit, une partie ou des produits de son corps (25 C.c.Q.). Le risque couru par l'aliénation ne doit cependant pas être hors de proportion avec le bienfait qu'on peut raisonnablement en espérer (19 C.c.Q.).

Plusieurs parties du corps humain peuvent ainsi être aliénées[128]. *Certains organes* sont utilisés notamment lors de greffes. Le rein

---

125. Jean Goulet, *supra*, note 5 et le texte correspondant.
126. Marcel Trudel, *L'esclavage au Canada français*, Québec, P.U.L., 1960, p. 99-125.
127. Voir le site internet de American Anti-Slavery Group Inc., à l'adresse électronique suivante : http://www.anti-slavery.org/.
128. Jean Goulet, *supra*, note 5, p. 666-680.

demeure à cet égard le meilleur exemple. De nombreuses *substances regénérables* (le sang, les cheveux, le lait, la peau, la mœlle osseuse, le sperme, les ovules, les cellules) sont devenues l'objet de la convoitise des chercheurs en médecine. Le prélèvement de ces substances ne porte pas atteinte à la vie de l'individu. Leur aliénation à titre onéreux est maintenant rendue impossible, contrairement à la situation qui prévalait sous l'ancien Code[129]. Toutefois, il faut être conscient que les produits sanguins ou leurs dérivés font l'objet d'un important commerce[130]. Des *résidus du corps humain* (22 C.c.Q.) ont également acquis un intérêt manifeste pour la recherche. Aussi, l'aliénation de certains organes et de certaines substances issues du corps humain est possible s'il s'agit des résidus générés lors d'opérations chirurgicales, d'avortements ou d'accouchements, de surplus de sang ou de cellules utilisés lors d'analyses[131]. Autrefois ces résidus étaient incinérés, maintenant ils peuvent souvent servir à des fins de recherche ou à des fins commerciales. Ainsi, le placenta est recherché pour la fabrication de nombreux produits. Ces résidus ont parfois été qualifiés de biens abandonnés (*res derelictæ*). Une telle qualification ne tiendrait cependant pas puisqu'il doit y avoir expression de la volonté de la personne pour que ces résidus soient utilisés à des fins d'expérimentation (22 C.c.Q.).

Choses communes – Les *res communes*, qui sont des choses non appropriables (*supra*, section 3.1.) ne sont également pas des objets de commerce.

4.1.2 D'après l'affectation du bien

Des biens qui normalement devraient être dans le commerce peuvent en être exclus à cause de leur affectation particulière. Les biens de l'État ne sont pas à proprement parler hors commerce, puisque l'État peut s'en départir[132]. Ils ne peuvent cependant s'acquérir par prescription (916 (2) C.c.Q.). Il en va de même des biens faisant partie du

129. Art. 20 C.c.B.-C.

130. Jean-Christophe Galloux, « Réflexions juridiques sur la catégorie des choses hors du commerce : l'exemple des éléments et des produits du corps humain en droit français », (1989) 30 *C. de D.* 1011, 1018-1019.

131. La question de la propriété de tels résidus a été posée dans une célèbre affaire américaine. Des recherches menées sur des substances fournies par un patient avaient conduit à une découverte prometteuse. Le patient demanda alors que des redevances lui soient accordées puisqu'il avait fourni les substances essentielles à la découverte (*Moore* c. *Regents of the Universiy of California*, 249 Cal. Rptr. 494 (Cal. App. 2 Dist. 1988); (793 P. 2d 479 (Cal. 1990)).

132. René Dussault et Louis Borgeat, *supra*, note 88, p. 43-62.

domaine public des personnes morales de droit public (916 (2) C.c.Q.) (par exemple les collectivités locales). Les biens sacrés continueraient également d'être hors commerce, même si sous le nouveau Code cette reconnaissance est beaucoup moins explicite que sous le *Code civil du Bas-Canada* (2876 C.c.Q.)[133]. Ces biens comprennent notamment le mobilier réservé à l'usage du culte[134] et les cimetières[135].

4.1.3 D'après une stipulation d'inaliénabilité

Une stipulation d'inaliénabilité prévue dans un acte de donation ou un testament restreint le droit d'une personne de disposer du bien qui lui a été transmis et, en plus, protège ce bien de la saisie par des créanciers (1212 C.c.Q.). La stipulation, parce qu'elle limite le commerce des biens, est temporaire. Elle doit, de plus, être fondée sur un intérêt sérieux et légitime.

4.2 La fongibilité

Les biens fongibles sont interchangeables. Il peuvent être substitués les uns aux autres. Il en va ainsi des billets de banque. Les biens non fongibles, pour leur part, sont considérés dans leur individualité[136]. Ils sont clairement identifiés, distingués les uns par rapport aux autres. Ainsi, une maison donnée, située à tel numéro civique d'une municipalité, ne pourrait être confondue avec une autre.

Monnaie – Dans notre économie, la monnaie est le bien fongible par excellence[137]. Elle constitue l'instrument de mesure de la valeur des biens, elle est, comme le disait, Portalis « le signe de toutes les valeurs »[138]. Le principal rôle qui lui est dévolu dans la société est de faciliter les échanges en établissant un commun dénominateur entre

---

133. Sur cette question, voir la démonstration de Jean Goulet : « Un requiem pour les choses sacrées : un commentaire sur la disparition des choses sacrées au *Code civil du Québec* », dans Ernest Caparros (dir.), *Mélanges Germain Brière*, Montréal, Wilson & Lafleur ltée, 1993, p. 383-396.
134. *Fabrique de la paroisse de l'Ange-Gardien c. Procureur général du Québec*, [1980] C.S. 175.
135. Nicholas Kasirer, « La mort du positivisme ? L'exemple du cimetière », dans Bjarne Melkevik (dir.), *Transformation de la culture juridique québécoise*, Sainte-Foy, P.U.L., 1998, p. 199-220.
136. Jean Carbonnier, *Droit civil*, tome 3, *Les biens*, 16e éd., Paris, P.U.F., 1995, p. 108.
137. En collaboration, « Monnaie », dans *Encyclopœdia Universalis*, Paris, Encyclopædia Universalis, 1995, tome 15, p. 687-700; Henri Guitton et Gérard Bramoullé, *La monnaie*, Paris, Dalloz, 1987, p. 1-41.
138. P. Antoire Fenet (dir.), *Recueil complet des travaux préparatoires du Code civil*, tome 1, Osnabrück, Otto Zeller, 1968 (1827), p. 510.

la multitude des produits et des services qui se retrouvent sur le marché. En l'absence d'un tel instrument, il faudrait s'en remettre au troc pour conduire les échanges, ce qui serait impraticable dans une société de consommation comme la nôtre. Au pays, le pouvoir d'émettre des billets de banque appartient en exclusivité à la Banque du Canada[139].

La monnaie joue un rôle indispensable en droit des obligations. Elle permet au débiteur de se libérer des obligations auxquelles il s'est engagé et qui requièrent le paiement d'une somme d'argent (1553 C.c.Q.).

Utilité – La distinction entre les biens fongibles et non fongibles est utile dans certaines circonstances.

Le transfert de droits réels portant sur un bien fongible n'a lieu que lorsque l'acquéreur a été informé de l'individualisation du bien (1453 C.c.Q.). Toutefois, cette règle n'entraîne plus la même conséquence qu'autrefois. En effet, avant la mise en vigueur du *Code civil du Québec*, il revenait au propriétaire du bien d'assumer les risques de perte du bien (*Res perit domino*), et ce, même avant sa délivrance. Ces risques sont maintenant assumés par le débiteur de l'obligation de délivrance, même lorsqu'il y a eu individualisation d'un bien fongible (1456 (2) C.c.Q.)[140].

Lors du paiement d'une obligation, le créancier ne peut être contraint de recevoir autre chose que ce qui lui est dû. Aussi, s'il s'agit d'un bien non fongible, on ne pourra le forcer à accepter un bien autre que celui qui a donné lieu à une individualisation (1561 (1) C.c.Q.).

La compensation des dettes entre deux personnes qui sont respectivement débitrices et créancières l'une de l'autre s'opère de plein droit dans certaines circonstances. Les dettes doivent être certaines, liquides et exigibles et avoir pour objet une somme d'argent ou une certaine quantité de biens fongibles de même espèce (1672-1673 C.c.Q.).

4.3 La consomptibilité

Les biens consomptibles sont des biens qui se consomment du simple fait de leur usage. Entrent dans cette catégorie les denrées alimen-

139. *Loi sur la Banque du Canada*, *supra*, note 122, art. 25.
140. Ce changement s'inspire en partie de l'article 69 de la *Convention sur la vente internationale de marchandises* (Vienne, 1980) (http://rw20hr.jura.uni-sb.de/scripts/webplus.exe?Script=/webplus/Normen/EinzelGliederung.wml).

taires, le combustible et la monnaie. Pour leur part, les biens non consomptibles sont des biens qui peuvent être d'un usage prolongé, même s'ils sont appelés à subir une certaine usure[141].

La personne qui a reçu des biens consomptibles, qu'elle doit rendre après un certain temps, a uniquement l'obligation de remettre par la suite des biens semblables, en pareille quantité et qualité (1127 et 2314 C.c.Q.).

Bibliographie

BOHÉMIER, Albert et Pierre-Paul CÔTÉ. *Droit commercial général.* 3e éd. Tome 1. Montréal, Les Éditions Thémis Inc., 1985. xiv, 422 p.

DUSSAULT, René et Louis BORGEAT. *Traité de droit administratif.* 2e éd. Tome II. Québec, P.U.L., 1986. xvi, 1393 p.

FRADETTE, France. *Du changement de nature des biens et de son impact sur l'hypothèque.* Mémoire présenté à l'École des Gradués de l'Université Laval pour l'obtention du grade de maîtrise en droit. Québec, juillet 1993. v, 104, 14 p.

FRENETTE, François. « Commentaires sur le rapport de l'O.R.C.C. sur les biens », (1976) 17 *C. de D.* 991-1012.

GALLOUX, Jean-Christophe. « Réflexions juridiques sur la catégorie des choses hors du commerce : l'exemple des éléments et des produits du corps humain en droit français », (1989) 30 *C. de D.* 1011-1032.

GOULET, Jean. « Un requiem pour les choses sacrées : un commentaire sur la disparition des choses sacrées au *Code civil du Québec* », dans Ernest Caparros (dir.), *Mélanges Germain Brière.* Montréal, Wilson & Lafleur ltée, 1993, p. 383-396.

LANDRY, Barry. « L'achalandage en droit québécois et les obligations implicites le protégeant », dans *Développements récents en droit commercial (1991).* Cowansville, Les Éditions Yvon Blais Inc. 1991, p. 155-178.

MELKEVIK, Bjarne. « La nature un sujet de droit ? Interrogation philosophique et critique », *Cahiers Dikè*, série 2, 1999, p. 29-38.

MOINE, Isabelle. *Les choses hors commerce : une approche de la personne humaine juridique.* Paris, L.G.D.J., 1997. xiv, 438 p.

PERRAULT, Antonio. *Traité de droit commercial.* Tome 2. Montréal, Éditions Albert Lévesque, 1936.

141. Jean Carbonnier, *supra*, note 136, p. 107.

RÉMOND-GOUILLOUD, Martine. « Ressources naturelles et choses sans maître », *Recueil Dalloz Sirez*, 1985.27 (n° 5 : 31 janvier 1985).

SIMON, Henri. *Le nom commercial*. Montréal, Wilson & Lafleur ltée/Sorej, 1984. 174 p.

CHAPITRE 4

LA PROPRIÉTÉ

Parmi l'ensemble des rapports qu'une personne entretient avec les biens, la propriété demeure le plus complet. Elle consacre le propriétaire maître de la chose objet de son droit. Cette maîtrise lui permet de bénéficier de l'ensemble des avantages qu'est susceptible d'offrir un bien. Ce droit se distingue des autres droits réels par son caractère absolu, exclusif et perpétuel. Le propriétaire a le « plein pouvoir sur la chose » (*pleina in re potestas*) comme l'a exprimé le droit romain[1].

Le titre *De la propriété* est l'un des plus important du Code, étant donné les liens étroits qui l'unissent avec les autres parties du Code. Ce titre établit ce qu'est la propriété alors que le livre sur les personnes mentionne qui peut acquérir la propriété. Les livres consacrés aux successions, aux obligations, aux priorités et aux hypothèques, et à la prescription traitent des moyens d'acquérir la propriété.

1. HISTORIQUE

Avant la codification, le droit coutumier manifeste peu d'attrait pour les constructions abstraites. Il envisage le rapport de la personne aux biens de manière pragmatique. Il fait reposer le pouvoir exercé sur les biens sur la saisine[2]. En vertu de cette notion, le droit auquel une personne peut prétendre sur un bien dépend du contrôle effectif qu'elle exerce sur celui-ci. La saisine suppose un usage et une exploitation du bien. Toutes les utilités qu'un bien est susceptible d'offrir peuvent être l'objet de saisines. Ainsi, l'utilité d'un champ peut être répartie entre

1. Justinien, *Institutes*, II, 4, 4.
2. Anne-Marie Patault, *Introduction historique au droit des biens*, Paris, P.U.F., 1989, p. 20-26; Paul Ourliac et Jean-Louis Gazzaniga, *Histoire du droit privé français de l'An mil au Code civil*, Paris, Albin Michel, 1985, p. 207-211.

plusieurs personnes : l'une ayant droit aux premières herbes et une autre aux secondes. Sur un même lieu, il peut y avoir plusieurs titulaires de saisines qui jouissent de leur droit successivement ou concurremment. En revanche, un bien qui n'offre aucune utilité ne peut être objet de saisine, ainsi en est-il d'une montagne en hiver[3]. Longtemps la relation des personnes avec les biens s'est posée sous l'angle de la saisine plutôt que de la propriété[4].

Le mode féodal de tenure des terres – tel qu'il a existé en France et au Québec[5] – est conforme à cette scission généralisée des droits. Le seigneur et le tenancier se partagent les avantages de la propriété foncière. Au premier revient le domaine éminent ou direct et au second le domaine utile. Chacun évolue dans l'ombre de l'autre. Ce dualisme en vient à s'estomper et la notion de propriété – inspirée du droit romain – s'impose petit à petit dans la pensée juridique. Il s'ensuit que le titulaire du domaine utile est perçu comme seul propriétaire de la tenure, ainsi que l'exprime si bien Pothier : « C'est [...] le domaine utile, qui s'appelle domaine de propriété. Celui qui a ce domaine utile, se nomme propriétaire ou Seigneur utile; celui qui a le domaine direct, s'appelle simplement Seigneur. Il est bien le propriétaire de son droit de seigneurie; mais ce n'est pas lui, c'est le Seigneur utile qui est proprement le propriétaire de l'héritage »[6].

La superposition des droits, si chère à l'Ancien droit, restreint considérablement le commerce des biens, notamment à cause de mécanismes qui visent la conservation du patrimoine familial. Il existe, en effet, de nombreux empêchements à la libre disposition des biens, et ce, au détriment des tiers. Par ailleurs, une grande partie des terres est sous un régime de propriété collective. Ces biens appartiennent à des groupements ou à des établissements ecclésiastiques et charitables. Ces deux situations nuisent au développement du capitalisme.

À la Révolution française, la propriété est considérée comme un droit naturel et est officiellement reconnue comme un droit de

3. Paul Ourliac et Jean-Louis Gazzaniga, *ibid.*, p. 218.
4. Anne-Marie Patault, *supra*, note 2, p. 44.
5. Louise Dechêne, « L'évolution du régime seigneurial au Canada. Le cas de Montréal aux XVIIe et XVIIIe siècles », (1971) 12 *Recherches sociographiques* 143-183; Sylvie Dépatie, Mario Lalancette et Christian Dessureault, *Contributions à l'étude du régime seigneurial canadien*, LaSalle, Éditions Hurtubise HMH, 1987, XV, 290 p.
6. Robert-Joseph Pothier, *Traités sur différentes matières de droit civil, appliquées à l'usage du Barreau; et de jurisprudence française*, tome 4, Paris/Orléans, Jean Dubure/Veuve Rouzeau-Montaut, 1774, p. 345.

l'homme et du citoyen[7]. Aussi ne s'étonnera-t-on pas que durant la nuit du 4 août 1789, les constituants s'entendent pour procéder à l'abolition de la féodalité. Au cours des années qui suivent, d'autres mesures s'ajoutent à celle-ci afin de faciliter la circulation des terres[8]. Les biens ecclésiastiques sont nationalisés et, par la suite, on vend une grande partie des biens nationaux étant donné l'hostilité à l'égard de la propriété collective. Le Code civil français, en 1804, consacre la propriété individuelle comme étant la base de l'organisation sociale. La propriété est alors perçue comme un droit souverain, exclusif et perpétuel. Lors de l'étude du projet de Code français, Portalis présente le droit de propriété comme un véritable pivot : « le corps entier du Code civil est consacré à définir tout ce qui peut tenir à l'exercice du droit de propriété; droit fondamental sur lequel toutes les institutions sociales reposent, et qui, pour chaque individu, est aussi précieux que la vie même, puisqu'il lui assure les moyens de la conserver »[9].

Au Québec, le droit coutumier persiste jusqu'au milieu du XIXe siècle. Longtemps le régime seigneurial est décrié par les commerçants et les libéraux. Un auteur traduit en quelques mots l'aversion que plusieurs lui vouent : « la féodalité, cette entrave inique opposée à la liberté, à l'industrie, à l'agriculture, au commerce »[10]. Les opposants et les défenseurs du régime seigneurial s'affrontent[11] et, finalement, le Parlement du Canada-Uni procède à son abolition en 1854[12]. Cette intervention législative amène une mutation de la propriété qui désormais est unifiée entre les mains de son titulaire.

Puisque la modernisation de la propriété est achevée, les commissaires chargés de codifier le droit civil du Bas-Canada s'estiment justifiés de reprendre, à l'article 406 du Code (devenu 947 C.c.Q.), la définition de la propriété telle qu'elle figure au Code français : « La propriété est le droit de jouir et de disposer des choses de la manière la

---

7. « La propriété étant un droit inviolable et sacré, nul ne peut en être privé, si ce n'est lorsque la nécessité publique, légalement constatée, l'exige évidemment, et sous la condition d'une juste et préalable indemnité. » (*Déclaration des droits de l'homme et du citoyen*, 26 août, art. 17 (http://www.justice.gouv.fr/textfond/ddhc.htm)).
8. Anne-Marie Patault, *supra*, note 2, p. 174-175.
9. « Livre second, Des biens et des différentes modifications de la propriété, Titre deuxième, De la propriété, Présentation au Corps législatif et exposé des motifs, par M. Portalis », dans P. Antoine Fenet (dir.), *Recueil complet des travaux préparatoires du Code civil*, tome XI, Osnabrück, Otto Zeller, 1968 (1827), p. 132.
10. Louis-Hippolyte La Fontaine, « De la codification des lois du Canada », (1846) *R. de L.* 337, 339.
11. Sur l'abolition du régime seigneurial, voir : Fernand Ouellet, *Éléments d'histoire sociale du Bas-Canada*, Montréal, Hurtubise HMH Ltée, 1972, p. 295-315.
12. *Acte pour l'abolition des droits et devoirs féodaux dans le Bas-Canada*, S.P.C., 1854, c. 3.

plus absolue, pourvu qu'on n'en fasse pas un usage prohibé par les lois ou les règlements». La pensée juridique demeure longtemps fidèle à cette définition, puis à la faveur de changements sociaux et économiques, le caractère absolu de la propriété s'estompe[13]. À partir de la Révolution tranquille, on procède notamment à la mise en place d'importants programmes sociaux, à des nationalisations, au développement d'un droit de l'aménagement du territoire et d'un droit de l'environnement. Par ailleurs, la *Charte des droits et libertés de la personne*, en 1975, reconnaît, comme droit fondamental, le droit à la jouissance paisible des biens et à leur libre disposition[14]. Quant au législateur fédéral, il a renoncé, pour des considérations politiques, à enchâsser le droit de propriété dans la *Charte canadienne des droits et des libertés*[15].

2. DÉFINITION

Définir le droit de propriété n'a jamais été une tâche aisée. Pothier, quelques décennies avant la codification du droit civil français, propose une description fortement imprégnée par l'empirisme. En somme, il s'efforce d'établir une liste de tous les avantages que confère la propriété à son titulaire[16]. L'effort de synthèse viendra avec la codification.

La réticence du législateur à définir plusieurs des notions fondamentales du Code civil connaît quelques exceptions dont celle de la propriété. Le premier alinéa de l'article 947 du Code fournit, en effet, la définition suivante: «La propriété est le droit d'user, de jouir et de disposer librement et complètement d'un bien, sous réserve des limites et des conditions fixées par la loi». Avec quelques atténuations, ce texte demeure fidèle au libellé du *Code civil du Bas-Canada*. La définition proposée se divise en deux parties. D'abord, elle établit le contenu de la notion et, ensuite, précise que le droit est susceptible de connaître certaines limites.

---

13. Michel Pourcelet, «L'évolution du droit de propriété depuis 1866» dans Jacques Boucher et André Morel (dir.), *Livre du centenaire du Code civil*, tome 2, Montréal, P.U.M., 1970, p. 3-19; Louis Baudouin, *Les aspects généraux du droit privé dans la province de Québec*, Paris, Dalloz, 1967, p. 562-583.
14. «Toute personne a droit à la jouissance paisible et à la libre disposition de ses biens, sauf dans la mesure prévue par la loi». (L.R.Q., c. C-12, art. 6).
15. Sénat et Chambre des Communes du Canada, *Procès-verbaux et témoignages du Comité mixte spécial du Sénat et de la Chambre des Communes sur la Constitution du Canada*, fasc. nº 4 (13 novembre 1980), p. 86-87 et fasc. nº 45 (26 janvier 1981), p. 9-11 et 36-37.
16. Robert-Joseph Pothier, *supra*, note 6, p. 344-345.

La propriété confère à son titulaire la maîtrise juridique d'un bien[17]. En d'autres mots, elle constitue l'expression d'une souveraineté sur l'objet du droit. Pour mesurer la portée de ce pouvoir, il est essentiel d'analyser de manière détaillée les *attributs* du droit de propriété, soit le droit d'usage, le droit de jouissance, le droit de disposition et le droit d'accession (*infra*, section 3). En outre, il faut considérer les *caractères* du droit de propriété. Il est, en effet, absolu, exclusif et perpétuel (*infra*, section 4). Ces attributs et ces caractères ressortent de la définition fournie par le Code, ainsi que d'une doctrine séculaire.

On aurait tort de présenter la propriété comme si elle adoptait une configuration intangible. Au contraire, elle est susceptible de présenter une étendue variable, ainsi que l'a rappelé Louis Josserand: « [...] le droit de propriété est un des plus souples et des plus nuancés qui figurent dans les différentes catégories juridiques; sa plasticité est infinie [...] »[18]. En fait, un propriétaire peut, pour un temps, être privé de certains attributs de son droit et, dans certaines circonstances, les caractères de la propriété peuvent être considérablement atténués (*infra*: section 5). Avec raison, la propriété a d'ailleurs été définie comme étant « le droit de tirer d'une chose tous ses services sauf exception, et chaque service particulier peut, à l'occasion, faire partie des exceptions »[19]. La propriété, même si elle confère d'importantes prérogatives à son titulaire, est susceptible de connaître des limites non négligeables qui temporisent la maîtrise qu'il détient. Ces limites découlent souvent de la loi ou d'une convention.

Droit des Autochtones – Malgré la place centrale qu'il occupe dans la pensée juridique actuelle, le concept de propriété n'est pas universel. Ainsi, il n'est pas adapté pour décrire les relations que les sociétés traditionnelles entretiennent avec les biens, notamment dans le cas des peuples autochtones du Canada et du Québec. Lors des audiences publiques tenues par la Commission royale d'enquête sur les peuples autochtones, des témoignages ont souligné le caractère inadéquat de la notion de propriété pour décrire le lien des Autochtones avec la terre. Un chef de la Colombie-Britannique a fort bien résumé la question en ces termes: « Vous devez reconnaître que, même si nous étions maîtres de ces terres avant l'arrivée des étrangers, nos valeurs et nos convictions mettaient l'accent sur la gérance, le partage et la conservation

---

17. François Langelier, *Cours de droit civil de la province de Québec*, tome 2, Montréal,Wilson & Lafleur ltée, 1906, p. 134.
18. Louis Josserand, *Cours de droit civil positif français*, 2e éd., tome 1, Paris, Sirey, 1932, p. 786.
19. De Vareilles Sommières, « La définition et la notion juridique de la propriété », (1905) 4 *Rev. trim. dr. civ.* 443, 445.

des ressources, par opposition aux valeurs étrangères de propriété, d'exclusion et de domination de la nature »[20].

Une étude consacrée aux Montagnais du Québec montre d'ailleurs que la notion de « propriété » n'existe pas dans leur culture, même si leur langue comprend des mots qui révèlent l'existence d'un lien juridique avec le territoire[21]. Le verbe *tipenitam*, mot d'un contenu sémantique étendu, rend ainsi l'idée de contrôle ou de maîtrise sur une chose. Pour sa part, le verbe *kanauentinam* renvoie plutôt aux modalités d'exercice du droit puisqu'il réfère à la conservation de la chose, à l'obligation de la garder, de veiller sur elle. Titulaires d'un pouvoir sur la terre, les Montagnais estiment aussi devoir en prendre soin.

En somme, un principe de base du régime foncier autochtone veut que la terre et les ressources qu'elle comprend et produit ne puissent être attribuées en exclusivité à une personne. Les Autochtones privilégient la mise en commun des ressources[22].

3. ATTRIBUTS

Le droit de propriété confère quatre attributs à son titulaire, il s'agit du droit d'user (l'*usus*), du droit de jouir (le *fructus*), du droit de disposer (l'*abusus*) et du droit d'accession (l'*accessio*)[23]. Ces attributs – dont l'identification remonte au Moyen Âge[24] – constituent le faisceau des prérogatives de la propriété. En somme, ils permettent le regroupement des services[25] susceptibles d'être tirés d'un bien. Malgré les quali-

---

20. Témoignage du chef George Desjarlais (Commission royale d'enquête sur les peuples autochtones, « Les terres et les ressources », dans *Une relation à redéfinir*, Ottawa, 1996, tome 2, p. 504-505).
21. José Mailhot et Sylvie Vincent. « Le droit foncier montagnais », *Interculture*, vol. 15, n°s 2-3 (avril-septembre 1982), p. 65, 67-68. Voir aussi : *Calder* c. *Procureur général de la Colombie-Britannique*, [1973] R.C.S. 313, qui traite de la manière dont les Nishgas envisagent les rapports avec leurs terres (p. 351-375).
22. Commission royale d'enquête sur les peuples autochtones, *supra*, note 20, p. 505; Alain Bissonnette, « Droits autochtones et droit civil : opposition ou complémentarité? Le cas de la propriété foncière », dans Association Henri-Capitant (section québécoise), *Autochtones et droit*, s.l., 1991, 18 p.
23. François Frenette, « Du droit de propriété : certaines de ses dimensions méconnues », (1979) 20 *C. de D.* 439-447.
24. Les juristes avaient alors identifié les trois premiers attributs (Paul Ourliac et Jehan de Malafosse, *Histoire du droit privé*, 2e éd., tome 2, *Les biens*, Paris, P.U.F., 1971, p. 69).
25. L'expression est employée par De Vareilles Sommières (*Supra*, note 19, p. 443), on pourrait aussi parler d'utilités (Christian Atias, *Droit civil, Les biens*, 4e éd., Paris, Litec, 1999, p. 79) ou d'avantages.

tés indéniables de cette rationalisation, il s'avère parfois ardu de rattacher un service donné de la propriété à l'un des attributs identifiés par les juristes. Une telle difficulté ne remet toutefois pas en cause le caractère opératoire de cette remarquable synthèse. Il faut simplement considérer que les services qui se rattachent à chacun des attributs sont multiples et leur étendue est susceptible de varier considérablement suivant les situations. Les services offerts par la propriété découlent tantôt d'actes matériels, tantôt d'actes juridiques. La conduite de son automobile par un propriétaire, puisqu'elle implique l'utilisation du bien, se rattache à la première hypothèse, alors que l'aliénation de l'automobile, qui produit un effet juridique, appartient à la seconde.

3.1 Le droit d'user (*usus*)

Le droit d'user est la prérogative en vertu de laquelle le titulaire peut se servir du bien : habiter une maison, porter des bijoux, conduire une automobile. La faculté confère aussi le pouvoir d'établir le type d'usage qui sera fait du bien, en d'autres mots fixer sa destination, son affectation[26]. En privilégiant un usage donné, le propriétaire en nie nécessairement d'autres. En somme : choisir, c'est aussi renoncer. Cette faculté l'autorise également à changer la destination du bien[27]. Le titulaire peut ainsi décider de s'adonner à des activités commerciales sur un immeuble qui, jusque-là, avait servi à d'autres fins. L'utilisation d'un bien à un usage déterminé pourra d'ailleurs valoir non seulement pour le propriétaire lui-même, mais s'imposer aussi à ceux à qui est confiée la simple gestion de ses biens (1301 C.c.Q.). Si l'affectation n'est souvent que passagère et susceptible de modification, elle peut aussi être durable (1030 C.c.Q.).

L'usage ne peut entraîner une transformation importante du bien. Il existe toutefois une exception à cette règle, soit le cas des biens consomptibles (1556 (2) C.c.Q.). En effet, l'usage de tels biens implique leur destruction. Au-delà de ce cas d'espèce, la société de consommation a remis profondément en cause la pérennité des objets : « Ce qui est produit aujourd'hui ne l'est pas en fonction de sa valeur d'usage ou de sa durée possible, mais au contraire *en fonction de sa mort* [...] »[28].

Lorsque le droit positif limite la liberté d'agir d'un propriétaire, il vise fréquemment à réduire l'usage qu'il pourrait faire d'un bien. La

---

26. François Frenette, *supra*, note 23, p. 446; François Terré et Philippe Simler, *Droit civil : Les biens*, 5e éd., Paris, Dalloz, 1998, p. 94 et Christian Atias, *ibid.*, p. 80.
27. Robert-Joseph Pothier, *supra*, note 6, p. 345.
28. Jean Baudrillard, *La société de consommation*, Paris, Denoël, 1986, p. 54.

législation sur l'environnement ou sur l'aménagement du territoire fournit plusieurs exemples de prohibitions de cette nature. La pertinence de telles normes oppose fréquemment les tenants d'une approche sociale de la propriété[29] à ceux qui, au contraire, défendent une orientation nettement libérale[30]. Le droit d'user de son bien ne permet pas au propriétaire d'un immeuble de nuire à autrui en posant des actes de la nature d'un abus de droit de propriété ou d'un trouble de voisinage (*infra*, section 7.1).

3.2 Le droit de jouir (*fructus*)

Le droit de jouir permet à la personne qui en bénéficie de recueillir les fruits et les revenus générés par le bien (910 C.c.Q.). C'est en vertu de cette prérogative que le propriétaire peut prétendre à recevoir le loyer d'un immeuble qu'il loue ou les intérêts générés par une somme d'argent qu'il a prêtée. Cette prérogative lui confère vraisemblablement aussi le droit d'interdire la reproduction de l'image de son bien[31].

3.3 Le droit de disposer (*abusus*)

Le droit de disposer du bien est une prérogative fort étendue. Il n'est sans doute pas exagéré de la qualifier de faculté résiduaire, tant on lui prête vocation à recueillir les services difficilement conciliables avec les autres attributs de la propriété.

C'est en vertu de cet attribut que le propriétaire peut décider d'aliéner son bien en le vendant, en l'échangeant ou même en le donnant. Dans cette hypothèse, le propriétaire tire de son bien « d'un seul coup et d'une certaine manière tous ses services »[32]. Le pouvoir de transférer des biens pour constituer une fiducie (1260 C.c.Q.) résulte également du droit de disposer. Le propriétaire possède aussi la faculté d'abandonner son bien. Le Code mentionne deux cas d'abandon de la propriété : l'abandon de la propriété d'un mur mitoyen (1006 (2) C.c.Q.) et l'abandon pur et simple de la propriété (*res derelictœ*) (934 (1) C.c.Q.). Le transfert effectué par le propriétaire ne porte pas

29. Yvon Duplessis, Jean Hétu et Jean Piette, *La protection juridique de l'environnement*, Montréal, Les Éditions Thémis Inc., 1982, p. 48-54; René Dussault et Louis Borgeat, *Traité de droit administratif*, 2e éd., tome II, Québec, P.U.L., 1986, p. 176-203.
30. Henri Lepage, *Pourquoi la propriété*, Paris, Hachette, 1985, p. 325-352.
31. *Comité régional de tourisme de Bretagne* c. *Kerguezec*, Cour d'appel de Paris, 7e chambre, 12 avril 1995 (J.C.P. 1997-22806, 19 mars 1997, p. 131).
32. De Vareilles Sommières, *supra*, note 19, p. 453.

toujours sur la totalité des prérogatives, il se limite parfois à la constitution d'un droit de jouissance.

La division du patrimoine d'une personne découle du droit de disposer (2 (2) C.c.Q.). L'opération ne peut être confondue avec le droit d'user d'un bien[33]. Cette affectation confère une vocation à une masse de biens et les soumet à un régime juridique particulier. Ainsi, la constitution d'une hypothèque – qui habituellement laisse au constituant la jouissance des droits qu'il détient sur le bien grevé – attribue la valeur du bien à l'exécution d'une obligation (2660 C.c.Q.)[34].

La capacité de consommer le bien est un trait distinctif de la propriété. Les autres titulaires de droits réels (l'usufruitier, l'usager, l'emphytéote ou le titulaire d'une servitude) peuvent jouir du bien d'autrui à charge toutefois d'en conserver la substance (1120, 1186 et 1204 C.c.Q.). La destruction du bien, lorsqu'elle est entreprise par le propriétaire, ne saurait mettre en péril la propriété d'autrui sans engager sa responsabilité[35].

Traditionnellement, le droit de disposer est présenté comme une prérogative propre au droit de propriété[36]. L'affirmation demande à être nuancée. Si seul le propriétaire peut prétendre au droit de disposer de la totalité des avantages rattachés à la propriété, tout titulaire d'un droit réel détient une part de cette prérogative, cette part étant proportionnée à la mesure de son droit. Ainsi, l'usufruitier se voit reconnaître la faculté de céder *son droit* (1135 C.c.Q.) et même de l'abandonner (1169 C.c.Q.).

3.4 Le droit d'accession (*accessio*)

Le droit d'accession, qui constitue un attribut essentiel de la propriété[37], sera présenté en décrivant d'abord l'aspect matériel de la prérogative, puis son aspect juridique.

---

33. Henri De Page avec la collaboration de René Dekkers, *Traité élémentaire de droit civil belge*, tome 5, *Les principaux contrats usuels. Les biens*, Bruxelles, Émile Bruyant, 1952, p. 558.
34. Christian Atias, *supra*, note 25, p. 63; François Frenette, « De l'hypothèque : réalité du droit et métamorphose de l'objet », (1998) 39 *C. de D.* 803, 811-812.
35. *St-Louis* c. *Goulet*, [1954] B.R. 191,185 (juge Pratte).
36. « Le droit de disposer, conserve toujours la dénomination de *propriété.* » (Pierre-Basile Mignault, *Le droit civil canadien basé sur les « Répétitions écrites sur le Code civil de Frédéric Mourlon »*, tome 2, Montréal, C. Théoret, 1896, p. 478).
37. Rares sont les auteurs qui présentent l'accession comme un attribut de la propriété, Christian Atias le qualifie de « [v]éritable attribut supplémentaire du droit de l'article 544 [...] ». (*Supra*, note 25, p. 81); voir aussi : François Frenette, *supra*, note 23, p. 446-447.

3.4.1 Aspect matériel

Le propriétaire a la capacité de faire sien ce que génère le bien et ce qui s'y greffe : « La propriété du bien donne droit à ce qu'il produit et à ce qui s'y unit, de façon naturelle ou artificielle, dès l'union. Ce droit se nomme l'accession. » (948 C.c.Q.). La propriété ne se confine pas seulement à son objet originaire, elle s'étend aussi à ses accessoires[38]. Le mécanisme de l'accession joue tant à l'égard de la propriété immobilière que de la propriété mobilière.

3.4.1.1 *Accession immobilière*

Le Code reconnaît deux types d'accession : l'accession artificielle (955-964 C.c.Q.) et l'accession naturelle (965-979 C.c.Q.).

3.4.1.1.1 *Accession artificielle*

L'accession artificielle peut être définie comme étant celle qui résulte de l'activité d'une personne (954 C.c.Q.). Elle permet au propriétaire de faire siens les constructions, les ouvrages ou les plantations réalisés sur son immeuble. Ces diverses améliorations sont également désignées comme étant des impenses. Les taxes et les assurances payées par le propriétaire ou le possesseur[39] d'un immeuble ne peuvent être qualifiées d'impenses, puisqu'elles ne constituent pas des améliorations apportées à un immeuble[40]. Les impenses se subdivisent en impenses nécessaires et non nécessaires[41].

Impenses nécessaires – Les impenses nécessaires visent la conservation du bien. Un propriétaire qui procède à la réparation de la toiture de sa maison cherche ainsi à sauvegarder l'intégrité de son immeuble[42]. Il veut éviter une moins-value au bien, à empêcher qu'il

---

38. « Par l'accession, le propriétaire acquiert les accessoires que produit sa chose ou qui s'unissent ou s'incorporent à elle. Mais cette acquisition est une conséquence même du droit de propriété, tel qu'il est dans son étendue défini par la loi [...] ». (François Terré et Philippe Simler, *Droit civil. Les biens*, 5e éd., Paris, Dalloz, 1998, p. 174).
39. Un possesseur est une personne qui détient un bien et exerce sur celui-ci un droit réel sans être titulaire d'un titre.
40. « It is impossible to include taxes in the category of improvements ». (*Côté* c. *Côté*, (1935) 58 B.R. 196, 202 (juge Walsh)).
41. François Frenette, « Des améliorations à l'immeuble d'autrui », [1980] *C.P. du N.* 14.
42. Contrairement à ce qu'affirme Denys-Claude Lamontagne (*Biens et propriété*, 3e éd., Cowansville, Les Éditions Yvon Blais Inc., 1998, p. 434), une construction ne peut être qualifiée d'impense nécessaire. Pour cette raison, l'édification d'une cabane à sucre ne saurait être assimilée à une impense nécessaire, voir en sens inverse : *Chénier* c. *Robichaud*, C.S. Hull, no 550-05-001837-957, 31 janvier 1997 (J.E. 97-675).

ne dépérisse[43]. Ces impenses constituent une partie indissociable de l'immeuble. La catégorie des impenses nécessaires ne comprend pas les menues réparations d'entretien de l'immeuble qui demeurent à la charge du locataire (1864 C.c.Q.). Ces réparations, qui découlent de l'utilisation que le locataire fait du bien en location, incluent les retouches à la peinture à la suite de bris occasionnés par l'usage des lieux ou des ajustements mineurs aux ouvertures (portes et fenêtres)[44].

Impenses non nécessaires – Les impenses non nécessaires transforment le bien, elles visent à apporter une plus-value à l'immeuble. Le plus souvent il s'agit d'immobilisations nouvelles qui sont dissociables de l'immeuble. Elles se divisent en impenses utiles et d'agrément. Les *impenses utiles* ne sont pas indispensables, mais elles contribuent à augmenter la valeur de l'immeuble de manière objective. Les *impenses d'agrément* sont des améliorations qui présentent un caractère de luxe. La plus-value qu'elles procurent à l'immeuble est essentiellement subjective, soit dépendante de l'appréciation de celui qui les a apportées[45].

Les impenses, dans la très grande majorité des cas, sont le fait du propriétaire de l'immeuble sur lequel elles se trouvent. Aussi ne s'étonnera-t-on pas que le législateur présume que les constructions, ouvrages et plantations faites sur un immeuble l'aient été par le propriétaire de cet immeuble, à ses frais, et qu'ils lui appartiennent (955 C.c.Q.). Cette triple présomption est conforme au principe selon lequel, en droit, l'accessoire suit le principal (*Accessorium sequitur principale*). Cette présomption est simple (2847 C.c.Q.), elle peut cependant être repoussée par une preuve contraire (956, 957 et 1110 C.c.Q.).

Les constructions, ouvrages et plantations peuvent, par exemple, avoir été faits par le propriétaire avec des matériaux appartenant à autrui (956 C.c.Q.). Le propriétaire du fonds devient propriétaire des impenses par accession. Il doit cependant payer la valeur des matériaux utilisés, au moment de l'incorporation, puisque c'est à ce moment qu'a joué l'effet de l'accession. Le propriétaire des matériaux n'a pas le droit de les enlever, ni ne peut être contraint de les reprendre.

---

43. « Les réparations nécessaires sont les réparations physiques, matérielles de la chose. [...]. On entend donc par améliorations nécessaires celles qui empêchent la perte physique et réelle de la chose et sans lesquelles la chose serait détruite ». (*Rochefort* c. *Rioux*, (1916) 49 C.S. 514, 517); « [...] il faut [...] entendre par « réparations nécessaires » celles qui sont indispensables pour ne pas laisser périr le bien ». (*Zappa* c. *Gagnon*, (1938) 64 B.R. 433, 444-445 (juge St-Germain)).
44. François Frenette, *supra*, note 41, p. 26.
45. *Commentaires du ministre de la Justice*, Québec, Publications du Québec, 1993, p. 563-564.

Impenses du fait d'un possesseur – Il est possible que les impenses aient été faites non par le propriétaire, mais par un *possesseur de l'immeuble* (921 C.c.Q.), par exemple une personne qui, à tort, estime détenir un titre de propriété. Le propriétaire acquiert, par accession, la propriété de ces impenses faites sur son immeuble par le possesseur (957 C.c.Q.). Des règles, fondées sur l'équité[46], accordent éventuellement au possesseur une indemnisation pour les impenses apportées à l'immeuble.

S'il s'agit d'*impenses nécessaires*, le propriétaire de l'immeuble ne peut les enlever. De toute façon, dans la plupart des cas, cela s'avérerait difficile. Le propriétaire, prévoit le Code, doit rembourser le possesseur (958 (1) C.c.Q.). Il lui est possible de déduire de la somme due les fruits et revenus générés par l'immeuble dans le cas ou le possesseur était de mauvaise foi[47] (958 (2) C.c.Q.). Le propriétaire est tenu de rembourser le possesseur même si les impenses n'existent plus.

Le règlement des *impenses non nécessaires* varie selon qu'elles ont été apportées par un possesseur de bonne ou de mauvaise foi. Celle-ci s'apprécie à l'époque où les impenses ont été faites par le possesseur[48].

Le *possesseur de bonne foi* qui a ajouté des *impenses utiles* à un immeuble pourra, au gré du propriétaire, se voir rembourser les impenses si elles existent encore ou se faire verser une indemnité égale à la plus-value apportée par ces impenses (959 C.c.Q.). Il importe d'établir avec précision la preuve de cette plus-value[49]. Dans le cas d'*impenses d'agrément*, le propriétaire peut choisir de faire enlever les impenses ou de forcer le possesseur à les abandonner moyennant compensation. Le remboursement équivaut au moindre du coût ou de la plus-value accordée à l'immeuble (961 C.c.Q.). Le coût des impenses est évalué au moment de la construction[50].

---

46. *Thémens* c. *Royer*, (1937) 62 B.R. 248, 253 (juge St-Jacques).
47. Un *possesseur est de bonne foi* lorsqu'il ignore les vices dont est marqué le titre en vertu duquel il exerce un droit réel; un *possesseur est de mauvaise foi* lorsqu'il exerce un droit réel en l'absence de titre ou sachant que son titre est vicié (932 C.c.Q.). Par ailleurs, pour être considéré de bonne foi, le possesseur doit agir avec prudence et adopter un comportement raisonnable: *Thémens* c. *Royer*, *ibid.*, p. 255 (juge St-Jacques); *Blais* c. *Tremblay*, [1978] C.P. 395, 398.
48. *Fauteux* c. *Parant*, [1959] C.S. 209, 211.
49. *Caisse populaire Desjardins de St-Nicolas* c. *Rouette*, [1988] R.J.Q. 2667, 2680 (C.A.) (juge Paré); *Bry-Lill Holdings Inc.* c. *Atta*, [1990] R.D.I. 498, 506-507 (C.S.).
50. « Ce dernier [le propriétaire] est toutefois tenu de payer au possesseur non pas ce qu'il en coûterait aujourd'hui pour réaliser ces impenses, mais uniquement leur coût réel à l'époque de la contribution en matériaux et/ou en main d'œuvre. » (François Frenette, *supra*, note 41, p. 19).

Le *possesseur de mauvaise foi* jouit d'une situation beaucoup moins privilégiée. Le propriétaire de l'immeuble sur lequel ont été apportées des *impenses utiles* peut, à son choix : a) rembourser ces impenses selon les mêmes conditions que pour un possesseur de bonne foi, tout en opérant compensation pour les fruits et les revenus qu'il a tirés de l'immeuble; b) contraindre le possesseur à enlever les impenses et à remettre les lieux dans leur état antérieur; c) si la remise en état est impossible, le propriétaire peut les conserver sans indemnité ou contraindre le possesseur à les enlever (959 (2) (3) C.c.Q.). S'il s'agit d'*impenses d'agrément*, le propriétaire a le choix : a) de contraindre le possesseur de mauvaise foi à les enlever et à remettre les lieux dans leur état antérieur; b) si la remise en état est impossible, il peut les conserver sans indemnité ou contraindre le possesseur à les enlever (962 C.c.Q.).

Les impenses utiles apportées à l'immeuble peuvent avoir été coûteuses et représenter une part appréciable de la valeur d'un immeuble. Aussi, le législateur permet-il au propriétaire, dans une telle situation, de contraindre le possesseur à acquérir l'immeuble (960 C.c.Q.).

Il découle des prescriptions de la loi que le propriétaire doit toujours verser une indemnité lorsqu'il conserve des impenses apportées par un possesseur de bonne foi. En revanche, il n'est pas toujours tenu de rembourser le possesseur de mauvaise foi.

Le possesseur bénéficie d'un *droit de rétention* s'il était de bonne foi et s'il a apporté à l'immeuble des impenses nécessaires ou utiles. Le possesseur de mauvaise foi ne jouit de ce droit que pour ses impenses nécessaires, les seules impenses pour lesquelles il a assurément droit à un remboursement en vertu du Code (963 C.c.Q.).

Le droit reconnu au possesseur de se voir accorder une indemnisation pour des impenses apportées à l'immeuble d'autrui ne constitue qu'un moyen de défense opposable au propriétaire qui revendique l'immeuble. Le possesseur ne saurait se fonder sur les dispositions du Code pour intenter une action provocatoire, abandonner l'immeuble et forcer le propriétaire à lui payer le coût ou la valeur des impenses[51].

3.4.1.1.2 *Accession naturelle*

L'accession naturelle procède indépendamment de la volonté de la personne (954 C.c.Q.), elle survient à la suite de modifications apportées à la configuration de l'immeuble sous l'effet d'une cause naturelle.

---

51. *Gagnon* c. *Loubier*, [1925] R.C.S. 334, 337-338 (juge Rinfret).

Les *alluvions*, qui sont des atterrissements et des accroissements qui se forment successivement et imperceptiblement aux fonds riverains d'un cours d'eau, sont la propriété du propriétaire riverain (965 C.c.Q.). Les *relais*, cette portion du lit d'un cours d'eau que les eaux courantes laissent à sec en se retirant d'une rive pour se porter sur une autre, profitent au propriétaire de la rive découverte (966 C.c.Q.).

Le *déplacement d'une partie importante d'un fonds riverain* vers un fonds inférieur ou sur la rive opposée ne laisse pas le propriétaire sans recours. Celui-ci peut, en effet, réclamer la partie enlevée de son fonds à la condition toutefois que la partie détachée du fonds soit considérable et reconnaissable. Le propriétaire doit agir dans un délai de un an (967 C.c.Q.).

La formation de *nouvelles îles* dans le lit d'un cours d'eau profite au propriétaire du lit (968 C.c.Q.). La formation d'un *nouveau bras de cours d'eau* peut avoir pour effet de constituer une île. Dans un tel cas, le propriétaire du fonds riverain conserve la propriété de l'île nouvellement formée (969 C.c.Q.).

Lorsque se produit un *changement du lit d'un cours d'eau*, l'ancien lit appartient au propriétaire du fonds nouvellement occupé dans la proportion du terrain perdu (970 C.c.Q.). Cette solution vaut même s'il s'agit d'un cours d'eau du domaine public[52].

3.4.1.2 *Accession mobilière*

Des règles, fondées sur l'équité, visent à contrer les conflits susceptibles d'opposer des personnes qui pourraient prétendre à la propriété d'un bien meuble à la suite de leur apport à la fabrication de ce bien.

Lorsqu'il y a mélange ou union de biens meubles, appartenant à plusieurs propriétaires, il peut être impossible de les séparer sans les détériorer et de les remettre dans leur état antérieur. Le nouveau bien, de par l'accession, appartient à celui qui a le plus contribué à sa constitution, par la valeur du bien initial[53] ou par son travail (971 C.c.Q.).

L'accession joue en faveur d'une personne qui a travaillé ou transformé une matière ne lui appartenant pas, lorsque la valeur du travail ou de la transformation est supérieure à celui de la matière utilisée (972 C.c.Q.).

---

52. *Commentaires du ministre de la Justice*, *supra*, note 45, p. 567.
53. *Location Fortier Inc.* c. *Pacheco*, C.S.M. nº 500-17-000480-973, 5 décembre 1997 (J.E. 97-197).

Le nouveau propriétaire donne une compensation à celui qui est dépouillé (973 C.c.Q.).

3.4.2 Aspect juridique

Sous son aspect juridique, l'accession est la capacité du propriétaire d'attirer les fragments épars du droit de propriété.

Fréquemment, le droit de propriété rassemble entre les mains de son titulaire l'ensemble des attributs de la propriété. Un tel droit constitue alors la forme la plus achevée qu'est susceptible de prendre la propriété. Il n'en va toutefois pas toujours ainsi. Les exemples d'un droit de propriété diminué, érodé, sont nombreux. Il arrive que des attributs soient distraits du droit de propriété pour être confiés à une tierce personne jusqu'à faire du propriétaire un nu-propriétaire. Cette situation se rencontre lorsqu'est constitué un droit d'usage, un usufruit, une servitude, une emphytéose ou un démembrement innommé de la propriété. Même dans cet état amoindri, le droit dont il s'agit est encore le droit de propriété.

De fait, le droit de propriété peut se voir restreint à bien peu de choses – pensons au propriétaire d'un immeuble cédé en emphytéose (1195 C.c.Q.) – sans disparaître pour autant. Se pose alors la question de déterminer quel est l'élément essentiel qui permet de maintenir au droit sa qualification, même quand il se voit restreint à sa plus simple expression. Cet élément est justement l'accession sous son aspect juridique (la *vis attractiva*), soit cette capacité qui permet au propriétaire d'attirer à lui les attributs dispersés de son droit une fois que prendra fin le démembrement. En définitive, le droit de propriété est toujours résiduaire[54], il possède une dimension de potentialité, de virtualité.

4. CARACTÈRES DU DROIT DE PROPRIÉTÉ

La doctrine reconnaît traditionnellement trois caractères au droit de propriété : il est absolu, exclusif et perpétuel. Ces qualités précisent et même ajoutent à la définition de la propriété (947 C.c.Q.). Elles

---

54. « Si le droit de propriété peut être ni total, ni perpétuel, il sera toujours *résiduaire* ». (Shalev Ginossar, *Droit réel, propriété et créance*, Paris, L.G.D.J., 1960, p. 32); « [...], de ce qu'il [le propriétaire] a droit en principe à tous les services de la chose, il suit qu'il a un arrière-droit à ceux de ces services auxquels actuellement et par exception, de par les lois positives ou de par ses conventions, il n'a pas droit ». (De Vareilles Sommières, *supra*, note 19, p. 445).

permettent d'affirmer la plénitude du droit de propriété, et ce, avec encore plus d'assurance que le libellé du Code ne l'énonce.

4.1 Absolu

Le caractère absolu de la propriété découle de la définition de l'article 947 du Code qui précise qu'elle est « le droit d'user, de jouir et de disposer librement et complètement d'un bien ». Les deux adverbes précisent la manière de faire valoir les attributs de la propriété et affirment en même temps le caractère absolu de ce droit[55].

Cette qualité, valorisée et commentée par de nombreux auteurs de doctrine, possède divers sens. Elle signifie que la propriété constitue le droit réel le plus étendu qui soit. En d'autres mots, elle transmet à son titulaire la maîtrise totale d'un bien, alors que les autres droits réels ne confèrent que des maîtrises partielles[56]. La propriété constitue l'étalon à l'aune de laquelle se mesurent les autres droits réels. Le propriétaire peut à loisir utiliser son bien sans reconnaître l'existence d'un droit supérieur au sien. Il jouit des prérogatives les plus considérables susceptibles d'être exercées sur un bien. De plus, la propriété confère à son titulaire la capacité de recomposer le droit de propriété démembré. En somme, le droit de propriété est « un droit de puissance *générale* » sur le bien; ce droit s'étend aux services présents et futurs qu'il est susceptible d'offrir[57]. Seule la propriété peut s'enorgueillir de tels traits distinctifs.

La primauté de la propriété, affirmée par son caractère absolu, ne signifie pas que ce droit soit illimité. Au contraire, le droit de propriété connaît de nombreuses entraves découlant de la législation des différents ordres de gouvernements, de conventions ou d'actes juridiques unilatéraux[58]. Plusieurs estiment que ces diverses restrictions réduisent sensiblement la liberté d'action du propriétaire. Toutes ces limites qui marquent l'exercice du droit de propriété n'altèrent cependant pas « la plénitude juridique du droit dans son principe »[59].

---

55. La définition de la propriété au *Code civil du Bas-Canada* était encore plus explicite : « La propriété est le droit de jouir et de disposer des choses de la manière la plus absolue [...] ». (art. 406).
56. François Langelier, *supra*, note 17, p. 134.
57. De Vareilles Sommières, *supra*, note 19, p. 455 et 485.
58. « [...], même dans le cas de la propriété classique d'un immeuble, *v.g.* maison unifamiliale genre *bungalow* ou *cottage*, ce droit de propriété n'est pas absolu. Le propriétaire est limité dans son usage de l'immeuble par les lois et les règlements. Il y a aussi la doctrine d'abus de droit qui s'applique. » (*Krebs* c. *Paquin*, [1986] R.J.Q. 1139, 1142 (C.S.); voir aussi : De Vareilles Sommières, *ibid.*, p. 481-482).
59. *Commentaires du ministre de la Justice*, *supra*, note 45, p. 556.

4.2 Exclusif

Le propriétaire est seul à prétendre à l'ensemble des attributs sur l'objet de son droit. Cette souveraineté explique que le législateur accorde au propriétaire le droit de défendre sa propriété contre toute offensive de faits ou de droit. Ainsi, victime d'une dépossession, d'un empiétement (953 C.c.Q.), d'un abus de droit de propriété (7 C.c.Q.), d'un trouble de voisinage (976 C.c.Q.) ou d'une expropriation sans une indemnité juste et suffisante (952 C.c.Q.), il bénéficie d'un arsenal de recours propres à assurer la défense de sa propriété.

L'exclusivisme n'empêche toutefois pas la pluralité de sujets de droit pour un même objet. La copropriété permet, en effet, à plusieurs personnes de détenir concurremment la propriété d'un même bien (1010 C.c.Q.). Par ailleurs, en constituant un démembrement de la propriété, le propriétaire scinde le faisceau des attributs de son droit.

4.3 Perpétuel

La perpétuité du droit de propriété veut dire que ce droit dure aussi longtemps que le bien sur lequel il porte[60]. Il découle de cette assertion que la propriété s'éteint par la perte du bien qui résulte de sa destruction ou de son abandon. La nature de certains biens – les biens consomptibles notamment – les condamne à plus ou moins brève échéance. Par ailleurs, le simple non-usage du bien ne met pas fin à la propriété. En cela, la propriété se distingue des autres droits réels qui eux s'éteignent du seul fait que leur titulaire cesse d'en faire usage pendant une période de dix ans (1162, 5°; 1191, 5°; 1208, 5° C.c.Q.). Le rapport étroit qui lie le droit de propriété à son objet explique que la propriété se perpétue lors d'un transfert[61]. L'aliénation de la propriété, peu importe les modalités qu'elle adopte, n'entraîne donc pas de conséquences néfastes sur la pérennité du droit. Finalement, la perpétuité assure au propriétaire une domination sur son objet qui, au-delà du présent, se prolonge dans le futur[62]. Sous cet angle, elle lui garantit la vocation à tous les services que le bien offre ou est susceptible d'offrir.

En principe, seul le droit de propriété est perpétuel. Les modalités de la propriété, ces formes particulières qu'adopte parfois la propriété, peuvent être temporaires. Les démembrements de la propriété,

---

60. Marcel Chauffardet, *Le problème de la perpétuité de la propriété : étude de sociologie juridique et de droit positif*, Paris, Sirey, 1933, p. 90; De Vareilles Sommières, *supra*, note 19, p. 457-459.
61. Marcel Chauffardet, *ibid.*, p. 99; Louis Josserand, *supra*, note 18, p. 780.
62. De Vareilles Sommières, *supra*, note 19, p. 456-457.

pour leur part, ne durent qu'un temps. Les servitudes constituent toutefois une exception puisque, par nature, elles sont perpétuelles.

5. MODIFICATIONS DE LA PROPRIÉTÉ

Depuis longtemps, les juristes se sont rendu compte que la propriété est parfois marquée d'un certain nombre de modifications, il s'agit des modalités et des démembrements de la propriété.

Modalités – La propriété présente parfois des particularités, sans pour autant entraîner un partage de ses attributs (*usus*, *fructus*, *abusus*, *accessio*). L'appellation de « propriétés imparfaites » a permis de rendre compte de cette situation[63], encore qu'il est apparu préférable de retenir le vocable de « modalités » de la propriété pour la désigner. Jean Carbonnier, traitant des propriétés indivise, conditionnelle et inaliénable, définit ainsi la notion : « Ce sont des manières d'être qui affectent le droit de propriété et se traduisent toujours, en définitive, par des restrictions aux pouvoirs du propriétaire, sans que la propriété soit, pour autant, démembrée »[64]. Christian Atias préfère parler d'une forme particulière de la propriété qui ne dénature pas le droit. Il qualifie la propriété de genre, dont les modalités sont des espèces[65]. La modalité n'atteint pas la propriété dans son essence. Elle n'est qu'une propriété particulière qui, pour diverses raisons, transmet à son titulaire des pouvoirs limités dans leur exercice[66]. Les modalités ont comme caractéristique de garder uni le faisceau des attributs du droit de propriété[67]. Les modifications à la configuration du droit amènent toutefois une atténuation des pouvoirs de leur titulaire.

Les raisons qui entraînent cette diminution des pouvoirs du propriétaire sont variées. Elles peuvent tenir à la pluralité de sujets (propriété indivise), à la particularité de l'objet (propriété superficiaire et propriété spatio-temporelle), au gel temporaire d'un attribut (propriété inaliénable) ou finalement à l'existence même du droit (propriété conditionnelle).

S'il se trouvait des réticences à l'acceptation de la notion de modalité de la propriété, elles ont disparu depuis l'entrée en vigueur du

---

63. Robert-Joseph Pothier, *supra*, note 6, p. 346-347.
64. Jean Carbonnier, *Droit civil*, tome 3, *Les biens*, 16e éd, Paris, P.U.F., 1995, p. 158.
65. Christian Atias, *supra*, note 25, p. 133.
66. « (...) le droit de propriété, (...), se prête à des modalités qui constituent en même temps des restrictions ». (Louis Josserand, *supra*, note 18, p. 919).
67. *Commentaires du ministre de la Justice*, *supra*, note 45, p. 556.

Code civil du Québec. Désormais, la définition de la propriété mentionne qu'elle est « susceptible de modalités » (947 (2) C.c.Q.). En outre, le législateur a introduit un nouveau titre, intitulé : *Des modalités de la propriété,* entre le titre sur la propriété et celui des démembrements. Le régime juridique de la copropriété et de la propriété superficiaire y est présenté (*infra* : chapitres 5 et 6). Le premier article du titre précise bien qu'il s'agit là « des principales modalités de la propriété », laissant clairement entendre que la catégorie est ouverte. D'ailleurs, dans ses commentaires, le ministre de la Justice cite la propriété conditionnelle et la propriété inaliénable comme des modalités de la propriété reconnues par la doctrine[68].

Démembrements – Contrairement à la modalité de la propriété qui garde unies les prérogatives de la propriété, le démembrement amène un partage des prérogatives entre le propriétaire, d'une part, et le titulaire du démembrement, d'autre part. Le Code reconnaît expressément l'existence de quatre démembrements de la propriété : l'usufruit (1120-1171 C.c.Q.), l'usage (1172-1176 C.c.Q), l'emphytéose (1195-1211 C.c.Q.) et la servitude (1177-1194 C.c.Q.) (*infra* : chapitres 7 à 9).

Dans la structure des droits patrimoniaux, les démembrements se divisent en deux catégories. La première rassemble les démembrements qui confèrent un droit de jouissance au profit d'une personne (usufruit, usage et emphytéose) et la seconde un droit créé au bénéfice d'un fonds de terre (servitude). La doctrine qualifiait autrefois de servitudes personnelles les démembrements de la première catégorie et de servitudes réelles ceux de la seconde, ainsi que l'avaient d'ailleurs rappelé les rédacteurs du *Code civil du Bas-Canada*[69]. Outre les démembrements énumérés au code, il demeure possible d'en constituer d'autres (*infra* : chapitre 10).

6. OBJET DU DROIT DE PROPRIÉTÉ

La propriété repose sur deux pôles : un sujet de droit et un objet ou, autrement dit, un propriétaire et le bien sous sa gouverne. Le droit positif a évolué dans sa perception de l'objet du droit de propriété et il s'avère nécessaire de considérer les caractéristiques essentielles que cet objet doit respecter.

---

68. *Ibid.*, p. 592.
69. *Troisième rapport des commisssaires chargés de codifier les lois civiles du Bas-Canada, en matière civile*, Québec, George É. Desbarats, 1865, tome 1, p. 382; voir aussi : Jean-Guy Cardinal, « Un cas singulier de servitude réelle », (1954-1955) 57 *R. du N.* 478, 480-481.

6.1 Particularités

Le droit de propriété porte nécessairement sur un bien qui peut être corporel ou incorporel (les droits intellectuels, les titres négociables et les créances) (899 C.c.Q.). L'objet ne comprend donc pas que des biens matériels, il inclut aussi des biens dématérialisés[70]. Cette constatation découle de la substitution du mot « bien » au mot « chose » – notion traditionnellement réservée à ce qui connaît une existence matérielle seulement – dans la définition de la propriété telle qu'elle figurait auparavant dans le *Code civil du Bas-Canada*.

Il ne faudrait pas conclure de ce changement que tout bien – et surtout tout droit – possède les qualités requises pour devenir objet de droit de propriété. L'objet doit être suffisamment individualisé pour présenter une identité propre. De plus, son titulaire doit détenir – ou à tout le moins pouvoir prétendre à – tous les attributs de la propriété (*usus*, *fructus*, *abusus*, *accessio*) sur ce bien. L'obligation pour le propriétaire de détenir sous sa gouverne l'ensemble des prérogatives de la propriété entraîne l'impossibilité de prétendre à la propriété des démembrements. Un service restreint tiré d'un bien ne saurait, en effet, être muté en objet de droit de propriété. Une des bonnes illustrations de cette situation demeure le droit de pêche ou de chasse. Dans les deux cas, le droit se limite à la faculté d'accéder à un fonds de terre pour s'adonner à la capture d'animaux sauvages en liberté. D'emblée, il ne confère aucun droit sur ces animaux puisque, étant des *res nullii*, ils ne peuvent être assimilés à des fruits. D'ailleurs, leur mode d'acquisition est l'occupation et non l'accession. Assimiler les droits de pêche et de chasse à des objets de droit de propriété équivaut à confondre, à tort, une maîtrise partielle du bien avec sa maîtrise totale qui seule demeure apte à fonder le droit de propriété[71].

---

70. Sur cette question, voir : Frédéric Zénati, « Pour une rénovation de la théorie de la propriété », (1993) 92 *Rev. trim. dr. civ.* 305-323. Certains estiment que malgré le changement apporté à la définition de la propriété par le législateur québécois, elle est demeurée fidèle à une conception matérialiste : John E. C. Brierley, « Regards sur le droit des biens dans le nouveau Code civil du Québec », [1995] *Revue internationale de droit comparé* 33, 36; Bernard Dutoit, « Du Québec aux Pays-Bas : les mues du droit de la propriété dans deux codes civils récents », dans Institut suisse de droit comparé, *Rapports suisses présentés au XV*[ème] *Congrès international de droit comparé*, Zurich, Schulthess Polygraphischer Vergag, 1998, p. 203-205.

71. Cette opinion ne fait pas l'unanimité, ainsi que l'atteste les propos du notaire André Cossette : « Rien n'empêche qu'un droit de pêche soit un droit de propriété en soi, un droit autonome, capable d'une vie juridique propre, indépendant du droit de propriété du sol. Il n'est pas impossible qu'un bien incorporel, un droit de pêche, puisse rapporter des fruits. » (« Essai sur le droit de pêche dans les cours d'eau non navigables », (1997-1998) 100 *R. du N.* 3, 39); cet article commente tout

6.2 Propriété foncière

L'objet de la propriété foncière mérite quelques considérations particulières. Contrairement à ce qu'une observation rapide pourrait laisser croire, la propriété foncière ne se limite pas à la seule surface du sol. On ne peut donc pas la considérer comme ne présentant que deux dimensions : la longueur et la largeur. Elle possède une troisième dimension : la hauteur ou la profondeur puisqu'elle s'étend au-dessous et au-dessus du sol (951 (1) C.c.Q.). Elle occupe donc un *volume.*[72]

Le sol – Le propriétaire a la pleine propriété de la couche de terre arable et de ce qui s'y trouve[73]. Cette mince surface correspond au plan cadastral (*infra*, chapitre 11, illustration 2).

Le dessus – La propriété d'un fonds de terre donne droit de réaliser, au-dessus du sol, des constructions, des ouvrages et des plantations (951 (2) C.c.Q.). Le droit de propriété ne s'étend évidemment pas à l'infini. Il s'élève jusqu'à la hauteur de l'espace que l'on peut considérer comme étant susceptible de donner lieu à une occupation[74]. En outre, des lois et des règlements restreignent l'usage que peut faire le propriétaire de l'espace situé au-dessus du sol. Ainsi, la réglementation sur la circulation aérienne limite la hauteur des constructions en bordure des aéroports[75], alors que les règlements municipaux déterminent le type de constructions qui peuvent se trouver dans chaque zone du territoire d'une municipalité[76]. Par ailleurs, des servitudes conventionnelles peuvent également limiter

---

le dossier du célèbre arrêt *Matamajaw Salmon Club* c. *Duchaine*, [1921] 2 A.C. 426, 436. Pour une critique de l'arrêt, voir : Sylvio Normand, « Une relecture de l'arrêt *Matamajaw Salmon Club* », (1988) 29 *C. de D.* 807-813.

72. René Savatier, *Les métamorphoses économiques et sociales du droit privé d'aujourd'hui*, 3e série, Paris, Dalloz, 1959, p. 116-118.

73. Il est essentiel ici de considérer la *Loi sur les mines* (L.R.Q., c. M-13.1, art. 3 et 5).

74. C'est d'ailleurs à une telle conclusion qu'est parvenu, en France, le Tribunal civil de la Seine dans une affaire où s'affrontaient le propriétaire d'une exploitation agricole et les propriétaires d'aérodromes contigus :

> « Mais attendu que si, [...], la propriété du sol emporte effectivement la propriété du dessus, ce principe doit raisonnablement se restreindre au profit du propriétaire à la seule hauteur d'atmosphère utilisable, soit au point de vue constructions et accessoires de constructions tels que peuvent les concevoir et les réaliser l'architecture et la science de l'ingénieur, soit au point de vue plantations de tout genre; [...] ».

Heurtebise c. *Farman*, Tribunal civil de la Seine, 1re chambre, 10 juin 1910, Dalloz 1914.2.193, 194.

75. *Loi sur l'aéronautique*, L.R.C. (1985), c. A-2, art. 8 (1) j) et à titre d'exemple, voir le *Règlement de zonage de l'aéroport de Québec*, C.R.C., 1978, c. 104.

76. *Loi sur l'aménagement et l'urbanisme*, L.R.Q., c. A-19.1, art. 113.

la hauteur des constructions, sinon même interdire de bâtir sur un fonds ou sur une partie de celui-ci[77].

Le dessous – Le propriétaire possède au-dessous du sol les mêmes facultés qui lui sont accordées au-dessus (951 (2) C.c.Q.). La loi le reconnaît maître du sous-sol et de ce qu'il contient et il a, en principe, la faculté d'y entreprendre des travaux dans la mesure de ses capacités d'accès aux profondeurs. Malgré l'étendue des pouvoirs du propriétaire dans le sous-sol, de nombreuses restrictions limitent ses droits. Au premier rang vient la *Loi sur les mines* qui établit une distinction entre la propriété des minéraux et la propriété du sous-sol déclarant que les substances minérales[78] qui y sont comprises appartiennent à l'État[79]. Le propriétaire du sol conserve cependant la propriété du sable, du gravier et généralement des matériaux de construction[80]. La *Loi sur les biens culturels*, quant à elle, interdit au propriétaire le droit d'effectuer des fouilles archéologiques sur son fonds en l'absence des permis requis[81]. L'usage du sous-sol est parfois entravé par l'existence de servitudes conventionnelles.

7. RÈGLES PARTICULIÈRES À LA PROPRIÉTÉ IMMOBILIÈRE

Le Code comprend un chapitre qui prévoit des règles spécifiques applicables à la propriété immobilière (976-1008 C.c.Q.). Le but de ce chapitre est d'éviter ou d'atténuer les troubles résultant du voisinage ou de l'usage d'un immeuble. Le législateur souhaite l'établissement de rapports harmonieux entre voisins, il recherche le maintien de la paix entre eux[82]. Les dispositions du Code régissent les usages des fonds (les rapports de voisinage, les plantations, l'accès au fonds d'autrui et sa protection, les vues et l'enclave) et leur délimitation (le bornage, les clôtures et les ouvrages mitoyens).

---

77. Pour un exemple de servitude de non-construction, voir : *Sunny State Investment Co.* c. *Les Restaurants McDonald du Canada ltée*, [1993] R.D.I. 426 (C.S.).
78. La notion de substances minérales reçoit une acception très étendue puisqu'elle comprend les gaz et les substances organiques fossilisées (*Loi sur les mines*, *supra*, note 73, art. 1).
79. *Ibid.*, art. 3-4.
80. *Ibid.*, art. 5.
81. *Loi sur les biens culturels*, L.R.Q., c. B-4, art. 35.
82. *Commentaires du ministre de la Justice*, *supra*, note 45, p. 569.

Dans plusieurs cas, les « règles » prévues à ce chapitre constituent des obligations[83] qui peuvent être qualifiées de *propter rem* puisqu'elles ont pour fonction de résoudre un conflit de voisinage entre deux ou plusieurs propriétés[84]. Malgré l'importance de ces dispositions, elles ne sont pas les seules à régir la propriété immobilière. La réglementation municipale prévoit une multitude de règles gouvernant l'urbanisme municipal. Ainsi, le règlement de zonage divise la municipalité en zones et précise les usages autorisés ou prohibés dans chaque zone; établit les dimensions et le volume des constructions permises; détermine les marges de recul; spécifie la portion de terrain qui peut être occupée par une construction ou un usage et précise les normes applicables à l'emplacement, la hauteur et l'entretien des ouvrages de clôture ou des plantations[85].

7.1 Les rapports de voisinage

Il est relativement difficile de trouver l'argumentation rationnelle derrière les décisions des tribunaux concernant les rapports de voisinage entre propriétaires.

En France, l'évolution du droit fut lente[86]. Durant la première partie du XIXe siècle, les juges prennent en considération les intérêts patrimoniaux en présence : l'utilité de l'un et le préjudice subi par l'autre. L'absolutisme de la propriété ne joue guère plus que la notion de faute. Les juges souhaitent équilibrer les prérogatives de chacun des propriétaires en fonction de leurs intérêts patrimoniaux.

La seconde moitié du XIXe siècle amène un changement de perspective. Le juge sévit lorsque l'exercice de la propriété a pour conséquence de causer un préjudice au voisin. Le fondement n'est plus basé sur l'arbitrage entre deux intérêts, mais sur la faute; l'absolutisme de la propriété s'est imposé sous l'influence de la doctrine. Le propriétaire qui n'a pas commis de faute ne doit pas encourir de responsabilité.

---

83. Pothier traitait de la communauté de voisinage dans son « Traité du contrat de société » et précisait que : « [le] voisinage est un quasi-contrat qui forme des obligations réciproques entre voisins [...] » (*Traités sur différentes matières de droit civil, appliquées à l'usage du Barreau; et de jurisprudence française*, tome 2, Paris/Orléans, Jean Dubure/Veuve Rouzeau-Montaut, 1773, p. 619).
84. Hassen Aberkane, *Contribution à l'étude de la distinction des droits de créance et des droits réels : essai d'une théorie générale de l'obligation propter rem en droit positif français*, Paris, L.G.D.J., 1957, p. 18-26.
85. *Loi sur l'aménagement et l'urbanisme*, *supra*, note 76, art. 113.
86. Anne-Marie Patault, *supra*, note 2, p. 222.

7.1.1 Abus du droit de propriété

En vertu de l'article 7 du Code : « Aucun droit ne peut être exercé en vue de nuire à autrui ou d'une manière excessive et déraisonnable, allant ainsi à l'encontre des exigences de la bonne foi ». Toute personne qui, en faisant usage de son droit de propriété, contrevient à cette disposition commet un abus du droit de propriété.

La jurisprudence fournit des exemples d'abus du droit de propriété. L'édification d'une clôture d'une hauteur démesurée, inesthétique, contruite dans le but de masquer la vue et d'empêcher l'air, le soleil et la lumière d'atteindre le fonds du voisin constitue un tel abus[87]. L'accumulation volontaire d'une grande quantité de neige à la limite d'un terrain, avec comme seul objectif d'obstruer la vue d'un voisin, poursuit une intention malveillante qui contrevient à la loi[88].

Critères – Pour fonder un recours sur l'abus de droit de propriété, il est essentiel de prouver l'existence d'un *dommage* causé par un voisin. Un propriétaire demeure libre de conduire des travaux qui n'amènent pas un dommage positif à un voisin. L'abus reproché découle de l'accomplissement par le propriétaire d'un *acte assimilable à une faute*. Le propriétaire use de son droit avec une intention de nuire ou d'une manière excessive et déraisonnable. Le recours à l'abus du droit de propriété n'est pas justifié uniquement lorsqu'un propriétaire est animé d'une intention malicieuse, il couvre aussi le cas d'une personne qui en exerçant certaines activités agit d'une manière irréfléchie[89]. Ainsi, l'exploitant d'une carrière qui utiliserait des charges d'explosifs beaucoup trop fortes pourrait se voir reprocher un abus du droit de propriété. Le comportement du propriétaire présente un défaut d'utilité sérieux et légitime, ainsi que l'a déjà déclaré la Cour supérieure :

> « Considérant que si le propriétaire a un droit absolu sur sa chose, s'il peut prendre toutes les mesures qu'il juge convenables pour la changer, l'améliorer, la dégrader et y faire des constructions, il ne peut user de ce droit, sans utilité pour lui et dans le seul but malicieux de nuire à autrui et que, s'il agit ainsi, il commet un abus de son droit, sujet à répression par les tribunaux. »[90].

---

87. *Brodeur* c. *Choinière*, [1945] C.S. 334; *Blais* c. *Giroux*, [1958] C.S. 569. Constitue aussi un abus du droit de propriété le fait de cadenasser une barrière dans le seul but de nuire à autrui : *Landry* c. *Landry*, [1994] R.D.I. 431 (C.S.).
88. *Maheux* c. *Boutin*, C.Q.Q. nº 200-02-004635-944, 27 novembre 1995 (J.E. 96-136).
89. « Le droit est exercé de façon négligente et insouciante, donc de manière fautive parce que contraire aux règles de la bonne foi. La malice, ou encore l'absence de la bonne foi, n'est plus le critère pour apprécier l'abus. » (*Mercier* c. *Construction D. Caron Inc.*, [1996] R.D.I. 471, 473 (C.Q.)).
90. *Brodeur* c. *Choinière*, *supra*, note 87.

Sanction – La sanction recherchée contre celui qui abuse de son droit de propriété est fréquemment une injonction, puisque le requérant cherche à faire cesser une activité ou à modifier un comportement (751 C.p.c.). Des dommages-intérêts visant à compenser les préjudices subis sont habituellement demandés (1457 C.c.Q.). Il peut s'agir d'un préjudice à la propriété dû à une dévaluation de celle-ci ou d'un préjudice à la personne à la suite de problèmes occasionnés par les dommages causés (interruption dans le travail, maladies, insomnie, blessures, etc.). Le délai de prescription pour intenter une action en dommages-intérêt est de trois ans (2925 C.c.Q.).

7.1.2 Troubles de voisinage

Le trouble de voisinage, d'abord assimilé à l'abus de droit de propriété, est devenu un recours distinct sous les efforts conjugués de la doctrine et de la jurisprudence[91]. Une certaine confusion, qui tient parfois du syncrétisme[92], est toutefois demeurée entre les deux notions. Ainsi, il n'est pas rare que les tribunaux qualifient une situation donnée d'abus du droit de propriété tout en lui appliquant les règles propres au trouble de voisinage[93]. Cette situation devrait s'estomper maintenant que le *Code civil du Québec* a mieux délimité leur champ d'application respectif.

Des relations de voisinage harmonieuses supposent la tolérance. Un propriétaire doit se garder de réactions vindicatives et acrimonieuses au moindre écart de comportement d'un voisin. L'intransigeance risquerait de conduire à des conflits inutiles. Si le droit encourage l'indulgence entre voisins, il reconnaît, en revanche, que l'usage d'un immeuble causant des inconvénients qui dépassent ceux que les voisins peuvent être appelés à supporter, dans des conditions normales de voisinage, constitue un trouble susceptible d'être sanctionné par les tribunaux[94] (976 *a contrario* C.c.Q.). Le trouble de voisinage résulte de l'exercice antisocial du droit de propriété[95].

---

91. Ceci a été reconnu dans les *Commentaires du ministre de la Justice*, *supra*, note 45, p. 573.
92. André Nadeau dans son traité de droit précisait : « Il convient de noter qu'il faut de préférence parler de l'abus de droits de voisinage plutôt que de l'abus de droit de propriété [...] ». (*Traité de droit civil du Québec*, tome 8, Montréal, Wilson & Lafleur ltée, 1949, p. 200); « La Ville peut fonder son recours en injonction permanente sur la notion d'abus de droit reconnu aux articles 6, 7 et 976 C.c.Q. (*Ville de St-Eustache* c. *149644 Canada Inc.*, C.S. Terrebonne, nº 700-05-001373-947, 27 juin 1996, p. 20 (J.E. 96-1552).
93. *Boisjoli* c. *Goebel*, [1982] C.S. 1, 4.
94. « Le voisinage oblige les voisins à user chacun de son héritage, de manière qu'il ne nuise pas à son voisin ». (Robert-Joseph Pothier, *supra*, note 83, p. 622).
95. *Mercier* c. *Construction D. Caron Inc.*, *supra*, note 89, p. 473.

Critères – Le recours suppose l'*existence d'un dommage* d'une certaine gravité. Il revient au tribunal d'apprécier chaque situation et de se prononcer sur le caractère anormal du trouble. Même si la chose demeure non essentielle vu le caractère civil de l'action, les parties soumettent fréquemment au tribunal une preuve technique au soutien de leurs prétentions[96]. L'inconvénient reproché s'étend habituellement sur une période prolongée et présente un caractère répétitif[97]. Ce critère permet de distinguer l'inconvénient de l'événement fortuit, accidentel, qui relève plutôt du droit commun de la responsabilité[98]. L'appréciation du dommage, précise l'article 976, prend en compte la nature ou la situation des fonds et les usages locaux. Elle considère l'environnement où se situe l'immeuble du propriétaire lésé. La norme de tolérance est évidemment plus large dans un quartier industriel ou commercial que dans un quartier résidentiel[99]. Encore que l'industrie demeure tout de même assujettie à l'obligation d'adopter un comportement raisonnable[100]. Les exem-

---

96. « Une mesure d'intensité sonore est souhaitable et peut-être même indispensable, lorsqu'il s'agit de débattre une plainte à caractère pénal, pour faire déclarer qu'il y a nuisance mais, dans l'exercice des droits civils, il suffit d'examiner les circonstances. » (*Gagnon* c. *Caron*, [1997] R.D.I. 579, 581 (C.S.)). Le recours à l'expertise technique est fréquent lors de troubles de voisinage liés au bruit (*Gravel* c. *Carey Canadian Mines Ltd.*, [1982] C.S. 1097, 1104; *Roy* c. *Usinage Nado Inc.*, C.S. Saint-François, nº 450-05-000077-855, 16 janvier 1986 (J.E. 1986-186); *Ville de St-Eustache* c. *149644 Canada Inc.*, *supra*, note 92) ou à l'émission de particules dans l'atmosphère (*Girard* c. *Saguenay Terminals Ltd.*, [1973] R.L. 264, 273-283 (C.S.)). À titre comparatif, les parties et les tribunaux pourront référer à des normes établies par une municipalité, un ministère (Ministère de l'Environnement du Québec, *Projet de règlement relatif au bruit communautaire*, 22 décembre 1976 et *ibid.*, *Instruction nº 98-01 sur le bruit*, annexe 1 : « Niveau sonore maximum des sources fixes », et annexe 2 : « Méthode de mesure du bruit »; il est à noter que ces normes sont non contraignantes) ou un organisme international (Organisation internationale de normalisation, *Recueil des normes ISO*, tome 4, *Acoustique, vibrations et chocs*, Genève, ISO, 1980, viii, 530 p.), même si ces normes ne trouvent pas nécessairement d'application dans des affaires fondées sur le droit commun québécois (Denis Langlois, « Le bruit et la fureur : les réglementations municipale et provinciale en matière de bruit », dans *Développements récents en droit municipal (1992)*, Cowansville, Les Éditions Yvon Blais Inc., 1992, p. 173-180).
97. Philippe Malaurie et Laurent Aynès, *Cours de droit civil : les biens, la publicité foncière*, 4e éd. par Philippe Thery, Paris, Éditions Cujas, 1998, p. 316-317. Par exemple, l'émission d'un bruit lancinant et répétitif (*Gagnon* c. *Caron*, *ibid.*, p. 580).
98. Adrian Popovici, « La poule et l'homme : sur l'article 976 C.c.Q. », (1997) 99 *R. du N.* 214, 239.
99. « [...] il faut quand même s'attendre à certains inconvénients lorsque l'on vit dans un secteur commercial à assez haute densité de circulation et voisin d'un casse-croute [...] ». (*Gagnon* c. *Caron*, *supra*, note 96, p. 582).
100. *Torchia* c. *Telpac Ltd.*, [1978] C.S. 720, 722.

ples de préjudices sont nombreux, mentionnons: les odeurs désagréables d'animaux[101], les odeurs sulfhydriques et la fumée d'une papeterie[102], les cris d'enfants autour d'une piscine jusqu'à tard le soir[103], les résidus, la fumée et la poussière provenant de l'exploitation d'une mine et de la transformation du minerai[104], le bruit excessif d'une industrie[105] et finalement l'effondrement d'une maison[106]. Le préjudice est un préjudice passé, car tenir compte des dommages futurs équivaudrait à reconnaître l'existence d'une expropriation déguisée, sinon à l'octroi d'un permis de troubler les rapports normaux de voisinage[107].

L'intervention du tribunal *n'est pas fondée sur une faute intentionnelle* imputable à celui qui cause un trouble de voisinage. La responsabilité, comme on l'a vu, naît de l'existence d'un inconvénient anormal de voisinage qui excède les limites de la tolérance entre voisins. Celui qui cause un trouble de voisinage n'a pas l'intention de nuire à autrui. Il peut même expliquer la situation reprochée en présentant une justification relativement satisfaisante. Il a tout au plus commis une faute de négligence ou d'imprudence[108]. C'est là une différence importante par rapport à la situation du propriétaire qui abuse de son droit. Le propriétaire a même parfois pris des mesures pour éviter ou atténuer les inconvénients dénoncés par un voisin.

On ne peut reprocher un trouble de voisinage à un propriétaire si, à la suite de travaux entrepris sur son fonds, un voisin perd des avantages dont il avait bénéficié avant que ne soient apportées ces transformations. Le préjudice donnant ouverture à la sanction judiciaire doit, en effet, être positif[109]. Aussi, l'édification d'une clôture ou d'un mur de bon goût, respectant les usages et conforme à la

---

101. *Drysdale* c. *Dugas*, (1896) 26 R.C.S. 20; *Genest* c. *Fillion*, (1936) 74 C.S. 66; *Cité de Québec* c. *Boucher*, (1936) 60 B.R. 152.
102. *Canada Paper Co.* c. *Brown*, (1921-1922) 63 R.C.S. 243.
103. *Lapointe* c. *Roy*, C.S. Bedford, nº 460-05-000334-80, 5 janvier 1982 (J.E. 82-100). Sur la pollution par le bruit en général, voir Lorne Giroux, « La protection juridique contre l'agression sonore », (1994) 5 *Journal of Environmental Law and Practice* 23, 26-37.
104. *Gravel* c. *Carey Canadian Mines Ltd.*, supra, note 96.
105. *Torchia* c. *Telpac Ltd.*, *supra*, note 100, p. 720.
106. *Katz* c. *Reitz*, [1973] C.A. 230.
107. *Gravel* c. *Carey Canadian Mines Ltd.*, *supra*, note 96, p. 1111-1112; *Mercier* c. *Construction D. Caron Inc.*, *supra*, note 95, p. 474.
108. *Girard* c. *Saguenay Terminals Ltd.*, *supra*, note 96, p. 283.
109. « [...] un propriétaire peut faire tous les travaux qui ne causent pas à un voisin un dommage positif, et qui ont simplement pour résultat de le priver d'avantages dont il jouissait jusqu'alors ». (*Blais* c. *Giroux*, *supra*, note 87, p. 570).

réglementation municipale ne saurait être assimilée à un trouble de voisinage au motif que l'ouvrage réduirait l'ensoleillement d'une cour[110].

Les tribunaux ont parfois conclu à l'existence d'un trouble de voisinage entraînant la responsabilité, et ce, même en l'absence d'une faute fondée sur une négligence ou une imprudence. La meilleure expression de ce régime particulier de responsabilité demeure les motifs du juge Lajoie dans l'affaire *Katz c. Reitz*, où il précise : « L'exercice du droit de propriété, si absolu soit-il, comporte l'obligation de ne pas nuire à son voisin et de l'indemniser des dommages que l'exercice de ce droit peut lui causer. Cette obligation existe, même en l'absence de faute, et résulte alors du droit du voisin à l'intégrité de son bien et à la réparation du préjudice qu'il subit, contre son gré, de travaux faits par autrui pour son avantage et profit »[111]. Le juge applique la théorie de la responsabilité objective. Le critère de la responsabilité n'est alors plus la faute, mais le préjudice subi qui est jugé disproportionné par rapport aux inconvénients normaux de voisinage. La doctrine a souvent souligné le caractère singulier de l'arrêt n'hésitant pas à remettre en question son autorité[112]. La jurisprudence, quant à elle, s'est montrée plus ou moins réceptive[113].

Les parties à une action pour trouble de voisinage doivent être dans un voisinage immédiat, mais elles n'ont pas à être nécessairement

---

110. *Boisjoli* c. *Goebel*, *supra*, note 93, p. 4-5; en France cependant la Cour de Cassation a sanctionné l'exhaussement d'un mur mitoyen qui supprimait de l'ensoleillement (*S.C.I. Résidence Washington* c. *Auzelic*, Cour de Cassation, 3e chambre civile, 18 juillet 1972, Dalloz 1997, Jurisprudence 72).
111. *Katz c. Reitz*, *supra*, note 106.
112. Claude Masse, « La responsabilité civile (Droit des Obligations III) », dans Barreau du Québec et Chambre des notaires du Québec (dir.), *La réforme du Code civil*, Sainte-Foy, P.U.L., 1993, tome 2, p. 266-267; François Frenette, « Les troubles de voisinage », dans *Développements récents en droit immobilier*, Cowansville, Les Éditions Yvon Blais Inc., 1999, p. 145, 149-152. En revanche, Adrian Popovici voit dans l'article 976 un cas de responsabilité sans faute (*supra*, note 98, p. 231, 236 et 247).
113. Les arrêts suivants ont admis la théorie de la responsabilité sans faute : « [...] le droit est clair à ce sujet; l'usurpation ou la création de nuisances donnent ouverture à réparation, même en l'absence de faute de la part de l'auteur du geste posé ». (*Doyon* c. *Poulin* [1985] C.S. 1242, 1243); « Le Tribunal n'a pas à rechercher de faute spécifique dans le cas d'un trouble de voisinage [...] ». (*Gagnon* c. *Caron*, *supra*, note 96, p. 581); et ceux-ci l'ont rejeté : *Lapierre* c. *Procureur général du Canada*, [1985] 1 R.C.S. 241, 265 (juge Chouinard); « Je suis bien prêt à reconnaître que dans la quasi totalité des cas où un dommage est causé au propriétaire d'un héritage on peut établir la faute du voisin ne serait-ce que par une présomption de fait. Encore faut-il que cette faute ait existé; [...] ». (*Christopoulos* c. *Restaurant Mazurka Inc.*, C.A.M. nº 500-09-001810-936, 16 mars 1998, p. 44-53 (juge Forget)).

des voisins contigus[114]. L'action est habituellement prise contre un propriétaire, elle peut l'être aussi contre un autre titulaire d'un droit réel immobilier (usufruitier ou usager)[115]. Le locataire d'un immeuble ou l'entrepreneur travaillant pour le propriétaire d'un immeuble pourra aussi être tenu responsable des dommages causés, par sa faute, à un voisin[116]. Toutefois, le recours devra être intenté en vertu du droit commun (1457 C.c.Q.). Dans le cas du bail de logement, le locataire troublé dans sa jouissance normale des lieux par un autre locataire possède également un recours contre le propriétaire de l'immeuble (1854, 1859-1861 C.c.Q.).

Moyens de défense – Dans le but de repousser une action pour trouble de voisinage, divers moyens de défense sont invoqués par la partie défenderesse. La *légalité de l'activité* à laquelle s'est prêté le voisin prétendument fautif revient fréquemment. La preuve de l'obtention des permis requis pour s'adonner à une activité ne permet cependant pas d'écarter l'obligation de respecter les normes de bon voisinage[117]. De même, les *précautions raisonnables* prises par un défendeur qui recourt à des méthodes ou à une technologie éprouvée dans le cadre de ses activités ne le mettent pas nécessairement à l'abri de la sanction du tribunal[118], mais peuvent être reçues avec bienveillance[119]. Lorsque le défendeur s'adonne à des activités de nature industrielle, il ne manque pas d'invoquer l'*utilité sociale de l'exploitation.* L'entreprise est présentée comme nécessaire à l'économie d'une ville ou d'une région. Il s'ensuit une opposition entre deux intérêts : l'intérêt de la partie demanderesse et l'intérêt d'une collectivité. Très souvent, il y a également opposition entre deux propriétés : une propriété résidentielle et une propriété industrielle. Les tribunaux sont sensibles à l'argument. Aussi, se basent-ils souvent sur l'intérêt économique de l'entreprise pour refuser l'injonction,

---

114. Jean Hétu et Jean Piette, « Le droit de l'environnement du Québec », (1976) 36 *R. du B.* 621, 635-639.
115. *Hébert* c. *Cité de St-Jean*, (1935) 73 C.S. 391, 392-393; Adrian Popovici, *supra*, note 98, p. 241-242. François Frenette adopte une position plus restrictive en limitant le recours au seul propriétaire (*supra*, note 112, p. 147).
116. *Beauregard* c. *Martin*, [1971] C.S. 362.
117. « Le critère qui se dégage de l'article 976 C.C.Q. est le caractère anormal ou exorbitant des inconvénients et non pas la faute de Ghislain Bernard [le défendeur] ou l'illégalité de son activité. Même la preuve d'une autorisation émise par l'Administration municipale ne suffit pas à écarter le droit des demandeurs à la jouissance paisible de leur propriété. » (*Lessard* c. *Bernard*, [1996] R.D.I. 210, 213 (C.S.)); Jean Hétu et Jean Piette, *supra*, note 114, p. 642-644.
118. *Drysdale* c. *Dugas*, *supra*, note 101.
119. *Girard* c. *Saguenay Terminals Ltd.*, *supra*, note 96, p. 288-289.

mais accorder des dommages-intérêts[120]. Ce type de solution irrite les économistes néo-libéraux. Confiants dans les règles du marché, ils estiment que les tribunaux doivent se garder d'entraver la rigueur normale du droit en atténuant les sanctions auxquelles les entreprises délinquantes devraient être assujetties[121]. *L'insuffisance des*  *dommages subis* par le demandeur peut permettre le renvoi de l'action[122]. *L'occupation antérieure du défendeur* est invoquée comme moyen de défense[123]. La théorie de la pré-occupation ne constitue pas une fin de non-recevoir, mais le juge peut en tenir compte pour diminuer les dommages-intérêts[124]. En acceptant de demeurer dans une zone industrielle, l'occupant supporte les inconvénients normaux de voisinage d'une telle zone. Si les *droits acquis* permettent de justifier l'exploitation d'une usine, ils n'accordent pas un droit de polluer[125].

Sanction – Les tribunaux sanctionnent habituellement les troubles de voisinage par l'octroi de dommages-intérêts (1607 C.c.Q.). À ce recours, peut-être ajoutée ou substituée une injonction (751 C.p.c.)[126]. Les tribunaux expriment souvent de la réticence à émettre une injonction qui aurait pour effet de conduire à la fermeture d'une entreprise qui procure du travail à plusieurs personnes. Par ailleurs, le recours a

---

120. « [...], relativement à l'injonction, il y a lieu de tenir compte des conditions particulières de l'endroit où se trouve la ferme du demandeur, de l'importance de la mine de la défenderesse, des avantages considérables que les habitants des paroisses de Tring Jonction et d'East-Broughton en retirent, à tel point que leur économie et leur vie sont intimement liées à la mise en opération de la dite mine et que sa fermeture les priverait de leur moyen principal de subsistance; ». (*Gravel* c. *Carey Canadian Mines Ltd.*, C.S. Beauce, 12 janvier 1965, dans Yvon Duplessis, Jean Hétu et Jean Piette, *supra*, note 29, p. 197). Les tribunaux ont cependant déjà accordé une injonction dans un pareil cas: *Canada Paper Co.* c. *Brown*, *supra*, note 102. Toutefois, à la suite de cet arrêt, le législateur est intervenu pour empêcher qu'à l'avenir l'exploitation de papeteries soit entravée par l'émission d'une injonction lorsque de telles entreprises étaient autorisées par un règlement du conseil municipal de l'agglomération où elles se trouvaient (*Loi modifiant la Loi des cités et villes 1922*, S.Q. 1924, c. 55). Une disposition de même nature, mais d'une plus large portée, se retrouve dans la *Loi sur les cités et villes*, L.R.Q., c. C-19, art. 413.17°.
121. Henri Lepage, *supra*, note 30, p. 344-348.
122. Le tribunal a ainsi rejeté une requête en injonction visant à forcer le propriétaire d'un terrain de golf à empêcher les balles de se retrouver sur son terrain, au motif que le requérant n'exploitait pas sa terre depuis 12 ans et qu'il était absent de sa propriété durant la saison de golf (*Pilon* c. *St-Janvier Golf & Country Inc.*, [1975] C.S. 975).
123. Jean Hétu et Jean Piette, *supra*, note 114, p. 647.
124. *Girard* c. *Saguenay Terminals Ltd.*, *supra*, note 96, p. 284; *Torchia* c. *Telpac Ltd.*, *supra*, note 100.
125. *Gravel* c. *Carey Canadian Mines Ltd.*, *supra*, note 96, p. 1109.
126. *Pelchat* c. *Carrière d'Acton Vale ltée*, [1970] C.A. 884, 887.

déjà été accordé au motif que le simple octroi de dommages-intérêts ne mettrait pas fin au trouble de voisinage[127]. Les tribunaux acceptent plus facilement de baliser les opérations d'une entreprise en limitant les heures durant lesquelles certaines activités seront permises[128] ou encore en interdisant certaines activités nuisibles à une distance donnée par rapport à un voisin[129]. Le délai de prescription pour intenter une action pour trouble de voisinage est de trois ans (2925 C.c.Q.).

7.1.3 Violation d'un droit fondamental

Le droit à la jouissance paisible d'un bien est un droit fondamental reconnu en vertu de la *Charte québécoise de droits et libertés*[130]. La violation de ce droit peut causer un préjudice. Il est alors possible de demander la cessation de l'atteinte à ce droit fondamental et la réparation du préjudice moral et matériel. Des dommages exemplaires ou punitifs[131] peuvent être obtenus dans les cas d'atteinte illicite et intentionnelle[132].

7.2 Les arbres

Le Code prévoit des dispositions afin d'éviter les conflits qui pourraient naître entre voisins à cause des branches, des racines et des arbres qui croissent sur un fonds.

Fruits – Les fruits d'un arbre qui tombent sur un fonds voisin appartiennent au propriétaire de l'arbre (984 C.c.Q.).

Branches et racines – Un propriétaire peut demander à un voisin de couper les branches et les racines qui s'avancent sur son fonds (985 C.c.Q.). Elles doivent toutefois *nuire sérieusement à l'usage du fonds*. Il ne suffit donc pas que les branches ou les racines s'avancent sur le fonds du voisin, il faut encore qu'elles constituent une nuisance sérieuse, par exemple en menaçant de tomber sur un fonds voisin[133],

---

127. *Canada Paper Co.* c. *Brown*, (1921) 31 B.R. 507, 516-526 (juges Flynn et Tellier); *supra*, note 102, p. 246-251 (juge Idington).
128. Jean Hétu, « Les recours du citoyen pour la protection de son environnement », (1989-1990) 92 *R. du N.* 168, 183-184; *Torchia* c. *Telpac Ltd.*, *supra*, note 100, p. 724; *Ville de St-Eustache* c. *149644 Canada Inc.*, *supra*, note 92, p. 26-27.
129. *Lessard* c. *E. W. Caron et Cie*, [1976] C.S. 966.
130. *Charte des droits et libertés de la personne*, *supra*, note 14, art. 6.
131. Sur les critères permettant de fixer le montant des dommages-intérêts punitifs, voir 1621 C.c.Q.
132. *Charte des droits et libertés de la personne*, *supra*, note 14, art. 49; C.c.Q., art. 1621; voir aussi : *Maheux* c. *Boutin*, *supra*, note 88; *Lauzière* c. *Désilets*, [1997] R.D.I. 589, 592 (C.S.).
133. *St-Louis* c. *Brault*, [1996] R.D.I. 567 (C.S.).

en endommageant un potager[134] ou en affectant sensiblement l'apparence d'un terrain[135]. Le critère de la nuisance sérieuse a été introduit afin de préserver le couvert végétal. Pour invoquer ce droit, les fonds n'ont pas à être contigus, il pourrait s'agir d'immeubles séparés par une ruelle[136].

En cas de refus d'un voisin de procéder à la coupe des branches ou des racines, le propriétaire incommodé peut contraindre son voisin à les couper. Il ne peut pas de son propre chef procéder à la coupe, sans s'exposer à devoir éventuellement payer des dommages-intérêts[137].

Arbres – Un propriétaire peut contraindre son voisin à abattre ou à redresser *un arbre qui menace de tomber* sur son fonds (985 (2) C.c.Q.)[138]. De même, un propriétaire qui exploite un fonds à des fins agricoles peut contraindre son voisin à *faire abattre des arbres se trouvant le long de la ligne séparative* et qui nuisent sérieusement à son exploitation (986 C.c.Q.). Il ne peut toutefois pas exiger que le découvert excède cinq mètres. Certains arbres sont exclus d'une telle opération : les arbres dans les vergers, les érablières ou les arbres qui sont conservés pour l'embellissement de la propriété.

Une personne qui, délibérément ou par méprise, abat des arbres situés sur une propriété voisine peut encourir sa responsabilité (1457 C.c.Q.). Lors de l'évaluation des dommages, le tribunal pourra tenir compte de la qualité et de la valeur des arbres abattus[139] – essences ornementales ou forestières – et éventuellement de l'impact causé par la disparition de l'écran visuel et sonore que constituaient les arbres pour une propriété[140]. En outre, en vertu de la *Loi sur la protection des arbres*, un tribunal est habilité à condamner à des dommages exemplaires, qui s'ajoutent aux dommages réels, la personne qui, sans consentement, a détruit ou endommagé un arbre, un arbuste, un arbrisseau ou un taillis situé ailleurs que sur une forêt gérée par le ministère des Ressources naturelles[141]. Le tribunal accorde des dommages-intérêts exemplaires lorsque la personne qui a contrevenu à la loi était

134. *Gaudet* c. *Dufresne*, [1988] R.D.I. 87 (C.S.).
135. *Belzile* c. *Laroche*, [1994] R.D.I. 455 (C.S.).
136. *Commission des écoles catholiques de Montréal* c. *Lambert*, [1984] C.A. 179.
137. Sur la coupe de branches en violation de la loi, voir : *Bonin* c. *Champagne*, (1919) 55 C.S. 153; *Provost* c. *Racine*, [1996] R.D.I. 115 (C.S.).
138. *Beaupré* c. *Centre de plein air Serge A. Piquette Inc.*, [1995] R.D.I. 567, 570 (C.S.).
139. *McIntosh* c. *Ste-Marie*, [1991] R.R.A. 559 (C.S.); *Langlois* c. *Marquis*, [1992] R.R.A. 686 (C.S.).
140. *Béland* c. *Kaushansky*, [1994] R.D.I. 236, 238-239 (C.S.).
141. L.R.Q., c. P-37, art. 1.

de mauvaise foi. Cet état existe dans le cas où la personne a agi avec imprudence[142] ou encore avec malice ou délibérément avec l'intention de nuire[143]. En revanche, il ne saurait y avoir de condamnation si la personne ignorait qu'elle coupait des arbres en l'absence de consentement du propriétaire[144].

7.3 L'accès au fonds d'autrui et la protection du fonds voisin

La loi accorde dans certaines circonstances l'accès au fonds d'autrui. Elle voit aussi à protéger le voisin des conséquences de la ruine d'un bâtiment, de fouilles qui ébranlent un fonds ou d'empiétements.

7.3.1 Accès à un fonds d'autrui

Tour d'échelle – La mise en valeur d'un fonds par l'édification ou l'entretien des immeubles qui s'y trouvent s'avère parfois difficile compte tenu de la configuration des lieux ou de l'exiguïté de l'espace disponible pour entreprendre des travaux en prenant appui uniquement sur son propre fonds. Dès lors, la loi vient en aide au propriétaire en lui accordant un accès au fonds voisin (987 C.c.Q.). Le bénéficiaire de ce droit et ses ouvriers se voient ainsi reconnaître la faculté de passer sur le fonds voisin, d'y faire transiter des matériaux et, au besoin, d'y édifier des structures temporaires (échafaudages). D'origine coutumière, le droit porte le nom de « servitude de tour d'échelle »[145]. Un avis verbal ou écrit doit être donné au propriétaire par celui qui désire accéder à son fonds. Si le propriétaire qui donne accès à son fonds subit un préjudice, il a droit à la réparation et à la remise en état de sa propriété, et ce, même en l'absence de faute (988 C.c.Q.)[146].

Récupération de biens – La récupération des biens entraînés sur le fonds d'autrui par l'effet d'une force naturelle ou majeure est possible (989 C.c.Q.). Le propriétaire du fonds doit permettre au propriétaire

---

142. *Trudel* c. *Gingras*, [1996] R.D.I. 187, 189 (C.A.) (juge Deschamps).
143. *Langlois* c. *Marquis*, *supra*, note 139; *Fortin* c. *Plante*, C.A.M. nº 500-09-001031-913, 19 janvier 1996, p. 3 (J.E. 96-239).
144. « Lorsque l'appelante a abattu les arbres, elle croyait de bonne foi que ceux-ci étaient sur son terrain et qu'en conséquence ils lui appartenaient; le but de l'abattage était de permettre l'exploitation d'une carrière qu'elle croyait sienne; il ne s'agit pas d'un cas où des dommages exemplaires peuvent être accordés en application de la *Loi sur la protection des arbres* ». (*A. Brousseau et Fils Ltée* c. *Hunt*, C.A.Q. nº 200-09-000536-919, 13 janvier 1993, p. 2; *Trudel* c. *Gingras*, *supra*, note 142, p. 188-189).
145. André Cossette, « La servitude de tour d'échelle », (1958-1959) 61 *R. du N.* 324-329; *Saucier* c. *Cloutier*, [1987] R.D.I. 417 (C.S.).
146. *Commentaires du ministre de la Justice*, *supra*, note 45, p. 579.

des biens de les récupérer, sauf si ce dernier abandonne les recherches. Dans ce cas, le propriétaire du fonds les acquiert par accession.

7.3.2 Protection du fonds voisin

Ruine d'un bâtiment – Lorsqu'une construction ou un ouvrage menace de tomber sur un fonds voisin, le propriétaire est tenu de voir à leur réparation afin d'éviter leur chute (990 C.c.Q.). Une municipalité peut présenter à la Cour supérieure une requête pour demander la démolition d'un bâtiment en mauvais état se trouvant sur son territoire[147].

Travaux et fouilles – Un propriétaire ne peut ébranler un fonds voisin alors qu'il réalise des constructions, des ouvrages ou des plantations sur son propre fonds (991 C.c.Q.)[148]. Le préjudice causé comprend des infiltrations d'eau, des fissures ou même l'effondrement de bâtiments ou de structures. Les travaux ou les fouilles peuvent être faits par le propriétaire ou, éventuellement, par une autre personne. Lorsque des travaux sont faits par un entrepreneur, il est important de vérifier s'il possède des assurances suffisantes pour couvrir les préjudices qui pourraient être causés au fonds voisin[149].

Empiétement – Il arrive, parfois, que les constructions d'un propriétaire empiètent sur une parcelle d'un lot appartenant à autrui. La rigueur de la règle de l'accession permettrait normalement au propriétaire du fonds occupé de faire siens ces constructions ou ouvrages édifiés sur son immeuble (955 C.c.Q.) (*supra*: section 3.4.1.1). Dans le passé, lorsque le propriétaire qui subissait l'empiétement demandait la démolition des constructions, les tribunaux qualifiaient parfois l'empiétement de propriété superficiaire[150]. Cette solution, souvent fondée sur la recherche d'équité, était rarement justifiable en droit.

La possession de la parcelle d'autrui durant une période de dix ans pourrait éventuellement conduire à la prescription acquisitive (2917 C.c.Q.). Par ailleurs, le législateur prévoit un mode de règlement de

147. *Loi sur la prévention des incendies*, L.R.Q., c. P-23, art. 8; *Loi sur la qualité de l'environnement*, L.R.Q., c. Q-2, art. 82. Pour une application, voir: *Ville de Kirkland* c. *Société Lavoie Inc.*, C.S.M. 24 novembre 1977, dans Yvon Duplessis, Jean Hétu et Jean Piette, *supra*, note 29, p. 411.
148. *Katz* c. *Reitz*, *supra*, note 106; *Mendel* c. *Entreprises Pemik Inc.*, [1997] R.D.I. 100 (C.S.).
149. *Loi sur le bâtiment*, L.R.Q., c. B-1.1, art. 77 et suiv.
150. *Lebœuf* c. *Douville*, (1969) 10 *C. de D.* 563, 567 (C.S.); *Parent* c. *Quebec North Shore Turnpike Road Trustees*, (1900-1901) 31 R.C.S. 556; *Piché* c. *Centre de viandes Campbell Inc.*, [1980] C.S. 537.

l'empiétement (992 C.c.Q.). Dans la plupart des cas, ces débordements relèvent d'une méconnaissance ou d'une imprécision des limites des fonds.

Le *propriétaire de bonne foi qui construit au-delà des limites de son fonds* conserve la propriété des constructions, ouvrages et plantations qu'il a faits sur le fonds d'autrui. Une telle hypothèse est susceptible de se produire dans le cas où le propriétaire d'un fonds n'aurait pas pu de bonne foi déterminer avec exactitude l'emplacement de la ligne séparative des lots. Le propriétaire du fonds sur lequel on a empiété peut forcer le propriétaire des améliorations à acquérir la « parcelle » en lui en payant la valeur[151] ou exiger que lui soit versée une indemnité pour la perte temporaire de l'usage de la parcelle.

Lorsqu'il s'agit d'un *empiétement considérable qui cause un préjudice sérieux* ou d'un *empiétement fait par un propriétaire de mauvaise foi*, le propriétaire du fonds sur lequel on a empiété peut contraindre le propriétaire des améliorations à acquérir l'« immeuble » – c'est-à-dire la totalité du fonds – et à lui en payer la valeur ou à enlever les constructions et à remettre les lieux en l'état.

Il est prévisible, mais non souhaitable, que les tribunaux ne limitent pas l'application de ces règles à l'empiétement *sur* le fonds voisin, mais l'élargissent à l'empiétement dans l'espace[152]. Ce faisant, ils montreraient autant de libéralité qu'ils en manifestaient dans le passé lorsqu'ils qualifiaient de propriété superficiaire les balcons ou les larmiers qui s'avançaient sur des fonds voisins[153] (*infra*, chapitre 6).

7.4 Les vues

La loi protège les voisins contre les regards indiscrets en restreignant le droit pour le propriétaire d'un immeuble d'y percer des ouvertures trop près de la ligne séparative.

Définition des vues et des jours – Les règles applicables aux ouvertures pratiquées dans les murs dépendent de la qualité de ces ouvertures. Il peut s'agir de vues ou de jours.

Les *vues* sont des ouvertures – le plus souvent des fenêtres ou des portes vitrées – qui permettent au regard d'atteindre le fonds voisin[154].

---

151. Il y a lieu à acquisition de la parcelle lorsque la perte d'usage est définitive (*Constructions S.P. Inc.* c. *Sauvé*, [1996] R.D.I. 427, 431 (C.S.)).
152. Pour une critique d'une telle interprétation, voir François Frenette, « Propos et considérations en droit des biens six mois après la mise à l'épreuve du nouveau code », (1993-1994) 96 *R. du N.* 492, 493-494.
153. *Piché* c. *Comptoir de viande Campbell Inc.*, *supra*, note 150.
154. *Boutin* c. *Bérard*, [1997] R.D.I. 108, 109 (C.S.).

Les *vues droites* sont des ouvertures dont l'axe permet d'observer, sans effort, le fonds voisin. Les *vues obliques*, au contraire, sont des ouvertures dont l'axe empêche de voir le fonds voisin à moins de se sortir la tête par l'ouverture.

Les *jours* translucides ou dormants sont des ouvertures fermées, munies d'un verre qui laisse pénétrer la lumière, mais empêche de distinguer nettement les objets. Ils éclairent une pièce, mais ne permettent pas de voir à l'extérieur.

Normes – Les règles prévues au Code civil ne s'appliquent désormais qu'aux vues et aux jours. Les balcons, les galeries, les escaliers, les perrons et autres saillies sont régis par les règlements municipaux qui prévoient des marges de recul et traitent de la nature des constructions que l'on peut retrouver dans ces marges[155].

Aucune ouverture – même des jours translucides ou dormants – ne peut être pratiquée dans un mur mitoyen sans le consentement du copropriétaire (996 C.c.Q.). La règle est plus souple pour les murs non mitoyens. Des jours translucides et dormants peuvent y être percés (995 C.c.Q.). Des vues droites sont impossibles à moins d'une distance de 1,5 mètre de la ligne séparative (993 (1) C.c.Q.). Cette distance se mesure depuis le parement extérieur du mur où l'ouverture est faite et perpendiculairement à celui-ci jusqu'à la ligne séparative (994 (C.c.Q.). Il est cependant possible d'avoir des vues droites à moins de cette distance sur la voie publique ou sur un parc public (993 (2) C.c.Q.). Par ailleurs, rien n'empêche de percer des vues obliques dans un mur non mitoyen.

La rigueur de ces préceptes connaît une certaine souplesse. Les tribunaux ont, en effet, déclaré que la prohibition des vues illégales ne saurait être présentée comme absolue. Une vue illégale donnant sur un mur plein[156] ou sur l'assiette d'une servitude de passage[157] serait à l'abri de la sanction judiciaire puisqu'elle ne saurait causer de préjudice au voisin. Par convention, il est également possible d'établir des servitudes de vues (1181 C.c.Q.) qui contrecarrent les règles du Code[158]. Une convention entre voisins pourrait ainsi prévoir une vue droite à une distance de un mètre de la ligne séparative.

155. *Commentaires du ministre de la Justice*, *supra*, note 45, p. 583.

156. *Carrière* c. *Rivard*, (1937) 75 C.S. 475, 476.

157. *Dufour* c. *Fortin*, [1997] R.D.I. 426, 429 (C.S.).

158. « Les prescriptions de l'article 536 [993 C.c.Q.] ne sont pas d'ordre public, et on peut y déroger ». (André Montpetit et Gaston Taillefer, *Traité de droit civil du Québec*, tome 3, Montréal, Wilson & Lafleur ltée, 1945, p. 425); *Turcotte* c. *Gamache*, [1955] B.R. 681, 683 (juge Gagné). Sur les incidences d'une telle servitude sur le fonds servant, voir Pierre Martineau, « Considérations sur les servitudes de vue », (1980-1981) 15 *R.J.T.* 101-112.

Le droit à la protection des regards indiscrets est reconnu au propriétaire et non à un locataire ou à un titulaire d'un droit de passage. Le titulaire d'une servitude de passage ne peut empêcher les propriétaires longeant le passage de percer des ouvertures donnant sur le passage[159].

Le propriétaire incommodé par des vues qui ne respectent pas les prescriptions du Code peut intenter une action pétitoire (912 C.c.Q.) (*infra* : section 9). La demande requiert que les ouvertures soient conformes aux prescriptions de la loi. L'obstruction des ouvertures exige une solution permanente; elle doit être absolue et non équivoque[160]. Pour intenter un tel recours, un bornage est nécessaire à défaut d'une ligne séparative bien déterminée[161].

7.5 Le droit de passage

L'*enclave* est la situation d'un fonds qui n'a, sur la voie publique, aucune issue ou une issue insuffisante pour son utilisation. Le propriétaire dont le fonds est enclavé peut obtenir une issue sur la voie publique[162] (997 C.c.Q.). Ce droit vise à rendre possible ou, au moins, à faciliter l'exploitation d'un fonds qui, autrement, risquerait d'être abandonné[163].

7.5.1 Conditions d'obtention

La *première condition* à respecter pour obtenir un droit de passage est l'absence d'issue sur la voie publique ou l'existence d'une issue insuffisante, difficile ou impraticable (997 C.c.Q.). La *seconde condition* est la nécessité du droit de passage pour l'utilisation ou l'exploitation du fonds enclavé.

Absence d'issue – L'*enclave physique*, soit l'absence d'issue sur la voie publique, est un cas fort rare. Le plus fréquemment lorsque l'état d'enclave est invoqué, un immeuble se trouve plutôt dans un état

---

159. *Desjardins* c. *Robert*, (1892) 1 B.R. 286.
160. L'installation d'un climatiseur dans une ouverture illégale constitue une solution inadéquate puisqu'un tel appareil peut être enlevé à volonté (*Boutin* c. *Bérard*, *supra*, note 154, p. 109-110).
161. *Boyer* c. *McKyes*, [1961] C.S. 1.
162. La notion de « voie publique » reçoit une large acception : « Le terme « voie publique » des articles 540 C.C. ou 997 C.C.Q. ne désigne pas, en effet, seulement un « chemin public » *stricto sensu*, c'est-à-dire une route municipale, provinciale ou autre, mais tout passage menant à un chemin public. Le terme « public » ne fait pas référence au droit de propriété du passage, mais à son utilisation. Un chemin privé [...], parce qu'il est emprunté par le public, doit donc être qualifié de « voie publique » [...]. » (*Whitworth* c. *Martin*, [1995] R.J.Q. 2388, 2392 (C.A.) (juge Baudouin); voir aussi : *Voyer* c. *Dumas*, [1950] C.S. 383).
163. *Morissette* c. *Bessette*, [1971] C.A. 356, 359 (juge Turgeon).

d'*enclave économique*. Il bénéficie d'une issue sur une voie publique, mais elle ne répond pas adéquatement aux besoins du fonds, étant donné qu'elle est insuffisante, difficile ou impraticable (997 C.c.Q.). L'aménagement de l'issue existante entraînerait des coûts excessifs au propriétaire du fonds enclavé. Aussi, le législateur a estimé plus sage d'assimiler cette situation à l'enclave physique. La loi permet donc à ce propriétaire de passer sur le fonds d'un voisin[164]. La connaissance de l'état d'enclave lors de l'acquisition d'un immeuble n'a pas à être prise en compte[165].

Le droit de passage en cas d'enclave ne peut être exigé dans certaines circonstances, même s'il apparaît que les conditions requises pour l'obtenir sont présentes. Ces restrictions visent simplement à limiter le recours à l'article 997 aux seules situations où un fonds ne peut d'aucune façon bénéficier d'un passage qui correspond à ses besoins.

Un fonds n'est pas considéré enclavé s'il jouit d'un passage exercé en vertu d'une tolérance[166]. Tant que celle-ci sera maintenue, le propriétaire enclavé devra s'en accomoder[167]. La situation des fonds considérés est appréciée au moment de l'institution de l'action. Ainsi, celui qui revendique un droit de passage chez un voisin se verra débouté s'il signifie son action alors qu'il bénéficie déjà d'un passage par tolérance[168]. L'absence d'une servitude conventionnelle ne donne donc pas droit d'invoquer immédiatement l'article 997 du Code pour obtenir un droit de passage.

L'état d'enclave qui résulte de la division d'un fonds à la suite d'un partage, d'un testament ou d'un contrat ne permet pas de réclamer un droit de passage légal (999 C.c.Q.). Le propriétaire enclavé ne peut alors réclamer un droit de passage que sur les terrains du copartageant, de l'héritier ou du contractant. Le droit de passage est considéré

164. « Les auteurs enseignent et la jurisprudence est unanime à décider qu'un fonds est enclavé, même s'il est situé en partie sur une voie publique, lorsque l'accès à cette voie est rendu impraticable par le coût prohibitif de la construction d'une route la rejoignant ou par tout autre motif du même ordre ». (*Ziebell* c. *Leblanc*, [1960] B.R. 518, 521 (juge Martineau); *Boucher* c. *Lepage*, (1904) 10 *R. de J.* 161 (C.S.); *Dion* c. *Lacroix*, [1983] R.L. 570, 574-576 (C.S.)).
165. *Poulin* c. *Samson*, [1996] R.L. 584, 587 (C.S.).
166. « L'acte de tolérance est le fait du propriétaire courtois, qui s'abstient de protester, comme il aurait droit de le faire, contre les agissements qu'il n'approuve pourtant pas. » (*Morin* c. *Grégoire*, (1969) 10 *C. de D.* 379, 379-380 (C.S.)).
167. « Y a-t-il enclave? Non, s'il se trouve un accès raisonnable légal ou de tolérance au chemin public [...] ». (*Patry* c. *Merleau-Lill*, [1990] R.D.I. 1, 3 (C.A.) (juge Vallerand); *Ouimet* c. *Ouimet*, [1963] B.R. 735).
168. *Patry* c. *Merleau-Lill*, *ibid.*

comme une obligation implicite, aussi le fonds enclavé en jouit-il même en l'absence de mention à cet effet dans le titre[169]. Ce passage est fourni sans indemnité. Cette règle a, par ailleurs, été tempérée lorsque le passage sur le terrain du copartageant, de l'héritier ou du vendeur commandait des dépenses démesurées, compte tenu de la valeur du fonds enclavé[170]. Il y a alors lieu de considérer qu'il y a enclave et de reconnaître au propriétaire enclavé le droit de réclamer un passage sur un autre fonds contigu[171].

Nécessité du passage – Le passage est accordé pour l'utilisation ou l'exploitation d'un fonds (997 C.c.Q.) et non pas « pour la simple commodité d'un immeuble »[172]. Le passage permet d'accéder à une résidence ou à un lieu de villégiature[173]. Fréquemment, en région rurale, il rend possible l'exploitation des forêts. Le propriétaire d'un fonds sur lequel il exploite une entreprise peut aussi l'invoquer.

Le droit de passage s'exerce habituellement en surface, mais pourrait aussi s'exercer au-dessus ou au-dessous du sol :

> « [...] l'exploitation d'un immeuble dans une agglomération urbaine ou rurale ne peut pas se concevoir ni se réaliser sans des services d'aqueduc et d'égouts – pour ne parler que de ceux-ci – je conclus que le passage qui peut être exigé sur le fonds servant pour cause d'enclave du fonds dominant peut être exercé dans le sous-sol du fonds servant, suivant les nécessités de l'exploitation [...] ».[174]

Un droit de passage pourrait ainsi être accordé pour permettre le passage d'une ligne d'électricité[175] ou d'une conduite d'aqueduc et d'égout[176]. De même, un lac ou une île, qui depuis les rives ne bénéficie pas d'un accès à un chemin public, se trouve enclavé[177].

Le droit de passage en cas d'enclave trouve sa source dans la loi. En conséquence, il n'a pas à être fondé sur un titre[178]. L'état d'enclave

---

169. *Latour* c. *Guèvremont*, (1910) 16 *R. de J.* 270 (C. de R.).
170. *Morrissette* c. *Bessette*, *supra*, note 163, p. 359.
171. *Frégeau* c. *Guimont*, [1994] R.D.I. 232, 234 (C.S.).
172. *Jobin* c. *Ville de Vanier*, [1995] R.D.I. 401, 405 (C.S.).
173. *Whitworth* c. *Martin*, *supra*, note 162.
174. *Drolet-Bertrand* c. *Déry*, [1976] C.A. 407, 409 (juge Crête); voir aussi : Michel Pourcelet, « Le fonds enclavé », (1965-1966) 68 *R. du N.* 250, 259.
175. *Dion* c. *Lacroix*, *supra*, note 164, p. 579.
176. *Drolet-Bertrand* c. *Déry*, *supra*, note 174; *Hogues* c. *Blouin*, [1996] R.D.I. 103 (C.S.).
177. Pour un lac, voir : *Garneau* c. *Diotte*, [1927] R.C.S. 261, 263-264 (juge Rinfret); pour une île, voir : *Ziebell* c. *Leblanc*, supra, note 164, p. 521 (juge Martineau); *Patry* c. *Merleau Lill*, *supra*, note 167, p. 2 .
178. *Lessard* c. *Gagnon*, [1950] C.S. 1, 8-9.

et la nécessité du passage pour l'utilisation et l'exploitation d'un fonds suffisent à son établissement (997 C.c.Q.).

7.5.2 Exercice

Le propriétaire d'un fonds et le titulaire d'un démembrement (usufruitier, usager et emphytéote)[179] qui se retrouvent dans une situation d'enclave peuvent requérir un droit de passage fondé sur l'article 997 du Code. Ce droit existe tant en faveur de l'acquéreur originaire du droit réel immobilier qu'en faveur d'un acquéreur subséquent[180].

Fixation – Le droit de passage s'exerce contre le voisin à qui le passage peut être le plus naturellement réclamé. Il doit toutefois être tenu compte de certains éléments pour fixer l'assiette du passage : l'état des lieux, la structure du terrain, l'avantage du fonds enclavé, la nature de l'exploitation et des inconvénients que le passage occasionne au fonds qui le subit (998 C.c.Q.).

Une fois constaté l'état d'enclave, les voisins peuvent s'entendre et fixer d'un commun accord l'endroit où le passage sera exercé. En cas de désaccord, le tribunal pourra se voir confier cette tâche. Il tiendra compte des éléments énumérés à l'article 998 du Code civil pour déterminer le lieu du passage[181]. L'assiette et le mode d'exercice du droit de passage peuvent aussi être déterminés par prescription[182]. L'usage continu fait présumer l'existence d'un accord entre les parties quant à la fixation de l'assiette du passage[183]. L'exercice du passage en un lieu donné, durant dix ans, se substitue à la convention ou au jugement. Une fois établie, l'assiette du passage peut entraver la mise en

179. *Bouchard* c. *Beaulieu*, (1897) 12 C.S. 499.
180. *Frégeau* c. *Guimont*, *supra*, note 171, p. 234.
181. Pour un exemple d'application, voir : *Dion* c. *Lacroix*, *supra*, note 164.
182. « [...] on ne peut acquérir une servitude de passage par prescription; mais ce n'est pas de cela qu'il s'agit [...]. La servitude est toute acquise, dans le cas de l'enclave; c'est la loi elle-même qui la donne au propriétaire du fonds enclavé. La possession trentenaire du passage ne la fait pas naître; mais elle établit une présomption *juris et de jure* que le choix du site a été réglé entre les parties. » (*Valois* c. *Latour*, (1922) 32 B.R. 281, 293 (juge Tellier)). Il est probablement plus juste d'y voir une présomption *juris tantum* ainsi que l'a estimé le juge Martineau de la Cour d'appel (*Ziebell* c. *Leblanc*, *supra*, note 164, p. 523). Par ailleurs, le délai serait maintenant de 10 ans plutôt que de 30 ans (2917 C.c.Q.).
183. « Il est en effet logique de croire, lorsque le propriétaire d'un fonds enclavé a passé au même endroit sur le terrain de son voisin pendant plus de trente ans pour se rendre à la voie publique, qu'il en résulte une présomption que celui-ci a reconnu l'existence de l'enclave et le fait que le chemin, dont s'était servi le propriétaire du fonds enclavé, était le plus court et le moins dommageable. » (*Ziebell* c. *Leblanc*, *ibid.*; *Valois* c. *Latour*, *ibid.*, p. 287-288 (juge Dorion); *Meere* c. *Bruce*, [1976] C.S. 1562, 1569).

valeur du fonds servant. Dans de telles circonstances il serait possible de requérir son déplacement (1186 C.c.Q.)[184].

Modalités – L'exercice du passage tient compte des besoins du fonds dominant. Il s'adapte nécessairement aux changements apportés à l'utilisation ou à l'exploitation du fonds[185]. Il obéit donc aux impératifs de l'évolution économique et sociale[186]. L'usage du passage suivant certaines modalités par un titulaire n'a pas pour effet d'exclure d'autres modes d'usage par la suite[187].

Indemnité – Le bénéficiaire du droit de passage verse une indemnité au propriétaire du fonds sur lequel il exerce le passage. Cette indemnité est proportionnée au préjudice causé au fonds servant (997 C.c.Q.). Le préjudice est entendu dans un sens large. Il comprend le préjudice matériel (causé, par exemple, par une circulation accrue), les inconvénients du démembrement de la propriété et la diminution de valeur du fonds grevé du droit de passage[188]. L'indemnité est fixée à l'amiable, par des experts, ou judiciairement. Le bénéficiaire verse habituellement son indemnité en numéraire. En certaines circonstances, il pourrait veiller à l'entretien du passage dont bénéficie déjà le propriétaire[189]. L'action en indemnité qui est ouverte au propriétaire du fonds servant est prescriptible par trois ans[190] (2925 C.c.Q.). Lorsque le droit de passage est accordé à la suite d'un partage, d'un testament ou d'un contrat, il est fourni sans indemnité (999 C.c.Q.), sauf évidemment s'il y a eu renonciation à ce droit.

Aménagement et entretien – Le bénéficiaire du droit de passage doit faire et entretenir les ouvrages nécessaires à l'exercice de son droit (1000 C.c.Q.).

Cessation – Le droit de passage prend fin lorsqu'il cesse d'être nécessaire à l'utilisation et à l'exploitation du fonds. Il ne se perd toutefois

---

184. *Valois* c. *Latour*, *ibid.*, p. 291 (juge Tellier).
185. « [...] la servitude existe pour l'exploitation du fonds dominant, et cela même si cette exploitation change ou s'accroît, [...]. » (*Dion* c. *Lacroix*, *supra*, note 164, p. 574; Michel Pourcelet, *supra*, note 174, p. 254-255).
186. Michel Pourcelet, *ibid.*, p. 254-255; *Whitworth* c. *Martin*, *supra*, note 162, p. 2391 (juge Baudouin).
187. Le passage à pied durant une période n'écarte pas le passage en voiture (*Valois* c. *Latour*, *supra*, note 182, p. 288).
188. Pour un exemple d'établissement de l'indemnité, voir: *Dion* c. *Lacroix*, *supra*, note 164, p. 580.
189. *Reeder* c. *Pietry*, [1994] R.D.I. 228, 231 (C.S.).
190. Pour la computation du délai: « le point de départ de la période de prescription [est] le moment où le droit de passage a commencé à s'exercer » (*Whitworth* c. *Martin*, *supra*, note 162, p. 2392 (juge Baudouin)).

pas par prescription[191]. L'indemnité ne donne pas lieu à un remboursement. Si elle était payable par annuités ou par versements, ceux-ci cessent d'être dus pour l'avenir (1001 C.c.Q.).

7.6 Les eaux

Le droit des eaux est un droit complexe où s'enchevêtrent fréquemment le droit public[192] et le droit privé. La législation qui régit les eaux relève tantôt du droit commun, tantôt du droit statutaire. Elle émane des différents organes législatifs et subit, de plus en plus, l'influence du droit international et du droit transnational. Le Code civil, pour se limiter à cette loi, considère les droits et les obligations du propriétaire en rapport avec les eaux qui se trouvent sur son fonds ou le sillonnent.

7.6.1 L'écoulement naturel de surface

Les fonds inférieurs sont assujettis à recevoir les eaux qui découlent naturellement des fonds supérieurs (979 C.c.Q.). Cette règle s'applique même pour des fonds inférieurs non contigus[193]. Le propriétaire inférieur ne peut élever un ouvrage qui empêche cet écoulement[194]. Il ne pourrait davantage se plaindre d'une aggravation de l'écoulement des eaux de surface causée principalement par des travaux qu'il a lui-même apportés à la topographie des lieux[195].

Pour sa part, le propriétaire du fonds supérieur ne peut rien faire qui aggrave la situation du fonds inférieur. Toutefois, il lui est possible d'aménager son fonds et d'entreprendre des travaux qui visent à faciliter la conduite des eaux à leur pente naturelle[196], comme de creuser des fossés, des sillons et des rigoles pour des fins de drainage. Si de tels travaux sont susceptibles d'augmenter le volume d'eau s'écoulant du fonds supérieur, ils ne devraient cepen-

---

191. *Kealey* c. *Hayes*, [1997] R.D.I. 619, 623 (C.S.).
192. René Dussault et Louis Borgeat, *supra*, note 29, p. 116-146; Guy Lord (dir.), *Le droit québécois de l'eau*, Québec, Ministère des Richesses naturelles, 1977, 2 volumes.
193. *Olivier* c. *Méthot*, [1945] B.R. 284; *Desaulniers* c. *Commission scolaire Val-Mauricie*, [1997] R.D.I. 217, 219-220 (C.S.).
194. *Beauchemin* c. *Trudeau*, (1933) 54 B.R. 62, 67.
195. *Desaulniers* c. *Commission scolaire Val-Mauricie*, *supra*, note 193, p. 220.
196. Ainsi que l'a déclaré le juge Rivard dans l'affaire *Manseau* c. *Corporation du Comté de Yamaska* : « les travaux artificiels qui ont été exécutés n'ont que facilité ou rendu plus commode leur écoulement [des eaux], mais sans les détourner de leur pente naturelle ». ((1929) 46 B.R. 514, 530).

dant pas causer un préjudice sérieux aux fonds inférieurs[197]. Une aggravation de l'obligation de recevoir les eaux supérieures découlerait, par exemple, de la construction d'une digue qui ferait déferler les eaux en un seul point sur le fonds inférieur[198]. Une modification à la configuration du fonds supérieur qui contribue à accroître considérablement le ruissellement des eaux pourrait obliger le propriétaire à procéder à certains travaux en vue de mieux contenir les eaux, telles la construction d'un mur de soutènement ou d'un puisard[199] ou l'installation de canalisations. Les travaux de drainage, fréquents sur les terres agricoles, ne sont pas présumés aggraver la situation du fonds inférieur. La présomption créée au bénéfice de l'agriculteur est simple (2847 (2) C.c.Q.).

Il est loisible au propriétaire du fonds supérieur de retenir les eaux qui constituent un accessoire de son fonds; le propriétaire du fonds inférieur ne peut alors le contraindre à les laisser couler[200].

Toitures – Les eaux, les neiges et les glaces doivent tomber sur le fonds du propriétaire des bâtiments (983 C.c.Q.). Cette exigence vaut autant pour les bâtiments érigés en permanence que pour les constructions à caractère temporaire, comme un abri hivernal pour une automobile[201].

7.6.2 L'utilisation des eaux

L'usage des eaux à des fins autres que la consommation est attesté depuis longtemps au Québec. Les types d'usage dominant varient au gré des changements économiques et sociaux. Durant le XIXe siècle et une partie du XXe, les eaux des cours d'eau et des lacs servent notamment au flottage des billes de bois depuis la forêt jusqu'aux usines de sciage ou aux ports[202]. L'activité contribue grandement au développement de l'industrie forestière. En revanche, elle s'avère

197. *Hampson* c. *Vineberg*, (1887) 15 R.L. 391, 399 (C.S.); *Huot* c. *Gariépy*, [1949] C.S. 143, 147. Si les travaux entrepris accroissent considérablement la quantité d'eau s'écoulant sur un fonds inférieur, allant même jusqu'à provoquer une inondation, le tribunal peut forcer le propriétaire du fonds supérieur à enlever les ouvrages qui provoquent des dommages (*Henri* c. *Landry*, [1994] R.D.I. 620, 624 (C.S.)).
198. *Lepage* c. *Laberge*, (1927) 42 B.R. 490, 493-494 (juge Rivard).
199. *Tang* c. *Murraine*, [1997] R.D.I. 556 (C.S.).
200. « le propriétaire inférieur est obligé de recevoir les eaux, mais le propriétaire supérieur n'est pas obligé de les laisser couler; si cela lui convient, il peut les retenir, elles sont l'accessoire de son héritage : [...] » (*Huot* c. *Gariépy*, *supra*, note 197).
201. *Bolduc* c. *Rada*, [1996] R.D.I. 449, 451 (C.S.).
202. Guy Lord (dir.), *supra*, note 192, p. 939-973.

une source considérable de pollution[203]. L'utilisation des eaux pour le flottage du bois diminue peu à peu jusqu'à être totalement abandonnée. Il faut avouer que la qualification de « chose commune » a peu contribué à limiter les abus qui ont souvent marqué l'usage de l'eau.

Actuellement, la population manifeste un intérêt grandissant pour l'utilisation des cours d'eau et des lacs à des fins récréatives et sportives. Le droit positif tient compte de cette évolution comme le confirme le contrôle plus strict de l'usage de l'eau à des fins industrielles ainsi que des rejets de matières polluantes. Le nouveau Code ne considère plus l'eau comme « un élément inépuisable » et il estime même essentiel de tenir compte de l'intérêt collectif dans l'aménagement des droits d'utilisation reconnus aux propriétaires[204].

Sources – La loi reconnaît au propriétaire un droit d'usage et un droit de propriété sur les sources situées sur son fonds, puisqu'il peut en user et en disposer (980 C.c.Q.). En conséquence, cette eau entre dans la catégorie des biens. La source, au sens de cet article, s'entend d'une résurgence, elle ne s'étend pas aux eaux souterraines. La jurisprudence a reconnu une grande liberté d'action au propriétaire d'une source. Il demeure libre de disposer de l'eau en l'absorbant, en la détournant, en la cédant ou même en l'aveuglant[205]. En principe, le droit reconnu au propriétaire revêt un caractère absolu qui ne saurait être entravé par les propriétaires voisins, sauf si des droits leur ont été octroyés sur la source. Le propriétaire d'un fonds, de par les prérogatives que lui reconnaît la propriété, a la faculté de creuser un puits sur son fonds même si, ce faisant, il draine des eaux qui alimentent les fonds voisins.

---

203. Maurice Pagé, *Sur le Saint-Maurice, le flottage du bois ou le transport par camion?*, Mémoire présenté à la Faculté de foresterie et de géodésie de l'Université Laval pour l'obtention du grade de bachelier ès sciences appliquées, Québec, mai 1979, p. 5-10.

204. *Commentaires du ministre de la Justice, supra*, note 45, p. 570. Cette orientation environnementaliste a attiré la critique : Charlotte Lemieux, « La protection de l'eau en vertu de l'article 982 C.c.Q. : problèmes d'interprétation », (1992) 23 *R.D.U.S.* 191, 196.

205. [...] le propriétaire d'une source n'a pas seulement la faculté d'aliéner sans que les propriétaires inférieurs puissent se plaindre, il peut encore ou laisser l'eau qu'elle fournit suivre la pente naturelle du terrain et couler sur le fonds inférieur qui sont tenus de la recevoir, ou disposer de cette eau en l'absorbant, soit en détournant son cours pour en faire profiter des voisins autres que ceux auxquels la destinait la pente du terrain ou même aveugler la source [...] ». (*Huot* c. *Gariépy, supra*, note 197, p. 147).

Lacs et étangs entièrement sur un fonds – Le propriétaire peut user de l'eau du lac et de l'étang qui est entièrement sur son fonds, mais il doit en conserver la qualité (980 (2) C.c.Q.). L'usage de l'eau en exclut la contamination.

Propriétaire riverain – Le propriétaire riverain peut utiliser, pour ses besoins, l'eau d'un lac, de la source tête d'un cours d'eau ou l'eau d'un cours d'eau qui borde ou traverse un fonds (981 C.c.Q.). En octroyant cette prérogative, le législateur n'établit aucune distinction fondée sur le caractère navigable ou non navigable des eaux[206]. Il est loisible au propriétaire de se servir de l'eau à son passage pour l'utilité de son fonds. Il doit cependant la rendre à la sortie de son fonds, à son cours ordinaire, sans modification importante de sa qualité et de sa quantité[207]. Le propriétaire du fonds supérieur doit veiller à ce que l'eau qu'il rend soit non polluée, c'est-à-dire qu'elle ne constitue pas une source de danger pour la santé. De plus, l'eau doit présenter une apparence agréable, suivant des caractéristiques physiques comme la couleur, l'odeur, le goût, la température et la turbidité[208]. Le droit d'usage du propriétaire est limité par l'exercice du même droit par des utilisateurs situés en aval.

L'utilisation des eaux exige parfois la construction d'ouvrages permettant leur retenue et leur pompage. À cet effet, le propriétaire peut édifier des canaux, des écluses, des murs, des digues ou autres ouvrages semblables. Il doit obtenir les autorisations requises avant de construire sur les rives ou le lit des cours d'eau et des lacs faisant partie du domaine public[209] (*infra* : chapitre 16). En contrepartie, un autre propriétaire riverain qui bénéficie de l'usage de l'eau[210] possède le pouvoir d'exiger la destruction ou la modification de tout ouvrage qui pollue ou épuise l'eau. Le degré de pollution requis pour donner ouverture au recours n'étant pas précisé par le Code, les tribunaux se fonderont vraisemblablement sur les lois et les règlements en matière d'environnement, notamment sur la jurisprudence découlant de l'interprétation de l'article 20 de la *Loi sur la qualité*

---

206. *Morin* c. *Morin*, [1998] R.J.Q. 23, 29 (juge LeBel).
207. *Carey Canadian Mines* c. *Plante*, [1975] C.A. 893, 899 (juge Bernier). Le juge ajoute que « [...] la jouissance du cours d'eau et des eaux qui y coulent est un droit réel [...] ».
208. *Ibid.*, p. 898 (juge Bélanger).
209. *Loi sur le régime des eaux*, L.R.Q., c. R-13, art. 5-6.
210. Sur l'intérêt requis pour intenter une action fondée sur l'article 982 C.c.Q., voir : *Association des résidents du Lac Mercier Inc.* c. *Paradis*, [1996] R.J.Q. 2370, 2379 (C.S.).

de l'environnement[211]. Le requérant devra, suivant une décision de la Cour supérieure, apporter la preuve que la pollution entraîne une dégradation «plus que négligeable» de l'eau[212]. L'introduction de ce recours pose un problème de rapport entre le droit commun et le droit statutaire. En effet, dans l'hypothèse où la *Loi sur la qualité de l'environnement* et l'article 982 du Code trouvent application, il y a lieu de s'interroger sur la préséance à accorder à l'une ou à l'autre norme. La Cour d'appel semble faire prévaloir la loi statutaire, estimant que le droit commun joue plutôt un rôle supplétif. Ainsi, dans le cas où une activité est autorisée par la loi sans que ne soient pour autant fixées par le droit positif les limites des rejets permis dans le cadre de cette activité, le droit commun pourrait s'appliquer[213].

Le recours prévu à l'article 982 existe en faveur d'un usager tel que décrit aux dispositions précédentes (980 et 981 C.c.Q.) et non pas au bénéfice de toute personne susceptible d'invoquer un intérêt diffus au nom de la protection de l'environnement[214]. Cette interprétation ressort de l'économie générale de cette section du Code civil. Le droit d'intervenir pour protéger la qualité et la quantité de l'eau est contrebalancé par l'intérêt général (982 C.c.Q.). Cette exception vise notamment à empêcher les recours contre des installations récréatives[215] ou de production d'énergie hydro-électrique.

La circulation sur les cours d'eau et les lacs navigables ou non navigables est permise (920 C.c.Q.). Cet accès, accordé pour des fins récréatives et sportives, est probablement justifié parce que l'eau est une chose commune (*res communis*). Ce droit doit être interprété libéralement. Il permet l'utilisation d'un cours d'eau ou d'un lac pour se livrer à des activités comme la natation, le canotage ou l'installation d'un quai flottant[216]. La loi prévoit, tout de même, une limite à l'exercice de ce droit puisque la personne qui en bénéficie doit pouvoir accéder légalement au plan d'eau par une voie publique ou après avoir

---

211. *Loi sur la qualité de l'environnement*, L.R.Q., c. Q-2; Anne-Marie Sheahan, «Le nouveau Code civil du Québec et l'environnement», dans *Développements récents en droit de l'environnement (1994)*, Cowansville, Les Éditions Yvon Blais Inc., 1994, p. 14.
212. *Association des résidents du Lac Mercier Inc.* c. *Paradis*, supra, note 210, p. 2381.
213. *Gestion Serge Lafrenière Inc.* c. *Calvé*, [1999] R.J.Q. 1313, 1326-1327 (C.A.) (juge Gendreau).
214. Pour une opinion contraire, voir: Charlotte Lemieux, *supra*, note 204, p. 199-200.
215. *Association des résidents du Lac Mercier Inc.* c. *Paradis*, supra, note 210, p. 2383.
216. *Morin* c. *Morin*, *supra*, note 206, p. 29.

obtenu la permission d'un propriétaire riverain. De plus, il est interdit au bénéficiaire de prendre pied sur les berges.

7.7 Les limites des fonds et le bornage

Le droit au bornage est un corollaire de la reconnaissance du droit de propriété. Il s'agit d'une obligation *propter rem* pour le voisin de qui le bornage est exigé. Ce droit est expressément reconnu au propriétaire par le Code: «Tout propriétaire peut obliger son voisin au bornage de leurs propriétés contiguës [...]» (978 C.c.Q.). Le bornage est ouvert non seulement au propriétaire d'un fonds, mais aussi au titulaire d'un démembrement du droit de propriété[217].

Le bornage peut être défini comme une opération qui permet d'établir où se situe la ligne séparative de deux fonds contigus et de la rendre visible par la pose de bornes. Les buts poursuivis par cette opération sont d'établir les bornes, de rétablir les bornes déplacées ou disparues, de reconnaître d'anciennes bornes ou de rectifier la ligne séparative des fonds (978 (1) C.c.Q.). La pose de bornes matérialise la ligne séparative puisque la borne constitue un signe qui rend compte d'une situation juridique. Ce signe transmet donc à la société un message à contenu juridique[218].

L'utilité d'une telle opération est indéniable[219]. Elle permet d'établir avec précision la localisation de la ligne de démarcation entre deux propriétés immobilières et elle contribue à atténuer les occasions de disputes entre voisins. De surcroît, l'établissement de bornes s'impose souvent avant que ne soit intentée une action possessoire ou pétitoire[220].

Certificat de localisation – Le bornage se distingue du certificat de localisation[221] même si les deux opérations sont conduites par un arpenteur-géomètre. Seul le bornage permet de fixer les limites d'un fonds. Le certificat de localisation, qui est fondé sur une expertise unilatérale, fournit l'opinion d'un arpenteur-géomètre sur la situation d'un

---

217. *Chevalier* c. *Lupien*, [1949] B.R. 15.
218. Jean-Pierre Gridel, *Le signe et le droit: les bornes, les uniformes, la signalisation routière et autres*, Paris, L.G.D.J., 1979, p. 38-40.
219. Paul Lachance, *Le bornage*, 3e éd., Québec, P.U.L., 1981, p. 9.
220. *Laine* c. *Champagne*, [1977] C.S. 239.
221. Sur le certificat de localisation, voir Grégoire Girard, «Le certificat de localisation», dans *Répertoire de droit, Titres immobiliers – Doctrine*, document 5, p. 8; Berthier Beaulieu, Yaïves Ferland et Francis Roy, *L'arpenteur-géomètre et les pouvoirs municipaux en aménagement du territoire et en urbanisme*, Cowansville, Les Éditions Yvon Blais Inc., 1995, p. 367-373.

fonds après une étude des titres, du cadastre (*infra*: chapitre 11) et de la législation pertinente, notamment la réglementation municipale. Le certificat est un document constitué d'un rapport et d'un plan. Le rapport de l'arpenteur-géomètre fait mention notamment de la description du bien-fonds, de la concordance ou de la non-concordance entre l'occupation, le cadastre et les titres, des servitudes qui grèvent l'immeuble, des empiétements soufferts ou exercés, des structures et bâtiments localisés sur le bien-fonds et de leur conformité eu égard aux règlements municipaux[222]. Pour sa part, le plan contient la représentation graphique et la désignation du bien-fonds, les tenants et aboutissants, les dimensions et la contenance du bien-fonds et des structures et bâtiments qui s'y trouvent ainsi qu'une illustration de ces différents éléments[223].

Opération de bornage – Il existe deux sortes de bornage: *le bornage extrajudiciaire ou à l'amiable* (978 (2) C.c.Q.), qui s'effectue de concert entre voisins, et *le bornage judiciaire*, qui découle d'une intervention de l'autorité judiciaire.

Une procédure rigoureuse régit l'établissement d'un bornage. L'opération est entreprise le plus souvent à la demande d'un voisin. Dès lors, il peut exister un *accord* entre eux, à la fois sur la nécessité d'établir un bornage et sur le choix de l'arpenteur-géomètre. Par ailleurs, il se peut qu'il y ait dès le départ *désaccord* entre les voisins sur la nécessité de procéder à un bornage. L'initiateur de la demande doit alors mettre en demeure son voisin de consentir au bornage et de convenir du choix d'un arpenteur-géomètre (978 C.c.Q.), en lui faisant signifier un avis dont le contenu est précisément déterminé au *Code de procédure civile* (art. 787). Si les parties conviennent du bornage et d'un arpenteur-géomètre, ils signent un accord par écrit (788 C.p.c.). Si le désaccord persiste entre les voisins, la partie qui a fait signifier l'avis peut saisir, par requête, le tribunal pour qu'il décide du droit au bornage et désigne un arpenteur-géomètre pour y procéder (788 C.p.c.).

L'arpenteur-géomètre procède au bornage en deux étapes. Il doit d'abord délimiter la ligne divisoire entre deux propriétés et ensuite marquer cette ligne au moyen de bornes qu'il pose. Lorsqu'il s'adonne à ces opérations, l'arpenteur-géomètre agit à titre d'officier public[224] et il est dispensé de prêter serment (789 C.p.c.). Il procède de la même

---

222. *Règlement sur la norme de pratique relative au certificat de localisation*, R.R.Q., c. A-23, r. 7, art. 3.01.
223. *Ibid.*, art. 4.01.
224. *Loi sur les arpenteurs-géomètres*, L.R.Q., c. A-23, art. 34.

manière qu'un expert (420 C.p.c.). Son mandat consiste à éclairer le tribunal en se fondant sur ses compétences particulières[225].

L'étude des titres, des plans cadastraux et des documents secondaires s'il en est, constitue la première étape du travail de l'arpenteur-géomètre. Les actes, même s'ils peuvent être contradictoires, fournissent habituellement une description des limites d'un immeuble et donnent souvent sa superficie[226]. La prise en compte de la situation des lieux s'avère importante[227] parce qu'elle est susceptible de révéler la présence d'éléments matériels, comme des clôtures[228] (haies, murs, fossés), l'organisation que les voisins ont donnée à leurs propriétés respectives ou même la présence de bornes[229]. En somme, la visite des lieux permet de constater l'occupation réelle d'un lot[230]. Au cours de son travail, l'arpenteur-géomètre fait les relevés qui s'imposent. La loi lui accorde le pouvoir d'assigner des témoins et d'apprécier la preuve testimoniale[231]. Il fait toutes les opérations qu'il juge nécessaires pour déterminer les limites de l'immeuble (789 C.p.c.).

Il présente ensuite un rapport comprenant un plan des lieux, une indication des prétentions respectives des parties et une indication des lignes de division qui lui paraissent les plus adéquates (789 C.p.c.); une copie de ce rapport est remise aux parties. Si les conclusions du rapport sont acceptées par les parties, l'arpenteur-géomètre pose une ou plusieurs bornes et dresse un procès-verbal de son opération[232]. En cas de rejet des conclusions du rapport (790 C.p.c.), l'une ou l'autre des parties peut s'adresser au tribunal pour qu'il se prononce sur le rapport (790 C.p.c.). Le tribunal décide (792 C.p.c.); il y a par la suite abornement (792 C.p.c) et un procès-verbal des opérations est dressé. Ce procès-verbal, qui est un acte authentique (2814 (7) C.c.Q.), doit être

---

225. *Ruest* c. *Groupe Gestion 2000 Inc.*, [1997] R.D.I. 237, 239 (C.S.).
226. Lorsque les limites mentionnées au titre sont précises, elles ont préséance sur la contenance (*Vallée* c. *Gagnon*, (1910) 19 B.R. 165, 171 (juge Archambeault)).
227. « [...] l'un des critères qui peuvent nous guider dans la recherche des justes bornes d'un héritage, c'est de s'en remettre à la situation des lieux, à l'organisation que les voisins ont donnée à leur héritage respectif, aux marques externes matérielles qu'on relève, surtout lorsque cet état de choses subsiste de façon ininterrompue depuis un temps immémorial [...] ». (*Jacques* c. *Dallaire*, [1962] B.R. 235, 237 (juge Bissonnette)).
228. *Boutin* c. *Blais*, [1988] R.D.I. 409, 413 (C.S.).
229. *Vincent-Chagnon* c. *Letendre*, [1997] R.D.I. 421, 423 (C.S.).
230. « L'arpenteur-géomètre ne peut jamais ou pratiquement jamais s'en tenir aux titres des parties sans vérifier l'occupation réelle parce [que] nous sommes en matière de possession, nous sommes en matière d'utilisation d'héritage. » (*Lévesque* c. *Hadd*, [1996] R.D.I. 573 (C.S.)).
231. *Loi sur les arpenteurs-géomètres*, *supra*, note 224, art. 50.
232. *Ibid.*, art. 52.

inscrit au registre foncier (978 (3) et 2996 C.c.Q.). Le déplacement ou l'enlèvement d'une borne constitue un acte criminel[233].

7.8 Les clôtures et les ouvrages mitoyens

Les propriétaires d'immeubles peuvent clore leur propriété pour mieux signaler les limites de leur fonds et s'assurer, en outre, davantage de quiétude et d'intimité.

7.8.1 Droit et obligation de clore

Tout propriétaire peut clore son terrain à ses frais (1002 (1) C.c.Q.). La clôture doit alors être construite en entier sur son terrain. Il peut s'agir de murs, de fossés, de haies ou de toutes autres formes de clôture. Il est possible que l'édification de la clôture soit assujettie à une réglementation municipale pour des considérations d'urbanisme et d'esthétique[234].

Un propriétaire peut également obliger son voisin à faire sur la ligne séparative un ouvrage de clôture (1002 (2) C.c.Q.). Les coûts sont assumés pour moitié ou à frais communs. L'édification de la clôture tient compte de la situation et de l'usage des lieux. Les propriétaires de la clôture se chargent, par la suite, de son entretien.

L'édification d'une clôture permet de matérialiser les limites d'un fonds[235]. Elle constitue un signe qui a bien des chances d'être interprété comme le reflet de la possession d'un immeuble, ainsi que le précisait le juge Gervais : « la clôture sert [...] d'élément de preuve victorieux de la possession publique, possession circonscrite, possession précise »[236].

7.8.2 Ouvrages mitoyens

Les ouvrages de clôture créent parfois des propriétés mitoyennes.

Preuve – La preuve de la mitoyenneté d'un ouvrage de clôture peut être établie par un titre. La mitoyenneté se prouve également par présomption légale (1003 C.c.Q.). La loi prévoit, en effet, une présomption de mitoyenneté dans certaines circonstances. Toute clôture sur la ligne séparative est présumée mitoyenne. Tout mur auquel sont appuyés, de

---

233. *Code criminel*, art 442.
234. *Loi sur l'aménagement et l'urbanisme*, *supra*, note 76, art. 113 (2), 15°.
235. Jean-Pierre Gridel, *supra*, note 218, p. 47.
236. *Clarke* c. *Lacombe*, (1914) 23 B.R. 466, 469.

chaque côté, des bâtiments est présumé mitoyen jusqu'à l'héberge[237]. Cette présomption peut être renversée. En revanche, des présomptions de fait, dont le tribunal jugera de la pertinence, pourraient permettre d'établir une preuve de non-mitoyenneté. Dans le cas d'un mur, des particularités ou des détails architecturaux, tels l'inclinaison d'un côté seulement, peuvent s'avérer révélateurs[238].

Création – La construction, à frais communs, d'un ouvrage de clôture sur la ligne séparative le rend mitoyen. En l'absence d'entente pour entreprendre cette construction, un propriétaire peut contraindre son voisin à contribuer à l'érection d'un tel ouvrage (1002 (2) C.c.Q.). Toutefois, un propriétaire ne peut construire et réclamer, par la suite, la moitié du coût de construction de l'ouvrage mitoyen[239]. Il lui faut recourir au tribunal, avant le début des travaux, afin que celui-ci ordonne au voisin de contribuer à la construction selon les modalités qu'il détermine. Une mise en demeure envoyée au voisin récalcitrant ne suffit pas[240].

Il est également possible d'acquérir la mitoyenneté d'un mur privatif joignant immédiatement la ligne séparative (1004 C.c.Q.). Le voisin doit alors payer la moitié du coût de la portion du mur rendue mitoyenne et de la valeur du sol utilisé. Le coût du mur est estimé à la date de l'acquisition.

Nature juridique – Un ouvrage mitoyen possède une double nature. Il s'agit, d'une part, d'une propriété superficiaire puisqu'il constitue un objet de propriété distinct du sol et, d'autre part, d'une propriété indivise, plusieurs personnes étant en même temps propriétaires de l'ouvrage dans son entier.

Régime juridique – La mitoyenneté confère des avantages aux propriétaires. Chacun d'eux a la faculté de se servir du mur (1005 C.c.Q.). Il leur est loisible de *bâtir contre le mur*. Un propriétaire peut *y placer*

---

237. L'héberge est la partie supérieure du bâtiment le moins élevé, quand deux bâtiments sont contigus.

238. François Frenette note l'intérêt de référer aux anciennes présomptions de non-mitoyenneté prévues au *Code civil du Bas-Canada*, *supra*, note 152, p. 495-496.

239. « [...] la loi dit bien qu'un propriétaire peut contraindre son voisin à contribuer à la construction et réparation d'un mur de clôture faisant séparation de leurs maisons, cours et jardins, etc., mais elle ne dit pas qu'un propriétaire qui construit à ses frais un mur de clôture peut forcer son voisin à payer la moitié du coût de ce mur. [...]. Le demandeur aurait dû, vu le refus du défendeur, obtenir un ordre du tribunal pour forcer son voisin à contribuer à la construction de cette clôture. » (*Lavallière* c. *Morin*, [1958] C.S. 274, 276-277).

240. « [...] à défaut d'entente il est reconnu depuis longtemps qu'on doit recourir à un ordre du tribunal forçant le voisin récalcitrant à contribuer à la construction et en fixant les modalités. » (*Courville* c. *Proulx*, [1995] R.D.I. 464, 465 (C.Q.)).

des poutres et des solives après avoir obtenu l'accord de l'autre propriétaire sur la façon de faire. En cas de désaccord, le tribunal peut intervenir. Finalement, tout propriétaire peut *exhausser le mur* (1007 C.c.Q.). L'exhaussement est aux frais de celui qui le fait. Il doit s'assurer, par une expertise, que le mur est en état de supporter l'exhaussement. Dans le cas contraire, il doit le faire reconstruire en entier (1007 (2) C.c.Q.). Une indemnité fixée à un sixième du coût de l'exhaussement doit être payée par celui qui exhausse le mur (1007 (1) C.c.Q.). La partie du mur exhaussé appartient à celui qui l'a faite (1008 C.c.Q.). Aussi, doit-il en supporter, pour l'avenir, les frais d'entretien, de réparation et de reconstruction. Le voisin qui n'a pas contribué à l'exhaussement peut en acquérir la mitoyenneté. Il doit alors payer la moitié du coût de l'exhaussement ou de la reconstruction et, le cas échéant, la moitié de la valeur du sol fourni pour l'excédent d'épaisseur et rembourser l'indemnité qu'il a reçue (1008 (2) C.c.Q.).

L'entretien, la réparation et la reconstruction d'un mur mitoyen sont à la charge de chacun des propriétaires en proportion des droits de chacun (1006 (1) C.c.Q.). Il est possible de se dispenser de contribuer aux charges en abandonnant son droit dans le mur (1006 (2) C.c.Q.)[241]. Un avis à cet effet doit être produit au bureau de la publicité des droits et une copie doit en être donnée aux autres propriétaires. L'avis emporte renonciation à faire usage du mur. Cet abandon ne peut avoir lieu que lorsque l'on a été requis de contribuer à la réparation et à la reconstruction d'un mur[242]. Le propriétaire qui a abandonné le mur est libéré des obligations *propter rem*. Il demeure cependant tenu des obligations personnelles[243] (*supra*, chapitre 2, section 1.3.4).

8. RESTRICTIONS LÉGISLATIVES À LA PROPRIÉTÉ

Le droit statutaire pose d'importantes restrictions au droit de propriété. Plusieurs lois visent, en effet, à assurer une mise en valeur

---

241. Sur l'effet de l'abandon, voir *supra*, chapitre 2, section 1.3.4.
242. « Considérant que la défenderesse n'ayant pas été requise de contribuer à la réparation dudit mur, n'était pas dans les conditions prévues par l'art 513 C.C. [1006 C.c.Q.] pour renoncer à la mitoyenneté [...] ». (*Labrecque* c. *Cité de Québec*, [1948] C.S. 153, 157).
243. André Breton, « Théorie générale de la renonciation aux droits réels : le déguerpissement en droit civil français », (1928) 27 *Rev. trim. dr. civ.* 261, 358-359. Sur l'effet libératoire de l'abandon de la mitoyenneté, la Cour supérieure n'a pas clairement établi la distinction entre les obligations *propter rem* et les obligations personnelles (*Zambito-Orazio* c. *Meneghini*, [1994] R.D.I. 421, 423 (C.S.)).

harmonieuse des collectivités en empêchant un développement anarchique du territoire. Quelques exemples permettront de saisir l'étendue de ces restrictions.

La *Loi sur les biens culturels*[244] a pour mission la préservation du patrimoine culturel. Elle protège les biens culturels (meubles, immeubles et sites archéologiques) et assujettit toute transformation d'un bien culturel à l'autorisation du ministre des Affaires culturelles. Pour sa part, la *Loi sur la Régie du logement*[245], dans le but de préserver le nombre des logements locatifs, empêche la démolition de logements et l'aliénation d'immeubles situés dans des ensembles immobiliers. De plus, elle restreint la publication d'une déclaration de copropriété sur un immeuble comportant des logements. Il revient à la Régie du logement de veiller au respect des prescriptions de la loi. Finalement, la *Loi sur la qualité de l'environnement*[246], qui a pour fonction de veiller à ce que soit limitée la pollution de l'environnement, interdit l'émission d'un contaminant, prévoit la démolition d'immeubles en état sérieux d'insalubrité ou de détérioration et confie un important pouvoir de contrôle au sous-ministre de l'Environnement.

9. PROTECTION DE LA PROPRIÉTÉ

Actions principales – L'*action en reconnaissance d'un droit réel* (912 C.c.Q.) – une action pétitoire – est ouverte au propriétaire et à tout autre titulaire d'un droit réel. Le partie demanderesse doit établir la preuve du titre qui fonde l'existence du droit réel et prouver l'atteinte au droit.

L'*action en revendication d'un bien* (953 C.c.Q.) – une action pétitoire – permet au propriétaire de revendiquer un bien contre le possesseur ou celui qui le détient sans droit. Elle permet de s'opposer à tout empiétement ou à tout usage non autorisé du bien[247]. Elle est ouverte au propriétaire contre le possesseur. La preuve du titre est essentielle.

Recours auxiliaires – L'injonction (751 C.p.c.) et l'action en dommages-intérêts (1457 C.c.Q.) constituent des recours auxiliaires fréquents.

---

244. *Supra*, note 81.
245. L.R.Q., c. R-8.1.
246. *Supra*, note 147; sur cette loi, voir Lorne Giroux, « La loi sur la qualité de l'environnement : grands mécanismes et recours civils », dans *Développements récents en droit de l'environnement (1996)*, Cowansville, Les Éditions Yvon Blais Inc., 1996, p. 263-349.
247. Il faut cependant tenir compte de l'article 992 du Code civil qui traite des constructions faites par un propriétaire au-delà des limites de son fonds.

Bibliographie

ABERKANE, Hassen. *Contribution à l'étude de la distinction des droits de créance et des droits réels. Essai d'une théorie générale de l'obligation propter rem en droit positif français.* Paris, L.G.D.J., 1957. vii, 283 p.

BAUDOUIN, Louis. *Les aspects généraux du droit privé dans la province de Québec.* Paris, Dalloz, 1967. 1021 p.

BEAULIEU, Berthier, FERLAND Yaïves et Francis ROY. *L'arpenteur-géomètre et les pouvoirs municipaux en aménagement du territoire et en urbanisme.* Cowansville, Les Éditions Yvon Blais Inc., 1995. 450 p.

BEAULIEU, Marie-Louis. *Le bornage : l'instance et l'expertise. La possession : les actions possessoires.* Québec, Le Soleil, 1961. xxxi, 670 p.

BISSONNETTE, Alain. « Droits autochtones et droit civil : opposition ou complémentarité ? Le cas de la propriété foncière », dans Association Henri-Capitant (section québécoise). *Autochtones et droit.* S.l., 1991. 18 p.

COSSETTE, André. « La servitude de tour d'échelle », (1958-1959) 61 *R. du N.* 324-329.

DUPLESSIS, Yvon, HÉTU, Jean et Jean PIETTE. *La protection juridique de l'environnement.* Montréal, Les Éditions Thémis Inc., 1982. xvi, 707 p.

FRENETTE, François. « De l'hypothèque : réalité du droit et métamorphose de l'objet », (1998) 39 *C. de D.* 803-822.

FRENETTE, François. « Des améliorations à l'immeuble d'autrui », [1980] *C.P. du N.* 1-42.

FRENETTE, François. « Du droit de propriété : certaines de ses dimensions méconnues », (1979) 20 *C. de D.* 439-447.

FRENETTE, François. « Propos et considérations en droit des biens six mois après la mise à l'épreuve du nouveau code », (1993-1994) 96 *R. du N.* 492-502.

FRENETTE, François. « Les troubles de voisinage », dans *Développements récents en droit immobilier.* Cowansville, Les Éditions Yvon Blais Inc., 1999, p. 145-153.

GINOSSAR, Shalev. *Droit réel, propriété et créance.* Paris, L.G.D.J., 1960. 212 p.

GIRARD, Grégoire. « Le certificat de localisation », dans *Répertoire de droit : Titres immobiliers – Doctrine.* Document 5.

GIROUX, Lorne. « La loi sur la qualité de l'environnement : grands mécanismes et recours civils », dans *Développements récents en droit de l'environnement (1996).* Cowansville, Les Éditions Yvon Blais Inc., 1996, p. 263-349.

GIROUX, Lorne. « La protection juridique contre l'agression sonore », (1994) 5 *Journal of Environmental Law and Practice* 23-57.

HÉTU, Jean. « Les recours du citoyen pour la protection de son environnement », (1989-1990) 92 *R. du N.* 168-203.

HÉTU, Jean et Jean PIETTE. « Le droit de l'environnement du Québec », (1976) 36 *R. du B.* 621-671.

LACHANCE, Paul. *Le bornage.* 3e éd. Québec, P.U.L., 1981. vi, 180 p.

LEPAGE, Henri. *Pourquoi la propriété.* Paris, Hachette, 1985. 469 p.

LORD, Guy (dir.). *Le droit québécois de l'eau.* Québec, Ministère des Richesses naturelles, 1977. 2 volumes.

MAILHOT, José et Sylvie VINCENT. « Le droit foncier montagnais », *Interculture*, vol. 15, n°s 2-3 (avril-septembre 1982), p. 65-74.

MARTINEAU, Pierre. « Considérations sur les servitudes de vue », (1980-1981) 15 R.J.T. 101-112.

MASSE, Claude. « La responsabilité civile (Droit des Obligations III) », dans Barreau du Québec et Chambre des notaires du Québec (dir.). *La réforme du Code civil.* Sainte-Foy, P.U.L., 1993, tome 2, p. 235-357.

NORMAND, Sylvio. « Une relecture de l'arrêt *Matamajaw Salmon Club* », (1988) 29 *C. de D.* 807-813.

NORMAND, Sylvio et Alain HUDON. « Le contrôle des hypothèques secrètes au XIXe siècle : ou la difficile conciliation de deux cultures juridiques et de deux communautés ethniques », [1990] *Recueil de droit immobilier* 169-201.

POURCELET, Michel. « L'évolution du droit de propriété depuis 1866 » dans Jacques Boucher et André Morel (dir.), *Livre du centenaire du Code civil*, tome 2, Montréal, P.U.M., 1970, p. 3-19.

POURCELET, Michel. « Le fonds enclavé », (1965-1966) 68 *R. du N.* 250-268.

SAVATIER, René. *Les métamorphoses économiques et sociales du droit privé d'aujourd'hui.* 3e série. Paris, Dalloz, 1959.

VAREILLES SOMMIÈRES, De. « La définition et la notion juridique de la propriété », (1905) 4 *Rev. trim. dr. civ.* 443-495.

CHAPITRE 5
LA COPROPRIÉTÉ

La copropriété est définie dans le Code comme « [...] la propriété que plusieurs personnes ont ensemble et concurremment sur un même bien, chacune d'elles étant investie, privativement, d'une quote-part du droit. » (1010 C.c.Q.). Il s'agit d'une propriété à plusieurs sujets pour un même objet. Le bien, objet du droit, n'est pas fractionné, il demeure plein et entier, entre les mains de tous les sujets. Rien en apparence, ne laisse donc percevoir cette particularité de la propriété. Chacun des copropriétaires a un droit sur l'ensemble du bien, même si ce droit n'est pas exclusif[1].

La situation introduite par la copropriété constitue un éloignement par rapport à la notion de propriété. À cause de l'exercice concurrent du droit de propriété sur un même objet, le caractère absolu de la propriété voit sa portée réduite[2]. La marge de manœuvre des copropriétaires s'en trouve limitée. Ils ne peuvent prétendre *exercer* l'entier des prérogatives inhérentes au droit de propriété puisqu'ils doivent considérer les droits des autres copropriétaires. Ainsi, ils ne pourraient détruire le bien en copropriété sans l'accord des autres copropriétaires.

Le Code reconnaît deux types de copropriété : la copropriété par indivision et la copropriété divise (1010 C.c.Q.).

---

1. « Les indivisaires sont propriétaires du bien même si leur droit n'est pas exclusif. » (*Sasseville* c. *Ville de Dolbeau*, C.Q. Roberval, n° 175-32-000181-969 et 175-32-000188-964, 20 juin 1997 (J.E. 97-1594)).
2. Lucie Laflamme, *Le partage consécutif à l'indivision*, Montréal, Wilson & Lafleur ltée, 1999, p. 53. Commentant une situation de copropriété divise, le juge Greenberg, précise : « Quant à la copropriété des immeubles établie par déclaration, il s'agit d'un régime mixte de propriété individuelle et de copropriété collective. Donc, le droit de propriété sur une partie exclusive est même moins absolu que le droit quasi absolu de la propriété classique. » (*Krebs* c. *Paquin*, [1986] R.J.Q. 1139, 1142 (C.S.)).

1. COPROPRIÉTÉ PAR INDIVISION

Perception – Longtemps le droit considéra la copropriété indivise sans bienveillance et même avec hostilité. Elle était constamment présentée comme une situation singulière dont on ne pouvait croire qu'elle dure pendant une longue période. De fait, cet état se produisait le plus souvent au décès d'un parent dont les héritiers recueillaient le patrimoine qu'ils allaient assez rapidement se partager. La copropriété indivise, affirmait-on, était contraire à l'intérêt public puisqu'elle ne favorisait guère l'exploitation maximale des biens, les indivisaires possédant peu d'avantages à améliorer un bien dont ils ne profiteraient peut-être pas[3].

La réhabilitation de la copropriété indivise remonte à quelques décennies seulement alors qu'elle a été de plus en plus perçue comme le « résultat d'une initiative conventionnelle »[4]. La pratique et la jurisprudence ont peu à peu contribué à développer un régime juridique qui, tout de même, laissait souvent place à l'incertitude. Le nouveau Code, beaucoup plus favorable que l'ancien à l'institution, devrait faciliter son développement.

Terminologie – Les concepts de « copropriété » et d'« indivision » ont donné lieu à des distinctions dans la doctrine. Le premier correspond à une modalité de la propriété alors que le second est plus fuyant. L'indivision n'est pas cantonnée au seul droit de propriété. Son champ d'application s'étend à toute situation de cotitularité d'un droit, qu'il s'agisse d'un droit réel ou même d'un droit personnel. Les démembrements de la propriété, tels l'usufruit, l'emphytéose ou la servitude, peuvent ainsi être détenus conjointement[5]. Le régime juri-

3. « L'indivision est contraire à l'intérêt public. Elle fait disparaître en grande partie le stimulant de l'intérêt personnel, qui est le meilleur élément de progrès en toutes choses. Vous comprenez, en effet, que l'intérêt public veut que tout ce qui peut être amélioré le soit. Or, lorsque deux personnes sont co-propriétaires par indivis d'une chose, chacune se dit que ce qu'elle fera pour l'améliorer ce n'est pas elle seule qui en profitera, mais aussi son co-propriétaire, et elle est moins disposée à faire des efforts dans ce but. » (François Langelier, *Cours de droit civil de la province de Québec*, tome 2, Montréal, Wilson & Lafleur ltée, 1906, p. 446-447; voir aussi : Pierre-Basile Mignault, *Le droit civil canadien basé sur les « Répétitions écrites sur le Code civil »*, tome 3, Montréal, C. Théoret, 1897, p. 483; Léon Faribault, *Traité de droit civil du Québec*, tome 4, Montréal, Wilson & Lafleur ltée, 1954, p. 385-386).
4. *Lalonde* c. *Lalonde*, [1991] R.D.I. 54, 57 (C.Q.).
5. Le Code civil fait référence à la cotitularité d'un démembrement aux articles 1166 (2) et 1196. Voir aussi : Francine Vallée-Ouellet, « Les droits et obligations des copropriétaires », (1978) 24 *McGill L.J.* 196, 199-200; Madeleine Cantin Cumyn, « L'indivision », dans Ernest Caparros (dir.), *Mélanges Germain Brière*, Montréal, Wilson & Lafleur ltée, 1993, p. 328-333. Voir aussi sur la cotitularité des droits

dique de la copropriété par indivision est alors susceptible de s'appliquer à ces cas en procédant aux adaptations nécessaires[6]. Dans le présent chapitre, les deux concepts seront utilisés indistinctement étant entendu que la cotitularité dont il s'agit concerne la propriété[7].

1.1 Définition

Suivant le Code civil, la copropriété « [...] est dite par indivision lorsque le droit de propriété ne s'accompagne pas d'une division matérielle du bien » (1010 (2) C.c.Q.). Dans la doctrine, on désigne fréquemment la copropriété indivise sous l'appellation d'indivision et son titulaire d'indivisaire.

Chaque copropriétaire détient un droit sur la totalité du bien, sur chacune de ses molécules[8] pourrait-on dire. La mesure des intérêts du copropriétaire dans le bien indivis est exprimée par une quote-part[9]. Celle-ci porte sur le bien dans son entier: « [...], la propriété indivise entraîne la propriété réelle du bien qui en est l'objet dans chacune de ses parties indivises dans la mesure de la quote-part de chacun des indivisaires »[10].

Le bien en copropriété divise peut être de différente nature; il peut s'agir d'un meuble ou d'un immeuble, d'un bien corporel ou d'un bien incorporel[11].

1.2 Modes d'établissement

La copropriété indivise est établie par contrat, par jugement, par succession ou par la loi (1012 C.c.Q.).

Contrat – L'indivision prend sa source dans un contrat (1013-1014 C.c.Q.) que ce soit lors de l'acquisition d'un bien en commun par plusieurs personnes ou lors de l'affectation d'un bien à un but durable.

---

personnels: *Régime complémentaire de retraite de la Société de transport de la Communauté urbaine de Montréal* c. *Bandera Investment Co.* [1997] R.J.Q. 1906, 1914 (C.S.).

6. *Thivierge* c. *Lapointe*, [1994] R.D.I. 434, 436-437 (C.S.).
7. Lucie Laflamme, *supra*, note 2, p. 7-10.
8. Pierre-Basile Mignault, *supra*, note 3, p. 482.
9. Lucie Laflamme, *supra*, note 2, p. 54.
10. *Lalonde* c. *Lalonde*, *supra*, note 4, p. 54.
11. *Régime complémentaire de retraite de la Société de transport de la Communauté urbaine de Montréal* c. *Bandera Investment Co.*, *supra*, note 5, p. 1914.

L'affectation d'un bien à un but durable recouvre le concept d'indivision forcée[12], reconnu depuis longtemps par la jurisprudence et la doctrine. Selon ce concept, un bien tenu en indivision constitue un accessoire indispensable – ou à tout le moins présente une utilité plus qu'ordinaire[13] – pour l'exploitation ou à la mise en valeur de deux ou de plusieurs immeubles. La situation trouve son expression dans la maxime : l'accessoire suit le principal (*Accessorium sequitur principale*)[14]. Les exemples fournis par la pratique concernent des ouvrages mitoyens (un mur, un chemin) ou des accessoires à plusieurs fonds (une cour, un parc, une ruelle, une allée, un aqueduc, un puits, les parties communes dans une copropriété divise)[15]. Dans ses commentaires au Code, le ministre de la Justice renvoie précisément à des exemples de cette nature[16]. À l'occasion des situations ont posé un problème de qualification où s'opposaient la copropriété et la servitude[17].

Rien, à part la tradition, ne permet de cantonner l'affectation à un but durable à ce seul cas de figure. D'abord, même si l'affectation se rencontre fréquemment dans un contexte de droit immobilier, elle est susceptible de s'étendre aussi aux biens meubles. Par ailleurs, l'affectation d'un bien à un but durable ne doit pas être limitée uniquement à des situations de fait où le bien indivis est physiquement lié aux biens desservis, elle naît également de la décision de conférer un objectif à un bien donné. La faculté d'attribuer au bien une affectation qui s'inscrit dans la durée découle du droit d'user du bien, prérogative que détiennent les copropriétaires[18].

Jugement – Un tribunal peut prononcer un jugement qui aura pour effet de créer un état d'indivision lorsqu'il reconnaît à plusieurs personnes un droit de propriété sur un même objet. Le tribunal établit les conditions applicables à l'indivision qu'il crée, en se fondant vraisem-

---

12. *Compagnie de téléphone du Lac St-Jean* c. *Compagnie de téléphone du Saguenay*, (1933) 54 B.R. 314, 315 (juge Tellier).
13. *Jobin* c. *Brassard*, (1934) 40 R. de J. 451 (C.S.).
14. Gilles Goubeaux, *La règle de l'accessoire en droit privé*, Paris, L.G.D.J., 1969, p. 183-186.
15. « La doctrine nous enseigne qu'il y a copropriété sur les cours, ruelles, allées, passages et chemins destinés au service de plusieurs maisons et sur les cours et canaux affectés à l'exploitation de divers fonds ». (*Lemay* c. *Hardy*, (1922) 64 R.C.S. 222, 227 (juge Brodeur); *Gagné* c. *Bélanger*, C.S.Q. nº 200-05-009289-989, 14 juillet 1999, [1999] A.Q. (Quicklaw) nº 2628).
16. *Commentaires du ministre de la Justice*, Québec, Publications du Québec, 1993, p. 605.
17. *Lemay* c. *Hardy*, *supra*, note 15 (voir les opinions opposées des juges Brodeur et Mignault, le premier qualifie le droit de copropriété, le second de servitude).
18. Sylvio Normand, « La propriété spatio-temporelle », (1987) 28 *C. de D.* 261, 312-313; Lucie Laflamme, *supra*, note 2, p. 162-164.

blablement sur les dispositions du code qui régissent les indivisions conventionnelles (1013-1014 C.c.Q.)[19]. L'évaluation de la part de chaque indivisaire s'avère nécessaire dans l'hypothèse où il n'y aurait pas égalité de valeur.

Succession – La succession légale ou testamentaire conduit souvent à l'état de copropriété indivise entre les héritiers. Cette copropriété dure jusqu'au partage des biens (836-854 C.c.Q.). Un testateur peut, pour une cause sérieuse et légitime, prévoir le maintien de l'indivision pendant un certain temps, et ce, sur la totalité ou une partie des biens transmis[20] (837 C.c.Q.). Longtemps on a considéré que c'était pratiquement le seul mode d'établissement de la copropriété indivise.

Loi – La loi présume un état d'indivision lorsque, par exemple, il est impossible de qualifier un bien de propre ou d'acquêt en régime de société d'acquêt (460 C.c.Q.) ou de déterminer qui a contribué davantage à la constitution d'un meuble à la suite du mélange ou de l'union de plusieurs biens meubles (973 (2) C.c.Q.).

1.3 Distinctions par rapport à d'autres institutions

La copropriété indivise peut être confondue avec deux autres institutions du droit civil : la société et l'association. La confusion est encore plus aisée depuis que le caractère précaire de l'indivision a été atténué sous le nouveau Code. Malgré leurs ressemblances, la finalité poursuivie par chacune des institutions permet de les distinguer[21].

Société – La société est un contrat en vertu duquel les parties s'entendent pour exercer une activité, dans un esprit de collaboration, et mettent en commun des biens, des connaissances ou des activités dans le but de réaliser un gain[22] qu'elles se partageront (2186 (1) C.c.Q.). Les contractants sont nécessairement animés par l'intention de s'associer et de collaborer dans la poursuite du but poursuivi par la société (*affectio societatis*). L'absence de cet élément s'avère fatale à l'existence de la société. Le droit romain estimait que ce concept permettait de distinguer la société de l'indivision[23]. Les biens apportés par chacun des

---

19. *Droit de la famille – 2338*, [1996] R.J.Q. 393, 396 (C.S.).
20. *Hand* c. *Auclair*, [1970] C.A. 253 (juge Turgeon).
21. Madeleine Cantin Cumyn, *supra*, note 5, p. 331-333; *Michon* c. *Leduc*, (1890) 6 M.L.R. (B.R.) 337.
22. *Michon* c. *Leduc*, *ibid.*, p. 344 (C.S.).
23. Henri Roland et Laurent Boyer, *Locutions latines du droit français*, 4e éd., Paris, Litec, 1998, p. 23. Sur la prise en compte des deux hypothèses, voir : *Barrette* c. *Denis*, (1926) 41 B.R. 435, 436-437 (juge Lafontaine); *Droit de la famille – 164*, [1988] R.D.F. 226, 228 (C.A.) (juge Bisson).

associés font partie du patrimoine de la société. Les associés, quant à eux, détiennent des parts sociales de la société formée.

Association – Dans une association, les parties poursuivent un but commun (*affectio societatis*); toutefois ce but diffère de la réalisation d'un bénéfice pécuniaire à partager entre les membres de l'association (2186 (2) C.c.Q.). Fréquemment, l'association poursuit des fins philanthropiques, culturelles ou sportives.

Indivision – Des distinctions importantes différencient la société et l'association de l'indivision. Aux premiers rangs demeurent l'absence de but commun (*affectio societatis*) et de recherche de gain chez les indivisaires[24]. Ils partagent tout de même un intérêt commun qui se ramène à la « somme des intérêts individuels »[25]. Ainsi, quatre personnes qui acquièrent ensemble une maison comprenant quatre appartements qu'ils entendent habiter n'ont fait que regrouper des finalités individuelles, elles ne recherchent pas une finalité commune. Quoique l'expectative de gain ne constitue pas le mobile de l'indivision, elle confère des avantages non négligeables aux copropriétaires, puisqu'ils bénéficient de l'usage et de la jouissance du bien[26] (1016 C.c.Q.). De plus, dans certaines circonstances, le bien indivis pourra même s'apprécier considérablement au fil des ans. Ces avantages ne sauraient cependant être confondus avec les bénéfices pécuniaires attendus de l'exploitation d'une société[27]. D'autres particularités distinguent les institutions. Le bien en indivision appartient à chacun des indivisaires puisqu'il n'existe pas de patrimoine propre à l'indivision[28]. Il en découle que la quote-part de l'indivisaire ne peut d'aucune façon être confondue à une part sociale.

À tort, pourrait-on croire que l'indivision est nécessairement exclue du monde de l'entreprise. Au contraire, des sociétés commerciales peuvent avoir la propriété commune de certains biens, meubles ou immeubles, sans pour autant les exploiter en poursuivant un objectif commun. En somme, elles ne partagent pas l'*affectio societatis*. L'acquisition des biens en commun vise simplement à permettre à chaque entité de parvenir à ses fins respectives.

---

24. *Barrette* c. *Denis*, *ibid.*, p. 436 (juge Lafontaine).
25. C. Saint-Alary-Houin, « Les critères distinctifs de la société et de l'indivision depuis les réformes récentes du Code civil », (1979) 32 *Rev. trim. dr. comm.* 646, 688.
26. Madeleine Cantin Cumyn, *supra*, note 5, p. 332.
27. « On ne peut pas appeler bénéfices, dans le sens du Code, l'avantage qu'a chacun des copropriétaires de jouir individuellement et pour son propre compte de la maison et autres biens communs ». (*J. Robertson & Son Ltd.* c. *Guilbault*, (1918) 54 C.S. 343, 345; *Pilon* c. *Héritiers de Julien Bellemarre*, [1966] R.L. 385 (C.S.)).
28. Francis Delhay, *La nature juridique de l'indivision*, Paris, L.G.D.J., 1968, p. 17.

1.4 Régime juridique

Le Code prévoit un régime légal pour la copropriété indivise (section : 1.4.1). Ce régime n'est pas d'ordre public, il peut donc être écarté par convention[29] (section : 1.4.2).

1.4.1 Régime légal

Le régime légal aménage les droits et les obligations des indivisaires et établit les règles applicables à l'administration du bien indivis.

1.4.1.1 *Parts*

Répartition – La répartition des parts entre les indivisaires a intérêt à être clairement établie. Dans l'éventualité où elle ne le serait pas, le Code prévoit une présomption d'égalité (1015 C.c.Q.). Cette présomption est à l'avantage des tiers pour qui il apparaît souvent difficile de connaître la répartition des parts entre indivisaires. Il s'agit d'une présomption simple (2847 (2) C.c.Q.) qui peut être repoussée par une preuve contraire, notamment par des actes juridiques (2813, 2826 C.c.Q.), des témoignages (2843 C.c.Q.) ou des éléments matériels (2854 C.c.Q.).

Cession – Chaque copropriétaire a le droit de céder sa part, à titre gratuit ou à titre onéreux, et de l'offrir en garantie[30] (1015 C.c.Q.). Il existe toutefois une exception importante à cette règle : le bien affecté à un but durable (indivision forcée). Dans un tel cas, aucun des copropriétaires n'a le droit d'aliéner sa quote-part sur le bien indivis indépendamment du bien dont il est l'accessoire[31].

Droit de retrait – Puisque l'indivision entraîne des échanges fréquents entre indivisaires, il est normal que ceux-ci veuillent écarter des inconnus de l'indivision. Aussi, le Code accorde-t-il à l'indivisaire, dans

---

29. *Commentaires du ministre de la Justice*, *supra*, note 16, p. 131.
30. Il faut éviter de confondre une hypothèque qui porterait sur une part indivise du bien (1015 C.c.Q.) et celle qui porterait sur tout le bien indivis. Dans le second cas, l'unanimité des indivisaires est requise (*Syndic de la faillite de Robert Sierzant* c. *Caisse populaire Desjardins*, [1995] R.D.I. 354, 356 (C.S.)).
31. « [...] [un] aqueduc indivis n'est pas seulement une propriété commune entre co-intéressés [...], par son affectation au service des demeures et des propriétés susdites, il forme avec elle un tout indivisible, s'y rattache par un lien de dépendance, par le seul effet de la loi puisqu'aux termes de l'article 1499 du Code civil [1718 C.c.Q.], la vente comprend virtuellement les accessoires de la chose vendue, et tout ce qui est destiné à son usage perpétuel; » (*Michon* c. *Leduc*, *supra*, note 21, p. 346 (C.S.)).

certains cas, un droit de retrait (1022 C.c.Q.). Ce droit doit être exercé dans les 60 jours où un indivisaire apprend qu'une personne étrangère à l'indivision a acquis, *à titre onéreux*, la part d'un autre indivisaire. Dans le cas d'une cession à titre gratuit, le droit de retrait ne peut être invoqué.

Lorsqu'il exerce le droit de retrait, l'indivisaire verse à la personne étrangère le prix de la cession et les frais qu'elle a acquittés. Les frais comprennent tous les coûts liés à la passation d'un contrat. Ce droit pourrait vraisemblablement être invoqué lorsqu'une partie seulement de la part d'un indivisaire est cédée. Le droit de retrait doit, en outre, être exercé dans l'année qui suit l'acquisition de la part. Ce délai vise à assurer la sécurité des transactions. Le droit ne peut être invoqué lorsque les indivisaires bénéficient d'un droit de préemption (*infra* : section 1.4.2.2) en vertu d'une convention d'indivision (1022 (2) C.c.Q.). La demande au tribunal pour forcer l'acquisition d'une part indivise se fait par requête[32].

Droit de subrogation – Un indivisaire peut se prévaloir d'un droit de subrogation[33] dans certaines circonstances. En effet, lorsqu'un créancier entend faire vendre la part d'un indivisaire ou la prendre en paiement d'une obligation (exercice de la dation en paiement), un indivisaire a le privilège d'être subrogé dans ses droits (1023 C.c.Q.). L'exercice du droit de subrogation est une exception au droit de retrait. Le législateur aurait pu laisser agir le créancier, puis permettre au copropriétaire indivis d'exercer ensuite le droit de retrait. Il a plutôt préféré éviter l'addition de recours inutiles et coûteux.

L'exercice du droit de subrogation est sujet au respect de certaines conditions. L'indivisaire doit avoir fait inscrire son adresse au bureau de la publicité des droits. Cette inscription révèle son intérêt à maintenir tout étranger à l'écart de l'indivision. Aussi, lorsqu'un créancier manifeste sa volonté de faire vendre la part d'un indivisaire ou de la prendre en paiement, cette intention est notifiée à l'indivisaire.

Il doit alors agir dans les 60 jours de cette notification et payer au créancier la dette de l'indivisaire et les frais déjà engagés par le créancier.

Lorsque plusieurs indivisaires exercent un droit de retrait ou de subrogation, il y a partage de la part en proportion de leur droit dans l'indivision (1024 C.c.Q.). La cession de part, même entre indivisaires,

32. *Doyon* c. *2866-0884 Québec Inc.*, [1996] R.D.I. 243 (C.S.).
33. La subrogation est un mécanisme par lequel une personne se substitue à une autre dans une relation juridique.

est assujettie aux droits de mutation payables à une municipalité lors d'un transfert de propriété immobilière[34].

1.4.1.2 *Prérogatives*

Usage et jouissance – Chacun des indivisaires a le droit d'utiliser le bien commun[35] (1016 C.c.Q.). Ce faisant, il ne doit pas porter atteinte à la destination ou aux droits des autres indivisaires. Malgré l'état d'indivision, il est possible qu'une personne ait seule l'usage et la jouissance du bien. Dans un tel cas, elle devra verser une indemnité aux autres indivisaires, à titre de compensation (1016 (2) C.c.Q.). Il est plus fréquent de rencontrer des situations d'usage et de jouissance exclusive portant sur une partie du bien seulement. Le cas d'espèce demeure l'immeuble d'habitation acquis par quelques indivisaires qui chacun se voit attribuer un droit exclusif d'usage et de jouissance sur le logement qu'il habite[36]. C'est là un aménagement de l'exercice du droit de propriété que détiennent déjà les indivisaires. Il ne saurait être question de voir dans cet usage et cette jouissance un droit réel qui s'ajouterait au droit de propriété de l'indivisaire[37].

Droit d'accession – Le droit d'accession, cette prérogative essentielle de la propriété, profite à l'ensemble des indivisaires, en proportion de leur part respective dans l'indivision (1017 C.c.Q.). Un indivisaire n'a donc pas la faculté de prétendre à un droit d'accession attaché précisément à sa part dans l'indivision. Il existe cependant une exception à cette règle, le titulaire d'un droit d'usage ou de jouissance exclusive sur une partie du bien indivis est le seul qui puisse *user et jouir* de ce qui s'unit et s'incorpore à cette partie.

Fruits et revenus – Les fruits et revenus accroissent à l'indivision (1018 C.c.Q.). La règle, empruntée au droit français, correspond peu

---

34. *Loi concernant les droits sur les mutations immobilières*, L.R.Q., c. D-15.1, art 1-2. C'est à tort qu'un tribunal a exempté du paiement des droits de mutation immobilières la vente d'une part entre indivisaires, au motif qu'une telle vente avait le même effet juridique qu'un partage successoral, soit un effet déclaratif (*Angers* c. *Ville de Boucherville*, [1995] R.D.I. 459 (C.Q.)). Or, le partage dans les indivisions, autres que successorales, a un effet attributif de droit (1037 (3) C.c.Q.).
35. « [...] celui qui est propriétaire d'une partie indivisible est propriétaire indivisément du tout et il a le droit de jouir du tout. » (*Brault* c. *Lavoie*, (1924) 62 C.S. 520, 523).
36. Madeleine Cantin Cumyn, *supra*, note 5, p. 336.
37. François Frenette, « La copropriété par indivision : souplesse et déficience de la réglementation d'un état désormais durable », dans Barreau du Québec – Service de la Formation permanente, *Développements récents en droit immobilier*, vol. 103, Cowansville, Les Éditions Yvon Blais Inc., 1998, p. 100.

à l'économie de l'indivision puisque l'institution est en principe dépourvue de patrimoine[38]. Les droits des indivisaires sur les fruits et revenus s'établissent suivant la valeur de la part de chacun. Selon le ministre de la Justice, en l'absence de l'aménagement retenu, un indivisaire aurait pu, lors du partage, recevoir un bien qui n'aurait généré que peu de fruits ou de revenus (1037, 884 C.c.Q.)[39]. Le partage du bien n'aurait toutefois pas eu d'effet sur le partage des fruits et des revenus. Par ailleurs, il est possible d'aménager autrement la répartition des fruits et revenus en procédant à un partage provisionnel (provisoire) ou en s'accordant sur un mode de distribution périodique.

Les fruits et revenus non réclamés après répartition, dans les trois ans de leur échéance, accroissent aussi à l'indivision. Ce délai cherche à éviter les règlements de « comptes épineux » susceptibles de se produire entre indivisaires si une trop longue période s'écoulait avant le partage des fruits et des revenus[40].

1.4.1.3 *Règlement des comptes*

Les indivisaires sont tenus aux frais et charges en proportion de leur part respective dans l'indivision (1019 C.c.Q.). Ils doivent donc assumer les frais d'administration et les charges communes, notamment les taxes municipales et scolaires. La solidarité entre indivisaires n'a pas été retenue puisque cela aurait été injuste dans les cas où la disproportion des parts est importante[41]; elle pourrait toutefois être stipulée par convention.

Chaque indivisaire a droit au remboursement des impenses nécessaires faites pour conserver le bien indivis (1020 C.c.Q.). Le droit au remboursement ne touche que les améliorations nécessaires pour assurer la conservation du bien. Toute autre impense doit être autorisée par les indivisaires et ne donne pas droit à un remboursement immédiat (1017 et 1020 C.c.Q.). L'indivisaire devra attendre le moment du partage, donc la fin de l'indivision, pour toucher une indemnité égale à la plus-value donnée au bien[42].

---

38. La règle a été l'objet de critiques par la doctrine : François Frenette, *ibid.*, p. 100-101; Madeleine Cantin Cumyn, *supra*, note 5, p. 337.
39. Serge Binette, « De la copropriété indivise et divise et de la propriété superficiaire », [1988] 3 *C.P. du N.* 107, 146-147.
40. *Commentaires du ministre de la Justice*, *supra*, note 16, p. 598.
41. *Ibid.*, p. 599.
42. *Ruggieri* c. *Champagne*, [1999] R.D.I. 265, 268 (C.S.).

1.4.1.4 *Administration*

Administration en commun – Les indivisaires administrent le bien en commun (1025 C.c.Q.). La stabilité de l'institution et sa relative popularité exigeait une certaine souplesse dans l'administration du bien indivis. Aussi, la règle de l'unanimité qui prévalait autrefois a été atténuée. Les décisions d'administration courante sont désormais prises à la majorité des indivisaires, en nombre et en parts (1026 (1) C.c.Q.). Entrent dans cette catégorie les questions touchant l'établissement des contributions[43], l'entretien du bien, le choix d'un gérant[44] ou la location du bien. L'exigence d'une double majorité cherche à éviter le contrôle de l'indivision par quelques indivisaires seulement. En l'absence d'une telle règle, un petit groupe d'indivisaires qui détient une majorité des parts aurait eu la faculté de dominer l'administration de l'indivision. Les décisions qui ne relèvent pas de l'administration courante doivent être prises à l'unanimité (1026 (2) C.c.Q.). Ces décisions concernent l'aliénation du bien, son partage, la constitution d'un droit réel[45], le changement de la destination du bien et l'apport de modifications substantielles, par exemple la décision de procéder à l'agrandissement d'un bâtiment.

Les règles régissant la gestion du bien indivis admettent une certaine flexibilité pour les actes d'administration. En revanche, l'unanimité, applicable pour les actes de disposition, génère inévitablement de la lourdeur. La recherche de consensus entre indivisaires demeure la caractéristique principale de l'administration du bien indivis. Lorsque des dissensions importantes se produisent, le partage risque de devenir la seule issue possible. Par ailleurs, la règle de l'administration commune peut être lourde et les indivisaires peuvent préférer se partager l'administration du bien indivis[46].

Gérant – L'administration du bien est parfois confiée à un gérant (1027 C.c.Q.). Il est nommé par les indivisaires. Cette décision est prise à la majorité, en nombre et en parts. Les indivisaires fixent aussi les conditions de sa charge. Au cas où la majorité requise ne serait pas obtenue, le tribunal peut désigner le gérant et déterminer les conditions de sa charge[47]. Le gérant détient des pouvoirs relativement limités puisqu'il agit à titre d'administrateur du bien d'autrui chargé de la

---

43. *Canac Marquis* c. *Côté*, [1995] R.D.I. 286, 288 (C.Q.).
44. *Boutin* c. *Boutin*, [1994] R.D.I. 594, 596 (C.S.).
45. *Timotheatos* c. *Timotheatos*, [1995] R.D.I. 194, 198 (C.S.).
46. *Allice* c. *Potashner*, [1988] R.J.Q. 149, 152 (C.S.).
47. *Boutin* c. *Boutin*, *supra*, note 44, p. 596 (C.S.); *Timotheatos* c. *Timotheatos*, *supra*, note 45, p. 197.

simple administration (1029, 1301-1305 C.c.Q.). L'indivisaire qui administre le bien indivis à la connaissance des autres est présumé gérant (1028 C.c.Q.). Ainsi, le fait de poser périodiquement des gestes d'entretien ou de gestion pourrait laisser croire à l'exercice de cette fonction.

1.4.1.5 *Fin de l'indivision*

Rien n'empêche l'indivision de se prolonger durant une longue période. Toutefois, cette modalité de la propriété est susceptible de prendre fin un jour pour divers motifs, plus ou moins prévisibles selon les cas.

Perte ou expropriation d'une partie importante du bien indivis – Lorsqu'une partie importante d'un bien indivis a été perdue ou expropriée, il est possible de mettre fin à l'indivision (1036 C.c.Q.). Il faut alors obtenir l'appui de la majorité des indivisaires, en nombre et en parts. Il s'agit là d'une dérogation à la règle de l'unanimité qui prévaut, en principe, pour disposer du bien (1026 (2) C.c.Q.).

Aliénation du bien – L'aliénation du bien consiste pour les indivisaires à se départir de celui-ci et, par le fait même, à mettre un terme à l'état d'indivision (1037 C.c.Q.). Elle se distingue de l'aliénation par un indivisaire de sa part dans l'indivision puisque, selon cette hypothèse, l'état d'indivision demeure à l'égard des indivisaires qui restent.

Partage – En principe, le partage peut, en tout moment, être demandé par un indivisaire, ainsi que l'énonce le Code civil : « Nul n'est tenu de demeurer dans l'indivision. Le partage peut toujours être provoqué [...] ». (1030 C.c.Q.). Malgré la rigueur de la formulation, le report du partage demeure possible en certaines circonstances (*infra*, section : 1.4.1.6), il ne saurait toutefois être maintenu « indéfiniment ou pour un temps illimité »[48]. Lorsqu'il a lieu, le partage a pour effet de mettre fin à l'indivision (1037 C.c.Q.).

Le droit au partage est vu comme relevant de l'ordre public. La règle se fonde sur les désavantages que présente une indivision prolongée en restreignant la circulation des biens et leur exploitation[49]. La mise à l'écart des règles du marché est perçue comme une cause éventuelle de désordre dans la société. Même si cette justification ne reçoit plus la même adhésion que par le passé, elle demeure encore

---

48. *Dubarle* c. *Valla*, [1992] R.D.I. 227, 230 (C.S.). Il existe un cas toutefois où le partage est impossible et c'est lors de l'affectation d'un bien à un but durable (1030 C.c.Q.).
49. *Garber* c. *Lake*, (1916) 18 R.P. 464, 466 (C.S.).

aujourd'hui le fondement du principe suivant lequel l'indivisaire conserve son droit à la demande en partage.

Les dispositions relatives au partage, comprises dans le livre *Des successions*, gouvernent l'opération[50] (1037 (2), 836-866 C.c.Q.). Lorsque les indivisaires s'entendent entre eux pour mettre fin à l'indivision, il y a *partage à l'amiable*. Devant le refus de un ou de plusieurs indivisaires de mettre fin à l'indivision, il est possible de recourir à une *demande en partage*. Cette demande, qui est introduite par requête, est réciproque en ce sens qu'elle est ouverte à chacun des propriétaires indivis et qu'elle ne peut être intentée que contre ceux-ci[51]. Le tribunal ordonne le partage en nature, dans l'hypothèse où les biens peuvent être partagés ou attribués[52], ou encore la vente (licitation) du bien indivis (809-810 C.p.c.). Ainsi, un immeuble résidentiel difficilement divisible en parties distinctes devrait être vendu plutôt que partagé. Lorsqu'il y a *partage en nature*, le tribunal nomme un praticien pour procéder à la confection des lots. Celui-ci doit faire rapport; ce rapport est homologué. Les lots sont partagés par tirage au sort. Un procès-verbal est produit au dossier (811 C.p.c.). S'il y a *vente*, elle se fait suivant les dispositions prévues pour la vente du bien d'autrui (810 (1), 897-910 C.p.c.). Le produit de la vente est partagé entre ceux qui y ont droit (910 C.p.c.).

Le partage met fin à la modalité de la propriété. S'il reconnaît la préexistence d'un droit de propriété, il n'a pas pour effet de faire naître un droit nouveau. Par ailleurs, le partage confère un caractère exclusif au droit de propriété, et ce, peu importe la source de l'indivision[53]. Cette exclusivité a un effet déclaratif – donc rétroactif – dans les indivisions successorales (884 C.c.Q.). L'indivisaire est censé avoir eu la propriété exclusive des biens qui se trouvent dans son lot, et ce, depuis le jour du décès[54]. Dans les autres indivisions, le partage a un effet attributif, en ce sens que le caractère exclusif de la propriété n'a pas de portée rétroactive, il prend effet seulement à la date du partage[55] (1037 C.c.Q.). Cette seconde règle est justifiée par le report prolongé du partage dont sont susceptibles les indivisions autres que successorales. Accorder dans ces cas un effet déclaratif à l'exclusivité d'exercice du droit de propriété pourrait engendrer des problèmes d'administration importants[56].

---

50. Germain Brière, *Le nouveau droit des successions*, Montréal, Wilson & Lafleur ltée, 1994, p. 421-445.
51. *Vaillancourt* c. *Vaillancourt*, [1953] C.S. 67, 68.
52. *Perreault* c. *Perreault*, [1993] R.D.I. 265, 268 (C.S.); *Didone-Gagnon* c. *Didone*, [1997] R.D.I. 573, 575 (C.S.).
53. Lucie Laflamme, *supra*, note 2, p. 186-191.
54. *Ibid.*, p. 216.
55. *Ibid.*, p. 228-231.
56. *Commentaires du ministre de la Justice*, *supra*, note 16, p. 609-610.

En principe, le partage n'est pas opposable au créancier hypothécaire lorsqu'il a lieu avant le moment prévu par la convention d'indivision. La règle se comprend puisque la durée de l'indivision a certainement constitué une variable déterminante lors de la création d'une hypothèque (1021 C.c.Q.). Le partage peut cependant devenir opposable au créancier si celui-ci y a consenti ou si, le partage ayant eu lieu, le débiteur conserve un droit de propriété sur une partie du bien. La protection accordée au créancier lors d'un partage anticipé contribue à conforter les droits des institutions financières (2679 C.c.Q.).

Établissement d'une copropriété divise – La possibilité de transformer une copropriété indivise en copropriété divise constitue une exception au maintien de l'indivision. Cette dérogation permet aux indivisaires de mettre fin à l'indivision d'un immeuble servant principalement à des fins d'habitation pour établir une copropriété divise (1031 C.c.Q.). Un vote à la majorité qualifiée des trois quarts des indivisaires qui représentent 90 % des parts est nécessaire. Un tel vote peut être pris même en cas de convention contraire. C'est là une règle d'ordre public. Au cas où un indivisaire refuserait de signer la déclaration de copropriété (1059 (2) C.c.Q.) une fois la majorité requise obtenue, les indivisaires peuvent attribuer à l'opposant sa part en numéraire (1031 (2) C.c.Q.).

Les créanciers se voient reconnaître certains droits lorsqu'il est mis fin à l'indivision. Ils ont droit d'être remboursés des créances qui résultent de l'administration du bien par prélèvement sur l'actif, avant le partage (1035 C.c.Q.). Par ailleurs, ils ne peuvent, en principe, demander le partage en lieu et place d'un indivisaire, sauf par action oblique (1627-1630 C.c.Q.) dans les cas où l'indivisaire pourrait lui-même le demander, c'est-à-dire dans les cas où il n'est pas frappé d'une incapacité juridique[57].

1.4.1.6 *Report du partage*

Le partage peut apparaître inapproprié ou même néfaste dans certaines situations. Le législateur a donc prévu que, pour diverses raisons, il soit reporté (1030 C.c.Q.).

Par convention – Les indivisaires, d'un commun accord, peuvent s'entendre pour reporter le partage. La durée d'une convention entre indivisaires qui reporte le partage ne peut excéder 30 ans, quoiqu'elle puisse être renouvelée (1013 (2) C.c.Q.).

---

57. Serge Binette, *supra*, note 39, p. 157.

Toutefois, malgré l'existence d'une convention reportant le partage, il est possible de mettre fin à l'indivision lorsqu'il y a une entente unanime des indivisaires (1026 C.c.Q.) ou un accord pour la transformation de l'immeuble indivis en copropriété divise (1031 C.c.Q.). Dans cette dernière hypothèse, l'unanimité n'est pas requise malgré la règle édictée à l'article 1026 C.c.Q.

Par une disposition testamentaire – Un testateur a le loisir d'ordonner que le partage, partiel ou total, ne puisse être demandé par un légataire avant l'écoulement d'un certain délai. La clause testamentaire qui repousse le partage doit se justifier pour une cause sérieuse et légitime (837 C.c.Q.). La crainte d'une perte de gain lors de la vente du bien ou encore l'intérêt de certains légataires qui seraient désavantagés par un partage précipité constituent des causes qui peuvent justifier un report du partage par un testateur.

Par jugement – Lors de la création d'une indivision par jugement, le tribunal fournit habituellement des précisions sur le régime juridique qui lui est applicable. Ainsi, le report possible du partage est susceptible d'être ordonné dans certaines circonstances, notamment dans les affaires de nature familiale[58].

Le tribunal peut, à la demande d'un indivisaire, surseoir au partage immédiat du tout ou d'une partie du bien (1032 C.c.Q.). Le sursis est accordé lorsque se présentent des circonstances spéciales et exceptionnelles[59]. Il vise à éviter une perte, notamment lorsque le marché n'est pas favorable à la vente du bien indivis[60]. L'indivision pourra alors être maintenue pour une durée d'au plus deux ans. Dans certaines conditions, la décision du tribunal est sujette à révision (1032 (2) C.c.Q.). Lorsqu'il s'agit d'une l'indivision successorale, le délai de report ne peut excéder cinq ans (843-844 C.c.Q.).

Par l'effet de la loi – La loi intervient rarement pour entraver le partage. Elle le fait dans les cas où le permettre irait à l'encontre de l'économie du droit. Ainsi, lors du règlement d'une succession, le partage ne saurait être provoqué avant que ne soit connue la composition du patrimoine du défunt. Il s'impose donc d'attendre la fin de la liquidation de la succession avant de provoquer le partage (836 C.c.Q.). La quote-part

58. *Droit de la famille – 2338*, *supra*, note 19, p. 397.
59. « Le Tribunal est d'avis qu'à moins de circonstances exceptionnelles une demande de partage devrait être préférée à une demande de sursis. » (*2967-6566 Québec Inc.* c. *2847-3254 Québec Inc.*, [1996] R.J.Q. 1669, 1674 (C.S.)).
60. *St-Jean* c. *Lavallée*, [1996] R.D.I. 231, 235 (C.S.). Avant la révision du Code, le motif de la faiblesse du marché immobilier était jugé inacceptable pour différer le partage (*Richer* c. *Lamothe*, [1994] R.D.I. 102, 103 (C.S.)).

des parties communes d'une fraction d'une copropriété divise ne peut davantage donner lieu à un partage qui aurait pour effet de porter atteinte à l'essence même de la copropriété divise (1048 C.c.Q.).

Par la mise à l'écart d'un indivisaire – Les indivisaires peuvent attribuer à celui qui s'oppose au maintien de l'indivision sa part en nature, si cela est possible, ou en numéraire. C'est à celui qui demande le partage d'établir le mode de désistement qui lui convient[61]. En cas de désaccord sur la part à attribuer à un indivisaire, il y a lieu de procéder à une expertise ou à une évaluation (1034 C.c.Q.). Lorsqu'il identifie la part à distraire du bien indivis, l'expert considère l'impact de l'opération. Il divertit la part la plus facilement détachable ou celle qui nuit le moins au maintien de l'indivision[62].

Par l'affectation du bien à un but durable – Puisque les indivisaires se sont entendus pour affecter le bien à un but durable, il est normal qu'ils aient en même temps renoncé à demander un partage qui aurait pour effet de contrecarrer la finalité recherchée[63] (*supra*: section 1.2 et *infra*: section 1.5). En fait, l'affectation ne fait pas que retarder le partage, elle le rend « impossible » pour reprendre les termes même de la disposition du code (1030 C.c.Q.). En d'autres mots, le partage est reporté « indéfiniment ou pour un temps illimité », contrairement à la règle qui gouverne le partage en cas d'indivision[64]. Dans de telles circonstances, il n'est guère étonnant que la jurisprudence ait reconnu qu'une affectation puisse s'inscrire dans la perpétuité[65].

1.4.2 Régime conventionnel

En plus du régime légal, les indivisaires peuvent établir entre eux une convention d'indivision. Rien toutefois ne les oblige à conclure un tel contrat. Dans l'hypothèse où ils y recourent, il faut garder à l'esprit que les dispositions du Code demeurent toujours susceptibles de s'appliquer dans la mesure où une convention est incomplète ou imprécise.

---

61. « Les termes « selon sa préférence » contenus à l'article 1033 C.C.Q. indiquent que le choix du mode de désintéressement appartient à celui qui demande le partage. Le Tribunal est d'avis que l'opposant n'aura pas à justifier sa décision ou faire une preuve nécessitant un débat contradictoire pour justifier son choix relatif au mode de partage ». (*2967-6566 Québec Inc.* c. *2847-3254 Québec Inc.*, supra, note 59, p. 1674).
62. *Commentaires du ministre de la Justice*, *supra*, note 16, p. 608.
63. *Jobin* c. *Brassard*, (1934) 40 R. de J. 451 (C.S.).
64. *Dubarle* c. *Valla*, *supra*, note 48, p. 230.
65. *Moreau* c. *Malouin*, [1950] C.S. 404, 407; *Michon* c. *Leduc*, *supra*, note 21, p. 343-344 (C.S.). Dans la première affaire, il s'agissait d'une ruelle détenue en copropriété par les propriétaires des lots riverains et dans la seconde d'un aqueduc.

De telles conventions sont particulièrement fréquentes dans les immeubles en copropriété indivise voués à l'habitation.

1.4.2.1 *Conditions de validité*

Conditions de fond – Les parties à une convention d'indivision doivent être capables de contracter. Si un des indivisaires est un mineur sous tutelle (215 C.c.Q.), le tuteur peut conclure seul une convention tendant au maintien de l'indivision. Une fois qu'il a atteint la majorité, le mineur a le pouvoir de mettre fin à la convention dans l'année qui suit sa majorité. Le même régime vaut pour le majeur sous tutelle en faisant les adaptations nécessaires (286-287, 215 C.c.Q.).

Le consentement unanime de tous les indivisaires est requis pour l'établissement d'une convention d'indivision dans laquelle est prévu le report du partage. Cette obligation découle du principe général énoncé à l'article 1030 C.c.Q. qui reconnaît à chacun des indivisaires le droit de mettre fin à l'indivision.

Conditions de forme – La convention doit être écrite quand est prévu un report de partage (1013 C.c.Q.). En outre, une indivision conventionnelle portant sur un immeuble que l'on désire rendre opposable aux tiers doit être publiée (1014 C.c.Q.).

1.4.2.2 *Contenu*

Le contenu d'une convention d'indivision varie selon le type de bien et les situations envisagées. Les indivisaires peuvent choisir de mettre à l'écart à peu près tout le régime légal et d'élaborer un régime très détaillé. Des clauses usuelles d'une telle convention seront présentées.

Description des parts – La description des parts de chaque indivisaire dans le bien indivis s'impose lorsqu'elles ne sont pas égales puisque le Code présume l'égalité des parts (1015 (1) C.c.Q.). De plus, les modalités qui régissent l'évaluation des parts s'avéreront fort utiles le jour où un indivisaire désirera aliéner sa part aux autres indivisaires. Il pourrait ainsi être établi que pour évaluer les parts, il sera tenu compte de la plus-value apportée au bien et de l'indice annuel d'augmentation du coût de la vie.

Destination du bien – La destination du bien indivis permet d'établir la vocation attribuée au bien. S'il s'agit d'un immeuble, il pourra être réservé à des fins d'habitation, à des fins commerciales, industrielles, sportives ou autres. La destination retenue aura des incidences sur les droits des indivisaires puisqu'elle limitera éventuellement les usages du bien.

Usage et jouissance – L'indivision confère à tous les indivisaires des droits en proportion de la valeur de leur part sur l'ensemble du bien indivis. Or, il arrive que les indivisaires s'entendent pour se partager des droits d'usage et de jouissance exclusifs sur des parties distinctes du bien (1017 C.c.Q.).

La situation se présente notamment lorsqu'un immeuble indivis est affecté à l'habitation résidentielle. L'identification des parties de l'immeuble sur lesquelles chacun des indivisaires détient des droits exclusifs d'usage et de jouissance (logement, stationnement, terrasse, etc.) figure dans la convention. Des dispositions de la convention règlent de manière détaillée les obligations des indivisaires à l'égard des parties à usage exclusif ou commun. Ces prescriptions s'apparentent à celles que l'on retrouve dans le règlement d'un immeuble tenu en copropriété divise (*infra*, section 2.3.1). Elles traitent, par exemple, de l'entretien des lieux, du comportement des indivisaires, des frais d'administration, des charges communes et du droit aux fruits et revenus générés par une partie à usage exclusif[66].

Droit de préemption – Un droit de préemption prévu dans une convention d'indivision exige du copropriétaire indivis qui entend se départir de sa part dans l'indivision de l'offrir d'abord aux autres indivisaires qui ont alors le loisir, selon les modalités prévues dans la convention, de se porter acquéreur de sa part (1022 C.c.Q.). Un tel droit doit cependant être publié lorsque l'indivision porte sur un immeuble. Le droit de préemption se substitue au droit de retrait prévu au Code civil (*supra* : section 1.4.1.1). Dans le but d'assurer une plus grande liberté d'action aux copropriétaires, la convention pourrait prévoir la mise à l'écart du droit de retrait et du droit de préemption[67].

Administration du bien – En régime de copropriété indivise, l'administration commune du bien demeure inévitable (1026 C.c.Q.). La convention précise les règles qui s'appliquent aux assemblées, notamment à l'égard de la convocation, du quorum et de ses pouvoirs. Elle permet de revoir les modalités qui régissent les prises de décisions en substituant des majorités à la règle de l'unanimité lors de certains votes. Les indivisaires peuvent s'entendre pour confier une partie de l'administration du bien à un gérant. La convention permet de fixer ses pouvoirs, de déterminer ses obligations et d'établir les conditions de la charge.

Report de partage – Le report du partage pour un temps est souvent rendu nécessaire par la destination du bien. Il serait, en effet, particu-

66. *Allice* c. *Potashner*, *supra*, note 46, p. 152.
67. Madeleine Cantin Cumyn, *supra*, note 5, p. 335.

lièrement gênant de laisser à chaque indivisaire le pouvoir de demander, à tout moment, le partage d'un immeuble réservé à l'habitation résidentielle. Le report du partage durant une certaine période se fait fréquemment par convention. En revanche, une convention d'indivision ne comprend pas nécessairement de clause qui reporte le partage.

La durée maximale de ce report n'excède pas 30 ans, même si elle renouvelable (1013 C.c.Q.). Malgré le report, la loi permet la conversion de la copropriété indivise en copropriété divise lorsque le bien en indivision est un immeuble servant principalement à un usage d'habitation (1031 C.c.Q.).

Clause pénale – Dans le but d'assurer le respect de la convention, les parties peuvent prévoir une clause pénale[68] (1622 C.c.Q.) qui demeure sujette à réduction par le tribunal si la clause s'avérait abusive (1623 (2) C.c.Q.).

1.5 Régime des biens affectés à un but durable

Lorsqu'un bien indivis est affecté à un but durable, chacun des copropriétaires jouit d'une quote-part abstraite du droit de propriété. Les copropriétaires usent et jouissent du bien affecté. À l'instar des autres cas d'indivision[69], l'exploitation du bien comme sa gestion ont été soumises à la règle de l'unanimité[70]. Il y a probablement lieu de s'en remettre ici aux règles générales qui régissent l'administration du bien indivis (1026 C.c.Q.) et de distinguer les actes d'administration courante de ceux qui relèvent de la disposition du bien. Le partage du bien ne saurait être provoqué[71]. De plus, il est vraisemblablement impossible d'abandonner la propriété d'un tel bien, puisque l'abandon trahirait la fonction imposée au bien affecté à un but durable.

Lorsqu'il s'agit du cas d'un bien servant d'accessoire, la quote-part ne peut être aliénée sans que ne le soit également le bien qui bénéficie

68. *2967-6566 Québec Inc.*c. *2847-3254 Québec Inc.*, *supra*, note 59, p. 1675-1676.
69. Madeleine Cantin Cumyn, *supra*, note 5, p. 325, 339.
70. « La propriété commune ne peut pas être exploitée sans le consentement de tous les copropriétaires; » (*Compagnie de téléphone du Lac St-Jean* c. *Compagnie de téléphone du Saguenay*, *supra*, note 12, p. 317 (juge Dorion); *Moreau* c. *Malouin*, *supra*, note 65, p. 410-411).
71. « Considérant que le principe général posé dans l'article 689 du Code civil [1030 C.c.Q.] et portant que nul ne peut être contraint à demeurer dans l'indivision; [...] ne s'applique pas aux choses communes qui sont destinées comme accessoires indispensables, à l'usage indivis de plusieurs propriétés principales appartenant à des propriétaires différents, et dont l'exploitation serait impossible ou notablement détériorée, si elles en étaient privées. » (*Michon* c. *Leduc*, *supra*, note 21, p. 346 (C.S.)).

de cet accessoire[72]. Le bien en indivision n'a alors pas d'individualité propre, il est intimement lié aux propriétés principales auxquelles il est attaché et il forme avec elles « un tout indivisible »[73]. C'est pour cette raison que l'on parle d'*indivision forcée*[74].

2. COPROPRIÉTÉ DIVISE

La copropriété divise a fait son apparition au Code civil en 1969[75], dans la foulée de lois votées à peu près à la même époque par certains États américains et provinces canadiennes. Déjà avant l'introduction de la loi, des solutions avaient été envisagées par les praticiens du droit pour permettre de créer des copropriétés sans se fonder sur l'indivision. Le recours aux baux en propriété ou à la coopérative, pour ingénieux qu'il était, s'avérait plus ou moins satisfaisant et ne concourait certes pas à donner pleine confiance aux investisseurs. La genèse de la loi de 1969 donna lieu à des revirements étonnants puisque, dans un premier temps, la proposition soumise aux députés s'appuyait sur la fiducie[76]. La version initiale du projet de loi emprunta surtout au droit français, sans négliger les droits belge, ontarien et louisianais[77]. Le régime de la copropriété divise, reçu avec une certaine méfiance, mit une dizaine d'années avant de connaître un développement significatif.

2.1 Définition

La copropriété est divise « lorsque le droit de propriété se répartit entre les copropriétaires par fractions comprenant chacune une partie privative, matériellement divisée, et une quote-part des parties communes » (1010 C.c.Q.).

Chaque copropriétaire détient donc une ou plusieurs fractions. Une fraction est constituée à la fois d'une partie privative et d'une quote-part des parties communes. La copropriété divise est habituellement désignée dans la population sous l'appellation fautive de *condominium*[78].

72. *Michon* c. *Leduc*, *ibid.*, p. 346.
73. *Jobin* c. *Brassard*, (1934) 40 R. de J. 451, 458 (C.S.).
74. *Ibid.*, p. 455.
75. *Loi concernant la copropriété des immeubles*, L.Q. 1969, c. 76.
76. *Débats de l'Assemblée législative du Québec*, 28e Législature, 3e session, vol. 7, nº 80 (31 octobre 1968), p. 3740-3741.
77. Pierre Beaudoin et Benoît Morin, « La copropriété des immeubles au Québec », (1970) 30 *R. du B.* 4, 4-5.
78. Noëlle Guilloton, *Mots pratiques mots magiques : 140 questions de langue au fil des saisons*, Québec, Office de la langue française, 1997, p. 62-63.

Nature juridique – La copropriété divise présente une nature juridique complexe que les commentateurs n'ont pas manqué de souligner. La présence de parties privatives et de parties communes suppose un état de mixité juridique qui associe la propriété superficiaire (la partie privative) et l'indivision (les parties communes). Cette situation met en scène une collectivité et introduit de la concurrence entre les copropriétaires sur les parties communes. Le caractère absolu de la propriété s'en trouve atténué.

2.2 Éléments constitutifs

La constitution d'une copropriété divise exige un immeuble réparti en parties privatives et en parties communes liées ensemble pour constituer des fractions. L'immeuble répond de certaines particularités qui lui confèrent sa singularité.

2.2.1 Un immeuble

La copropriété divise exige la présence d'un immeuble au sens de l'article 900 (1) du Code. Les immeubles incorporels ne peuvent donc pas être détenus en copropriété divise. Le plus souvent la copropriété divise suppose la présence d'un immeuble d'habitation ou d'un immeuble commercial. Rien ne s'oppose cependant à ce qu'existe une copropriété divise sans un tel bâtiment. Un auteur a même proposé que les lacs et les étangs qui font partie du domaine privé, ou créés artificiellement, puissent être détenus en copropriété divise[79].

Le bâtiment assujetti au régime de la copropriété divise constitue souvent une *nouvelle construction*. Des règles spéciales prévues au chapitre de la vente s'appliquent alors (1785 et s. C.c.Q.). Un *bâtiment déjà existant* peut également être converti en copropriété divise. S'il s'agit d'un bâtiment en location des règles prévues à la *Loi sur la Régie du logement*[80] doivent être respectées. Dans le cas d'un immeuble d'habitation en copropriété indivise, les indivisaires se prononcent par vote sur la conversion (1031 C.c.Q.).

Une copropriété divise est horizontale lorsqu'il s'agit d'une implantation au niveau du sol (maisons en rangée) et verticale si elle est érigée à la verticale, soit en hauteur.

---

79. André Cossette, « La copropriété des étangs et des lacs artificiels (y compris des barrages dans certains cas) », (1973-1974) 76 *R. du N.* 236-245.
80. L.R.Q., c. R-8.1, art. 51-54.14.

L'immeuble assujetti à la copropriété divise est nécessairement divisé en parties communes et en parties privatives. Cette répartition, permanente, cherche à assurer « une coexistence harmonieuse » à la copropriété divise[81].

Parties communes – Les parties communes d'une copropriété divise comprennent les parties du bâtiment et du terrain qui sont la propriété de tous les copropriétaires et servent à leur usage commun (1043 C.c.Q.). L'existence de parties communes est de l'essence même de la copropriété divise. Elles constituent un accessoire des parties privatives.

Le Code énumère des parties d'une copropriété qu'il présume être des parties communes (1044 C.c.Q.), il s'agit : du sol, des cours, des balcons, des parcs et jardins, des voies d'accès, des escaliers et ascenseurs, des passages et corridors, des locaux et équipements qui bénéficient à tous (par exemple une salle de réunion ou une buanderie), du gros œuvre des bâtiments et des éléments structurants. Cette présomption est simple (2847 C.c.Q.). La déclaration de copropriété peut donc prévoir une qualification des parties communes qui diffère de celle prévue au Code[82]. Si la présomption s'applique, un copropriétaire ne possède donc pas le pouvoir de transformer substantiellement son balcon ou la partie du jardin adjacente à sa partie privative.

Parties communes à usage restreint – Certaines parties communes se distinguent des autres en ce que leur usage est restreint à certains copropriétaires ou même à un seul (1043 (2) C.c.Q.). Il revient à l'acte constitutif d'identifier ces parties communes particulières qui portent fréquemment sur des éléments, tels un balcon[83], une terrasse[84], un stationnement ou un jardin[85].

Parties privatives – Les parties privatives sont les parties des bâtiments et des terrains dont un copropriétaire a l'usage exclusif (1042 C.c.Q.). Chaque partie privative comprise dans le bâtiment constitue un cube d'espace qui est localisé, délimité, cadastré (3041 C.c.Q.). La partie privative comprend les cloisons internes (les murs et les portes

---

81. *Cardinal* c. *Syndicat de la copropriété le Plateau A.B.C.*, C.S.Q. n° 200-05-003488-942, 13 avril 1995 (J.E. 95-983).
82. L'article 1044 du Code s'applique à titre supplétif : « Art. 441f C.C. [1044 C.c.Q.] applies only when the Declaration is silent as to the ownership of some portion of the building ». (*Placement Nouvelle-Vie ltée* c. *Ryan*, [1987] R.D.I. 277 (C.S.)).
83. *Syndicat Northcrest* c. *Amselem*, [1998] R.J.Q. 1892 (C.S.).
84. *Mizne* c. *Élysée Condominium Association*, [1996] R.D.I. 69, 70 (C.S.).
85. *Albanna* c. *2423-9782 Québec Inc.*, [1988] R.D.I. 642 (C.S.).

à l'intérieur du local) et les éléments qui couvrent les murs, les plafonds et les planchers (peinture, papier peint, moquette).

Les limites des parties privatives contiguës peuvent être modifiées une fois obtenu l'assentiment du créancier hypothécaire et du syndicat, sans la nécessité d'obtenir toutefois le consentement de l'assemblée des copropriétaires (1100 C.c.Q.). La modification ne doit pas entraîner un changement à la valeur des parties privatives touchées, ainsi qu'aux droits de vote qui y sont attachés. L'opération entraîne cependant une modification de la déclaration de copropriété et du plan cadastral.

Éléments mitoyens – Certains éléments d'une copropriété divise sont présumés mitoyens. C'est le cas des cloisons et des murs, non compris dans le gros œuvre, qui séparent une partie privative d'une partie commune ou d'une autre partie privative (1045 C.c.Q.).

Plan cadastral – Les parties privatives et les parties communes sont matériellement divisées (1010 (3), 3030 (2), 3041 C.c.Q.). Sur le plan cadastral, les parties privatives et les parties communes font l'objet d'une immatriculation distincte.

2.2.2 Particularités de l'immeuble

Un immeuble assujetti au régime de la copropriété divise possède des particularités propres qui le distinguent par rapport à un autre. Ces particularités sont souvent déterminantes pour le choix d'une fraction dans une copropriété divise. Les éléments permettant de singulariser une copropriété comprennent la destination, le caractère et la situation de l'immeuble (1056 C.c.Q.). La loi attribue un rôle primordial à ces particularités puisque c'est à l'aune de celles-ci que sera établie la validité des restrictions fixées aux droits des copropriétaires par la déclaration de copropriété (1056 C.c.Q.)[86]. Ainsi, une interdiction d'apposer des réclames publicitaires sur l'immeuble pourrait être jugée différemment suivant que la destination d'une copropriété est résidentielle ou commerciale. Les copropriétaires qui s'estiment brimés par des restrictions à l'usage de l'immeuble se heurtent fréquemment à la collectivité des copropriétaires qui se montre jalouse de préserver l'intégrité des particularités de l'immeuble.

Destination – La *destination de l'immeuble* désigne la vocation qui lui est assignée, soit le genre d'activités qui pourront s'y dérouler.

---

86. *Syndicat Northcrest c. Amselem*, *supra*, note 83, p. 1898-1902.

Cette affectation[87] est la prérogative des copropriétaires quoiqu'il faille reconnaître qu'il revient fréquemment au promoteur d'un projet de copropriété de l'établir. Le choix de la destination est essentiellement contractuel. Il apparaît à l'acte constitutif de copropriété (1053 (1) C.c.Q.).

L'immeuble est susceptible de plusieurs types de destination[88], il peut s'agir, par exemple, d'un immeuble résidentiel, commercial ou mixte; d'un immeuble résidentiel pour personnes âgées; d'un immeuble résidentiel pour les adeptes d'une activité sportive ou sociale; d'une copropriété à temps partagé (1058 C.c.Q.). Fréquemment, l'acte constitutif de copropriété (1053 C.c.Q.) ne se limite pas à établir de manière positive la destination de l'immeuble, il précise également les activités qui ne peuvent s'y dérouler, comme l'exercice d'une profession ou l'exploitation d'un commerce ou d'une entreprise. La destination de l'immeuble restreint parfois les activités permises par la réglementation municipale. Même si une personne possède un permis émis par une municipalité pour exploiter un atelier d'assemblage de vêtements dans son logement, elle ne peut se prêter à cette activité si la déclaration de copropriété le défend[89]. Il en va de même de l'exercice d'une profession, permise dans un secteur d'une municipalité où est située une copropriété, mais prohibée par la destination de l'immeuble suivant la déclaration de copropriété[90].

La *destination des parties communes* est fonction de la destination de l'immeuble (1053 C.c.Q.). Elles pourraient difficilement se voir attribuer une autre vocation puisque les parties communes constituent un accessoire par rapport aux parties privatives. Pour sa part, la *destination des parties privatives* se doit évidemment d'être fidèle à la destination conférée à l'immeuble (1053 C.c.Q.). Les types d'activités permises dans les parties privatives donnent lieu à une description précise. Ainsi les parties privatives du rez-de-chaussée peuvent être destinées à des commerces ou à des bureaux de professionnels et le reste de l'immeuble à des fins exclusivement résidentielles. Le syndicat ne

87. Serge Guinchard, *L'affectation des biens en droit privé français*, Paris, L.G.D.J., 1976, p. 88.

88. Serge Binette, « La notion de la destination et le régime de l'article 442f du *Code civil* en matière de copropriété divise », [1990] 2 *C.P. du N.* 67-116.

89. « Ce permis [municipal] ne lui donne pas le droit d'aller à l'encontre de la déclaration de copropriété. La même règle s'appliquerait d'ailleurs même s'il s'agissait d'un métier où les instruments ne feraient aucun bruit car on violerait la déclaration de copropriété. » (*Fournier* c. *Lesiège*, [1986] R.D.I. 789 (C.S.)).

90. *Krebs* c. *Paquin*, *supra*, note 2, p. 1139. Suivant les mêmes considérations, la garde d'enfants a aussi été défendue (*Bergeron* c. *Martin*, [1997] R.D.I. 241,248 (C.S.)).

peut imposer à un copropriétaire une modification à la destination de sa partie privative (1102 C.c.Q.).

Le choix de la destination de l'immeuble, des parties communes et des parties privatives entraîne inévitablement une restriction à l'usage et à la jouissance des copropriétaires. L'existence de ces limitations est compensée par les avantages qu'ils en tirent dans leur vie quotidienne et par l'assurance de la préservation de la valeur des fractions[91]. Dans certaines circonstances, la destination de l'immeuble, des parties communes et privatives est susceptible de causer une certaine discrimination. Aussi, la validité de certaines clauses risque d'être mise en doute[92].

La nature contractuelle de la destination fait qu'elle est susceptible d'être modifiée par l'assemblée des copropriétaires. Il faut convenir cependant que le législateur, soucieux de veiller au maintien de la destination originaire, se montre particulièrement exigeant pour que soit rendu possible un changement à la destination (1098, 1° C.c.Q.).

Caractère – La copropriété est susceptible de présenter un caractère distinct, étant donné le cachet de l'architecture, l'apparence de la construction, la qualité des matériaux employés et l'harmonie de l'ensemble[93]. Ainsi, un immeuble sera éventuellement une résidence de luxe compte tenu de son « standing ». Les copropriétaires cherchent souvent à préserver le caractère spécifique de l'immeuble en imposant des restrictions particulières aux droits des copropriétaires[94] (1056 C.c.Q.), telle l'obligation de prévoir un aménagement des balcons compatible avec l'immeuble. Le caractère d'un immeuble se rattache donc à des éléments physiques habituellement interdits de modifications par les copropriétaires.

Situation – La situation de l'immeuble est également un élément caractéristique d'une copropriété. Un immeuble répond, en effet, à des attentes différentes suivant qu'il est édifié dans un centre-ville, dans une banlieue verdoyante, près d'un parc ou d'un cours d'eau[95]. La situation d'un immeuble confère parfois aux copropriétaires des avantages particuliers qu'ils entendent préserver[96], à titre d'éléments d'un mode de vie qu'ils ont

91. *Cuillerier* c. *Gravel*, [1993] R.D.I. 631, 636 (C.S.).
92. *Charte canadienne des droits et libertés*, L.R.C. (1985), app. II, annexe B, partie I, n° 44, art. 15; *Charte des droits et libertés de la personne*, L.R.Q., c. C-12, art. 10.
93. *Syndicat Northcrest* c. *Amselem*, *supra*, note 83, p. 1901.
94. *Bergeron* c. *Martin*, [1997] R.D.I. 241, 247-248 (C.S.).
95. *Syndicat Northcrest* c. *Amselem*, *supra*, note 83, p. 1901.
96. Ainsi, un copropriétaire peut chercher à préserver une vue sur le fleuve obstruée partiellement par l'installation d'un auvent par un autre copropriétaire (*Talbot* c. *Guay*, [1992] R.D.I. 656, 657 (C.A.)).

choisi. Par ailleurs, l'environnement global d'un immeuble dépend peu de la volonté des copropriétaires, il est davantage soumis aux aléas du développement des municipalités et à l'évolution des quartiers.

La doctrine[97] et la jurisprudence[98] québécoises, sous l'inspiration des auteurs français, envisagent souvent le caractère et la situation comme des éléments accessoires permettant de préciser la destination. Pourtant, le libellé des lois française et québécoise diffère. En effet, la disposition qui interdit les restrictions aux droits des copropriétaires précise, dans le Code québécois, que de telles restrictions peuvent être acceptées lorsqu'elles sont justifiées « par la destination de l'immeuble, ses caractères ou sa situation », alors que la loi française mentionne : « par la destination de l'immeuble, telle qu'elle est définie aux actes, par ses caractères ou sa situation »[99]. Par ailleurs, le Code québécois précise que la destination de l'immeuble doit être expressément définie dans l'acte constitutif de copropriété (1053 C.c.Q.). Partant, en droit québécois, la tâche complexe qui conduit à établir la destination de l'immeuble en se fondant sur divers éléments objectifs et subjectifs apparaît inutile et, de surcroît, non conforme à la loi. Une telle manière de procéder est d'ailleurs susceptible d'engendrer une grave insécurité juridique puisque bien souvent seuls les tribunaux pourraient de manière certaine établir la destination de l'immeuble.

2.2.3 Fractions

La fraction est de l'essence de la copropriété divise. Une fraction comprend nécessairement une partie privative, matériellement divisée et identifiée, et une quote-part des parties communes (1010 (3) C.c.Q.). Toutes les fractions sont distinctes les unes des autres (1047 C.c.Q.),

---

97. « [...] le législateur québécois a non seulement évoqué la destination de l'immeuble, mais il a donné deux critères, soit la situation et les caractères de l'immeuble. Partant, les notaires et les tribunaux peuvent chercher en principe leurs éléments d'appréciation quant à la destination de l'immeuble dans la situation et les caractères de ce dernier ». (Serge Binette, *supra*, note 88, p. 78). Un texte de Francine Vallée-Ouellet a, par ailleurs, exercé et exerce encore aujourd'hui une influence considérable dans le même sens (*supra*, note 5, p. 214-216). Pour une opinion contraire, voir François Frenette, « La copropriété divise et le rôle ambivalent de la déclaration », dans Barreau du Québec – Service de la formation permanente, *Congrès annuel du Barreau du Québec (1998)*, Montréal, Barreau du Québec, 1998, p. 71-82.
98. *Wilson* c. *Syndicat des copropriétaires du condominium Le Champlain*, [1996] R.J.Q. 1019, 1028-1029 (C.S.); *Syndicat des copropriétaires Les immeubles Les Cascades St-Laurent* c. *Zrihen*, [1999] R.D.I. 43, 46 (C.S.). Les deux jugements se fondent notamment sur l'article de Francine Vallée-Ouellet (*ibid.*).
99. *Loi nº 65-557 du 10 juillet 1965 fixant le statut de la copropriété des immeubles*, art. 8 (2).

même si, à un moment donné, elles peuvent appartenir à une seule et même personne, le promoteur, par exemple.

Valeur relative – La valeur relative de la fraction est établie par rapport à la valeur de l'ensemble des fractions en fonction de la nature, de la destination, des dimensions et de la situation de la partie privative (1041 C.c.Q.)[100]. Chacun de ces éléments se voit attribuer une pondération qui pourra varier suivant les copropriétés. Les dimensions risquent d'être l'élément déterminant, les autres jouant un rôle secondaire. En revanche, lorsque la copropriété possède plusieurs destinations, cette variable joue un rôle non négligeable.

La *nature* de la partie privative est un critère dont il est difficile de déterminer la teneur exacte. Il semble être facilement confondu avec la destination de l'immeuble[101]. Il faut probablement y voir un équivalent de la notion de consistance, connue en droit français de la copropriété[102]. La notion ferait donc référence à l'état matériel de l'immeuble et de ses parties privatives[103]. La nature prendrait en compte les particularités de l'immeuble, notamment son caractère. Dans un même immeuble, il pourrait ainsi être possible de distinguer des parties privatives les unes par rapport aux autres en se fondant sur la disposition des pièces ou la qualité des matériaux. La *destination* réfère à la fonction allouée au local, à savoir un local réservé à l'habitation, au commerce, à des services, etc. Les *dimensions* d'une partie privative équivalent à la surface totale du local (superficie et volume), mesurée par un arpenteur-géomètre. La *situation* est l'emplacement de la partie privative, soit sa hauteur, son orientation et la vue dont elle bénéficie. Ainsi, un appartement ensoleillé qui offre un panorama sur un paysage remarquable présente une singularité qui devrait se refléter dans la valeur de la fraction. Les deux derniers critères seront souvent les plus déterminants pour l'établissement de la valeur des fractions.

---

100. Serge Allard, « La valeur relative des fractions en copropriété divise », [1990] 2 *C.P. du N.* 1-41.
101. « La nature est l'application concrète de la destination de la partie exclusive. Exemple : servir à l'habitation. » (Pierre Beaudoin et Benoît Morin, *supra*, note 77, p. 19).
102. *Ibid.*
103. « [...] la consistance d'un lot correspond à l'état matériel, à la structure physique de ce lot, en sorte que la valeur d'un lot est fonction du point de vue de savoir « s'il s'agit de locaux d'habitation, d'une cave, d'un garage, de toute catégorie d'emplacement réservé à un propriétaire ». La consistance d'un lot est donc nécessairement fonction de sa nature; mais elle résulte aussi de la nature de sa construction, de la dimension des pièces, de l'existence d'annexes et de compléments (tels que loggias, balcons, terrasses) du degré de confort. » (François Givord, Claude Giverdon et avec la collaboration de Pierre Capoulade, *La copropriété*, 4e éd., Paris, Dalloz, 1992, p. 79; les références ont été omises).

Dans la détermination de la valeur relative de la fraction, il ne doit cependant pas être tenu compte de l'utilisation de la fraction (1041 C.c.Q.). L'utilisation fait ici référence à l'usage et non à la destination.

La valeur relative des fractions ne s'établit pas de manière aléatoire. Au contraire, le praticien chargé de ce travail se fonde sur une « méthode » rationnelle qui permet de comprendre sa démarche (1053 C.c.Q.). Elle précise nécessairement la pondération de chacun des éléments pris en compte lors de l'établissement de la valeur (nature, destination, dimensions et situation de la partie privative). Cette valeur, qui est établie lors de la confection de la déclaration de copropriété (1041 (2) C.c.Q.), est exprimée en millième ou en pourcentage. En principe, la valeur des fractions est établie de manière définitive. Toutefois, le copropriétaire peut en demander la révision dans les cinq ans du jour de l'inscription de la déclaration (1068 C.c.Q.; 812 C.p.c.). La demande est adressée au tribunal, elle vaut pour l'avenir seulement. Toutefois, pour que la demande soit agréée, il doit exister, entre la valeur relative accordée à la fraction et la valeur qui aurait dû être établie suivant les critères prévus à la déclaration, un écart de plus d'un dixième soit en faveur d'un autre copropriétaire soit au préjudice de celui qui présente la demande. Dans l'hypothèse où la disposition de l'acte constitutif de copropriété ne mentionnerait pas de méthode pour établir la valeur relative de chaque fraction (1053 C.c.Q.), le recours approprié serait l'action en nullité plutôt que le demande en révision[104]. Le syndicat de la copropriété ne peut imposer à un copropriétaire une modification à la valeur relative de sa fraction sans l'accord de ce copropriétaire (1102 C.c.Q.).

À plusieurs occasions, le Code fait appel à la notion de valeur de la fraction, notamment pour l'établissement de la valeur de la quote-part dans les parties communes (1046 C.c.Q.), pour la fixation du nombre de voix détenu par le copropriétaire (1090 C.c.Q.), pour la répartition des charges (1064 C.c.Q.), pour la répartition des indemnités d'assurance en cas de destruction de l'immeuble (1075 C.c.Q.) ou pour la répartition des obligations divisibles de l'emphytéote et du superficiaire (1040 C.c.Q.).

2.3 Déclaration de la copropriété

La copropriété divise, précise le Code, « est établie par la publication d'une déclaration en vertu de laquelle la propriété de l'immeuble est divisée en fractions, appartenant à une ou plusieurs personnes »

---

104. *Gareau* c. *Syndicat de la copropriété 415 St-Gabriel*, [1998] R.J.Q. 1553, 1557 (C.S.).

(1038 C.c.Q.). La déclaration de copropriété est un document dont la rédaction est essentielle à l'établissement de la copropriété divise (1052 C.c.Q.). Nul ne pourrait prétendre à l'existence d'une copropriété divise en l'absence d'un tel document. Le but de la déclaration est de permettre à une personne qui est copropriétaire ou qui serait intéressée à le devenir de prendre connaissance du régime juridique conventionnel qui y est appliqué.

2.3.1 Contenu

Une déclaration comprend trois éléments distincts : l'acte constitutif de copropriété, le règlement de l'immeuble et l'état descriptif des fractions (1052 C.c.Q.). Cette division tripartite de la déclaration a pour objectif d'en simplifier la présentation. Le rattachement des divers articles de la déclaration à l'une ou l'autre de ces parties est fonction de la nature des renseignements qui y sont compris.

Le contenu des déclarations paraît parfois redondant pour qui en fait une lecture parallèle avec le chapitre pertinent du Code civil. En effet, il n'est pas rare que certaines dispositions d'une déclaration reprennent l'essence des articles de la loi. Une telle méthode de rédaction présente l'avantage de fournir un texte autonome et de faciliter la lecture de la déclaration pour des copropriétaires et des administrateurs rarement familiers avec le langage juridique. En revanche, elle peut laisser croire, à tort, que les organes du syndicat de la copropriété possèdent la pleine liberté de modifier la totalité de la déclaration, ce qui n'est manifestement pas le cas pour les dispositions qui reprennent le contenu de prescriptions impératives de la loi. Car, même si la doctrine s'est parfois montrée critique à l'endroit de ces limitations à la liberté contractuelle[105], le législateur a bel et bien introduit des dispositions d'ordre public dans le chapitre consacré à la copropriété divise[106].

Acte constitutif de copropriété – L'acte constitutif contient les dispositions « d'ordre général et de nature permanente » de la déclaration[107]. Il

105. Roger Comtois, « Le droit de la copropriété selon le *Code civil du Québec* », (1993-1994) 96 *R. du N.* 323, 347; Denys-Claude Lamontagne, *Biens et propriété*, 3e éd., Cowansville, Les Éditions Yvon Blais Inc., 1998, p. 238-239.

106. Les tribunaux ont déjà eu l'occasion d'identifier certaines dispositions contenues au chapitre *De la copropriété divise d'un immeuble* comme étant d'ordre public. Il en est ainsi des articles 1041 et 1053 (*Gareau* c. *Syndicat de la copropriété 415 St-Gabriel*, *supra*, note 104, p. 1558-1060); de l'article 1064 (*Noël* c. *Syndicat des copropriétaires Domaine Rive St-Charles*, [1997] R.J.Q. 3057, 3063 (C.S.)); de l'article 1101 (*Syndicat des co-propriétaires Place Jean-Paul Vincent* c. *Do*, [1995] R.D.I. 462, 464 (C.Q.)).

107. *Commentaires du ministre de la Justice*, *supra*, note 16, p. 622.

fournit en quelque sorte le cadre structural de la copropriété, il en est la matrice. Il s'ensuit que son contenu ne saurait connaître trop aisément des modifications qui porteraient atteinte à ses éléments essentiels (1097, 4° C.c.Q.).

La fonction première de l'acte constitutif est d'assujettir l'immeuble aux dispositions du Code civil qui régissent la copropriété divise d'un immeuble (1038-1109 C.c.Q.). Il permet, en outre, de définir la destination de l'immeuble, des parties privatives et des parties communes (1053 (1) C.c.Q.). La vocation de l'immeuble se trouve donc fixée par ce document.

En se basant sur l'état descriptif des fractions et sur le plan cadastral, l'acte constitutif précise la répartition de l'immeuble entre les parties privatives et les parties communes. La description des parties privatives mentionne la situation de leurs bornes horizontales et verticales. Cette description repousse parfois – au moins partiellement – la présomption de parties communes prévue au Code civil (1044 C.c.Q.). Le rédacteur de l'acte constitutif porte une attention particulière à la description des parties communes à usage restreint et aux droits reconnus à ceux qui en jouissent.

L'acte spécifie la valeur relative de chaque fraction et précise la méthode suivie pour l'établir (1053 (2) C.c.Q.). L'emploi du mot « méthode » permet d'affirmer qu'il ne suffit pas de s'en tenir à la simple énumération des éléments considérés pour fixer cette valeur (nature, destination, dimensions et situation). Il est impératif d'indiquer également la pondération accordée à chacun de ces éléments (*supra* : section 2.2.3). L'acte détermine la quote-part des charges et le nombre de voix attachées à chaque fraction en tenant compte, dans l'un et l'autre cas, de la valeur relative de la fraction (1053 (2), 1064 et 1090 C.c.Q.). Ces données figurent dans un tableau :

Identification de la fraction	**Valeur relative de la fraction**	Quote-part de charges communes	Nombre de voix
325-1	**60/1000**	6 %	60
325-2	**40/1000**	4 %	40
etc.			
Total	**1000/1000**	100 %	1000

La publication de la déclaration crée le syndicat. L'acte permet de déterminer son nom et le lieu de son domicile. Les obligations et les devoirs respectifs des organes du syndicat donnent lieu à des précisions dans l'acte constitutif. Ainsi, le conseil d'administration pourra voir ses tâches énoncées de manière plus détaillée notamment quant à la comptabilité, à la tenue des différents livres afférents à la gestion de l'immeuble et à la convocation des assemblées.

L'acte prévoit aussi toute autre convention relative à l'immeuble. Des clauses traitent des diverses assurances de la copropriété et de la responsabilité, à cet égard, des administrateurs et des copropriétaires. La gestion des indemnités d'assurances et le rôle joué par le fiduciaire sont précisés. Les limitations aux droits des copropriétaires, s'il en est, doivent être mentionnées à l'acte. Une telle limitation trouve sa justification dans la destination de l'immeuble, ses caractères ou sa situation (1056 C.c.Q.). Une clause de ce type pourrait porter sur la qualité des copropriétaires en exigeant, par exemple, que les copropriétaires ou les occupants possèdent un statut particulier (personnes du troisième âge ou adeptes d'un sport donné). Une telle clause ne devrait toutefois pas introduire une discrimination abusive.

Règlement de l'immeuble – Le règlement de l'immeuble contient les règles relatives à la vie quotidienne dans la copropriété. Il traite de la jouissance, de l'usage et de l'entretien des parties privatives et, surtout, des parties communes (1054 C.c.Q.). Les dispositions du règlement visent à rendre harmonieuse la vie à l'intérieur de la copropriété et à faciliter sa gestion. La nature de son contenu explique qu'il puisse connaître des modifications plus facilement que l'acte constitutif (1096 C.c.Q.).

Même si le copropriétaire bénéficie de l'usage exclusif de sa partie privative, il doit agir en tenant compte de la présence des autres copropriétaires. Aussi, le règlement de l'immeuble précise-t-il de quelle manière doit se gouverner le copropriétaire qui fait usage de sa partie privative. Les obligations auxquelles il est tenu constituent surtout des restrictions à l'usage. Le maintien de la quiétude des lieux demeure une préoccupation centrale du règlement. Des clauses mentionnent, par exemple, la nécessité de veiller à ce que tant le copropriétaire que ses invités respectent la tranquillité attendue et évitent de faire usage d'appareils bruyants. Le revêtement des planchers fait l'objet d'une attention particulière afin d'assurer l'insonorisation du bâtiment[108]. De façon à faciliter l'accès à la partie privative, notamment en cas d'urgence, le règlement exige souvent la remise d'une clé par chaque copropriétaire aux administrateurs. Le copropriétaire se fait aussi rappeler son obligation d'entretenir sa partie privative et les accessoires qu'elle comprend.

---

108. *Gamache* c. *Prince*, [1990] R.D.I. 703 (C.S.).

Des dispositions du règlement considèrent l'usage des parties communes où, il va de soi, la liberté d'action des copropriétaires se trouve restreinte. Les clauses traitent habituellement du comportement des personnes dans les parties communes, de la manière de disposer des ordures ménagères ou de l'interdiction d'encombrer les espaces dévolus à la collectivité par des biens appartenant aux copropriétaires. Lorsque la copropriété possède des équipements particuliers comme des salles communes ou une piscine, des clauses établissent des règles d'usage spécifiques.

Les parties communes à usage restreint nécessitent elles aussi des précisions, et ce, d'autant plus, que le copropriétaire qui jouit de cet usage peut être tenté de se comporter comme s'il s'agissait d'une partie privative. Le règlement oblige habituellement les copropriétaires à veiller à l'entretien de ces parties communes tout en respectant l'harmonie de l'immeuble[109]. S'il s'agit de balcons définis comme étant d'usage restreint, le règlement peut interdire leur transformation[110], prohiber leur encombrement ou défendre d'y installer des enseignes publicitaires.

Une restriction exigée en vertu du règlement ne saurait réduire à l'excès les droits des copropriétaires. Pour être jugée acceptable, elle doit être compatible avec la destination de l'immeuble, ses caractères ou sa situation (1056 C.c.Q.). Devant une limite aux droits du copropriétaire, il y a lieu d'examiner la compatibilité de cette restriction eu égard aux éléments qui lui confèrent ses particularités. Ainsi, en principe, rien ne justifie de prohiber de manière absolue la possession d'animaux domestiques dans un immeuble à vocation résidentielle[111].

Le règlement précise les règles relatives au fonctionnement et à l'administration de la copropriété (1054 (1) et 1084 C.c.Q.), tels la composition du conseil d'administration, le mode de nomination, de remplacement ou de rémunération des administrateurs et les autres conditions de leur charge.

Le Code rend le règlement de l'immeuble opposable au locataire ou à l'occupant d'une partie privative dès qu'un exemplaire lui a été

109. *Brouillard* c. *Bernier*, [1990] R.D.I. 653, 656 (C.S.).

110. Ainsi, lorsqu'une disposition du règlement traitant des balcons précise qu'un copropriétaire ne peut « les fermer ou [...] les isoler de quelque façon que ce soit », le copropriétaire ne peut y installer un grillage en fil de fer pour assurer la sécurité de ses enfants (*Syndicat des copropriétaires Les immeubles Les Cascades St-Laurent* c. *Zrihen*, *supra*, note 98, p. 43).

111. *Wilson* c. *Syndicat des copropriétaires du condominium Le Champlain*, *supra*, note 98, p. 1029-1030.

remis par le copropriétaire ou le syndicat (1057 C.c.Q.). À l'instar du copropriétaire, l'occupant devient donc assujetti aux règles qui régissent la vie quotidienne de l'immeuble à partir du moment où il reçoit un exemplaire du règlement.

État descriptif – L'état descriptif des fractions est une description technique de l'immeuble (1055 C.c.Q.). Il comprend la désignation cadastrale des parties privatives et des parties communes de l'immeuble de même que la description des droits réels qui grèvent l'immeuble ou existent en sa faveur. En sont cependant exclues les hypothèques et autres sûretés.

2.3.2 Forme

Acte notarié – La déclaration de copropriété doit obligatoirement être notariée et porter minute. Il en va de même des modifications apportées à l'acte constitutif de copropriété et à l'état descriptif des fractions (1059 C.c.Q.). Le règlement de l'immeuble, qui conserve davantage de souplesse, n'est pas assujetti à cette exigence. Sa modification pourra se faire simplement par acte sous seing privé.

Signature – La déclaration de copropriété doit être signée par un certain nombre de personnes : les propriétaires, l'emphytéote, le propriétaire superficiaire et les créanciers hypothécaires (1059 (2) C.c.Q.). Pour leur part, les créanciers prioritaires ne figurent pas dans cette liste. La signature de tous les propriétaires de l'immeuble s'avère nécessaire. Lorsqu'il s'agit d'une construction nouvelle, seul le promoteur[112] est habituellement signataire. En revanche, s'il a été mis fin à une copropriété indivise dans le but d'établir une copropriété divise, le copropriétaire indivis qui refuse de signer la déclaration de copropriété peut être exclu par la majorité qui lui remet sa part en numéraire (1031 (2) C.c.Q.). Lorsqu'une copropriété divise a été établie sur un immeuble détenu en emphytéose ou sur un immeuble faisant l'objet d'une propriété superficiaire, l'emphytéote et le propriétaire superficiaire signent la déclaration (1059 (2) C.c.Q.). La signature des créanciers se justifie à cause de la division de l'hypothèque ou des priorités entre chacune des fractions (1051 C.c.Q.). C'est là une disposition propre au droit québécois.

---

112. Est promoteur celui qui est propriétaire d'au moins la moitié de l'ensemble des fractions lors de l'inscription de la déclaration de copropriété ou ses ayants cause (1093 C.c.Q.). Le promoteur, au sens juridique, peut être le constructeur, le maître d'œuvre, un créancier ou un propriétaire vendeur. Il s'agit de la personne la plus intéressée par le projet (*Commentaires du ministre de la Justice*, *supra*, note 16, p. 645-646).

Publicité – La déclaration doit être présentée au bureau de la publicité des droits (1060 C.c.Q.). Il n'existe pas de copropriété divise sans inscription de la déclaration au registre foncier. Cette inscription est postérieure à la confection du plan cadastral de l'immeuble et à l'immatriculation des parties privatives et des parties communes (3030 (2) C.c.Q.). Une copropriété divise verticale ne donne pas lieu à un plan cadastral avant l'achèvement du gros œuvre du bâtiment qui établit les limites des parties privatives et des parties communes (3041 C.c.Q.). En revanche, l'immatriculation est habituellement possible, et ce, même en l'absence de bâtiment lorsqu'il s'agit d'une copropriété divise horizontale. En effet, lorsque la partie privative – une maison par exemple – correspond à une parcelle du terrain, il y a morcellement du lot à la surface du sol[113]. Il s'ensuit que, dans cette hypothèse, avant même l'édification de toute construction, rien n'empêche l'établissement du plan cadastral, l'immatriculation des parties privatives et des parties communes et, finalement, l'inscription de la déclaration de copropriété au registre foncier.

L'inscription de la déclaration au registre foncier est faite au numéro d'immatriculation des parties communes et de chacune des parties privatives, de là l'importance de la confection préalable du plan cadastral. Les modifications apportées à l'acte constitutif de copropriété et à l'état descriptif des fractions sont présentées au bureau de la publicité des droits pour être inscrites au registre foncier. Les modifications au règlement n'ont qu'à être déposées auprès du syndicat (1060 C.c.Q.).

Plusieurs droits réels immobiliers portant exclusivement sur les parties privatives sont assujettis à la publicité. Ainsi en est-il lors de l'acquisition d'une fraction à la suite d'une vente ou d'un legs testamentaire. L'inscription des actes concernés est faite uniquement au numéro d'immatriculation de la partie privative touchée. Elle vaut toutefois pour la quote-part des parties communes afférente à la partie privative (1061 C.c.Q.).

Opposabilité – La loi édicte que la déclaration de copropriété lie les copropriétaires, leurs ayants cause et ceux qui l'ont signée. L'opposabilité vaut à partir de l'inscription (1062 C.c.Q.). En conséquence, tout futur copropriétaire, même s'il n'a pas été partie à la confection de la déclaration, est tenu d'en respecter les prescriptions.

Le caractère obligatoire de la déclaration à l'égard des ayants cause explique qu'on y a vu un contrat d'adhésion (1379 C.c.Q.)[114].

113. *Ibid.*, p. 1921.
114. Christian Atias, *Droit civil. Les biens*, tome 2, *Droit immobilier*, Paris, Litec, 1982, p. 102, cité dans *Gamache* c. *Prince*, *supra*, note 108, p. 705-706.

En fait, la déclaration cherche à résoudre a priori d'éventuels conflits de droits réels susceptibles de naître entre copropriétaires indivis. Ce faisant, elle crée des obligations *propter rem* qui, par essence, sont transmissibles[115].

2.3.3 Interprétation

Le sens de la déclaration de copropriété apparaît parfois ambigu, sinon incertain. Il y a alors lieu de l'interpréter. Les circonstances particulières qui entourent la rédaction de ce type de document posent quelques problèmes puisqu'il est, au moins dans sa forme originale, rédigé par le déclarant seulement. Malgré sa qualité d'acte unilatéral, le juge s'en remet aux règles qui gouvernent l'interprétation des contrats[116]. L'interprète cherche à identifier l'intention du déclarant (1425 C.c.Q.), tient compte de la nature de l'acte, des circonstances de sa rédaction et des usages (1426 C.c.Q.), considère l'ensemble de l'acte (1427 C.c.Q.) et s'emploie à donner une application équitable à la déclaration[117] (1434 C.c.Q.).

D'emblée les tribunaux sont portés à interpréter libéralement le droit d'usage et de jouissance des copropriétaires dans les parties privatives et les parties communes[118]. Toutefois, dans plusieurs circonstances, la destination de l'immeuble constitue un pôle d'orientation incontournable dans le processus d'interprétation de la déclaration et de ses composantes. Il en découle une restriction des activités pouvant se dérouler dans l'immeuble. Par ailleurs, les tribunaux, malgré la vocation particulière dévolue à un immeuble, hésitent à limiter de manière excessive la liberté des copropriétaires. Ils estiment que le caractère absolu de la propriété conserve encore un fondement même lorsque la propriété adopte la forme d'une modalité.

Des considérations économiques guident aussi l'interprète. La valeur des fractions d'un immeuble en copropriété divise est étroitement liée à la protection de la qualité des lieux. L'apparence luxueuse d'un immeuble exige le maintien de son aspect originaire et la préservation de son harmonie. Aussi, lorsqu'un tribunal doit trancher entre, d'une part, la liberté d'un copropriétaire d'user et de jouir librement de

---

115. Hassen Aberkane, *Contribution à l'étude de la distinction des droits de créance et des droits réels: essai d'une théorie générale de l'obligation propter rem en droit positif français*, Paris, L.G.D.J., 1957, p. 198-203.
116. *Krebs* c. *Paquin*, *supra*, note 2, p. 1143-1144.
117. *Miller* c. *Syndicat des copropriétaires de « Les Résidences Sébastopole Centre »*, C.S.M. nº 500-05-005564-958, 15 avril 1996 (J.E. 96-1044).
118. *Cuillerier* c. *Gravel*, *supra*, note 91, p. 636.

sa partie privative et des parties communes (1056 C.c.Q.) et, d'autre part, la protection de la valeur économique de l'immeuble, il pourra décider de donner priorité à la seconde alternative[119]. Il privilégie dès lors l'intérêt pécuniaire du plus grand nombre à la liberté d'agir d'un copropriétaire[120], et ce, même lorsqu'il poursuit un but légitime. Ainsi, les tribunaux ont jugé inacceptable, comme contrevenant au règlement de l'immeuble, l'installation d'un grillage de fil de fer autour d'un balcon afin d'assurer la sécurité d'enfants[121] et l'érection temporaire d'une souccah sur un balcon pour la célébration d'une fête juive[122].

2.4 Droits et obligations des copropriétaires

La singularité de la copropriété divise entraîne inévitablement des conséquences à la configuration des droits et des obligations des copropriétaires.

2.4.1 Droits

Fraction – Le copropriétaire a, sur sa fraction, les prérogatives attachées à la propriété[123] (1063 C.c.Q.). Il demeure libre de la grever de droits réels principaux et accessoires. Il lui est aussi possible d'en disposer, en la vendant, en la donnant ou en l'échangeant. L'aliénation est totale ou partielle (1063 C.c.Q.). Il peut y avoir cependant des restrictions au droit de disposer de la fraction, notamment lorsqu'il y a interdiction de diviser une fraction ou encore une obligation de la vendre à des personnes déterminées. La destination de l'immeuble, ses caractères ou sa situation justifieraient de telles restrictions (1056 C.c.Q.)[124].

Un copropriétaire ne peut disjoindre sa fraction en aliénant sa quote-part dans les parties communes indépendamment de sa partie privative. Cette conséquence découle de l'affectation des parties

---

119. « L'apparence de la bâtisse fait partie de sa valeur économique. De la perspective subjective des copropriétaires, l'uniformité de l'extérieur de la bâtisse est esthétiquement désirable et à préserver. » (*Syndicat des copropriétaires Les immeubles Les Cascades St-Laurent* c. *Zrihen*, *supra*, note 98, p. 46).

120. « La préservation de ces caractéristiques d'ensemble, à l'intérieur d'un concept éminemment résidentiel haut de gamme, constitue un élément collectif que les copropriétaires chercheront à préserver. » (*Syndicat Northcrest* c. *Amselem*, *supra*, note 83, p. 1901; *Bergeron* c. *Martin*, *supra*, note 94, p. 247-248).

121. *Syndicat des copropriétaires Les immeubles Les Cascades St-Laurent* c. *Zrihen*, *supra*, note 98, p. 43.

122. *Syndicat Northcrest* c. *Amselem*, *supra*, note 83.

123. « [...] le copropriétaire a la propriété de sa fraction. » (Francine Vallée-Ouellet, *supra*, note 5, p. 203).

124. Serge Binette, *supra*, note 88, p. 83.

communes à un but durable[125] qui est imposée par la loi (1046, 1048 C.c.Q.). Les deux composantes de la fraction vont de pair, elles sont inséparables. Cette règle vaut également pour les parties communes à usage restreint. On ne peut donc pas se départir de sa partie privative et conserver un espace de stationnement défini comme une partie commune à usage restreint[126]. Il n'est pas davantage possible de demander le partage des parties communes (1048 C.c.Q.). Toutefois, dans l'hypothèse où une fraction est détenue par une pluralité de personnes, le partage peut être demandé par un des copropriétaires indivis (1030 C.c.Q.).

Usage et jouissance des lieux – Le copropriétaire bénéficie de l'usage et de la jouissance de sa partie privative. Il peut l'habiter, la louer ou y apporter des transformations en procédant, par exemple, à des rénovations majeures. L'exercice de ses droits par le copropriétaire ne saurait être figé dans le temps. Au contraire, il s'adapte à l'évolution des nouvelles technologies[127]. Refuser des ajustements de cette nature conduirait à rendre les lieux obsolètes à plus ou moins long terme.

Certaines restrictions limitent les droits du copropriétaire du seul fait que « [l]e propriétaire d'une partie exclusive exerce ses droits individuels dans un cadre collectif »[128]. Il doit ainsi respecter les droits des autres copropriétaires (1063 C.c.Q.), de même que les restrictions à l'usage mentionnées dans le règlement de l'immeuble (1054 C.c.Q.) et celles qui découlent de la destination de l'immeuble, de ses caractères ou de sa situation (1056 C.c.Q.). En revanche, une décision du syndicat ne peut pas imposer à un copropriétaire une modification à l'usage de sa partie privative (1102 C.c.Q.).

Les parties communes de la copropriété sont tenues en indivision. Ce droit se traduit par une quote-part des parties communes dont la valeur est égale à la valeur de sa partie exclusive par rapport à la valeur totale de l'ensemble des parties exclusives (1046 C.c.Q.). Les parties communes sont à l'usage de tous les copropriétaires[129]. Aussi, l'utilisateur doit-il tenir compte de la situation de concurrence qui en découle.

---

125. Serge Guinchard, *supra*, note 87, p. 65-66. La jurisprudence qualifie parfois la situation d'indivision forcée (*Cardinal* c. *Syndicat de la copropriété le Plateau A.B.C.*, *supra*, note 81).
126. *Landreville* c. *Péloquin-Braley*, [1994] R.D.I. 122 (C.S.).
127. *Cuillerier* c. *Gravel*, *supra*, note 91, p. 636-637.
128. *Krebs* c. *Paquin*, *supra*, note 2, p. 1142.
129. *Renda* c. *Investissements Contempra ltée (Remorquage québécois à vos frais engr.)*, C.P.M. n° 500-02-048, 30 juillet 1982 (J.E. 82-928).

Indemnités – Le copropriétaire a droit de toucher des indemnités lorsqu'il subit un préjudice à la suite de l'exécution de travaux dans l'immeuble (1067 C.c.Q.). Le Code prévoit une liste des préjudices couverts. Il s'agit de travaux qui amènent une diminution définitive de la valeur d'une fraction, qui causent un trouble de jouissance grave, même s'il n'est que temporaire, et qui provoquent des dégradations. Le paiement de l'indemnité revient à celui qui a pris l'initiative des travaux : le syndicat ou un copropriétaire.

2.4.2 Obligations

Contributions – Le copropriétaire est tenu à certaines contributions afin de permettre l'entretien et les réparations des parties communes. Toutefois, les frais qui découlent des parties communes à usage restreint relèvent des seuls copropriétaires qui bénéficient de leur usage[130] (1064 C.c.Q.). Les contributions auxquelles sont assujettis les copropriétaires se divisent en deux catégories : les charges communes de l'immeuble (1072 C.c.Q.) et le fonds de prévoyance (1071 C.c.Q.).

Les *charges communes* comprennent les dépenses découlant de la copropriété et de l'exploitation de l'immeuble (1064 C.c.Q.). Il revient au conseil d'administration, après consultation de l'assemblée des copropriétaires, d'établir le montant des sommes nécessaires pour couvrir ces charges (1072 C.c.Q.). Le montant de la contribution de chacun des copropriétaires est déterminé en proportion de la valeur relative de la fraction (1064 C.c.Q.). Cette disposition, qui est d'ordre public[131], vise à éviter une fixation arbitraire des charges communes[132]. Une disposition transitoire prévoit que pour les copropriétés établies avant l'entrée en vigueur du Code civil, la fixation de la contribution aux charges en fonction de la dimension des parties privatives de chaque fraction est maintenue[133]. L'assemblée des copropriétaires ne pourrait, par résolution, assujettir un copropriétaire à des frais supplémentaires, au motif qu'il loue une partie privative[134]. L'acheteur

---

130. S'agissant de la répartition des charges découlant de réparations apportées à un stationnement souterrain, la distinction entre les travaux aux éléments structurant de l'édifice, qui constituent des parties communes, et ceux reliés aux parties communes à usage restreint peut parfois s'avérer impossible (*Beaulieu* c. *Syndicat de la copropriété de Bernières*, [1995] R.D.I. 199, 206 (C.S.)).
131. *Noël* c. *Syndicat des copropriétaires Domaine Rive St-Charles*, *supra*, note 106, p. 3062 (C.S.).
132. *Dufromont* c. *Syndicat des copropriétaires du Manoir du carrefour*, [1999] R.D.I. 713, 716 (C.Q.); *Commentaires du ministre de la Justice*, *supra*, note 16, p. 628-629.
133. *Loi sur l'application de la réforme du Code civil*, L.Q. 1992, c. 57, art. 53 (3).
134. *Carmel* c. *Bouthillier*, [1988] R.J.Q. 1168 (C.A.).

d'une fraction de copropriété peut demander au syndicat un état des charges communes dues par le copropriétaire vendeur (1069 C.c.Q.). La mesure cherche à protéger le futur acquéreur[135]. En revanche, elle tend à prouver que les charges communes présentent bel et bien un caractère réel puisque le nouveau copropriétaire serait tenu de celles dues par son ayant cause dès lors qu'elles ont été portées à sa connaissance[136].

Le *fonds de prévoyance* est constitué afin de pourvoir aux réparations majeures et au remplacement des parties communes (1071 C.c.Q.). Il sert à assurer la conservation de l'immeuble et non pas à des dépenses courantes ou à des dépenses qui ne seraient pas de la nature de celles prévues par la loi (1078 (2) C.c.Q.). La contribution au fonds ne peut être inférieure à 5% des charges communes. Un copropriétaire qui se départit de sa partie privative ne récupère pas les sommes qu'il a versées dans le fonds de prévoyance[137].

Même si le Code ne le prévoit pas, il arrive que surviennent parfois des dépenses imprévues auxquelles ne permet pas de faire face le fonds de prévoyance. Le syndicat est alors tenu de demander aux copropriétaires une contribution spécifique pour couvrir cette dépense.

Lorsqu'un copropriétaire est en défaut, pendant plus de 30 jours, de payer sa quote-part des charges communes ou sa contribution au fonds de prévoyance, une hypothèque légale grève sa fraction (2724, 3° C.c.Q.). Toutefois, l'hypothèque n'est acquise qu'à compter de l'inscription d'un avis (2729 C.c.Q.) sur le registre foncier (2981 C.c.Q.). Cette hypothèque couvre les charges et créances non versées durant l'année financière de l'inscription et des deux années subséquentes. Elle s'éteint trois ans après l'inscription, si le syndicat, durant cette période, n'a pas publié une action contre le copropriétaire en défaut ou inscrit un préavis d'exercice d'un droit hypothécaire (2800 C.c.Q.). Tout intéressé peut demander la radiation de l'inscription si aucune action n'a été intentée ni publiée à l'expiration des trois ans de l'inscription (3061 C.c.Q.). Un copropriétaire en défaut de verser ses contributions aux charges communes et au fonds de prévoyance est privé de son droit de vote à l'assemblée des copropriétaires (1094 C.c.Q.). Si le copropriétaire négligent est administrateur ou gérant, le syndicat peut le remplacer (1086 C.c.Q.).

---

135. *Commentaires du ministre de la Justice*, *supra*, note 16, p. 631.
136. Denys-Claude Lamontagne, *supra*, note 105, p. 240. Il s'agirait là d'un changement par rapport au droit antérieur : *Peluzo* c. *Crédit Industriel Desjardins Inc.*, [1996] R.D.I. 495, 498 (C.A.).
137. *Syndicat des copropriétaires de The Meadows Condominium* c. *Blair*, [1994] R.D.I. 627, 630 (C.S.).

Location – Si le copropriétaire a la libre disposition de sa fraction, il s'ensuit qu'il peut la louer. Lorsqu'une partie privative est en location, le copropriétaire doit le notifier au syndicat et lui mentionner le nom du locataire (1065 C.c.Q.). Le syndicat s'enquerra sans doute de la remise d'un exemplaire du règlement de l'immeuble au locataire (1057 C.c.Q.). Lorsque le comportement du locataire porte sérieusement atteinte à la quiétude de la vie en copropriété, le syndicat est en droit d'interférer dans la relation juridique qui lie le locataire et le locateur et de demander lui-même la résiliation du bail (1079 C.c.Q.). Le législateur charge le syndicat de veiller au maintien de l'harmonie.

Accès – L'accès à une partie privative doit être permis lorsque doivent être entrepris des travaux nécessaires à la conservation de l'immeuble[138] ou des travaux urgents (1066 C.c.Q.), telles les réparations aux éléments structurants, au système de chauffage ou à la tuyauterie. Lorsqu'une partie privative est en location, le syndicat avertit le locataire en suivant les mécanismes prévus au chapitre sur le louage dans les cas d'une amélioration et d'une réparation majeures (1922 et 1930 C.c.Q.).

2.5 Gestion

Le syndicat est la personne morale chargée de la gestion de la copropriété. Il agit par ses organes que sont le conseil d'administration et l'assemblée des copropriétaires.

2.5.1 Syndicat

De manière à simplifier l'administration de la copropriété, le législateur, en s'inspirant du droit français, a décidé de constituer la collectivité des copropriétaires en personne morale, désignée sous le nom de syndicat[139] (1039 et 298 C.c.Q.). C'est là une modification par rapport au droit antérieur qui ne conférait pas la personnalité morale à l'assemblée des copropriétaires, principal organe de gestion[140]. Le syndicat possède la pleine jouissance des droits civils (301 C.c.Q.) et il est titulaire d'un patrimoine qui lui est propre (302 C.c.Q.), distinct donc de

138. *Syndicat des copropriétaires du Mont St-Louis* c. *Bergeron*, [1994] R.D.I. 663 (C.S.).

139. « Le choix du législateur apparaît justifié afin de simplifier l'administration des parties communes de l'immeuble et d'unifier les opérations d'intérêt commun. On voit le chaos qu'aurait entraîné une poursuite devant être intentée au nom d'une centaine de copropriétaires. Il aurait suffi d'une seule dissension pour paralyser tout le processus. » (*Syndicat de condo de la Rive* c. *Thellens*, [1995] R.D.I. 400 (C.Q.)).

140. Pierre Beaudoin et Benoît Morin, *supra*, note 77, p. 27-29.

celui des copropriétaires[141]. Ce patrimoine comprend notamment les biens acquis pour la poursuite de la mission qui lui est dévolue et les sommes d'argent recueillies par le syndicat pour assumer les charges de la copropriété et garnir le fonds de prévoyance (1071 C.c.Q.)[142]. Le reconnaissance de la propriété du syndicat sur les fonds qu'il recueille le met à l'abri d'une demande de remboursement lors de la vente d'une fraction.

Le syndicat, en tant que personne morale, est régi par le Code seulement, il n'est aucunement assujetti à la *Loi sur les compagnies*[143]. Toutefois, il est soumis à l'immatriculation auprès de l'inspecteur général des institutions financières[144]. À l'instar de toute personne morale, le syndicat a un nom qui lui est donné lors de sa constitution (305 C.c.Q.) (par exemple : Le syndicat de la copropriété du ruisseau). Parfois, le nom du syndicat comprend l'expression populaire *condominium* (par exemple : Le condominium de la falaise). Son domicile est le lieu du siège social (306 C.c.Q.).

Tenue de registres – Tout au long de son existence, le syndicat gère la copropriété et prend de nombreuses décisions. Dans le but de conserver des traces de sa gestion et de permettre un suivi des dossiers, un certain nombre de registres et de documents sont tenus et éventuellement mis à la disposition des copropriétaires (1070 C.c.Q.). Ces documents sont relatifs aux copropriétaires et aux occupants (le registre du nom et de l'adresse de chaque copropriétaire et de chaque locataire), à l'administration et à la gestion de la copropriété (les procès-verbaux des assemblées des copropriétaires et du conseil d'administration, les copies des contrats auxquels est partie le syndicat, les états financiers), à l'immeuble et à la copropriété (la déclaration de copropriété, une copie du plan cadastral et les plans et devis de l'immeuble). Enfin le syndicat veille à la mise à jour du règlement de l'immeuble, et ce, avec d'autant plus de diligence que, contrairement aux autres éléments de la déclaration, les modifications qui y sont apportées sont exemptées de publication au bureau de la publicité des droits réels.

Conservation de l'immeuble – Le syndicat a pour rôle de veiller à la conservation de l'immeuble, de voir à son entretien, à l'administration

---

141. *Ibid.*
142. *Syndicat des copropriétaires des condos Ste-Anne* c. *Arel*, [1995] R.D.I. 437, 438-439 (C.Q.).
143. *Commentaires du ministre de la Justice*, *supra*, note 16, p. 615.
144. *Loi sur la publicité légale des entreprises individuelles, des sociétés et des personnes morales*, L.R.Q., c. P-45, art. 2 et 8. La déclaration d'immatriculation doit être maintenue à jour notamment lorsque les administrateurs changent (art. 33-34).

des parties communes, à la sauvegarde des droits afférents à l'immeuble ou à la copropriété et à toutes les opérations d'intérêt commun (1039 (1) C.c.Q.). Lorsque des travaux de transformation, d'agrandissement ou d'amélioration des parties communes doivent être entrepris, le syndicat ne saurait procéder sans d'abord requérir l'approbation de l'assemblée des copropriétaires (1097, 2° C.c.Q.). La distinction entre ces types de travaux et des travaux d'entretien demeure parfois ténue. C'est une question qui s'apprécie suivant les circonstances[145]. Les améliorations qui accompagnent des travaux de réparations jugés nécessaires seraient incluses dans les travaux d'entretien[146].

Il revient évidemment au syndicat de veiller au respect de la déclaration de copropriété et notamment du règlement de l'immeuble. Dans l'exécution de cette responsabilité, le syndicat doit agir de manière uniforme à l'égard de l'ensemble des copropriétaires. Il ne pourrait pas sanctionner certains contrevenants au règlement et se montrer indulgent envers les autres. La déclaration est appliquée sans discrimination à l'égard de l'ensemble des copropriétaires[147].

Préparation d'un budget – Les dépenses encourues annuellement par la copropriété exigent la préparation d'un budget afin d'établir le montant des contributions exigées de chaque copropriétaire (1072 C.c.Q.). Cette tâche revient au conseil d'administration qui, à cette fin, consulte l'assemblée des copropriétaires. Une simple résolution du conseil d'administration ne suffit pas[148]. Par ailleurs, la consultation des copropriétaires s'entend vraisemblablement au sens d'une approbation[149]. Par la suite, le syndicat avise les copropriétaires des contributions auxquelles ils sont tenus.

Constitution d'un fonds de prévoyance – L'obligation de veiller à la conservation de l'immeuble exige parfois des interventions importantes du syndicat. À cette fin le syndicat constitue un fonds de prévoyance (1071 C.c.Q.). Ce fonds, qui est liquide et disponible à court terme, a pour but de pourvoir aux réparations majeures et au remplacement des parties communes. Le fonds ne peut être détourné à

---

145. « [...] en adjoignant le terme « transformation » aux mots « agrandissement ou amélioration », le législateur visait au fond tout ce qui touche la forme physique de l'immeuble, au-delà de son entretien. » (*Bernard* c. *Syndicat des copropriétaires Condo Formula 1*, [1996] R.D.I. 220, 223 (C.S.); *Dépanneur Paquin et fils Inc.* c. *Syndicat de l'édifice Emmanuel*, [1995] R.D.I. 57, 59 (C.S.)).
146. *164536 Canada Inc.* c. *Lachapelle*, [1992] R.D.I. 94, 97-98 (C.S.).
147. *Syndicat Northcrest* c. *Amselem*, *supra*, note 83, p. 1902.
148. *Mizne* c. *Élysée Condominium Association*, *supra*, note 84, p. 72.
149. Roger Comtois, « Le budget de la copropriété et l'assemblée des copropriétaires », [1990] 2 *C.P. du N.* 117, 123.

d'autres fins (1078 (2) C.c.Q.). La contribution des copropriétaires équivaut à au moins 5 % de leur contribution aux charges communes, mais pourrait être plus élevée selon les coûts estimatifs des travaux (1072 (2) C.c.Q.). La reconnaissance du droit de propriété du syndicat sur le fonds dissipe toute équivoque sur la pertinence d'un ajustement entre le vendeur et l'acheteur d'une copropriété[150].

Souscription des assurances – Afin de veiller à la conservation de l'immeuble, le syndicat a l'obligation de souscrire des assurances. L'intérêt assurable s'étend à tout l'immeuble y compris les parties privatives. Le syndicat doit souscrire une assurance contre les risques usuels, ce qui inclut le vol et l'incendie (1073 (1) C.c.Q.). Le montant de l'assurance souscrite correspond à la valeur à neuf de l'immeuble. Lorsqu'une indemnité est versée à la suite d'un sinistre, elle est confiée à un fiduciaire et utilisée pour la reconstruction du bâtiment ou, s'il est mis fin à la copropriété, elle est distribuée aux copropriétaires après paiement des créanciers garantis (1075 C.c.Q.).

Il revient à chaque copropriétaire d'assurer les améliorations qu'il a apportées à sa partie privative de même que les meubles qui la garnissent. S'il le souhaite, un copropriétaire assure toute sa partie privative[151]. Le syndicat souscrit également une assurance couvrant sa responsabilité à l'égard des tiers (1073 (2), 1077 C.c.Q.). Cette obligation à souscrire des assurances est d'ordre public, contrairement à la situation qui prévalait auparavant.

Responsabilité – Le syndicat est responsable des dommages causés aux copropriétaires ou aux tiers par un vice de conception ou de construction[152] (2118 C.c.Q.) ou par un défaut d'entretien des parties communes, y compris celles qui sont à usage restreint[153]. La personne qui a subi un préjudice intentera donc une action en responsabilité contre le syndicat et non contre les administrateurs qui ne seront recherchés que lorsqu'ils posent des gestes illégaux[154]. Par ailleurs, le syndicat conserve son droit à une action récursoire (1077 C.c.Q.).

Pouvoir d'intenter des actions – Le syndicat possède le pouvoir d'intenter certaines actions. Il peut demander la résiliation du bail d'une partie privative (1079 C.c.Q.). Dans ce cas, il doit y avoir inexécution

---

150. Roger Comtois, « Le droit de la copropriété selon le *Code civil du Québec* », *supra*, note 105, p. 445.
151. *Commentaires du ministre de la Justice*, *supra*, note 16, p. 634.
152. *Dubé-Pierre-Pierre* c. *Copropriété Port de Plaisance*, [1996] R.D.I. 635, 638 (C.Q.).
153. *Jourdain* c. *Latouche*, [1996] R.D.I. 626, 629 (C.Q.).
154. *Dubé-Pierre-Pierre* c. *Copropriété Port de Plaisance*, *supra*, note 152, p. 636.

d'une obligation par le locataire qui cause un préjudice sérieux à un copropriétaire ou à un occupant. En outre, le syndicat peut demander au tribunal d'enjoindre un copropriétaire à se conformer à la déclaration de copropriété (1080 C.c.Q. et 812 C.p.c.)[155]. En cas de refus de respecter l'injonction, le tribunal a, en plus des autres sanctions prévues par la loi (761 C.p.c.), le pouvoir d'ordonner la vente de la fraction si le refus d'obtempérer cause un préjudice sérieux et irréparable au syndicat ou à un copropriétaire. Une sanction de cette nature est peu commune en droit civil[156]. En la prévoyant, le législateur a décidé de privilégier l'intérêt de la communauté, plutôt que celui du copropriétaire délinquant.

Le syndicat peut intenter des actions fondées sur un vice caché, un vice de conception ou de construction de l'immeuble ou un vice de sol (1081 C.c.Q.). Le vice peut affecter les parties communes et les parties privatives. Dans ce dernier cas, cependant, le syndicat devra, au préalable, obtenir l'autorisation des copropriétaires des parties privatives affectées. Un copropriétaire pourrait décider d'intenter seul un recours fondé sur un vice touchant sa partie privative[157]. L'entrepreneur, l'architecte et l'ingénieur sont tenus responsables de la perte de l'ouvrage survenue dans les cinq ans qui suivent la fin des travaux (2118 C.c.Q.). L'action se prescrit par trois ans (2925-2926 C.c.Q.).

Les copropriétaires versent à chaque année des contributions afin de pourvoir aux charges communes et d'alimenter le fonds de prévoyance. Lorsqu'un copropriétaire refuse de verser ses contributions, il revient au syndicat de réclamer les sommes dues puisqu'il s'agit d'une créance de son patrimoine[158].

Un jugement qui condamne le syndicat à payer une somme d'argent est exécutoire contre lui et contre chacune des personnes qui étaient copropriétaires au moment où la cause d'action a pris naissance (1078 C.c.Q.). En permettant l'exécution des jugements contre les copropriétaires, la loi reconnaît la dépendance du syndicat à l'égard des copropriétaires, ses seuls pourvoyeurs de fonds. Les assurances contractées par le syndicat devraient par ailleurs couvrir sa responsabilité.

---

155. *Syndicat Northcrest* c. *Amselem*, *supra*, note 83, p. 1915-1916.
156. Cette règle a été critiquée par la doctrine : « A notre avis, cette règle est excessive. Elle équivaut à une véritable expropriation. » (Roger Comtois, *supra*, note 105, p. 455).
157. *Ibid.*, p. 456.
158. *Syndicat de condo de la Rive* c. *Thellens*, *supra*, note 139.

Acquisition ou aliénation des droits réels – Le syndicat détient un pouvoir général d'acquérir ou d'aliéner, s'il y est autorisé, des fractions ou autres droits réels (1076 C.c.Q.). Il pourrait être avantageux de vendre une partie du terrain de la copropriété qui serait jugée excédentaire. L'établissement de servitudes au bénéfice de la copropriété ou à l'avantage d'un fonds voisin demeure également une possibilité (1177 C.c.Q.). Le syndicat possède le pouvoir d'acquérir les droits que détient le propriétaire de l'immeuble faisant l'objet d'une emphytéose ou d'une propriété superficiaire (1082 C.c.Q.).

2.5.2 Conseil d'administration

Le droit commun établit qu'une personne morale est représentée par ses dirigeants (312 C.c.Q.) soit les membres de son conseil d'administration. La composition du conseil, le mode de nomination, le remplacement, la rémunération des administrateurs et les autres conditions de leur charge sont déterminés par le règlement de l'immeuble (1084 C.c.Q.). Les membres du conseil sont fréquemment des copropriétaires élus par l'assemblée des copropriétaires. Ils agissent à titre de mandataires du syndicat[159] (321, 2138-2148 C.c.Q.). En remplissant leur fonction, les administrateurs sont tenus de faire preuve de prudence, de diligence, d'honnêteté et de loyauté (322 C.c.Q.). En outre, ils doivent éviter de se placer dans des situations de conflit d'intérêts (324 C.c.Q.).

Le conseil a pour fonction de gérer les affaires du syndicat (*supra* : section 2.5.1), il exerce tous les pouvoirs nécessaires à cette fin (335 C.c.Q.). Il peut créer des postes de direction (président, vice-président, secrétaire et trésorier (335 C.c.Q.). Les pouvoirs et les devoirs des administrateurs sont précisés au titre *Des personnes morales* (335-344 C.c.Q.). Lorsque les gestes à poser par le syndicat ne relèvent pas de la simple administration, il revient à l'assemblée des copropriétaires de se prononcer et non pas aux seuls membres du conseil[160]. Les administrateurs engagent leur responsabilité pour les fautes contractuelles ou délictuelles qu'ils commettent au cours de leur mandat[161].

Un nouveau conseil d'administration doit être élu lors de la perte de contrôle du promoteur sur le syndicat (1104 C.c.Q.). Il y a convocation d'une assemblée extraordinaire à cette fin dans les 90 jours à

159. *Syndicat des copropriétaires du domaine du Barrage* c. *Lebel*, [1995] R.D.I. 610, 612-615 (C.Q.).
160. *Syndicat des copropriétaires de «Le St-Mathieu enrg.»* c. *3096-0876 Québec Inc.*, [1995] R.D.I. 492 (C.S.).
161. *O'Farrell* c. *Blouin*, [1994] R.D.J. 30, 33-34 (C.S.).

compter de celui où le promoteur d'une copropriété ne détient plus la majorité des voix à l'assemblée des copropriétaires. Le conseil d'administration rend compte de son administration en produisant notamment des états financiers (1105 C.c.Q.). Le nouveau conseil peut mettre fin à un contrat de service conclu antérieurement à son élection (1107 C.c.Q.). La durée du contrat doit cependant excéder un an.

Gérant – L'administration courante du syndicat peut être confiée à un gérant (1085 C.c.Q.). Il n'a pas à être un copropriétaire, il agit à titre d'administrateur du bien d'autrui chargé de la simple administration (1085 (2) C.c.Q.). Le syndicat confie habituellement au gérant l'entretien de l'immeuble, la direction du personnel et la surveillance des travaux donnés à des entrepreneurs.

2.5.3 Assemblée des copropriétaires

L'assemblée des copropriétaires est l'un des deux organes du syndicat (311 C.c.Q.). Elle est l'équivalent de l'assemblée des actionnaires dans une société par actions.

Pouvoirs – Il revient à l'assemblée de prendre toutes les décisions du syndicat, autres que celles qui relèvent de la simple administration. Elle se prononce notamment sur toute modification qui conduirait à une transformation de la copropriété, des documents qui l'encadrent et de ses organes de gestion. Le conseil d'administration ne possède donc pas l'autorité voulue pour corriger une erreur matérielle dans la déclaration de copropriété (1096 C.c.Q.)[162] et, encore moins, pour modifier le règlement de l'immeuble[163].

Assemblées – Outre l'*assemblée annuelle*, expressément prévue par la loi (1087 C.c.Q.), des *assemblées extraordinaires* peuvent être tenues (352 C.c.Q.), notamment lorsque le promoteur perd le contrôle sur le syndicat (1104 C.c.Q.).

Le conseil d'administration convoque les assemblées (345 C.c.Q.). L'avis de convocation comprend les renseignements usuels (la date, l'heure, le lieu de la réunion et l'ordre du jour) (346 C.c.Q.). L'avis de l'assemblée annuelle est accompagné des documents suivants : le bilan, un état des résultats de l'exercice écoulé, un état des dettes et des créances, un budget prévisionnel et, éventuellement, tout projet de

---

162. *Syndicat des copropriétaires de « Le St-Mathieu enrg. »* c. *3096-0876 Québec Inc.*, *supra*, note 160.
163. *Syndicat Roseraies d'Anjou étape III* c. *Habitat Les Roseraies d'Anjou Inc.*, [1996] R.D.I. 336, 339-340 (C.S.).

modification de la déclaration de copropriété et une note sur les contrats proposés et les travaux projetés (1087 C.c.Q.). En plus, des points soumis par les administrateurs et apparaissant à l'ordre du jour, un copropriétaire peut faire inscrire à l'ordre du jour une question qu'il souhaite voir traiter (1088 C.c.Q.).

Quorum – L'assemblée des copropriétaires ne peut se tenir et délibérer que si un nombre suffisant de ses membres est présent. D'après la loi, le quorum est constitué par les copropriétaires détenant la majorité des voix (1089 C.c.Q.). S'il n'y a pas quorum, l'assemblée est ajournée à une autre date (1089 (2) C.c.Q.). Lors de la nouvelle assemblée, les trois quarts des membres présents ou représentés constituent le quorum. Le report successif d'une assemblée sera ainsi évité. Lorsque des copropriétaires se retirent durant une assemblée et que le quorum n'est plus atteint, un copropriétaire peut demander l'ajournement de l'assemblée (1089 (3) C.c.Q.).

Nombre de voix – Chaque copropriétaire dispose d'un nombre de voix proportionnel à la valeur de sa fraction (1090 et 1041 C.c.Q.). Exceptionnellement, dans le but d'empêcher un contrôle excessif d'une copropriété par une minorité, le nombre de voix est réduit dans certains cas :

- Lorsqu'une copropriété compte moins de cinq fractions et qu'un copropriétaire – qu'il soit ou non le promoteur – détient un nombre de voix supérieur à la moitié de l'ensemble des voix des copropriétaires, ce copropriétaire voit le nombre de ses voix réduit à la somme des voix des autres copropriétaires présents ou représentés (1091 C.c.Q.).
- Le promoteur d'une copropriété comptant cinq fractions ou plus dispose des voix attachées à la fraction qui lui sert de résidence, il ne peut cependant détenir, en outre, plus de 60 % de l'ensemble des voix des copropriétaires à l'expiration de la deuxième et de la troisième année de la date d'inscription de la déclaration de copropriété (1092 C.c.Q.). Par la suite, le pourcentage est réduit à 25 %. La mesure atténue le contrôle susceptible d'être exercé par le promoteur sur la gestion de la copropriété.
- Lorsque le nombre de voix d'un copropriétaire ou d'un promoteur est réduit, le total des voix des copropriétaires est réduit d'autant pour le vote des décisions nécessitant la majorité en nombre et en voix (1099 C.c.Q.).

Voix requises – Le nombre de voix requises lors des votes est expressément établi par le Code. *En règle générale, les décisions sont prises à la majorité des voix* des copropriétaires présents ou représentés à l'assemblée (1096 C.c.Q.).

Il existe cependant des cas particuliers qui exigent une double majorité, soit en nombre et en voix. Certaines décisions nécessitent une *majorité des copropriétaires qui représentent les trois quarts des voix de tous les copropriétaires*, et non seulement des copropriétaires présents ou représentés lors de la réunion (1097 C.c.Q.) (par exemple 11 copropriétaires sur 20, qui détiennent 75 % des voix)[164]. Ces actes sont les actes d'acquisition ou d'aliénation immobilière par le syndicat; les travaux de transformation[165], d'agrandissement ou d'amélioration des parties communes et la répartition du coût de ces travaux; la construction de bâtiments pour créer de nouvelles fractions; et la modification de l'acte constitutif de copropriété ou de l'état descriptif des fractions. Par ailleurs, la simple majorité des voix des copropriétaires présents ou représentés suffit pour procéder à la correction d'une erreur matérielle qui entache une déclaration de copropriété (1096 C.c.Q.).

D'autres décisions, jugées plus importantes encore, reposent sur une *majorité des trois quarts des copropriétaires qui représentent 90 % des voix de tous les copropriétaires* (1098 C.c.Q.) (par exemple 15 copropriétaires sur 20, qui détiennent 90 % des voix). Il s'agit du changement à la destination de l'immeuble; de l'aliénation des parties communes dont la conservation est essentielle au maintien de la destination de l'immeuble (comprend l'établissement de droits réels); et d'une modification de la déclaration de copropriété pour permettre la détention d'une fraction par plusieurs personnes ayant un droit de jouissance périodique et successif (propriété spatio-temporelle).

Les prescriptions du Code à l'égard du nombre de voix requises pour un vote sont d'ordre public (1101 C.c.Q.). Il ne pourrait donc être prévu, dans une déclaration, que des décisions visées par les articles 1097 et 1098 soient prises à l'unanimité[166]. Ceci va à l'encontre d'une décision de la Cour supérieure rendue sous l'ancien Code[167]. Une exception est cependant prévue à cette règle. En effet, dans le

---

164. Je ne partage pas l'opinion selon laquelle, un vote sur l'une des questions énumérées à l'article 1097 pourrait être pris à la majorité, représentant les trois quarts des voix, des *seuls* copropriétaires présents ou représentés à une assemblée (Pierre-Claude Lafond, *Précis du droit des biens*, Montréal, Les Éditions Thémis Inc., 1999, p. 641-642).
165. Par exemple, la transformation d'un stationnement en changeant des espaces réservés à des fins commerciales en espaces réservés à des fins résidentielles : *Dépanneur Paquin et fils Inc.* c. *Syndicat de l'édifice Emmanuel*, *supra*, note 145.
166. *Syndicat des co-propriétaires Place Jean-Paul Vincent* c. *Do*, *supra*, note 106.
167. *Lambert* c. *Compagnie de construction Belcourt ltée*, [1986] R.D.I. 789 (C.S.).

cas d'une copropriété divise, établie avant l'entrée en vigueur du *Code civil du Québec*, une stipulation d'une déclaration de copropriété qui prévoit la règle de l'unanimité pour les décisions visant à changer la destination de l'immeuble est maintenue[168].

Annulation d'une décision – Un copropriétaire peut demander au tribunal l'annulation d'une décision prise par l'assemblée (1103 C.c.Q.). La décision contestée doit être partiale ou doit avoir été prise dans l'intention de nuire aux copropriétaires ou au mépris de leurs droits. Une demande d'annulation peut aussi être présentée si une erreur s'est produite dans le calcul des voix, étant entendu que l'opération s'avère parfois complexe.

2.6 Fin

Une décision des copropriétaires peut mettre fin à la copropriété divise (1108 C.c.Q.). La décision, étant donnée son importance, exige une double majorité, soit un vote favorable par les trois quarts des copropriétaires représentant 90 % des voix de tous les copropriétaires. Une clause d'une déclaration de copropriété qui exigerait l'unanimité pour prendre une telle décision serait réputée non écrite (1101 C.c.Q.)[169]. Une fois la décision prise de mettre fin à la copropriété, elle est consignée dans un écrit, signée par le syndicat et les créanciers hypothécaires. Il y a, par la suite, inscription de la décision au registre foncier.

La fin de la copropriété amène la liquidation du syndicat (1109 C.c.Q.). Les règles générales qui régissent la liquidation des personnes morales s'appliquent (355-364 C.c.Q.). Le liquidateur a la saisine des biens du syndicat, de l'immeuble et des droits et des obligations des copropriétaires. Il exerce sa fonction à titre d'administrateur chargé de la pleine administration du bien d'autrui (359 C.c.Q.). Une fois payées les dettes, le liquidateur partage l'actif entre les copropriétaires selon la valeur relative de leur fraction (361 C.c.Q.).

---

168. *Loi sur l'application de la réforme du Code civil*, *supra*, note 133, art. 53.

169. Ceci vaut aussi pour une copropriété établie avant la mise en vigueur du *Code civil du Québec*. En effet, la décision de mettre fin à une copropriété n'est pas couverte par l'article 53 de la *Loi sur l'application de la réforme du Code civil* (*ibid.*) qui maintient la validité d'une stipulation exigeant l'unanimité dans une déclaration de copropriété antérieure à l'entrée en vigueur du Code, uniquement lorsqu'il s'agit de changer la *destination* de l'immeuble. À tort, la Cour supérieure a assimilé la décision de mettre fin à une copropriété à un changement à la destination de l'immeuble et maintenu la règle de l'unanimité prévue à une déclaration (*Fisette* c. *Turgeon*, [1999] R.D.I. 57, 58 (C.S.)).

Bibliographie

ALLARD, Serge. « La valeur relative des fractions en copropriété divise », [1990] 2 *C.P. du N.* 1-41.

ALTSHUL, Susan. « Condominium for Social Purposes », (1989-1990) 92 *R. du N.* 219-234.

ATIAS, Christian. *La copropriété des immeubles bâtis*. Paris, Sirey, 1989. vii, 179 p.

BEAUDOIN, Pierre et Benoît MORIN. « La copropriété des immeubles au Québec », (1970) 30 *R. du B.* 4.

BINETTE, Serge. « De la copropriété indivise et divise et de la propriété superficiaire », [1988] 3 *C.P. du N.* 107-212.

BINETTE, Serge. « La notion de la destination et le régime de l'article 442f du *Code civil* en matière de copropriété divise », [1990] 2 *C.P. du N.* 67-116.

CANTIN CUMYN, Madeleine. « L'indivision », dans Ernest Caparros (dir.). *Mélanges Germain Brière*. Montréal, Wilson & Lafleur ltée, 1993, p. 325-342.

COMTOIS, Roger. « Le budget de la copropriété et l'assemblée générale des copropriétaires », [1990] 2 *C.P. du N.* 117-131.

COMTOIS, Roger. « Le droit de la copropriété selon le *Code civil du Québec* », (1993-1994) 96 *R. du N.* 323-355 et 443-473.

COSSETTE, André. « La copropriété des étangs et des lacs artificiels (y compris des barrages dans certains cas) », (1973-1974) 76 *R. du N.* 236-245.

DELHAY, Francis. *La nature juridique de l'indivision*. Paris, L.G.D.J., 1968. xii, 520 p.

DESCHAMPS, Marie. « Vers une approche renouvelée de l'indivision », (1983-1984) 29 *McGill L. J.* 215-259.

DUCHARME, Gérard. « Copropriété horizontale : un terrain nu peut-il être une partie exclusive? », [1988] 4 *C.P. du N.* 131-137.

FRENETTE, François. « La copropriété divise et le rôle ambivalent de la déclaration », dans Barreau du Québec – Service de la formation permanente, *Congrès annuel du Barreau du Québec (1998)*. Montréal, Barreau du Québec, 1998, p. 71-82.

FRENETTE, François. « La copropriété par indivision : souplesse et déficience de la réglementation d'un état désormais durable », dans Barreau du Québec – Service de la Formation permanente, *Développements récents en droit immobilier*. vol. 103. Cowansville, Les Éditions Yvon Blais Inc., 1998, p. 87-111.

FRENETTE, François. « Note sur la copropriété par phases, (1988-1989) 91 *R. du N.* 200-204.

GIVORD, François, GIVERDON, Claude et avec la collaboration de Pierre CAPOULADE. *La copropriété.* 4e éd. Paris, Dalloz, 1992. xiv, 777 p.

LAFLAMME, Lucie. *Le partage consécutif à l'indivision.* Montréal, Wilson & Lafleur ltée, 1999. xx, 306 p.

NORMAND, Sylvio. « La propriété spatio-temporelle », (1987) 28 *C. de D.* 261-340.

VALLÉE-OUELLET, Francine. « Les droits et obligations des copropriétaires », (1978) 24 *McGill L.J.* 196-235 et 359-394.

CHAPITRE 6
LA PROPRIÉTÉ SUPERFICIAIRE

La propriété superficiaire a connu une évolution historique relativement complexe. Sous le droit coutumier français, l'immeuble est vu comme un tout. Les constructions, ouvrages ou plantations qui se trouvent sur un fonds ne peuvent constituer un immeuble autonome, indépendamment du sol sur lequel ils se trouvent. La dissociation juridique de l'immeuble n'est définitivement reconnue qu'au milieu du XIXe siècle[1].

Longtemps l'incertitude a régné sur la qualification qui devait être donnée à l'institution. Tantôt elle est perçue comme un droit de propriété[2], tantôt comme démembrement de la propriété[3]. Malgré des efforts louables de la doctrine[4], l'incertitude demeure sur la consistance véritable du droit. Il faudra attendre la révision du Code civil avant que ne soit introduite une solution définitive, encore que perdure un certain flottement sur la nature véritable de l'institution et, partant,

---

1. Anne-Marie Patault, « La propriété non exclusive au XIXe siècle : histoire de la dissociation juridique de l'immeuble », (1983) 61 *Rev. hist. dr. fr. et ét.* 217.
2. « On admet aujourd'hui qu'il n'est pas simplement un droit d'usufruit ou de servitude, mais un véritable droit de propriété ». (André Montpetit et Gaston Taillefer, *Traité de droit civil du Québec*, tome 3, Montréal, Wilson & Lafleur ltée, 1945, p. 149-150); « [...] le droit de superficie est de sa nature non pas un démembrement du droit de propriété mais un véritable droit de propriété immobilière[...] ». (*Gulf Power Company* c. *Habitat Mon Pays Inc.*, C.A.Q. n° 200-09-000487-75, 10 juillet 1978, p. 5 (juge Mayrand)).
3. « Le droit de superficie est à la fois une **division** et un **démembrement du droit de propriété** ». (Jean Goulet, Ann Robinson, Danielle Shelton et François Marchand, *Théorie générale du domaine privé*, 2e éd. révisée, Montréal, Wilson & Lafleur ltée/Sorej, 1986, p. 207); « Un tel consentement équivaut à une concession de droit de superficie pour une période indéterminée, c'est-à-dire une espèce de servitude qui grève le fonds ». (*Fauteux* c. *Parant*, [1959] C.S. 209, 211-212). Voir aussi : *Rhéault* c. *Fouquette*, [1985] C.A. 521, 526 (juge Vallerand).
4. Jean-Guy Cardinal, *Le droit de superficie, modalité du droit de propriété. Étude historique et critique du concept juridique et exposé de ses applications*, Montréal, Wilson & Lafleur ltée, 1957, 286 p.

sur le régime juridique auquel elle est assujettie. Les incertitudes à propos de l'institution se reflètent dans la terminologie employée pour la désigner. La notion de *propriété superficiaire*, quoiqu'elle ait reçu la sanction du législateur, n'a pas réussi encore à remplacer l'ancienne appellation de *droit de superficie*.

Sans jamais avoir été d'un usage courant, la propriété superficiaire a vraisemblablement exercé un plus grand attrait que les commentateurs ne le croient généralement[5]. Autrefois, dans certaines régions du Québec, des propriétaires immobiliers mettaient en valeur leur terrain en recourant à la constitution de propriétés superficiaires[6]. Ils s'assuraient ainsi des revenus à partir de la location du tréfonds de leurs immeubles. De nos jours, l'institution est surtout utilisée pour permettre l'édification de complexes immobiliers dans des zones à haute densité et aussi pour la mise en place de réseaux de distribution de services publics[7].

1. DÉFINITION

La propriété superficiaire est définie au Code comme étant « [...] celle des constructions, ouvrages ou plantations situés sur l'immeuble appartenant à une autre personne, le tréfoncier » (1011 C.c.Q.). Cette modalité de la propriété amène une dissociation juridique du fonds et de la superficie. Elle crée une propriété sur un plan vertical. Aussi, la particularité de cette modalité de la propriété réside dans la singularité de son objet puisque, au terme de l'opération qui amène la constitution d'une propriété superficiaire, « [c]e n'est pas le droit de propriété qui est démembré, c'est l'immeuble, objet de propriété, qui est divisé. »[8].

2. OBJET

L'image mentale que se font, habituellement, les juristes de la propriété immobilière est celle d'une surface, d'un objet bidimensionnel.

---

5. « Celle-ci [la propriété superficiaire], peu connue et relativement peu utilisée, probablement en raison du fait que le Code civil du Bas Canada ne contenait aucune disposition spécifique à ce sujet [...] ». (*Commentaires du ministre de la Justice*, Québec, Publications du Québec, 1993, p. 591).
6. Ainsi en a-t-il été en Gaspésie (Jean-Guy Cardinal, « Le droit de superficie », (1956-1957) 59 *R. du N.* 377, 386-387); à Hull (*Loi relative aux constituts et au régime de tenure dans la cité de Hull*, S.Q. 1924, c. 99, préambule); et à Thetford Mines (*Belavance* c. *Reed*, (1909) 36 C.S. 392, 394).
7. John B. Claxton, « Superficie : problèmes, solutions et précautions », (1975) 35 *R. du N.* 626-629.
8. *Gulf Power Company* c. *Habitat Mon Pays Inc.*, *supra*, note 2, p. 6.

Considérer un immeuble comme n'offrant que deux dimensions, la longueur et la largeur, est partiellement faux. Il possède une troisième dimension : la profondeur ou la hauteur. Il ne s'agit donc plus d'une surface, mais d'un volume[9]. Étant donné la configuration de la terre, ce volume prend la forme d'une pyramide; le sommet est le centre de la terre et les côtés correspondent au plan cadastral, pour ensuite tendre à l'infini. Il faut admettre que le droit de propriété est limité en hauteur. Il ne peut prétendre aller au-delà des capacités de l'humain d'occuper, par des travaux d'édification, l'espace correspondant au plan cadastral. L'existence de la propriété superficiaire est subordonnée à la reconnaissance de la troisième dimension de l'immeuble. On se trouve donc ainsi devant deux propriétés contiguës sur un plan vertical, comme l'a signalé le juge Pelletier dans l'affaire *Marmette* c. *Deschênes* :

> « Ce droit de superficie, comme nous l'indique le texte de l'article 415 C.C. [955 C.c.Q.], consiste donc à détenir la propriété de constructions ou de plantations reposant sur le sol d'autrui. C'est, en effet, une dérogation au principe de l'accession, dérogation qui sépare la propriété des *superficies* de celle du fonds. Il faut donc concevoir la propriété du principal, le fonds de terre, dissociée de celle de l'accessoire, les *superficies*. Il s'agit donc d'un partage de la propriété suivant un plan horizontal, analogue au partage d'un fonds de terre suivant un plan vertical, entre deux propriétaires. »[10]

La propriété superficiaire porte nécessairement sur un immeuble au sens de l'article 900 et 901 du Code civil[11]. Par exemple, un bâtiment[12], un pont[13], un aqueduc[14], des poteaux[15], un chemin[16], un stationnement[17], une galerie souterraine et des plantations[18]. L'espace lui-même, qui constitue une réalité physique, pourrait donner lieu à une propriété

9. « La propriété immobilière ne porte pas seulement sur les surfaces : elle s'étend aussi au-*dessus* et au-*dessous*; elle porte sur un volume ». (Henri, Léon et Jean Mazeaud, *Leçons de droit civil*, tome II, 2e vol, 6e éd., par François Gianviti, Paris, Éditions Montchrestien, 1984. p. 9).
10. [1966] C.S. 1, 8. Dans la dernière phrase, il faut intervertir les mots « horizontal » et « vertical ».
11. Jean-Guy Cardinal, *supra*, note 4, p. 160.
12. *Bouchard* c. *Fortin*, [1977] C.S. 1125; *Sénécal-Crevier* c. *Limoges*, [1975] C.S. 199; *Marmette* c. *Deschênes*, *supra*, note 10.
13. *Bélair* c. *Ville de Sainte-Rose*, (1922) 63 R.C.S. 526.
14. *Neveu* c. *Corporation municipale de Ste-Mélanie*, C.A.M. nº 500-09-000798-777, 11 février 1980.
15. *Gulf Power Company* c. *Habitat Mon Pays Inc.*, *supra*, note 2.
16. *Bilodeau* c. *Dufour*, [1952] R.C.S. 264, 272 (juge Taschereau).
17. *Tremblay* c. *Ville de Québec*, [1988-1989] B.R.E.F. 32.
18. *Cadrain* c. *Théberge*, (1890) 16 Q.L.R. 76 (C. de R.).

superficiaire[19]. Les exemples mentionnés révèlent que la « superficie » se situe tantôt au-dessus du sol, tantôt dans le sous-sol. Les constructions ou les ouvrages considérés présentent un caractère permanent[20].

L'objet de la propriété superficiaire doit, en outre, occuper un volume clairement défini. Lorsque le bien considéré est une structure, son identification ne pose généralement pas de problème. Il en va autrement si le bien ne répond pas à une configuration précise. La Cour d'appel a, en effet, décidé que la vente d'un banc de gravier ou de sable ne pouvait constituer une propriété superficiaire pour la raison qu'elle « ne comporte aucun volume déterminé »[21]. Il est donc primordial de préciser le volume de l'objet d'une propriété superficiaire, en mentionnant, au besoin, sa profondeur ou sa hauteur, sa largeur et sa longueur.

Pour qu'existe une propriété superficiaire certains estiment que l'objet d'une telle propriété doit avoir un contact direct avec le sol. Cette règle est motivée par le fonctionnement de l'accession : « La règle de l'accession reçoit elle-même en effet une forme d'application assez étrange en matière de surplomb. Nous croyons que c'est méconnaître le principe de la règle que de l'appliquer en pareilles circonstances, car l'article 408 C.C. [948 C.c.Q.], qui est l'article clé en l'espèce, requiert l'union de l'accessoire au principal. »[22]. Toutefois, cette condition n'est généralement pas exigée ainsi que l'a déjà affirmé la Cour supérieure : « Il importe peu que le droit de superficie s'exerce directement au niveau du sol ou à 10 ou 15 pieds dans les airs, au niveau du larmier. Ce droit de superficie existe et existera tant que la bâtisse durera. »[23]. Ainsi, une propriété superficiaire a été reconnue sur une galerie[24], sur un toit et sur un larmier empiétant sur un fonds voisin[25].

---

19. René Savatier, « La propriété de l'espace », *Recueil Dalloz Sirey*, 1965.213 (n° 36) et *ibid.*, « La propriété des volumes dans l'espace et la technique des grands ensembles immobiliers », *Recueil Dalloz Sirey*, 1976.103 (n° 15).
20. Jean-Guy Cardinal, *supra*, note 4, p. 107.
21. « L'objet du contrat ne comporte aucun volume déterminé, puisque nul ne sait quelle serait l'étendue du droit de superficie (quelles seraient la profondeur, la largeur et la longueur des bancs) ni combien de verges de sable ou de gravier sont inclues au contrat ». (*Maurice* c. *Morin*, [1995] R.D.I. 10, 11 (C.A.)). Les *Commentaires du ministre de la Justice* réfèrent à ce critère : « [...] le propriétaire d'un terrain bâti peut vendre le bâtiment, soit le fonds de terre, soit un volume donné dans le tréfonds [...] ». (*Supra*, note 5, p. 656).
22. François Frenette, « Les empiétements sur l'héritage d'autrui », (1986) R.D.I. 181, 190.
23. *Lebœuf* c. *Douville*, (1969) 10 *C. de D.* 563, 571 (C.S.); André Cossette, « Jurisprudence », (1969-1970) 72 *R. du N.* 28-32.
24. *Lebœuf* c. *Douville*, *ibid.*, p. 566-567.
25. *Ibid.*, p. 563; *Parent* c. *Quebec North Shore Turnpike Road Trustees*, (1900-1901) 31 R.C.S. 556; *Piché* c. *Centre de viandes Campbell Inc.*, [1980] C.S. 537.

L'assiette de la propriété superficiaire[26], soit l'endroit où seront établis les constructions, ouvrages ou plantations, peut occuper la totalité de la surface de l'immeuble ou une partie de celle-ci. Dans cette dernière hypothèse, il sera avantageux de préciser dans la convention l'endroit précis où sera fixée l'assiette[27].

3. ÉTABLISSEMENT

Les modes habituels d'acquisition de la propriété peuvent conduire à la constitution d'une propriété superficiaire, à la condition cependant que soit prévu un mécanisme permettant de modifier le fonctionnement normal de la règle de l'accession. Il faut prendre garde de confondre les deux opérations, même s'il est prévisible que le mécanisme qui permettra au superficiaire de profiter de l'accession sera mentionné dans la source qui crée la modalité.

3.1 Sources

Lois – Des lois statutaires créent une propriété superficiaire; il en va ainsi de la *Loi sur les mines*[28] et de la *Loi sur les biens culturels*[29]. Dans ces deux cas, encore faut-il que l'objet éventuel de la propriété superficiaire occupe un volume déterminé (*supra* : section 2).

Convention – La convention demeure le mode le plus fréquent de constitution d'une propriété superficiaire. À la rigueur, les parties pourraient se contenter d'une simple entente verbale[30]. Toutefois, un accord de cette nature serait susceptible de présenter des déficiences qui nécessiteront éventuellement l'intervention du tribunal[31]. Aussi, une convention écrite – rédigée avec soin – reste-t-elle préférable.

---

26. Jean-Guy Cardinal, *supra*, note 4, p. 166-171.
27. *Beaulieu* c. *Gestion C. Sarrazin Inc.*, [1998] R.D.I. 353 (C.A.).
28. La *Loi sur les mines* (L.R.Q., c. M-13.1) prévoit, en effet, que : « Les droits aux minéraux constituent une propriété distincte de celle de la surface » (art. 2).
29. La *Loi sur les biens culturels* (L.R.Q., c. B-4) mentionne que : « Toute aliénation de terres publiques est sujette à une réserve en pleine propriété en faveur du domaine public, des biens et sites archéologiques qui s'y trouvent à l'exception des trésors qui demeurent régis par l'article 586 du Code civil ». (art. 44).
30. « [...] ce droit peut être consenti et constaté dans des contrats écrits de différentes natures, lesquels peuvent être enregistrés, ce qui, à n'en pas douter, facilite la preuve de l'existence de ce droit et de son opposabilité, le cas échéant, au tiers acquéreur du fonds de terrain. Par ailleurs, rien ne s'oppose à ce que le droit de superficie naisse d'une entente verbale. » (*Procureur général du Québec* c. *Desserres*, [1996] R.D.I. 76, 79 (C.S.)).
31. *Morin* c. *Grégoire*, (1969) 10 *C. de D.* 379, 380 (C.S.).

Par ailleurs, le consentement à une convention ne se manifeste pas toujours de manière expresse, il peut aussi être tacite (1386 C.c.Q.). Dans cette hypothèse, l'expression de la volonté n'est pas exprimée par écrit ou oralement, elle découle plutôt d'un comportement dont on peut déduire l'intention de contracter[32]. Malgré les difficultés de preuve qu'il comporte, les tribunaux ont fréquemment trouvé la source d'une propriété superficiaire dans un contrat fondé sur un consentement implicite. À cet égard, l'arrêt *Delorme* c. *Cusson* demeure un classique. Dans cette affaire, la Cour suprême a estimé que la connaissance, par le propriétaire, de l'existence de constructions faites par autrui sur son fonds, et ce, sans opposition de sa part, constituait une autorisation suffisante à la constitution d'une propriété superficiaire[33]. L'arrêt a été par la suite cité avec approbation[34], encore que son ambiguïté ait aussi été soulignée[35].

La reconnaissance d'un contrat fondé sur un consentement tacite ne saurait être remise en question. En revanche, le comportement allégué pour fonder l'existence d'un tel consentement doit permettre d'établir que la *permission*[36] a bel et bien été accordée à une personne de faire des constructions, des ouvrages ou des plantations sur un fonds qui ne lui appartenait pas. L'absence d'opposition de la part du propriétaire du fonds ou la preuve qu'il connaissait l'existence des améliorations apportées sur son fonds constituent des preuves insuffisantes[37].

---

32. Maurice Tancelin, *Des obligations: actes et responsabilités*, 6e éd., Montréal, Wilson & Lafleur ltée, 1997, p. 68.
33. « [...] il n'est pas nécessaire que l'autorisation soit expresse; il suffit qu'elle résulte des circonstances. Les autorités que nous avons citées sont unanimes à considérer que le fait que des constructions ont été faites, au su et vu du propriétaire du fonds et sans protestation de sa part, constitue une autorisation tacite; [...] ». (*Delorme* c. *Cusson*, [1897-1898] 28 R.C.S. 66, 85 (juge Girouard)). Le juge avait mentionné plus haut que le consentement obtenu était « formel et exprès » (p. 71). À titre d'exemple de manifestations de conventions tacites alléguées par une partie, mentionnons : une inscription au rôle d'évaluation municipale désignant le superficiaire comme propriétaire (*Boucher* c. *Côté*, [1981] C.S. 282) et le locateur d'un terrain qui accepte une hypothèque sur les constructions comme garantie du paiement du loyer (Jean-Guy Cardinal, *supra*, note 4, p. 108).
34. *Lebœuf c. Douville*, *supra*, note 23, p. 565 (C.S.); *Neveu* c. *Corporation municipale de Ste-Mélanie*, [1977] C.S. 590.
35. *Société nationale immobilière Sonatim Inc.* c. *Société de développement de l'Île Bizard Inc.*, [1998] R.J.Q. 1061, 1066-1067 (C.A.) (juge Mailhot).
36. La permission est « une approbation de l'acte d'autrui auquel l'on aurait le droit de s'opposer. [...] La permission suppose, de la part de celui qui la donne, une renonciation à un droit [...]. » (*Morin* c. *Grégoire*, *supra*, note 31, p. 380. Voir aussi : *Procureur général du Québec* c. *Desserres*, *supra*, note 30, p. 80-81).
37. *Boucher* c. *Côté*, *supra*, note 33, p. 282.

Il s'agit plutôt là d'actes de *tolérance*[38] qui ne peuvent fonder une propriété superficiaire[39]. La distinction désormais établie entre les notions de permission et de tolérance devrait atténuer l'ascendant dont l'arrêt *Delorme* a longtemps bénéficié.

L'accueil favorable de la part des tribunaux à des preuves plus ou moins convaincantes s'explique souvent par les situations juridiques singulières qui leur étaient soumises. Ainsi, des décisions dictées par l'équité ont couvert des empiétements faits de bonne foi sur le terrain d'un voisin[40] ou encore des constructions réalisées sur le terrain d'un parent avant que n'éclatent des querelles familiales[41]. De là découle un certain laxisme dans la rigueur du raisonnement.

La convention qui crée la propriété superficiaire, peu importe la forme qu'elle adopte (une convention spécifique ou le plus souvent un bail), doit identifier le mécanisme par lequel la règle de l'accession ne peut fonctionner normalement (*infra* : section 3.2).

La constitution d'une propriété superficiaire – puisqu'elle porte sur un droit réel immobilier – est soumise au régime de la publicité des droits (2938 C.c.Q.)[42]. Cette publicité a pour effet de rendre ce droit opposable à l'égard des tiers (2941 C.c.Q.), notamment à l'éventuel acquéreur du tréfonds. Cette règle pose un problème particulier dans le cas des conventions verbales et tacites. En l'absence d'écrit, dans l'un et l'autre cas, la publicité du droit réel devient impossible. En con-

---

38. L'acte de tolérance a été défini comme « le fait du propriétaire courtois, qui s'abstient de protester, comme il en aurait le droit, contre les agissements qu'il n'approuve pourtant pas » (*Morin* c. *Grégoire, supra*, note 31, p. 379-380). La tolérance exige la connaissance d'un éventuel empiétement : « L'idée de tolérance suppose une abstention consciente de la part du titulaire d'un droit. Pour tolérer, il faut d'abord connaître. » (*Texaco Canada Inc.* c. *Communauté urbaine de Montréal*, [1995] R.J.Q. 602, 607 (C.Q.)).
39. « [...] le droit de superficie n'est pas le fruit d'un acte de tolérance par un propriétaire qui n'approuve pas l'empiétement, même s'il reste passif ». (*Lacroix c. Bruno*, C.S.M. nº 605-05-000419-74, 5 juin 1975, p. 3, [1975] C.S. 1055 (rés.); *Kelly* c. *Côté*, [1991] R.D.I. 648, 651-653 (C.S.)).
40. *Delorme* c. *Cusson*, *supra*, note 33, p. 74; *Gagné* c. *Bourret*, (1929) 47 B.R. 547.
41. À titre d'exemple, les tribunaux ont eu à se prononcer sur l'existence d'une propriété superficiaire dans un contexte de situations familiales tendues dans les affaires suivantes : *Morin* c. *Grégoire*, *supra*, note 31; *Sénécal-Crevier* c. *Limoges*, *supra*, note 12.
42. « Le droit de superficie étant un droit réel, il est donc non seulement susceptible d'enregistrement, mais il doit être enregistré. » (*Neveu* c. *Corporation municipale de Ste-Mélanie*, *supra*, note 34, p. 594); ce point est confirmé en appel : *Neveu* c. *Corporation municipale de Ste-Mélanie*, *supra*, note 14, p. 8-9 (juge Bélanger).

séquence, les propriétés superficiaires fondées sur de telles conventions ne peuvent être opposées aux tiers[43].

Prescription – La prescription de la propriété superficiaire demeure possible (2910 C.c.Q.). La preuve doit cependant être apportée qu'il y a eu possession à titre de superficiaire[44]. Ce mode d'acquisition de la propriété sert notamment à couvrir les vices d'un titre[45].

3.2 Modification au fonctionnement normal de l'accession

Le Code prévoit une présomption suivant laquelle le propriétaire d'un immeuble est propriétaire des constructions, des ouvrages et des plantations qui s'y trouvent (955 C.c.Q.). Dans l'éventualité où un possesseur apporte des améliorations sur ce fonds, le propriétaire de l'immeuble en acquiert la propriété par le jeu de l'accession (957 C.c.Q.).

La présomption de propriété des améliorations est simple. Elle peut donc être renversée et permettre l'établissement d'une propriété superficiaire lorsque le fonctionnement normal de l'accession est entravé au bénéfice du superficiaire. La constitution de cette modalité de la propriété exige, en effet, « une dérogation au mécanisme de l'accession, dérogation qui sépare la propriété des *superficies* de celle du fonds »[46]. La loi identifie précisément trois modes d'établissement de la propriété superficiaire (1110 C.c.Q.).

Division de l'objet – La division de l'objet amène la séparation juridique du fonds et de la superficie. La scission de l'objet du droit de propriété permet de constituer des propriétés superposées qui chacune, en propre, bénéficieront du droit d'accession.

Lorsque ce mécanisme est utilisé, la propriété superficiaire porte habituellement sur une construction déjà réalisée. Ainsi, un proprié-

43. « [...] pour que cette convention [une convention verbale constituant une propriété superficiaire] vaille entre les parties, il n'était pas nécessaire qu'elle fasse l'objet d'un écrit et que cet écrit soit enregistré; mais, sans écrit dûment enregistré, la convention constituant le droit de superficie en faveur du requérant ne peut être opposée au tiers dont les droits sont enregistrés, même si ce tiers a connaissance du droit non enregistré. » (*Léveillé* c. *Caisse populaire Desjardins*, [1994] R.D.I. 255, 258 (C.S.)). L'opinion inverse a aussi été exprimée : *Boily* c. *Tremblay*, [1976] C.S. 1774; *Blanchet* c. *Claude*, [1994] R.D.I. 697, 702 (C.Q.); *Placements Bertrand Fradet Inc.* c. *Banque Nationale du Canada*, C.S.M. nº 500-05-037979-976, 13 octobre 1998 (J.E. 98-2211). Si cette position pouvait trouver quelque fondement dans le *Code civil du Bas-Canada*, elle est désormais injustifiable.

44. *Rhéault* c. *Fouquette*, *supra*, note 3, p. 526.

45. *Gulf Power Company* c. *Habitat Mon Pays Inc*, *supra*, note 2.

46. *Marmette* c. *Deschênes*, *supra*, note 10, p. 8.

taire cède à une personne une construction déjà érigée sur son fonds et conserve le terrain. Toutefois, même en l'absence de constructions, la propriété superficiaire peut exister. L'espace constitue alors l'objet d'un tel droit. La propriété superficiaire pourrait même être hypothéquée en l'absence de constructions : « [...] le superficiaire ne fera le plus souvent qu'hypothéquer ses constructions qui sont immeubles, mais à supposer qu'il ait acquis le droit de superficie, sans élever aucune construction, je ne vois aucune raison de décider qu'il ne pourrait pas hypothéquer ce droit »[47].

La division de l'objet appelle nécessairement une cadastration verticale lorsque l'on désire publier le droit (3030 (1) C.c.Q.). L'opération permet de situer la superficie et le tréfonds sur le plan cadastral (3026 (1) C.c.Q.).

Cession du droit d'accession – Le propriétaire d'un immeuble peut céder, pour un temps, une ou plusieurs prérogatives de son droit de propriété, y compris l'aspect matériel du droit d'accession (948 C.c.Q.). Lors de la constitution d'un usufruit immobilier, on pourra par exemple céder l'accession au titulaire du démembrement. L'emphytéote jouit de cet attribut puisqu'il se voit attribuer tous les droits attachés à la qualité de propriétaire (1200 C.c.Q.). Ceci permet, qu'en certaines circonstances, soit créée une copropriété sur un immeuble détenu en emphytéose (1198 C.c.Q.).

Renonciation au bénéfice de l'accession – Le mode usuel de constitution d'une propriété superficiaire demeure la renonciation au bénéfice de l'accession[48]. C'est là le mécanisme qui s'accommode le plus aisément de l'expression d'un consentement tacite[49]. La personne en faveur de qui la renonciation à l'accession a été faite devient propriétaire des constructions qu'elle fait sur le tréfonds. La renonciation est employée lorsqu'un propriétaire accorde une permission de construire sur son immeuble en recourant ou pas à un bail.

Avant la révision du Code, l'identification du mécanisme générateur de la propriété superficiaire dans les actes et les jugements était rarement mentionnée. Cette lacune révèle souvent une compréhension imparfaite de l'institution. Le plus fréquemment, on devine que, suivant la logique d'une situation donnée, le mécanisme utilisé était la renonciation au bénéfice de l'accession.

---

47. Pierre-Basile Mignault, *Le droit civil canadien*, tome 9, Montréal, Wilson & Lafleur ltée, 1916, p. 91.
48. Jean-Guy Cardinal, *supra*, note 4, p. 107.
49. *Ibid.*, p. 107-108.

La propriété superficiaire prend naissance à une époque différente selon le mécanisme employé pour constituer la modalité. Lorsqu'il y a division de l'objet, la propriété superficiaire naît aussitôt que le morcellement de l'immeuble a lieu puisqu'il existe dès lors un objet sur lequel peut porter la modalité. En revanche, en cas de cession de l'accession ou de renonciation au bénéfice de l'accession, la modalité existe seulement lorsque sont réalisés des constructions, ouvrages ou plantations[50]. Dans l'hypothèse où aucune amélioration n'est apportée à l'immeuble, la propriété superficiaire ne verra pas le jour.

Lorsqu'un tribunal en vient à la conclusion que la preuve n'a pas été établie que le fonctionnement normal de l'accession a été modifié, il refusera de reconnaître l'existence d'une propriété superficiaire. Suivant les circonstances, le propriétaire devra éventuellement rembourser le possesseur compte tenu de sa bonne ou de sa mauvaise foi et de la qualité des améliorations apportées au fonds (958-962 C.c.Q.)[51].

4. ÉTENDUE DES DROITS DU SUPERFICIAIRE

Le propriétaire superficiaire possède des droits étendus sur la superficie. Par ailleurs, l'étroite relation de voisinage qui existe, sur le plan vertical, entre la superficiaire et le tréfoncier exige que certains droits soient accordés au superficiaire sur le tréfonds.

4.1 Droits sur la superficie

Le propriétaire superficiaire détient sur la superficie qui lui est allouée toutes les prérogatives habituellement reconnues au propriétaire (*usus, fructus, abusus, accessio*)[52]. Contrairement à la copropriété indivise, il possède, en principe, un droit exclusif[53].

---

50. François Frenette, « De la propriété superficiaire, de l'usufruit, de l'usage et de l'emphytéose », dans Barreau du Québec et Chambre des notaires (dir.), *La réforme du Code civil*, Québec, P.U.L., 1993, p. 673-674.
51. *Léveillé* c. *Caisse populaire Desjardins*, *supra*, note 43, p. 261.
52. « On peut être propriétaire d'une maison élevée sur un terrain appartenant à autrui et ce droit de superficie comporte tous les droits du propriétaire [...] ». (*Marmette* c. *Deschênes*, *supra*, note 10, p. 8), voir aussi : Jean-Guy Cardinal, *supra*, note 4, p. 207-209 et 211.
53. *Gulf Power Company* c. *Habitat Mon Pays Inc.*, *supra*, note 2, p. 6 (juge Mayrand).

L'étendue des prérogatives accordées au propriétaire superficiaire lui permet d'aliéner son droit[54]. Il peut également changer la destination du bien ou le transformer. Ses pouvoirs lui permettent d'aller jusqu'à enlever[55], démolir ou abandonner les constructions, ouvrages ou plantations. La propriété superficiaire est susceptible de démembrements et peut être hypothéquée[56]. Le superficiaire, à l'instar du propriétaire, est habilité à intenter les actions possessoires et pétitoires. L'ensemble des réparations et des charges – les taxes municipales notamment – reviennent au superficiaire[57].

La constitution d'une propriété superficiaire laisse au tréfoncier la faculté d'exercer sur le tréfonds l'ensemble des facultés reconnues au propriétaire[58]. La superficie et le tréfonds forment des objets de droit distincts qui, étant donné la proximité des deux immeubles et plus encore leur localisation particulière, se trouvent dans une situation susceptible d'engendrer de la confusion. Aussi, les titulaires des deux immeubles devront-ils garder à l'esprit l'état particulier de l'objet de leur droit et en déduire les conséquences qui en découlent. Chaque immeuble, en autant qu'il possède une valeur pécuniaire, pourra être hypothéqué et une sûreté portant sur l'un ne s'étendra pas à l'autre[59].

4.2 Droits sur le tréfonds

Le superficiaire, étant donné la singularité de l'objet de son droit, se voit reconnaître des droits sur le tréfonds[60]. Cette exigence se manifeste avec acuité lorsque la superficie n'occupe qu'une partie limitée du tréfonds. Par exemple, le propriétaire d'un réseau de distribution d'électricité bénéficie généralement d'un droit de passage ou encore

54. Sur l'étendue des droits, voir : *Cadrain* c. *Théberge*, *supra*, note 18, p. 78.
55. *Damato* c. *Collerette*, [1950] C.S. 414, 416. Dans cette affaire, le tribunal reconnaît à la défenderesse le droit de déménager un chalet sur lequel il lui a reconnu un droit de propriété.
56. *Garant* c. *Gagnon*, (1900) 17 C.S. 145; *Belavance* c. *Reed*, *supra*, note 6, p. 395.
57. Aux fins de la fiscalité municipale, la superficie constitue d'ailleurs une unité d'évaluation distincte (*Loi sur la fiscalité municipale*, L.R.Q., c. F-2.1, art. 39 (1)).
58. « The proprietor of the soil has with respect to it all the rights of ownership, subject to the condition of not interfering with the right of the superficiary. » (William DeMontmollin Marler et George C. Marler, *The Law of Real Property. Quebec*, Toronto, Burroughs, 1932, p. 59).
59. *Belavance* c. *Reed*, *supra*, note 6, p. 392.
60. « Le droit de superficie suppose donc essentiellement un droit principal, qui est la propriété des *superficies*, et un autre droit accessoire, qui donne au superficiaire un droit exclusif à un site déterminé. Car si l'objet de la propriété superficiaire, est, de par sa définition même, un immeuble, ce droit ne saurait se concevoir sans une relation nécessaire et permanente avec un fonds de terre déterminée. » (Jean-Guy Cardinal, *supra*, note 4, p. 103).

a le droit de procéder à l'abattage ou à la taille des arbres susceptibles de nuire à ses constructions ou ouvrages. L'étendue de ces droits et leurs conditions d'exercice devraient être réglées par convention (1111 C.c.Q.).

Les droits que possède le propriétaire superficiaire sur le tréfonds sont accessoires à ses droits sur la superficie. En principe, les aménagements nécessaires à l'exercice des droits sur le tréfonds se distinguent des constructions, ouvrages ou plantations, objets de la superficie[61]. Les droits reconnus au superficiaire diffèrent de nature suivant les circonstances. Ils peuvent être ceux d'un locataire, d'un titulaire d'un démembrement du droit de propriété ou d'un copropriétaire.

Locataire du tréfonds – Il est fréquent que la propriété superficiaire trouve sa source dans un bail avec permission de construire[62]. La convention doit cependant préciser que le mécanisme de l'accession joue, pour l'avenir, en faveur du locataire. Le superficiaire est alors pleinement propriétaire des constructions, ouvrages ou plantations faites avec la permission du tréfoncier. Il demeure toutefois simplement locataire du tréfonds. Le droit commun de la location gouverne les relations qu'entretiennent le superficiaire et le tréfoncier à titre de locataire et locateur du tréfonds. Le paiement du loyer annuel est fréquemment garanti par une hypothèque sur la superficie[63].

Titulaire d'une servitude sur le tréfonds – Les avantages conférés au superficiaire sur le tréfonds peuvent prendre la forme de droits réels et non seulement de droits personnels, comme en confère un bail. La convention qui crée une propriété superficiaire prévoit parfois la constitution de servitudes accessoires à la superficie[64]. Si la convention reste muette, la loi accorde au superficiaire les servitudes nécessaires à l'exercice de son droit (1111 C.c.Q.)[65]. La servitude dont il

61. *Procureur général du Québec* c. *Club Appalaches Inc.*, [1999] R.J.Q. 2267 (C.A.) (juge Letarte).

62. Jean-Guy Cardinal, *supra*, note 4, p. 116-117. Cardinal présume l'existence d'un bail dans l'hypothèse d'une convention implicite (p. 104).

63. *Ibid.*, p. 223.

64. *Beaulieu* c. *Gestion C. Sarrazin Inc.*, *supra*, note 27.

65. Jean-Guy Cardinal qualifiait cette servitude de « servitude réelle de superficie » (*supra*, note 4, p. 138-141). D'autres lois prévoient également l'octroi de servitudes de cette nature, voir la *Loi sur les compagnies de télégraphe et de téléphone* (L.R.Q., c. C-45, art. 9 (2) : « Dans le cas où la compagnie veut poser ses poteaux et ses lignes et ne peut s'entendre avec le propriétaire du terrain au sujet de l'indemnité à payer, elle pourra exproprier la partie de terrain strictement nécessaire pour y poser ses poteaux, avec en plus une servitude comportant le droit de poser ses poteaux et ses fils et un droit de passage sur le terrain pour les réparer et les tenir en bon état. »

s'agit est bien celle prévue au Code civil (1177 C.c.Q.), soit une charge imposée à un fonds servant – en l'occurrence le tréfonds – en faveur d'un fonds dominant – la superficie[66]. La servitude ne prend pas nécessairement effet lors de la conclusion de la convention créant une propriété superficiaire. En effet, lorsque la modalité tire son origine d'une renonciation au bénéfice de l'accession ou d'une cession du droit d'accession, les servitudes sont constituées uniquement à partir du moment où existe l'objet de la modalité. Autrement dit, en l'absence de fonds dominant, l'existence d'une servitude ne saurait se justifier[67].

Copropriétaire indivis du tréfonds – Dans un immeuble en copropriété divise, il existe des parties communes et des parties privatives. Les parties privatives constituent des propriétés superficiaires sur lesquelles chacun des copropriétaires détient des droits exclusifs. La propriété superficiaire est ici unie au tréfonds par des liens de propriétaire à copropriétaire[68].

5. DURÉE

La durée de la propriété superficiaire pose inévitablement le problème de sa perpétuité. D'emblée, on peut affirmer que l'objet même de la propriété superficiaire – soit les constructions, ouvrages ou plantations faits – a vocation à la perpétuité, à l'instar de tout autre objet de droit de propriété. Cela ne fait aucun doute[69]. Il demeure plus problématique d'envisager la durée, non plus de l'objet, mais de la manière d'être de la propriété que constitue la modalité. À cet égard, la propriété superficiaire n'a pas à respecter les caractères reconnus à la propriété. Aussi, peut-elle, sans transgresser une règle impérative, être perpétuelle ou temporaire (1113 C.c.Q.).

La durée de la modalité est liée, en partie, au mécanisme utilisé lors de sa constitution. La propriété superficiaire qui résulte de la

66. Jean-Guy Cardinal, *supra*, note 4, p. 139-142.
67. La professeure Madeleine Cantin Cumyn s'était arrêtée à ce problème soulevant l'incongruité de servitudes en l'absence de constructions, d'ouvrages ou de plantations (« De l'existence et du régime juridique des droits réels de jouissance innommés : essai sur l'énumération limitative des droits réels », (1986) 46 *R. du B.* 3, 14-18).
68. Jean-Guy Cardinal donnait l'exemple non pas de la copropriété divise mais de la propriété par étage, telle qu'elle était prévue à l'article 521 du *Code civil du Bas-Canada*, avant 1969 (*supra*, note 4, p. 117-130).
69. Jean-Guy Cardinal, *ibid.*, p. 101; Madeleine Cantin Cumyn, « Essai sur la durée des droits patrimoniaux », (1988) 48 *R. du B.* 3, 18.

division de l'objet pourra être soit perpétuelle, soit temporaire. Par ailleurs, elle sera nécessairement temporaire lorsqu'elle aura été créée par la cession de l'aspect matériel du droit d'accession ou par la renonciation au bénéfice de l'accession (1113 C.c.Q.), et ce, peu importe la source qui lui a donné naissance.

Lorsqu'un terme a été fixé, son arrivée marquera la fin de la modalité. Par ailleurs, en l'absence de terme, la propriété superficiaire pourrait s'étendre à la durée des constructions, des ouvrages ou des plantations[70].

6. FIN

La modalité que constitue la propriété superficiaire peut prendre fin pour diverses raisons. Lorsqu'elle se produit, il y a alors lieu de régler le sort des améliorations.

6.1 Modes d'extinction

Une modalité de la propriété demeure une forme particulière que prend la propriété et c'est cet état qui est susceptible de prendre fin. Il s'ensuit qu'un mode d'extinction de la modalité, inacceptable s'agissant du droit de la propriété, devient admissible lorsqu'il porte sur la modalité. Cette nuance a longtemps été négligée par la doctrine et a conduit à fixer des interdits que la situation ne justifie pas[71].

Réunion – La réunion, en une même personne, des qualités de superficiaire et de tréfoncier crée une confusion et met fin à la propriété superficiaire (1114, 1° C.c.Q.)[72]. L'exercice, par le syndicat d'une copropriété divise, du droit de préemption prévu à l'article 1082 du Code conduit ainsi à la confusion de la superficie et du tréfonds. Les droits des tiers ne se trouvent pas anéantis pour autant, ils doivent donc être respectés.

Avènement d'une condition résolutoire – Une disposition de la convention créant la modalité pourrait prévoir la résolution du contrat lorsque surviennent certaines circonstances. Ainsi, à défaut par le

---

70. *Tremblay c. Guay*, [1929] R.C.S. 29, 34-35 (juge Mignault); *Fauteux c. Parant*, *supra*, note 3, p. 211-212; *Morin* c. *Grégoire*, *supra*, note 31, p. 381.
71. Voir, à titre d'exemple, les propos de Jean-Guy Cardinal sur l'arrivée d'un terme comme mode d'extinction de la propriété superficiaire (*supra*, note 4, p. 92 et 101).
72. *Marmette* c. *Deschênes*, *supra*, note 10, p. 8.

superficiaire de respecter les conditions prescrites par la convention, le tréfoncier serait en droit d'exiger la résolution du contrat et de mettre fin à la modalité[73] (1114, 2° C.c.Q.).

Arrivée du terme – Un terme peut être fixé à la modalité de la propriété (1114, 3° et 1113 C.c.Q.). Dans le cas de cession du droit d'accession ou de renonciation au bénéfice de l'accession, la propriété superficiaire est nécessairement à terme. Le retour de l'aspect matériel du droit d'accession entre les mains du propriétaire met fin à la propriété superficiaire.

Perte totale des constructions, ouvrages ou plantations – La perte des améliorations demeure un cas rare. La loi prévoit qu'elle met fin à la propriété superficiaire lorsqu'elle résulte d'une division de l'objet du droit de propriété (1115 (1) C.c.Q.).

Il faut ajouter qu'il est également mis fin à la modalité de la propriété dans le cas où la propriété superficiaire a été constituée par cession du droit d'accession ou renonciation au bénéfice de l'accession, puisqu'il n'y a alors plus d'objet sur lequel pourrait porter le droit[74]. Dans cette hypothèse, la propriété pourrait renaître si l'accession n'a pas été récupérée par le propriétaire[75]. Ainsi, advenant qu'un incendie détruise une construction édifiée à la suite de la cession du droit d'accession, la reconstruction serait possible s'il reste à courir une période de temps suffisante avant la récupération de la prérogative par le propriétaire.

6.2 Sort des améliorations

Il y a lieu de s'interroger sur le sort des constructions, ouvrages et plantations lorsque prend fin la modalité. Le jeu de l'accession veut que le tréfoncier recueille les améliorations apportées par le superficiaire (1116 C.c.Q.). Or, la valeur des constructions, ouvrages et plantations est souvent élevée et dépasse parfois la valeur du tréfonds. Permettre au tréfoncier de les recueillir sans compensation s'avérerait abusif pour le superficiaire, et ce, d'autant plus que le code accorde une compensation pour les impenses faites sur l'immeuble d'autrui par un possesseur de bonne foi (957-961 C.c.Q.). Aussi, le législateur prévoit-il un règlement moyennant compensation entre le superficiaire et le tréfoncier.

---

73. Jean-Guy Cardinal, *supra*, note 4, p. 110-111.
74. « Le droit de superficie se trouve totalement éteint par la destruction générale de la maison sur laquelle il avait été établi; parce qu'en effet, il n'aurait plus alors d'objet » (« Droits de transport d'immeubles », (1900-1901) 3 *R. du N.* 50, 57).
75. François Frenette, *supra*, note 50, p. 677.

Dans l'hypothèse où la valeur des améliorations est inférieure à celle du tréfonds, le tréfoncier acquiert par accession la propriété des améliorations en payant la valeur de celles-ci au superficiaire (1116 (1) C.c.Q.). Par ailleurs, si la valeur des améliorations est égale ou supérieure à celle du tréfonds, le superficiaire a la faculté d'acquérir la propriété du tréfonds (1116 (2) C.c.Q.). Il doit alors en payer la valeur au tréfoncier. Il peut, s'il le préfère, enlever, à ses frais, les constructions, ouvrages et plantations. À défaut par le superficiaire d'exercer son droit dans les 90 jours qui suivent la fin de la propriété superficiaire, le tréfoncier conserve les améliorations (1117 C.c.Q.). Il en paie cependant la valeur au superficiaire (1116 (1) C.c.Q.).

L'établissement du prix et des conditions d'acquisition du tréfonds ou des améliorations risque d'entraîner un désaccord entre le superficiaire et le tréfoncier. À défaut d'entente entre les parties, le tribunal a la faculté d'intervenir (1118 C.c.Q.)[76]. Son jugement vaut titre.

Les règles du Code civil sur le sort des améliorations ne relèvent pas de l'ordre public. Aussi, les parties à une convention demeurent libres de se soumettre à des conditions autres que celles prévues par la loi. Elles peuvent ainsi déterminer librement le prix et les conditions d'acquisition du tréfonds ou des améliorations.

Bibliographie

BERTREL, Jean-Pierre. « L'accession artificielle immobilière. Contribution à la définition de la nature juridique du droit de superficie », [1994] *Rev. trim. dr. civ.* 731-775.

BINETTE, Serge. « De la copropriété indivise et divise et de la propriété superficiaire », [1988] 3 *C.P. du N.* 107-212.

CANTIN CUMYN, Madeleine. « De l'existence et du régime juridique des droits réels de jouissance innommés : essai sur l'énumération limitative des droits réels », (1986) 46 *R. du B.* 3-56.

CANTIN CUMYN, Madeleine. « Essai sur la durée des droits patrimoniaux », (1988) 48 *R. du B.* 3-46.

CARDINAL, Jean-Guy. « Le droit de superficie », (1956-1957) 59 *R. du N.* 377-387.

76. Pour un exemple de difficultés d'établissement de la valeur de la superficie et du tréfonds, voir l'arrêt suivant rendu en vertu de l'ancienne *Loi sur les constituts ou sur le régime de tenure* (L.R.Q. c. C-64, cette loi est abrogée) : *Tommi* c. *Malette, Benoît & Cie*, [1985] C.S. 267, 276-280.

CARDINAL, Jean-Guy. *Le droit de superficie, modalité du droit de propriété. Étude historique et critique du concept juridique et exposé de ses applications.* Montréal, Wilson & Lafleur ltée, 1957. 286 p.

CLAXTON, John B. « Superficie – Problèmes, solutions et précautions », (1975) 35 *R. du B.* 626-629.

« Le droit de superficie », (1900-1901) 3 *R. du N.* 51.

COSSETTE, André. « Jurisprudence », (1969-1970) 72 *R. du N.* 28-32.

FRENETTE, François. « De la propriété superficiaire, de l'usufruit, de l'usage et de l'emphytéose », dans Barreau du Québec et Chambre des notaires, *La réforme du Code civil*, Québec, P.U.L., 1993, p. 669-709.

FRENETTE, François. « Les empiétements sur l'héritage d'autrui », (1986) R.D.I. 181-191.

FRENETTE, François. « L'illusion de propriété superficiaire », (1976) 17 *C. de D.* 229-233.

NORMAND, Sylvio. « La servitude de lignes téléphoniques : une incongruité juridique tenace », (1987) 28 *C. de D.* 999-1009.

PATAULT, Anne-Marie. « La propriété non exclusive au XIXe siècle : histoire de la dissociation juridique de l'immeuble », (1983) 61 *Rev. hist. dr. fr. et ét.* 217-237.

SAVATIER, René. *Les métamorphoses économiques et sociales du droit privé d'aujourd'hui.* Tome 3. Paris, Dalloz 1959. 268 p.

SAVATIER, René. « La propriété de l'espace », *Recueil Dalloz Sirey,* 1965.213 (n° 36).

SAVATIER, René. « La propriété des volumes dans l'espace et la technique des grands ensembles immobiliers », *Recueil Dalloz Sirey,* 1976.103 (n° 15).

CHAPITRE 7

L'USUFRUIT ET L'USAGE

1. L'USUFRUIT

L'usufruit a pour effet de scinder les prérogatives de la propriété entre deux personnes. Il transmet l'usage et la jouissance de cette propriété à l'une et laisse une propriété dépouillée de ses principaux avantages à l'autre.

L'institution a longtemps occupé une place considérable dans le droit civil québécois. Ainsi, le *Code civil du Bas-Canada* prévoyait qu'au décès de son mari, l'épouse bénéficiait de l'usufruit d'une partie de ses biens immeubles, alors que les enfants en avaient la nue-propriété[1]. Avant 1970, lorsque des époux étaient soumis au régime de la communauté de biens, le conjoint survivant se voyait accorder l'usufruit de la part de la communauté dévolue aux enfants, et ce, jusqu'à ce que chacun des enfants du couple ait atteint l'âge de la majorité[2].

En dehors des régions urbaines, l'usufruit a été fréquemment utilisé lorsque des parents désiraient cesser de s'adonner à une exploitation agricole tout en s'assurant une source de revenus durant leur retraite. Les dispositions de l'ancien Code trahissaient d'ailleurs un attachement profond pour le monde rural. À la fin du XIXe siècle, l'institution est venue à la rescousse du Conseil privé qui avait à se prononcer sur la qualification des droits des Autochtones sur les terres qu'ils

1. Cet usufruit existait en vertu du douaire, une institution aujourd'hui disparue : « Le douaire coutumier consiste dans l'usufruit pour la femme, et dans la propriété pour les enfants, de la moitié des biens immeubles dont le mari est propriétaire lors du mariage et de ceux qui lui échoient de ses père et mère et autres ascendants pendant sa durée. » (1434 C.c.B.-C., abrogé en 1970).
2. C.c.B.-C., art. 1323. Cet article fut introduit en 1897 et abrogé en 1970 alors que le régime de la société d'acquêts remplaça le régime de la communauté de biens. L'usufruit légal du conjoint survivant se retrouva alors à l'article 1426, aujourd'hui abrogé.

occupaient, depuis une période immémoriale. En empruntant au droit romain, les juges concluaient « [...] the tenure of the Indians was a personal and usufructuary right, dependent upon the good will of the Sovereign. »[3] Le recours à la notion d'usufruit permettait de reconnaître aux Autochtones des droits de chasse et de pêche sur le domaine public sans pour autant leur conférer un droit de propriété sur les terres occupées.

Au fil des ans, l'institution a perdu le lustre qu'elle possédait autrefois. Des promoteurs n'ont toutefois pas hésité à recourir à l'usufruit pour assurer la mise en marché de projets immobiliers. Au cours des années 1980, une société commerciale a ainsi cédé des usufruits sur les logements compris dans les immeubles dont elle était propriétaire. L'opération, qui visait à conférer aux usufruitiers des droits similaires à ceux d'un copropriétaire divis, a cependant causé d'importants problèmes de financement qui n'ont pu être résolus que grâce à une intervention législative[4]. Par ailleurs, l'usufruit a servi à établir des droits de jouissance à temps partagé sur des immeubles voués à des fins de villégiature[5].

Lors de la révision du Code civil, le législateur s'est efforcé de moderniser l'usufruit en le rendant plus conforme aux valeurs de la société actuelle, notamment en prévoyant une meilleure place pour les biens meubles[6]. Le législateur a également révisé les rapports entre l'usufruitier et le nu-propriétaire de manière à créer entre eux une communauté d'intérêts en « favorisant [...] la conservation et l'amélioration du bien soumis à l'usufruit »[7]. Malgré cet effort de rajeunissement, il y a fort à parier que l'institution ne réussira pas à regagner le terrain perdu au bénéfice de la fiducie qui présente désormais un attrait indéniable, encore que l'usufruit offre des avantages trop souvent ignorés, ne serait-ce que la facilité de rédaction de l'acte qui le constitue[8].

---

3. *St. Catherine's Milling and Lumber Company* c. *R.*, [1889] 14 A.C. 46, 54 (C.P.).
4. *Loi concernant les immeubles situés au 3470 et 3480 rue Simpson à Montréal*, L.Q. 1984, c. 80.
5. Sylvio Normand, « La propriété spatio-temporelle », (1987) 28 *C. de D.* 261, 290-293; David A. Altro, « La copropriété à temps partagé : développements récents et étude du nouveau *Code civil du Québec* », [1992] 2 *C.P. du N.* 533, 555-558.
6. *Commentaires du ministre de la Justice*, Québec, Publications du Québec, 1993, p. 661-662.
7. *Ibid.*, p. 662.
8. Luc Massé, « L'usufruit et l'impôt sur le revenu », (1992) 14 *Revue de planification fiscale et successorale* 1, 43. En France, l'usufruit demeure une institution populaire et donne lieu encore à de nombreux commentaires dans la doctrine.

1.1 Notion

Définition – L'usufruit est défini au Code civil comme étant : « [...] le droit d'user et de jouir, pendant un certain temps, d'un bien dont un autre a la propriété, comme le propriétaire lui-même, mais à charge d'en conserver la substance » (1120 C.c.Q.). L'usufruit confère donc l'usage et la jouissance temporaires d'un bien qui appartient à une autre personne. Le titulaire de l'usufruit est l'*usufruitier* et le propriétaire, privé de l'*usus* et du *fructus*, est le *nu-propriétaire*.

Droit réel – L'usufruit est un droit réel (1119 C.c.Q.). Il transfert à son titulaire un droit direct sur le bien, soit « [...] le droit d'user et de jouir [...] d'un bien dont un autre a la propriété [...] » (1120 C.c.Q.). Il n'est assujetti à aucune obligation personnelle à l'égard du nu-propriétaire. Même si le nu-propriétaire change, l'usufruit perdure[9] (1125 (2) C.c.Q.). Les droits du nu-propriétaire et de l'usufruitier sont distincts. En fait, ils ne portent pas sur le même objet[10].

La situation juridique créée par l'usufruit se distingue de celle introduite par la location quoique, à première vue, elles puissent sembler comparables, sinon similaires, alors qu'elles divergent sur l'essentiel. Puisqu'il n'est pas titulaire d'un droit réel, le locataire n'a de droits sur le bien loué que par l'intermédiaire du locateur, comme le précise la loi : « Le louage [...] est un contrat par lequel une personne, le locateur, s'engage envers une autre, le locataire, à lui procurer, moyennant un loyer, la jouissance d'un bien [...] » (1851 C.c.Q.). Cette relation juridique suppose un créancier, un débiteur et une prestation.

Le rapport de droits réels dans lequel s'inscrit la relation entre l'usufruitier et le nu-propriétaire ne doit cependant pas laisser croire à l'indifférence des deux protagonistes. L'aménagement du régime juridique de l'usufruit reconnaît, au contraire, l'existence d'intérêts convergents entre l'usufruitier et le nu-propriétaire[11].

Démembrement de la propriété – Titulaire d'un démembrement de la propriété (1119 C.c.Q.), l'usufruitier jouit de prérogatives étendues sur l'objet de son droit. Il peut se servir du bien (*usus*) et en percevoir les fruits et les revenus (*fructus*). Ce sont là les prérogatives les plus apparentes du droit de propriété.

---

9. *Robidoux-Primeau* c. *Bernard*, [1996] R.D.I. 364, 367 (C.S.) (l'arrêt porte sur un droit d'habitation).
10. *Kent* c. *Beaudin*, (1888) 16 R.L. 333 (C.S.).
11. *Commentaires du ministre de la Justice*, *supra*, note 6, p. 661-662.

Le propriétaire, privé des principaux avantages de la propriété[12], maintient sous sa gouverne certaines prérogatives du droit de propriété. Il peut disposer du bien (*abusus*) sous réserve du respect des droits de l'usufruitier. Il conserve également le droit d'accession. Cette prérogative permet au propriétaire d'acquérir la propriété de ce qui vient se greffer à son bien et, plus encore, de récupérer l'*usus* et le *fructus* quand prendra fin le démembrement, redonnant ainsi à son droit sa configuration idéale. On comprend dans ces circonstances que, même dépouillé, le nu-propriétaire puisse se préoccuper de la pérennité du bien.

Droit temporaire – Par essence, l'usufruit est temporaire (1120 C.c.Q.), il ne saurait prétendre à la perpétuité. La durée maximale de l'usufruit est établie, par la loi, à 100 ans (1123 C.c.Q.). L'usufruit est créé habituellement pour une période de temps déterminée, soit le terme fixé lors de sa création (5 ans, 10 ans, 20 ans, etc.). En l'absence de précision sur sa durée, le démembrement sera viager si l'usufruitier est une personne physique et prendra fin 30 ans après sa constitution si l'usufruitier est une personne morale (1123 (2) C.c.Q.). Selon la doctrine, le caractère temporaire de l'usufruit est justifié par le désir d'éviter de prolonger trop longtemps une situation perçue comme ne favorisant guère l'exploitation maximale des biens étant donné le partage des prérogatives de la propriété entre deux sujets de droit[13].

Objet – Tout au long du chapitre consacré à l'usufruit, le Code présente un large éventail de biens susceptibles d'être objets d'usufruit. Manifestement, le législateur s'est efforcé de donner par là une vision moins rustique de l'usufruit que par le passé. Le démembrement porte sur toutes sortes de biens (1120 C.c.Q.) qu'il s'agisse de biens corporels, meubles ou immeubles (par exemple l'usufruit d'une propriété foncière), ou de biens incorporels (par exemple l'usufruit d'une créance, l'usufruit d'un droit de propriété littéraire, artistique ou commerciale ou l'usufruit de valeurs mobilières[14]). La dématérialisation, désormais admise, de l'objet du droit de propriété lève les obstacles que le droit antérieur connaissait[15].

---

12. « [...] l'usufruit est un démembrement de la propriété, et [...] le nu propriétaire n'a qu'une propriété mutilée, dépouillée de ses principaux avantages que sont l'usage et la jouissance. » (*Guaranty Trust Company of New York* c. *R.*, [1948] R.C.S. 183, 196 (juge Taschereau)).
13. Pierre-Basile Mignault, *Le droit civil canadien basé sur les « Répétitions écrites sur le Code civil »*, tome 2, Montréal, C. Théoret, 1896, p. 531-532.
14. Dominique Fiorina, « L'usufruit d'un portefeuille de valeurs mobilières », (1995) 94 *Rev. trim. dr. civ.* 43-67.
15. Madeleine Cantin Cumyn, « De l'usufruit, de l'usage et de l'habitation », dans *Répertoire de droit – Biens – Doctrine*, document 3, 1984, p, 40.

La personne qui constitue un usufruit le fait porter sur un bien donné – une somme d'argent par exemple – ou sur une part ou un ensemble de biens. L'usufruit est à titre particulier lorsqu'il est restreint à un bien. L'usufruit est universel s'il porte sur l'ensemble des biens d'une personne et à titre universel s'il a trait à une quote-part de biens (731-734 C.c.Q.). Les deux derniers usufruits sont habituellement constitués par testament.

L'usufruit s'étend aux accessoires du bien sur lequel il porte (1124 C.c.Q.). Ainsi, l'usufruitier jouit des droits de passage existant pour parvenir à un fonds inclus dans son usufruit ou peut utiliser la galerie d'une maison dont il a l'usufruit[16]. Le démembrement s'étend, en outre, sur ce qui s'unit et s'incorpore naturellement à l'immeuble par voie d'accession (1124 C.c.Q.). L'usufruitier n'a toutefois que la jouissance de ce qui s'est ajouté à l'immeuble par accession naturelle, la propriété en revient au nu-propriétaire. Par ailleurs, le démembrement ne porte pas sur ce qui s'incorpore artificiellement à l'immeuble, tel un nouveau bâtiment.

1.2 Constitution

Modes – Le contrat permet à un propriétaire de constituer un usufruit. Il peut s'agir d'un acte à titre gratuit (donation) ou d'un acte à titre onéreux (vente).

Longtemps le testament a été un mode privilégié pour établir un usufruit. Le testateur qui recourt à cette institution peut léguer l'usufruit d'un de ses biens, d'une quote-part de ses biens ou de l'ensemble de ses biens à une personne et la nue-propriété à une autre.

La loi prévoit que l'usufruit, à titre de démembrement de la propriété, s'acquiert par prescription (2910 C.c.Q.). Le délai de prescription acquisitive est fixé à dix ans (2917 C.c.Q.).

Le jugement, dans les cas prévus par la loi, permet la création d'un usufruit. Lorsque le tribunal prononce la séparation de corps, le divorce ou la nullité du mariage, il peut conclure au paiement d'une prestation compensatoire (427 C.c.Q.). Au nombre des modalités de

16. « La galerie est une dépendance de la maison. Elle va avec la maison. Comme il y a deux logis dans la maison et que ces logis sont sur le même plan, on doit considérer comme dépendant de chacun de ces logis la partie de la galerie qui y tient. Pour avoir droit à la galerie ou, si l'on veut, à la partie de la galerie attenante à son logis, le demandeur n'avait pas besoin de le stipuler expressément dans l'acte de vente. L'accessoire suit toujours le principal, à moins de convention contraire. » (*St-Germain* c. *Laganière*, (1929) 46 B.R. 565, 570 (juge Tellier)).

paiement figure l'attribution de droits dans certains biens (429 C.c.Q.), ce qui comprend un éventuel usufruit.

L'usufruit est susceptible d'adopter plusieurs formes. Le constituant peut retenir la nue-propriété et céder l'usufruit (*per translationem*); il peut retenir l'usufruit et céder la nue-propriété (*per deductionem*); et il peut céder la nue-propriété à une personne et céder l'usufruit à une autre.

Modalités – Un usufruit peut être établi pour un terme (*supra* : section 1.1). Il peut aussi être successif et conjoint. Un usufruit est successif lorsque plusieurs personnes jouissent l'une après l'autre du bien objet d'usufruit. Ainsi, il y a usufruit successif si Julie lègue la nue-propriété de sa maison à Jean et l'usufruit à Pierre et au décès de ce dernier à Louise. L'usufruit est conjoint lorsque plusieurs personnes jouissent ensemble et concurremment du bien objet d'usufruit. Marc lègue l'usufruit de sa maison à Denise et à Luc et la nue-propriété à André. Les deux usufruitiers conjoints détiennent une quote-part du droit.

1.3 Droits et obligations de l'usufruitier

Le Code civil prévoit un régime juridique détaillé pour l'usufruit. En principe, ce régime est supplétif, il demeure donc possible d'y déroger. Il faut cependant se garder, lors de la rédaction d'un acte constituant un usufruit, de porter atteinte à des éléments essentiels du démembrement. Sinon, il pourrait être impossible d'appliquer le régime de l'usufruit à un cas d'espèce.

L'usufruit se caractérise et se distingue d'autres institutions apparentées par l'étendue des pouvoirs de contrôle et d'administration conférés à l'usufruitier sur le bien objet de son droit[17]. Les droits et les obligations qui lui sont reconnus révèlent qu'il gère le bien à son propre avantage. En règle générale, le nu-propriétaire n'intervient pas dans cette gestion.

1.3.1 Droits

Les droits dont bénéficie l'usufruitier sont relativement étendus puisqu'il use et jouit du bien « comme le propriétaire lui-même », à charge toutefois d'en conserver la substance (1120 C.c.Q.).

---

17. « [...] il faut pour qu'il y ait usufruit, que l'usufruitier ait l'administration des biens soumis à l'usufruit. » (*Guaranty Trust Company of New York* c. *R.*, *supra*, note 12, p. 199 (juge Taschereau)).

Possession du bien – L'étendue des droits et des obligations de l'usufruitier exige que lui soit confiée la possession matérielle du bien sur lequel porte le démembrement[18]. À l'ouverture de l'usufruit, une fois respectées les obligations auxquelles la loi l'assujettit, l'usufruitier peut exiger la délivrance du bien (1143 *a contrario* C.c.Q.). Tant que dure le démembrement, cette possession bénéficie, à l'instar de tout autre droit réel, de la protection de la loi contre les troubles qui pourraient l'affliger (929 C.c.Q.).

Usage du bien – L'usufruitier a l'usage du bien sur lequel porte l'usufruit et qu'il a en sa possession (1124 C.c.Q.). Il peut se servir de ce bien pour lui-même, par exemple, en habitant une maison, en conduisant une automobile ou en lisant un livre. Lors de l'ouverture de son droit, l'usufruitier prend le bien dans son état (1124 C.c.Q.). L'inventaire le protège de poursuites pour défaut d'entretien dans le cas où le bien serait en mauvais état.

Dans l'usage qu'il fait du bien, l'usufruitier respecte la destination fixée par le propriétaire antérieurement à l'établissement du démembrement (1120 C.c.Q.). Il s'ensuit qu'il ne pourrait convertir une maison d'habitation en édifice commercial, ni aménager un champ voué à la culture en terrain de golf. Seul le nu-propriétaire possède la faculté de modifier la destination du bien[19]. L'obligation de conserver la substance du bien interdit même que des transformations soient apportées au bien sous forme d'impenses utiles ou d'agrément (1138 C.c.Q.). L'usufruitier qui ne veille pas à la conservation du bien peut encourir une sanction allant de l'imposition de conditions pour la continuation de l'usufruit, jusqu'à la déchéance de son droit pour abus de jouissance (1162, 4° C.c.Q.)[20].

Le droit de faire usage du bien ne permet évidemment pas à l'usufruitier d'en compromettre l'existence. Il en découle que l'usufruitier ne peut diminuer ou altérer le capital. Dans certains cas particuliers, la rigueur de cette règle est toutefois atténuée. L'usufruitier a la faculté de consommer les biens qui lui ont été transmis et qui présentent comme particularité d'être consomptibles (les denrées alimentaires, le combustible et la monnaie). Lui nier ce droit rendrait impossible l'exercice

18. « L'*usus* suppose nécessairement la possession. Étant un droit réel, un droit sur la chose, l'usufruit pourrait se concevoir difficilement, si l'usufruitier n'avait pas la possession du bien qui fait l'objet de son droit. Le *jus utendi* c'est le droit de se servir de la chose comme le véritable propriétaire ». (*Ibid.*, p. 197 (juge Taschereau)).
19. Emmanuel Dockès, « Essai sur la notion d'usufruit », (1995) 94 *Rev. trim. dr. civ.* 479, 501-507.
20. *Lefebvre* c. *Corrigan*, [1957] C.S. 290.

du démembrement à l'égard de ces biens. Cette situation singulière a été qualifiée de quasi-usufruit par la doctrine[21]. Le bien ayant été consommé le nu-propriétaire a perdu l'objet de son droit de propriété. Au terme du démembrement, l'usufruitier devra cependant lui rendre des biens semblables à ceux consommés, et ce, en pareille quantité et qualité (1127 (2) C.c.Q.).

L'usufruitier a le droit de disposer des biens qui se détériorent rapidement par l'usage (par exemple une automobile), à charge, à la fin de l'usufruit, d'en rendre la valeur au moment où il en a disposé (1128 (2) C.c.Q.). Cette règle tient compte de l'obsolescence des biens dans une société de consommation telle que la nôtre.

Jouissance du bien – L'usufruitier détient aussi la jouissance du bien (1124, 1126 C.c.Q.). Cette prérogative lui donne droit aux fruits (1126, 910 C.c.Q.) et aux revenus (1126, 910, 1130 C.c.Q.) générés par le bien.

Il faut se garder de confondre le droit d'usufruit avec le droit aux fruits ou aux revenus générés par un bien. Ainsi, dans un testament, le legs des revenus d'un capital ne confère pas un droit réel à celui qui en bénéficie, mais un simple droit de créance contre le débiteur du legs[22]. Le droit créé n'entraîne pas la constitution d'un démembrement puisque son titulaire ne se voit pas conférer le droit d'exercer le contrôle ou l'administration du bien et ne pourrait exiger d'être mis en possession[23]. En contrepartie, un tel légataire ne saurait être soumis aux obligations qui incombent à l'usufruitier.

L'usufruitier peut percevoir les *fruits* attachés au bien au début de l'usufruit. En revanche, lorsque que prend fin l'usufruit, les fruits appartiennent au nu-propriétaire. En toute équité, la loi prévoit une indemnité en faveur de l'usufruitier ou du nu-propriétaire pour les travaux ou les dépenses faits avant le début ou la fin de l'usufruit et qui ont permis la production des fruits (1129 (2) C.c.Q.).

L'usufruitier peut s'adonner à l'exploitation agricole ou sylvicole si le fonds s'y prête (1140 C.c.Q.). Il n'est pas nécessaire que l'exploitation ait commencé avant le début de l'usufruit comme l'exigeait le droit antérieur (455 C.c.B.-C.). La disposition vise à faciliter l'exploitation du bien soumis à l'usufruit. Elle contrevient à la règle qui veut que l'usu-

---

21. Emmanuel Dockès, *supra*, note 19, p. 494-501; Madeleine Cantin Cumyn, *Les droits des bénéficiaires d'un usufruit, d'une substitution et d'une fiducie*, Montréal, Wilson & Lafleur ltée, 1980, p. 49-50.
22. *Guaranty Trust Company of New York* c. *R.*, *supra*, note 12, p. 201-204 (juge Taschereau).
23. *Ibid.*, p. 199-201 (juge Taschereau).

fruitier soit tenu de respecter la destination du bien[24] (1120 C.c.Q.). Toutefois, une telle exploitation ne porte pas atteinte au capital du bien puisque l'usufruitier est tenu de ne pas épuiser le sol, ni d'entraver la reproduction de la forêt.

Les *revenus* générés par l'usufruit se comptent jour par jour (1130 et 910 (3) C.c.Q.). Ils appartiennent à l'usufruitier à partir du jour où son usufruit commence et jusqu'à ce qu'il prenne fin, quel que soit le moment où ils sont exigibles ou versés. L'usufruitier a donc droit aux intérêts accumulés, mais non encore versés. Toutefois, il est expressément prévu qu'il n'a droit aux dividendes que s'ils sont déclarés durant l'usufruit. Cette règle résulte de la nature du dividende qui ne saurait être assimilé à un revenu des actions[25].

En principe, l'usufruitier a droit aux fruits et revenus dès l'ouverture de l'usufruit. Il lui est loisible cependant d'ajourner l'ouverture du droit. Ce faisant, l'usufruitier renonce à percevoir des fruits et des revenus sans pour autant renoncer à l'usufruit[26].

Le droit aux *produits* – soit ce qui est tiré du bien sans périodicité et qui entame sa substance – n'est normalement pas reconnu à l'usufruitier. Cette restriction découle de la volonté de préserver l'intégrité du capital du bien (1120 C.c.Q.). Suivant cette règle, l'usufruitier ne peut abattre les arbres qui croissent sur le fonds soumis à l'usufruit, il peut toutefois en abattre pour les réparations, l'entretien et l'exploitation du fonds (1139 C.c.Q.). De même, il peut extraire des minéraux pour des fins de réparation ou d'entretien. Si l'extraction des minéraux faisait l'objet d'une exploitation comme source de revenus avant l'ouverture de l'usufruit, l'usufruitier peut continuer cette extraction (1141 C.c.Q.).

Pouvoirs d'administration – L'usufruit ne se conçoit pas sans que l'usufruitier ne bénéficie du pouvoir d'administrer les biens qui lui ont été transmis[27]. La description des avantages que confèrent l'usage et la

---

24. *Commentaires du ministre de la Justice*, *supra*, note 6, p. 672.
25. Madeleine Cantin Cumyn, *supra*, note 15, p. 59.
26. « Du seul fait que l'usufruitier ne perçoit pas les fruits qui lui sont dus, on ne peut déduire qu'il renonce à l'usufruit même, mais il est permis de supposer que sa volonté est d'en retarder l'exercice. » (*D'Assylva* c. *D'Assylva*, [1954] B.R. 511, 524 (juge Bissonnette)).
27. « Le droit à l'usage suppose nécessairement le droit d'administrer. En imposant des obligations à l'usufruitier, on lui reconnaît ce droit d'administrer, et l'obligation d'administrer « en bon père de famille ». Comment en effet un usufruitier peut-il être responsable vis-à-vis le nu propriétaire de la conservation de la chose, qu'il ait même l'obligation d'instituer des procédures légales, pour empêcher la prescription de certaines créances dont il a la jouissance, [...] et que cependant, il ne soit pas essentiel qu'il ait l'administration des biens. » (*Guaranty Trust Company of New York* c. *R.*, *supra*, note 12, p. 199 (juge Taschereau)).

jouissance du bien révèle déjà l'importance des pouvoirs d'administration dévolus à l'usufruitier. Il convient d'insister sur les actes juridiques qu'il sera en droit de poser, en gardant toujours à l'esprit que ces pouvoirs d'administration demeurent limités du fait que l'usufruitier est privé du droit de disposer.

Plutôt que d'exploiter lui-même le bien, l'usufruitier peut décider de le céder à bail (1135 C.c.Q.). La jouissance du bien revient alors au locataire qui se trouve dans une relation de droits personnels et non réels avec l'usufruitier (1851 C.c.Q.). En contrepartie des droits cédés, l'usufruitier touche le revenu de la location. Cette relation juridique ne dépouille pas l'usufruitier de son droit réel. L'usufruitier a aussi la faculté d'hypothéquer son droit.

Lorsque l'usufruit comprend des sommes d'argent, l'usufruitier sera incité à les faire fructifier en effectuant des placements sous forme, par exemple, d'obligations ou d'actions. Le législateur a d'ailleurs anticipé certains problèmes posés par des biens incorporels et a avancé des solutions. Il a notamment traité du *prix de la créance* venu à échéance durant l'usufruit. D'emblée, on constate qu'il s'agit là d'un capital qui appartient au nu-propriétaire. L'usufruitier a cependant le droit de toucher cette créance et de faire fructifier la somme reçue. Puisqu'il reçoit le prix de la créance, l'usufruit en donne quittance au débiteur. À la fin de l'usufruit, il est tenu de rendre compte du prix reçu au nu-propriétaire (1132 C.c.Q.). Les *gains exceptionnels* qui découlent de la propriété du bien sont aussi versés à l'usufruitier qui doit en rendre compte à la fin de l'usufruit (1131 C.c.Q.). Ces gains sont assimilés à des versements de capital, ils incluent les primes du rachat d'une valeur mobilière prévues dans les statuts d'une compagnie, les primes offertes lors d'offres publiques d'achat et les primes payées lors du remboursement d'une obligation. Par ailleurs, durant l'usufruit, le nu-propriétaire a le loisir d'*augmenter le capital*. L'usufruitier profite de cette augmentation qui a pour effet d'accroître l'assiette de son droit (1133 C.c.Q.).

Le droit d'administrer le bien confère à l'usufruitier le *droit de vote* attaché à une action ou à une autre valeur mobilière, à une part indivise, à une fraction de copropriété ou à tout autre bien[28] (1134 C.c.Q.). Il existe cependant une exception lorsque le vote a pour but de changer la substance du bien, par exemple lorsque la décision recherchée a pour objectif d'apporter une modification à la destination d'un immeuble détenu en copropriété ou de mettre fin à l'existence d'une

28. *Pierre Thibault (Canada) ltée* c. *Thibault*, (1970) 11 *C. de D.* 586, 590 (C.S.); [1970] C.A. 10.

personne morale (1134 (2) C.c.Q.). Cette réserve découle du principe général selon lequel l'usufruitier ne saurait disposer du bien, ni établir sa destination. Il revient à l'usufruitier et au nu-propriétaire de régler la répartition des droits de vote. Cette répartition est inopposable aux tiers (1134 (3) C.c.Q.), et ce, dans le but d'assurer la légalité des actes fondés sur des votes qui auraient pu être contestés[29]. Une personne morale peut par ailleurs prévoir que seul le titulaire inscrit aux registres de l'entreprise a droit de vote[30]. Dans un tel cas, pour exercer son droit de vote, l'usufruitier devrait recevoir une procuration du nu-propriétaire.

L'usufruitier peut exiger du nu-propriétaire la *cessation de tout acte qui nuit à la jouissance* (1125 C.c.Q.).

Aliénation du droit – L'usufruitier peut vendre son droit ou le donner (1135 C.c.Q.). L'usufruit cédé s'éteindra suivant les modalités s'appliquant à l'usufruit originaire[31]. L'usufruitier ne peut évidemment pas vendre, donner, hypothéquer le bien lui-même[32].

Au terme de la longue liste des droits accordés à l'usufruit, force est de conclure que le nu-propriétaire est presque entièrement dépouillé des avantages de la propriété. Il arrive même, comme on l'a vu, qu'il soit privé des produits tirés du bien.

1.3.2 Obligations

L'usufruitier est tenu de certaines obligations lors de l'ouverture de son droit, puis par la suite tout au long de la durée de son usufruit.

1.3.2.1 *À l'ouverture de l'usufruit*

La personne en faveur de qui un usufruit a été créé doit exister au jour de l'ouverture de son droit (1122 (2) C.c.Q.). Lorsque l'usufruit est successif, il va de soi que tous les usufruitiers ne sont pas tenus de respecter cette règle au même moment. L'existence du premier usufruitier est impérative lors de l'ouverture de l'usufruit. Le second usufruitier, désigné lui également par le constituant, n'a pas à exister au début de l'usufruit, son existence est cependant essentielle à l'extinction du premier usufruit.

---

29. *Commentaires du ministre de la Justice*, *supra*, note 6, p. 669.
30. *Ibid.*
31. Pierre-Basile Mignault, *supra*, note 13, p. 575-576.
32. « [...] l'usufruitier peut vendre son droit à l'usufruit, mais [...] il n'est pas en son pouvoir de vendre la chose elle-même [...] ». (*Vandandaigne* c. *Gareau*, (1894) 5 C.S. 153, 154).

Avant que commence l'usufruit, l'usufruitier doit faire un inventaire et souscrire une assurance ou fournir une sûreté. L'omission de remplir ces formalités ne constitue pas une cause de déchéance du droit[33]. Le retard injustifié prive l'usufruitier de son droit aux fruits et revenus, et ce, jusqu'à l'exécution de son obligation (1146 C.c.Q.). Un tel retard doit être dû à l'usufruitier et non à une cause qui lui est étrangère, comme la lenteur à régler une succession[34].

Inventaire – L'usufruitier doit faire l'inventaire des biens soumis à son droit. Il procède alors comme s'il était un administrateur du bien d'autrui (1142 C.c.Q.).

L'inventaire est descriptif, il comprend la désignation des immeubles, la description des meubles, la désignation des espèces en numéraire et des autres valeurs et l'énumération des documents de valeur. En outre, l'inventaire est estimatif, puisqu'il doit fournir une indication de la valeur des biens soumis à l'usufruit (1326 C.c.Q.). Les frais de l'inventaire sont assumés par l'usufruitier (1142 (2) C.c.Q.). Ce document peut prendre la forme d'un acte notarié en minute ou d'un acte fait sous seing privé en présence de deux témoins (1327 C.c.Q.). L'inventaire sera utile à la fin de l'usufruit. En effet, l'usufruitier est alors tenu de rendre le bien sur lequel porte l'usufruit et de répondre des détériorations. L'inventaire permettra d'établir l'état du bien au début de l'usufruit. Les biens désignés dans l'inventaire sont présumés en bon état lors de la confection de l'inventaire, à moins d'indication contraire (1329 C.c.Q.).

Dans certains cas, l'usufruitier peut être dispensé de faire un inventaire, soit lorsque le constituant en a lui-même fait un, lorsque l'usufruitier en a été expressément dispensé par le constituant ou lorsque l'objet de l'usufruit ne s'y prête pas, notamment si le nu-propriétaire est en possession du bien. Dans cette hypothèse, l'inventaire est alors peu utile, puisque le nu-propriétaire est gardien du bien[35]. Aucune dispense d'inventaire n'est possible lorsque l'usufruit est suc-

---

33. « [...] l'omission de faire l'inventaire des biens mobiliers ou l'état des immeubles n'est pas cause de déchéance du droit d'usufruit. » (*D'Assylva* c. *D'Assylva*, *supra*, note 26, p. 517 (juge Pratte)).
34. *Commentaires du ministre de la Justice*, *supra*, note 6, p. 675.
35. « L'obligation de dresser inventaire est imposée à l'usufruitier. Toutefois, il peut arriver que l'objet de l'usufruit ne s'y prête pas et on y astreindrait l'usufruitier inutilement. Sans en faire une règle dérogatoire, j'estime que si le nu propriétaire est en possession de la chose, objet de l'usufruit, il est, pour toutes fins pratiques, le gardien de son propre bien, puisque sa possession et son droit de propriété se confondent, de sorte que la jouissance de l'usufruitier reste étrangère à la possession de la chose. » (*D'Assylva* c. *D'Assylva*, *supra*, note 26, p. 521 (juge Bissonnette)).

cessif (1142 (1) C.c.Q.). L'obligation est rendue nécessaire afin de permettre aux usufruitiers qui se succéderont de pouvoir identifier les biens sur lesquels porte leur droit et d'attester de leur état[36].

À défaut de procéder à un inventaire, l'usufruitier ne peut forcer la délivrance du bien tant que l'inventaire n'a pas été dûment dressé (1143 C.c.Q.).

Sûretés – L'usufruitier doit souscrire une assurance-responsabilité ou fournir une autre sûreté au nu-propriétaire (1144 C.c.Q.). La sûreté peut aussi prendre la forme d'un gage (2665 C.c.Q.) ou d'un cautionnement (2333 C.c.Q.).

Le but de la garantie est d'assurer l'exécution des obligations dont l'usufruitier est tenu. Elle sert, par exemple, à garantir que le prix d'une créance qui aurait été versé à un usufruitier (1132 C.c.Q.) soit rendu au nu-propriétaire lorsque prendra fin l'usufruit. L'objectif poursuivi par cette garantie est différent de l'assurance contre les risques usuels (1148 C.c.Q.). La sûreté doit être constituée dans un délai de 60 jours de l'ouverture de l'usufruit.

Lorsque l'usufruit a été créé par un vendeur ou un donateur sous réserve d'usufruit, l'usufruitier n'est pas soumis à cette obligation. De plus, l'usufruitier peut être dispensé s'il ne peut l'exécuter ou si celui qui constitue l'usufruit le prévoit (1144 C.c.Q.). Dans le but de protéger les droits du nu-propriétaire quant au comportement de l'usufruitier à l'égard du bien objet de l'usufruit, le constituant ne devrait accorder une dispense que dans des cas tout à fait exceptionnels.

À défaut par l'usufruitier de fournir une sûreté, le nu-propriétaire peut obtenir la mise sous séquestre des biens (1145, 2305-2311 C.c.Q.; 742-750 C.p.c.). À l'égard des sommes d'argent, le séquestre agit comme administrateur du bien d'autrui chargé de la simple administration (1301-1305 C.c.Q.). L'usufruitier peut cependant demander à ce que lui soit laissé l'usage des meubles corporels[37] sous séquestre (1147 C.c.Q.).

1.3.2.2 *Pendant l'usufruit*

Conservation de la substance du bien – L'usufruitier prend le bien dans l'état où il se trouve lors de la constitution de l'usufruit (1124 C.c.Q.). Il doit conserver la substance du bien (1120 C.c.Q.).

36. *Commentaires du ministre de la Justice*, *supra*, note 6, p. 673.
37. Madeleine Cantin Cumyn, *supra*, note 15, p. 81.

Cette restriction découle du fait que l'usufruitier est privé de l'*abusus*[38]. Il ne peut pas disposer du bien en le consommant, en le détruisant ou en le dégradant[39].

Assurance – L'usufruitier doit assurer le bien contre les risques usuels (1148 C.c.Q.). Cette assurance vise à couvrir le vol et l'incendie du bien. Elle s'ajoute à l'assurance ou à la sûreté qui a pour but de garantir l'exécution des obligations de l'usufruitier (1144 C.c.Q.). Le paiement de la prime revient à l'usufruitier. Le but de cette obligation vise à sauvegarder l'intégrité du bien objet de l'usufruit.

Il y a dispense possible si la prime d'assurance est trop élevée par rapport aux risques ou si l'acte constitutif le prévoit. Lorsqu'une perte se produit, l'indemnité est versée à l'usufruitier (1149 C.c.Q.). Celui-ci doit voir à la réparation du bien. Si la perte est totale, l'usufruitier peut jouir de l'indemnité. Il y a alors subrogation réelle.

L'usufruitier et le nu-propriétaire peuvent, en outre, assurer leur droit respectif (1150 C.c.Q.).

Entretien – L'usufruitier voit à l'entretien du bien (1151 C.c.Q.). Il est logique qu'il assume une part du passif de la gestion du bien puisqu'il a le bien en sa possession et bénéficie des fruits et revenus générés. L'obligation d'entretien est une contrepartie à son droit de jouissance[40].

La loi charge l'usufruitier des *réparations d'entretien*. Pour leur part, les *réparations majeures* relèvent du nu-propriétaire. Sont majeures les réparations qui portent sur une partie importante du bien et nécessitent une dépense exceptionnelle (1152 C.c.Q.). Le Code considère notamment comme majeures les réparations suivantes apportées aux *immeubles*[41]: les réparations aux poutres et aux

38. « [...], ce qui caractérise l'usufruit c'est le démembrement du droit de propriété consistant à donner à l'un l'usage et les fruits tirés du bien et à l'autre la nue-propriété du même bien, c'est-à-dire le droit exclusif d'en disposer. L'usufruitier a l'obligation de conserver le bien. Si on confère à l'usufruitier le droit de disposer du bien comme il l'entend, on lui confère les seuls droits du nu-propriétaire. On dénature donc complètement l'usufruit. Il ne peut y avoir d'usufruit s'il n'y a pas deux détenteurs de droits différents sur une même chose. » (*Bélanger* c. *Chartrand*, C.S.M. nº 500-05-035299-971, 17 février 1998 (J.E. 98-685).
39. Robert-Joseph Pothier, *Traités sur différentes matières de droit civil, appliquées à l'usage du Barreau; et de jurisprudence françoise*, tome 4, Paris/Orléans, Jean Debure/Veuve Rouzeau-Montaut, 1774, p. 99-100.
40. « As the Court views articles 463 and 468 C.C. [1124, 1142 et 1151 C.c.Q.], the true meaning and intend of these enactments is that the usufructuary must bear the cost of repairs rendered necessary by his or her enjoyment of the property subject to usufruct. » (*Fortier* c. *Royal Trust Co.*, (1935) 73 C.S. 34, 35-36).
41. *Lehouillier* c. *Lehouillier*, [1991] R.D.I. 146, 150-151 (C.S.) (l'arrêt porte sur un droit d'habitation).

murs portants, le remplacement des couvertures, les réparations relatives aux murs de soutènement, aux systèmes de chauffage, d'électricité ou de plomberie ou aux systèmes électroniques. Pour les *meubles*, le Code mentionne les réparations aux pièces motrices ou à l'enveloppe du bien. Les exemples de réparations majeures donnés au Code sont fournis à titre indicatif, ils ne constituent pas une liste limitative, contrairement à la situation qui prévalait sous l'ancien Code (469 C.c.B.-C.). L'usufruitier peut être tenu aux grosses réparations, si elles sont rendues nécessaires à la suite d'un défaut d'entretien (1151 C.c.Q.).

L'usufruitier avise le nu-propriétaire de la nécessité d'apporter des réparations majeures au bien (1153 (1) C.c.Q.)[42]. Au cas où il manquerait à ce devoir, l'usufruitier pourrait être considéré comme mettant en danger les droits du nu-propriétaire. Même si les réparations majeures relèvent du nu-propriétaire, il ne peut être contraint de les effectuer (1153 (2) C.c.Q.). L'usufruitier peut les faire et en demander le remboursement à la fin de l'usufruit. Il est cependant possible d'écarter cette règle par convention.

Contributions – L'usufruitier est tenu d'assumer certaines *charges foncières*. Il lui revient de voir aux *charges ordinaires* grevant le bien (1154 C.c.Q.). Ces charges comprennent le paiement des taxes foncières annuelles. Il est aussi tenu des *charges extraordinaires* (1154 C.c.Q.). Ces charges doivent être payables par versements périodiques échelonnés sur plusieurs années. L'usufruitier assume les charges extraordinaires qui viennent à échéance durant l'usufruit, même si elles furent imposées avant l'ouverture de l'usufruit[43]. L'obligation faite à l'usufruitier de couvrir les charges est le corollaire de son droit aux revenus.

L'usufruitier contribue parfois aux *dettes d'une succession* qui frappent le bien sujet à usufruit. L'usufruitier à titre particulier n'est tenu à aucune contribution. S'il est forcé de payer une dette pour conserver son droit, il peut exiger un remboursement (1155 C.c.Q.). Par ailleurs, l'usufruitier à titre universel et le nu-propriétaire sont obligés au paiement des dettes de la succession en proportion de leur part dans celle-ci. L'usufruitier est tenu des intérêts et le nu-propriétaire du capital (1156 C.c.Q.).

L'usufruitier assume les *frais de procès* se rapportant à son droit d'usufruit (1158 C.c.Q.). Si l'action concerne à la fois les droits du

---

42. *Ibid.*, p. 148.
43. *Commentaires du ministre de la Justice*, *supra*, note 6, p. 679.

nu-propriétaire et ceux de l'usufruitier, les frais se partagent suivant l'article 1156 du Code.

Usurpation – L'usufruitier doit dénoncer au nu-propriétaire toute usurpation commise par un tiers sur le bien ou toute autre atteinte aux droits du nu-propriétaire (1159 C.c.Q.). Cette obligation se justifie aisément puisque l'usufruitier a la possession du bien. En l'absence de dénonciation, l'usufruitier engage sa responsabilité si le nu-propriétaire subit un préjudice.

Perte du bien – Le bien vétuste n'a pas a être remplacé par l'usufruitier ou par le nu-propriétaire (1160 (1) C.c.Q.). De même l'usufruitier n'a pas à remplacer le bien qui périt par force majeure s'il était dispensé de l'assurer (1160 (2) C.c.Q.).

Les obligations qui incombent à l'usufruitier s'avèrent parfois lourdes et il peut éprouver des difficultés à les remplir. Il lui est alors possible d'exiger la conversion de son usufruit en rente (1171 C.c.Q.).

1.4 Droits et obligations du nu-propriétaire

Le nu-propriétaire, dépouillé de l'*usus* et du *fructus*, conserve tout de même l'*abusus* et l'*accessio*. Ses pouvoirs demeurent étendus même si dans ses rapports avec le bien grevé d'usufruit son rôle passe à l'arrière-scène pour la durée du démembrement.

Droits – Les prérogatives conservées par le nu-propriétaire lui permettent de disposer du bien objet de l'usufruit, sans que cela compromette l'existence du démembrement (1125 (2) C.c.Q.)[44]. La vente d'un immeuble grevé d'un usufruit viager ne porte pas atteinte au démembrement qui prendra fin au décès de l'usufruitier. Il va de soi que le prix de vente du bien sera amputé d'une partie de sa valeur afin de tenir compte de la privation temporaire des droits d'usage et de jouissance. Le produit de l'aliénation est remis à l'usufruitier qui en est comptable (1133 (2) C.c.Q.).

Même si ses pouvoirs sont mis en sourdine, le nu-propriétaire est en droit d'exercer une surveillance du bien grevé d'usufruit de manière à intervenir s'il advenait que l'usufruitier manque à ses obligations en laissant se dégrader le bien (1151 C.c.Q.), en modifiant sa destination (1120 C.c.Q.), en entamant le capital, en compromettant en somme ses droits présents et futurs par des actes matériels ou juridiques. Insatis-

---

44. *Labelle* c. *Villeneuve*, (1884) 28 Lower Canada Jurist 254 (C. cir.).

fait du comportement de l'usufruitier, le nu-propriétaire est en droit de prendre les mesures nécessaires pour faire cesser tout abus de sa part (1168 C.c.Q.). Il possède aussi le droit d'intenter une action afin de revendiquer son bien à l'encontre d'un possesseur ou de s'opposer à tout empiétement (953 C.c.Q.).

La limite imposée aux prérogatives de l'usufruitier fixe les contours du domaine du nu-propriétaire. En principe, tout ce qui est susceptible de porter atteinte à l'intégrité du bien lui est réservé. La règle se justifie par le droit du propriétaire de récupérer le bien substantiellement dans le même état que lors de la constitution du démembrement. Le nu-propriétaire a seul droit aux produits, encore que l'usufruitier puisse continuer les exploitations déjà en cours ou même en entreprendre de nouvelles qui n'épuiseraient pas le bien (1139-1141 C.c.Q.). Le pouvoir de changer la destination du bien ou d'y apporter une plus-value lui est réservé.

Obligations – Le nu-propriétaire a l'obligation de se garder d'entraver l'usufruitier dans l'exercice de ses droits (1124 C.c.). Par ailleurs, il serait peu équitable de lui faire assumer de lourdes obligations alors qu'il ne bénéficie pas des fruits et des revenus générés par le bien. Le législateur lui fait tout de même supporter une part des dettes successorales ainsi que les grosses réparations (1152 C.c.Q.).

1.5 Extinction

Droit temporaire pas essence, l'usufruit s'éteint de multiples façons. Sa durée ne saurait excéder 100 ans, même dans le cas où un usufruit successif a été constitué (1123 C.c.Q.).

1.5.1 Causes d'extinction

Arrivée du terme – L'acte constitutif d'un usufruit prévoit parfois qu'il durera un nombre d'années déterminé, dix ans par exemple. L'arrivée du terme marque la fin du démembrement (1162, 1° C.c.Q.).

Le Code prévoit que dans le cas où il est mentionné qu'un usufruit dure jusqu'à ce qu'un tiers ait atteint un âge déterminé, cet usufruit se prolonge jusqu'à cette date, même si ce tiers meurt avant cet âge (1165 C.c.Q.). Par exemple, en 1990, Jeanne lègue l'usufruit de sa maison à son conjoint André jusqu'à ce que son fils Charles, alors âgé de 3 ans, ait atteint la majorité. Même si Charles meurt immédiatement, André aura droit de conserver l'usufruit de la maison jusqu'en 2005 date à laquelle Charles aurait atteint la majorité.

En l'absence de terme, l'usufruit créé en faveur d'une personne physique est viager; s'il est constitué au bénéfice d'une personne morale, il est trentenaire (1123 (2) C.c.Q.).

Décès de l'usufruitier et dissolution de la personne morale – Dans l'acte qui crée un usufruit, il peut être prévu qu'il prendra fin au décès de l'usufruitier.

En principe, l'usufruit n'est jamais transmissible aux héritiers (1123 (2) et 1162, 2° C.c.Q.). Toutefois, ceci n'empêche pas la création d'un usufruit conjoint et successif (*supra*: section 1.2). Un tel usufruit prend fin avec le décès du dernier usufruitier (1166 C.c.Q.). S'agissant d'un usufruit conjoint, l'extinction à l'égard de l'un des usufruitiers profite au nu-propriétaire et non pas aux autres usufruitiers (1166 C.c.Q.). Le jeu de l'accession juridique explique cette solution.

La dissolution de la personne morale (355-356 C.c.Q.) a le même effet que le décès de la personne physique; elle met donc fin à l'usufruit (1162, 2° C.c.Q.).

Réunion – La réunion des qualités d'usufruitier et de nu-propriétaire a pour effet de rassembler toutes les prérogatives de la propriété sous la gouverne d'une même personne, donc de mettre fin au démembrement (1162, 3° C.c.Q.). Lorsque se produit la consolidation, les droits des tiers sont toutefois sauvegardés.

Abandon de l'usufruit – L'usufruitier – à titre de titulaire d'un droit réel – possède la faculté d'abandonner en tout ou en partie son droit. L'abandon libère l'usufruitier de ses obligations (1162, 4° et 1169 C.c.Q.). L'usufruit déclaré incessible peut tout de même être abandonné, puisqu'une renonciation n'est pas assimilable à une cession ou à une donation du droit[45].

L'abandon total doit donner lieu à une signification au nu-propriétaire pour lui être opposable. À défaut d'entente entre les parties quant à un abandon partiel, le tribunal pourra fixer les obligations futures de l'usufruitier (1169-1170 C.c.Q.).

Non-usage pendant 10 ans – Le non-usage de l'usufruit pendant une période de 10 ans suffit à faire perdre son droit à l'usufruitier (1162, 5° C.c.Q.). Le nu-propriétaire reprend alors les attributs de la propriété passés à l'usufruitier pour la durée du démembrement.

---

45. « Le renonçant a bien perdu son droit, mais il ne l'a pas cédé; la renonciation est bien un acte équipollent à un acte d'aliénation, mais ce n'en est pas un; cet acte a bien pour résultat d'éteindre le droit, mais ce n'était pas là son objet. » (*Galipeau* c. *Plante*, (1930) 33 R.L.n.s. 228, 239 (C.S.)).

Déchéance du droit – L'usufruitier peut se voir déchu de son droit lorsqu'il commet des abus de jouissance ou des dégradations sur le bien, le laisse dépérir ou met en danger les droits du nu-propriétaire (1162, 4° et 1168 C.c.Q). Il n'est pas nécessaire que l'usufruitier agisse alors avec une intention frauduleuse[46].

Le tribunal, suivant la gravité des circonstances, peut prononcer l'extinction absolue de l'usufruit, avec ou sans indemnité payable au nu-propriétaire, prononcer la déchéance en faveur d'un usufruitier conjoint ou successif ou imposer des conditions pour la continuation de l'usufruit (1168 (2) C.c.Q.). Les créanciers, qui par la déchéance du droit d'usufruit risqueraient de perdre un actif, peuvent intervenir pour la conservation de leurs droits afin que ne soit pas prononcée cette sanction (1168 (3) C.c.Q.).

Perte totale du bien – Une perte qui entraîne la disparition totale de l'objet du droit demeure un phénomène rare. Les auteurs assimilent à cette situation un état qui rend impossible l'usage du bien[47]. La perte attestée, l'usufruit s'éteint puisqu'il n'a plus d'objet sur lequel il puisse porter (1163 (1) C.c.Q.). Le démembrement perdure cependant si le bien est assuré (1148 C.c.Q.), puisque l'usufruitier jouit alors de l'indemnité accordée (1149 C.c.Q.). L'usufruit subsiste aussi dans le cas d'une perte partielle du bien, car il reste alors un objet sur lequel l'usufruitier puisse faire valoir son droit (1163 (2) C.c.Q.). L'expropriation n'équivaut pas à une perte totale du bien (1164 C.c.Q.). L'indemnité accordée (952 C.c.Q.) est remise à l'usufruitier qui doit en rendre compte à la fin de l'usufruit.

Conversion en rente – L'usufruitier éprouvant de sérieuses difficultés à respecter ses obligations a la faculté d'exiger la conversion de son droit en rente (1162, 4°, 1171, 2371-2376 C.c.Q.). Les modalités applicables à la rente tiendront notamment compte de l'étendue du droit, de sa durée et de l'importance des fruits et des revenus tirés du bien[48].

1.5.2 Effets sur les parties

La fin de l'usufruit produit des effets sur l'usufruitier et sur le nu-propriétaire.

---

46. « Il y lieu à déchéance si l'usufruitier, même sans intention frauduleuse, manque à son obligation au point de compromettre les biens soumis à l'usufruit. » (*Lefebvre* c. *Corrigan*, *supra*, note 20, p. 291).
47. Madeleine Cantin Cumyn, *supra*, note 15, p. 117.
48. La rente ne sera donc pas nécessairement viagère contrairement à ce que précisent les *Commentaires du ministre de la Justice*, *supra*, note 6, p. 686.

1.5.2.1 *Obligations de l'usufruitier*

Remise du bien – À la fin de l'usufruit, l'usufruitier rend au propriétaire le bien grevé, dans l'état où il se trouve (1167 C.c.Q.). Lorsqu'il est détérioré ou même a péri par sa faute, l'usufruitier est responsable.

La règle qui gouverne la restitution est susceptible de quelques exceptions. Les *biens consomptibles par le premier usage* (quasi-usufruit) ne peuvent être remis. La loi prévoit que l'usufruitier doit rendre des biens semblables à ceux consommés, en pareille quantité ou qualité (1127 C.c.Q.). Les *biens qui ont péri par vétusté* n'ont pas à être remplacés (1160 (1) C.c.Q.). Finalement, l'usufruitier n'est pas tenu de remplacer ou de payer la valeur des *biens qui ont péri par force majeure* s'il a été dispensé de les assurer (1160 (2) C.c.Q.). En principe, la réparation ou la reconstruction est couverte par l'assurance (1148 C.c.Q.).

Rendre compte – L'usufruitier doit éventuellement rendre compte. Cette obligation est nécessaire dans les cas où il y a lieu de faire la répartition des revenus de la dernière année entre l'usufruitier et le nu-propriétaire (1130 C.c.Q.). De même, l'usufruitier est comptable des sommes d'argent reçues durant l'usufruit tels les gains exceptionnels découlant de la propriété du bien (1131 C.c.Q.), la créance venue à échéance durant l'usufruit (1132 (2) C.c.Q.) et l'indemnité pour expropriation (1164 C.c.Q.). Il doit aussi répondre des détériorations causées par sa faute (1167 (2) C.c.Q.).

Règlement d'impenses – Il est possible qu'il y ait lieu à un règlement des impenses entre l'usufruitier et le nu-propriétaire lorsque des améliorations ont été apportées au bien durant l'usufruit.

Même s'il n'est tenu qu'aux réparations d'entretien du bien en usufruit, l'usufruitier peut décider, afin de le maintenir en état, de procéder aux grosses réparations. Celles-ci constituent alors des *impenses nécessaires* qui doivent être remboursées à l'usufruitier (1153 (2) C.c.Q.). Elles le sont suivant les règles applicables à de telles impenses faites par un possesseur de bonne foi (1137 et 958 C.c.Q.).

Les *impenses utiles* – ces améliorations non indispensables qui contribuent à augmenter la valeur de l'immeuble – sont étrangères à l'usufruit[49] (1138 C.c.Q.). L'usufruitier n'a pas de droits sur ce qui s'unit et s'incorpore artificiellement à l'immeuble par voie d'acces-

49. François Frenette, « De la propriété superficiaire, de l'usufruit, de l'usage et de l'emphytéose », dans Barreau du Québec et Chambre des notaires (dir.), *La réforme du Code civil*, Québec, P.U.L., 1993, p. 687.

sion (1124 (2) C.c.Q. *a contrario*). Il ne saurait donc prétendre à un droit de propriété sur ces améliorations. Des solutions sont offertes par le Code pour régler le sort de ces impenses. Elles peuvent être conservées par le nu-propriétaire sans verser d'indemnité à l'usufruitier. Celui-ci peut cependant choisir de les enlever et de remettre le bien en état. Par ailleurs, le nu-propriétaire ne peut contraindre l'usufruitier à les enlever.

Les *impenses d'agrément* sont interdites à l'usufruitier. Le règlement de ces impenses est assujetti à l'article 962 du Code qui règle le sort des impenses d'agrément faites par un possesseur de mauvaise foi[50]. Le propriétaire a le choix soit de contraindre l'usufruitier à les enlever et à remettre les lieux dans leur état antérieur; soit, si la remise en état est impossible, de les conserver sans indemnité ou de contraindre l'usufruitier à les enlever.

1.5.2.2 *Droits du nu-propriétaire*

À la fin de l'usufruit, le nu-propriétaire a droit à la remise de son bien (1167 C.c.Q.). Grâce à l'accession juridique demeurée sous sa gouverne, il réunit dans sa personne l'ensemble des attributs du droit de propriété.

2. L'USAGE

L'usage est un usufruit restreint. Il permet de se servir d'un bien et de bénéficier des fruits et des revenus qu'il génère à la mesure des besoins de l'usager. Le régime juridique de l'usufruit s'applique à ce démembrement, à titre supplétif (1176 C.c.Q.).

2.1 Notion

Définition – Le Code définit l'usage comme « [...] le droit de se servir temporairement du bien d'autrui et d'en percevoir les fruits et les revenus, jusqu'à concurrence des besoins de l'usager et des personnes qui habitent avec lui ou sont à sa charge » (1172 C.c.Q.). Les besoins ne sont pas limités à ceux de la famille de l'usager. Ils sont susceptibles de s'étendre aux besoins de personnes avec lesquelles l'usager n'a pas nécessairement de liens de parenté.

---

50. *Ibid.*

Nature juridique – L'usage est un droit réel et un démembrement de la propriété (1119 C.c.Q.). Ce droit est temporaire. Créé ordinairement pour une période de temps déterminée, il peut aussi être consenti sans terme.

Objet – L'usage est susceptible de porter sur un bien corporel ou incorporel, meuble ou immeuble. À l'instar de l'usufruit, il peut être restreint à un bien déterminé ou, au contraire, comprendre un ensemble de biens. Les droits de l'usager s'étendent aux accessoires du bien. Ainsi, l'usage d'une maison comprend les avantages qui en découlent. Un usager est donc justifié de s'opposer au déménagement de la maison sur laquelle porte son droit au motif que la situation du bâtiment serait modifiée et qu'il ne bénéficierait pas de la même facilité d'accès à l'immeuble ni de la même orientation qu'auparavant[51].

2.2 Constitution et extinction

Les modes de constitution et d'extinction de l'usage sont les mêmes que pour l'usufruit. Si l'usage est habituellement créé en faveur d'une personne physique, rien n'interdit qu'il le soit au bénéfice d'une personne morale[52]. Il est vraisemblable qu'actuellement le jugement soit devenu le mode le plus fréquent de constitution d'un droit d'usage. En effet, dans le contexte d'une séparation de corps, d'une dissolution ou d'une nullité de mariage, le tribunal peut attribuer un droit d'usage sur la résidence familiale à l'époux auquel il accorde la garde d'un enfant (410 (2) C.c.Q.)[53].

Contrairement à l'usufruit, l'usage ne peut être converti en rente advenant que l'usager éprouve de sérieuses difficultés à respecter ses obligations. Cette prérogative est cependant reconnue à l'usager lorsque son droit est cessible et saisissable (1176 (2) C.c.Q.).

2.3 Droits et obligations

À l'ouverture de l'usage – L'usager est tenu, à l'instar de l'usufruitier, de faire un inventaire et de fournir une sûreté. Lorsqu'un tribunal attribue à un époux un droit d'usage sur la résidence familiale, l'usager est alors dispensé de telles obligations à moins qu'il n'en soit décidé autrement (410 (3) C.c.Q.).

---

51. *Entreprises Jean M. Saurette Inc.* c. *Martin*, [1974] C.A. 518, 519 (juge Bélanger).
52. *Frères Maristes (Iberville)* c. *Gestion N. Cammisano*, [1993] R.D.I. 187, 192 (C.S.).
53. *Droit de la famille – 579*, [1989] R.J.Q. 51, 54-56 (C.A.) (juge Bisson); *Droit de la famille – 2295*, [1995] R.D.F. 770 (C.S.). Sur l'application possible de cette disposition dans le cas d'une union de fait, voir : Dominique Goubau, « Le Code civil du Québec et les concubins : un mariage discret », (1995) 74 *R. du B. Can.* 474, 481-482.

Pendant l'usage – Les droits de l'usager s'apparentent étroitement à ceux de l'usufruitier. Il peut poser des actes matériels sur l'objet de son droit. Il bénéficie de l'usage du bien (*usus*) et peut percevoir les fruits et les revenus (*fructus*). Il n'a cependant pas droit à l'ensemble des fruits et revenus, mais uniquement à ceux nécessaires pour répondre à ses besoins et aux besoins des personnes qui habitent avec lui ou qui sont à sa charge (1172 C.c.Q.). Lorsque le droit d'usage porte sur une partie seulement d'un bien, l'usager se voit reconnaître le droit de se servir des installations destinées à l'usage commun (1174 C.c.Q.). Ainsi, une personne qui possède un droit d'usage qui lui permet d'habiter en exclusivité certaines pièces d'une résidence peut utiliser l'ascenseur dont est doté l'immeuble[54].

L'usager est restreint dans ses actes juridiques. En principe, l'usage est incessible et insaisissable (1173 C.c.Q.). Aussi, l'usager ne peut donc pas aliéner son droit, ni le grever d'un droit réel, ni le louer à moins qu'un tel droit lui soit accordé par convention ou au moyen d'une clause comprise dans l'acte qui constitue l'usage[55]. En l'absence d'une telle dérogation, le tribunal possède le droit d'intervenir dans l'intérêt de l'usager.

L'usager est tenu de conserver la substance du bien (1120 C.c.Q.). Il lui revient d'assumer les frais et les charges en tout ou en partie (1175 C.c.Q.). L'usager qui retire tous les fruits et revenus du bien ou qui utilise le bien en totalité est tenu pour le tout aux frais et charges. En revanche, s'il ne retire qu'une partie des fruits et des revenus ou n'utilise qu'une partie du bien, il contribue en proportion[56].

À la fin de l'usage – Lorsque l'usage prend fin, l'usager doit rendre le bien au propriétaire et, s'il y a lieu, procéder à une reddition de compte.

Bibliographie

CANTIN CUMYN, Madeleine. « De l'usufruit, de l'usage et de l'habitation », dans *Répertoire de droit – Biens – Doctrine*, document 3, 1984.

CANTIN CUMYN, Madeleine. *Les droits des bénéficiaires d'un usufruit, d'une substitution et d'une fiducie*. Montréal, Wilson & Lafleur ltée, 1980.

---

54. *Talbot* c. *Gilbert*, [1996] R.D.I. 545, 547-548 (C.S.).
55. *Goulet* c. *Gagnon*, (1882) 8 Q.L.R. 208 (C. de rév.).
56. *Vendetti Posluns* c. *Vendetti*, [1993] R.D.I. 432, 434-435 (C.S.).

DOCKÈS, Emmanuel. « Essai sur la notion d'usufruit », (1995) 94 *Rev. trim. dr. civ.* 479-507.

FIORINA, Dominique. « L'usufruit d'un portefeuille de valeurs mobilières », (1995) 94 *Rev. trim. dr. civ.* 43-67.

FRENETTE, François. « De la propriété superficiaire, de l'usufruit, de l'usage et de l'emphytéose », dans Barreau du Québec et Chambre des notaires, *La réforme du Code civil*, Québec, P.U.L., 1993, p. 669-709.

FRENETTE, François. « Les démembrements du droit de propriété : traits saillants d'une réforme », [1988] 3 *C.P. du N.* 215.

PROUDHON, Jean-Baptiste Victor. *Traité des droits d'usufruit, d'usage personnel, et d'habitation*. Dijon, vol. Lagier, 1836-48. 8 vol.

CHAPITRE 8

L'EMPHYTÉOSE

L'emphytéose tire sa source des droits grec et romain[1]. En droit coutumier, elle entrait dans la catégorie des baux à long terme qui conféraient une maîtrise réelle à leur titulaire en créant des propriétés simultanées sur un même objet. Le propriétaire du fonds cédé se réservait la propriété directe de l'immeuble et transmettait la propriété utile à l'emphytéote[2]. Sous l'impulsion du droit civil moderne, l'emphytéose a connu une profonde transformation qui l'a reléguée au rang des démembrements de la propriété.

Les rédacteurs du Code civil français ne la mentionnent pas au nombre des démembrements. Dès lors, plusieurs auteurs concluent à sa disparition[3]. Fidèle au droit coutumier, le *Code civil du Bas-Canada* intègre l'emphytéose. L'institution bénéficie d'un certain crédit, mais elle est souvent perçue comme une curiosité du passé, un vestige révélateur de l'Ancien droit.

Durant une longue période, l'emphytéose a été utilisée dans les régions rurales pour la mise en valeur de terres vouées à l'agriculture ou à l'exploitation forestière[4]. Plus récemment, des propriétaires de terrains de grande valeur situés dans des zones urbaines en ont fait un instrument de développement immobilier[5]. Elle sert surtout à des propriétaires de fonds de terre qui ne souhaitent pas ou ne possèdent pas l'expertise pour les mettre en valeur et les confient à des entrepreneurs

---

1. Paul Ourliac et Jehan de Malafosse, *Histoire du droit privé*, tome 2, *Les biens*, 2e éd., Paris, P.U.F., 1971, p. 374-376; Anne-Marie Patault, *Introduction historique au droit des biens*, Paris, P.U.F., 1989, p. 75.
2. Jean Domat, *Les loix civiles dans leur ordre naturel: le droit public, et legum delectus*, tome 1, Paris, Nyon, 1777, p. 105.
3. Paul Ourliac et Jehan de Malafosse, *supra*, note 1, p. 248-249.
4. Pierre-Basile Mignault, *Le droit civil canadien basé sur les « Répétitions écrites sur le Code civil »*, tome 3, Montréal, C. Théoret, 1897, p. 181.
5. Wilbrod Gauthier, « L'avenir du bail emphytéotique », (1975) 35 *R. du B.* 602, 603.

qui, quant à eux, n'ont pas à consacrer d'importantes sommes pour l'acquisition du terrain. Les deux parties y trouvent leur compte[6]. Malgré ses attraits, l'institution demeure complexe et la propriété superficiaire, beaucoup plus souple, lui est souvent préférée.

1. NOTION

Définition – L'emphytéose est définie au Code comme « [...] le droit qui permet à une personne, pendant un certain temps, d'utiliser pleinement un immeuble appartenant à autrui et d'en tirer tous ses avantages, à la condition de ne pas en compromettre l'existence et à charge d'y faire des constructions, ouvrages ou plantations qui augmentent sa valeur d'une façon durable » (1195 (1) C.c.Q.).

Droit réel – L'emphytéose est un droit réel[7] (*jus in re*) immobilier. Elle constitue le démembrement de la propriété le plus étendu que l'on puisse imaginer, puisqu'il transmet à son titulaire à peu près tous les attributs du droit de propriété (1119, 1200 C.c.Q.).

L'emphytéote se voit attribuer le droit d'user et le droit de jouir de l'immeuble. Il possède donc le droit de se servir du bien et de retenir l'ensemble des fruits et des revenus qu'il génère. Il bénéficie, de plus, d'un droit de disposer limité, ce qui lui permet d'aliéner, de transporter et d'hypothéquer l'immeuble durant le temps que dure le démembrement (1200 C.c.Q.). La seule limite au droit de disposer demeure l'interdiction qui lui est faite de compromettre l'existence de l'immeuble (1195 C.c.Q.). Cette restriction est compatible avec l'obligation à laquelle est tenu l'emphytéote d'améliorer l'immeuble[8]. Il bénéficie, en outre, de l'accession matérielle[9], ce qui lui permet de faire siens les constructions, ouvrages ou les plantations qu'il réalise, à la condition que ces améliorations ne se confondent pas au fonds et soient dissociables physiquement et juridiquement de celui-ci[10].

---

6. Robert-P. Godin, « L'emphytéose : son avenir », (1975) 35 *R. du N.* 614, 614-615.
7. L'emphytéose ne peut donc pas résulter d'un contrat de louage, contrairement à ce qu'affirme Denys-Claude Lamontagne : *La publicité foncière*, 2e éd., Cowansville, Les Éditions Yvon Blais Inc., 1996, p. 128-129.
8. François Frenette, « De l'emphytéose », dans *Répertoire de droit – Biens – Doctrine*, document 1, 1986, p. 40-41.
9. François Frenette, *De l'emphytéose*, Montréal, Wilson & Lafleur ltée/Sorej, 1983, p. 158, 177-207.
10. *Ibid.*, p. 197.

L'emphytéote est propriétaire superficiaire[11] de ces améliorations puisque le propriétaire lui a *cédé le droit d'accession* pour la durée du démembrement (1200 (1), 1110 C.c.Q.).

En contrepartie des avantages accordés à l'emphytéote, le propriétaire conserve des droits fort réduits sur l'immeuble. Cependant, il détient l'accession juridique, cette prérogative qui accorde à son titulaire la faculté de rassembler, sous son emprise, les attributs cédés pour la durée du démembrement[12]. Le propriétaire, au terme de l'emphytéose, a, en effet, la faculté de reprendre en son pouvoir le droit d'user, le droit de jouir, le droit de disposer et le droit d'accession matérielle.

Objet – L'emphytéose est un droit immobilier. Il porte nécessairement sur un immeuble corporel, au sens des articles 900 et 901 du Code. La configuration de l'immeuble transmis varie suivant les cas. Il peut s'agir d'un fonds de terre dépourvu de constructions, d'ouvrages ou de plantations. L'objet peut aussi être restreint à la superficie[13], au tréfonds ou à certaines constructions seulement, laissant ainsi place à un voisinage à la verticale[14]. Les améliorations, qui durant l'emphytéose s'ajouteront à cet objet originaire, prendront, elles aussi, la qualification d'immeubles.

2. MODES DE CONSTITUTION

Les modes de constitution de l'emphytéose sont le contrat et le testament (1195 (2) C.c.Q.). À cette brève liste, il faut vraisemblablement ajouter la prescription (2910 C.c.Q.), quoique le Code n'y fasse pas référence. À l'instar des autres droits réels, l'emphytéose devrait, en effet, s'acquérir à la suite d'une possession décennale. Ce mode d'acquisition ne viserait pas tant à sanctionner une possession sans titre, qu'à pallier les carences d'un titre vicié[15].

---

11. *Ibid.*, p. 198-207.
12. François Frenette, *supra*, note 9, p. 210-211.
13. *Canadien Pacifique ltée* c. *Browns*, [1979] C.S. 1159, 1160.
14. John B. Claxton donne l'exemple de Place Ville-Marie à Montréal où le Canadien National, propriétaire du terrain, a conservé le sous-sol et cédé la superficie en emphytéose à la Corporation Place Ville-Marie afin qu'elle y construise un gratte-ciel (« Superficie : problèmes, solutions et précautions », (1975) 35 *R. du B.* 626-629).
15. François Frenette, « De la propriété superficiaire, de l'usufruit, de l'usage et de l'emphytéose », dans Barreau du Québec et Chambre des notaires, *La réforme du Code civil*, Québec, P.U.L., 1993, p. 700.

Depuis longtemps les tribunaux appelés à se prononcer sur la légalité de contrats d'emphytéose les ont interprétés strictement. Les motifs des décisions soulignent souvent le caractère singulier de l'institution, en précisant que son existence ne se présume pas[16] ou que la convention qui la crée constitue un « contrat d'exception »[17]. La rigueur des décisions des tribunaux des dernières décennies a semé l'incertitude et fait craindre pour l'avenir de l'institution[18]. Des changements apportés à la loi depuis les années 1980 ont introduit plus de souplesse dans l'interprétation des conventions et exigent une lecture critique de cette jurisprudence par trop stricte.

3. ÉLÉMENTS CONSTITUTIFS

Des éléments sont essentiels pour constituer une emphytéose. Le titulaire du démembrement doit pouvoir utiliser pleinement l'immeuble objet de son droit, pour une durée déterminée, et il doit y apporter des améliorations (1195 C.c.Q.).

La jurisprudence a longtemps estimé que l'absence d'un des éléments essentiels de l'emphytéose entraînait le rejet de la qualification souhaitée et surtout assujettissait l'acte défectueux aux règles du bail de location[19]. Ce courant jurisprudentiel a été critiqué par la doctrine qui a proposé que, suivant la nature des droits transmis, la qualification de droit réel de jouissance innommé (*infra* : chapitre 10) conviendrait mieux à certaines situations[20].

3.1 Droit d'utiliser pleinement un immeuble

L'emphytéote a un droit direct sur l'immeuble tenu en emphytéose. Il peut, précise le Code, utiliser pleinement cet immeuble, qui pourtant appartient à autrui, et en tirer tous les avantages qu'il offre (1195 C.c.Q.). Son droit est fort étendu puisqu'il a, à l'égard de l'immeuble, tous les

---

16. *Fraser* c. *The Rivière du Loup Pulp Co. Ltd.*, (1922) 32 B.R. 540, 564-565 (juge Rivard).
17. *Cournor Mining Co. Ltd.* c. *Perron Gold Mines Ltd.*, [1952] R.L. 149, 155 (C.S.); *Ville de Montréal* c. *82155 Canada Ltd.*, [1981] R.P. 3, 7 (C.S.).
18. Wilbrod Gauthier, *supra*, note 5, p. 607-609.
19. « [...], la jurisprudence enseigne que le contrat d'emphytéose est un contrat d'exception, qu'il doit être interprété comme un bail ordinaire en cas de doute [...] ». (*Ville de Montréal* c. *82155 Canada Ltd.*, *supra*, note 17, p. 7); voir aussi : *Fraser* c. *The Rivière du Loup Pulp Co. Ltd.*, *supra*, note 16, p. 564-565 (juge Rivard); *Hefra Patentverwertungs* c. *Mr. Montreal Inc.*, [1981] C.S. 208, 210.
20. François Frenette, « De l'emphytéose au louage ordinaire par la voie mal éclairée du doute », (1977) 18 *C. de D.* 557, 564-565.

droits attachés à la qualité de propriétaire (1200 C.c.Q.). Durant le temps que la propriété est démembrée, l'emphytéote peut compter sur « toute l'utilité de l'immeuble »[21]. La presque totalité des attributs de la propriété lui sont transférés (*supra*, section : 1). En toute logique avec la finalité du démembrement, l'emphytéote ne peut détériorer l'immeuble puisque, s'il le faisait, il priverait le propriétaire des améliorations qu'il est en droit de recevoir à l'extinction du démembrement. Malgré son étendue, l'opération n'a pourtant pas pour effet de générer un droit de propriété complet et temporaire[22], elle crée plutôt un démembrement étendu de la propriété[23].

En principe, l'emphytéote peut invoquer les droits prévus aux articles 947 à 953 du Code. Il demeure libre de démembrer son droit en y conférant, par exemple, des servitudes au bénéfice des fonds voisins. À l'instar du propriétaire, il peut se porter à la défense de son droit en intentant toutes les actions requises contre ceux qui troublent sa jouissance (912, 929 C.c.Q.). L'emphytéose, qui constitue un actif du patrimoine de l'emphytéote, répond éventuellement de ses créances (1199 C.c.Q). En cas de vente en justice, l'adjudicataire prend la place de l'emphytéote et est tenu de ses obligations à l'égard du propriétaire, notamment du paiement du prix, s'il y en a un[24]. Les droits conférés par l'emphytéote à des tiers ne doivent pas causer de préjudices aux droits du propriétaire. Aussi, prennent-ils fin à l'extinction de l'emphytéose (1209 C.c.Q.).

3.2 Durée déterminée

Même si elle s'inscrit dans la longue durée, il est de l'essence de l'emphytéose d'être temporaire, elle ne saurait prétendre à la perpétuité (1197 C.c.Q.). Sa durée minimale est de 10 ans et sa durée maximale de

---

21. Pierre-Basile Mignault, *supra*, note 4, p. 194.
22. Pour une présentation de cette théorie : Norbert Sporns, « The Mutability of Emphyteusis », (1980-1981) 83 *R. du N.* 3, 37-39.
23. *Racine* c. *Ville de Québec*, [1989] R.J.Q. 1112, 1115-1116 (C.A.) (juge Mailhot). Les *Commentaires du ministre de la Justice* insistent sur cet élément : « Celui-ci [l'emphytéote] n'acquiert pas un droit de propriété temporaire, mais un démembrement du droit de propriété [...] ». (Québec, Publications du Québec, 1993, p. 701).
24. *137578 Canada Inc.* c. *Sun Life Assurance Co. of Canada*, [1998] R.D.I. 95, 100-102 (C.S.); le tribunal s'est notamment fondé sur le jugé suivant de l'affaire *Hénault* c. *Gervais* : « Les droits du preneur emphytéotique peuvent être saisis et décrétés à la poursuite des créanciers du preneur. Dans ce cas le décret n'affecte aucunement les droits du bailleur emphytéotique, seulement l'adjudicataire et ses représentants sont substitués aux lieu et place du preneur, et tenus de payer le canon emphytéotique de la même manière que l'était le preneur aux termes du Bail emphytéotique. » (1906) 12 *R. de J.* 229 (C.S.).

100 ans. Contrairement au bail de location d'un immeuble (1878 C.c.Q.), la reconduction de l'acte constitutif de l'emphytéose n'est jamais tacite; le contrat prend nécessairement fin dès la centième année. Parvenue à son terme, l'emphytéose peut cependant être renouvelée. Le contrat doit, en principe, donner lieu à de nouvelles constructions ou plantations ou à de nouveaux ouvrages.

L'inclusion dans un acte d'une clause qui prévoit la résiliation du contrat d'emphytéose sur simple avis de l'une des parties contrevient à la règle sur la durée de l'emphytéose puisque le recours à la clause peut être invoqué à l'intérieur des premiers dix ans et a pour effet de provoquer l'extinction du démembrement et d'en réduire ainsi la durée[25].

3.3 Nécessité de faire des améliorations

L'obligation d'apporter des améliorations à l'immeuble (1195 C.c.Q.) constitue une condition incontournable de l'emphytéose depuis la codification du droit privé québécois en 1866[26]. Cet engagement présente un caractère obligatoire et non simplement facultatif[27]. Le propriétaire accepte le démembrement de son droit de propriété, et ce, pour une période souvent longue, dans la perspective de bénéficier de l'enrichissement que lui procureront les améliorations réalisées sur son immeuble. En cas d'absence d'engagement à apporter des améliorations à l'immeuble, force est de conclure que le contrat contrevient à l'une des conditions nécessaires à la création de l'emphytéose.

L'acte qui crée l'emphytéose décrit les améliorations que l'emphytéote s'engage à apporter à l'immeuble[28] et en précise la valeur. Ces améliorations prennent la forme de constructions, d'ouvrages ou de plantations. Les travaux prévus exigent souvent l'édification de nouveaux bâtiments ou de nouvelles structures. Ils incluent aussi la transformation d'un bâtiment existant[29], comme la conversion d'un entrepôt en immeuble d'habitation.

Les améliorations exigées présentent un caractère particulier en ce qu'elles « augmentent la valeur du bien d'une façon durable »[30]. Elles ne se limitent pas à maintenir la valeur du bien, elles lui accordent

25. *Larue* c. *Château Frontenac Co.*, (1911) 41 C.S. 193, 200; *N° 229* c. *Ministre du Revenu national*, (1955) 9 D.T.C. 63, 67-68 (Cour d'appel de l'impôt).
26. *Cossit* c. *Lemieux*, (1881) 25 L.C.J. 317, 323 (C.S.).
27. *Cournor Mining Co. Ltd.* c. *Perron Gold Mines Ltd.*, *supra*, note 17, p. 154.
28. *Lapointe* c. *Crevier*, (1907) 13 *R. de J.* 71, 76 (C.S.).
29. *Commentaires du ministre de la Justice*, *supra*, note 23, p. 701.
30. *Ibid.*

nécessairement une plus-value. L'obligation d'effectuer les réparations d'un immeuble ne respecterait pas cette exigence[31]. De plus, les améliorations acquièrent un caractère permanent et possèdent une espérance de vie supérieure à la durée de l'emphytéose.

Modalités applicables – Diverses modalités gouvernent habituellement l'obligation d'apporter des améliorations à un immeuble. Un délai maximum pour la réalisation des améliorations peut être mentionné dans l'acte constitutif[32] (1200 C.c.Q.). De plus, il est usuel de prévoir un calendrier pour la réalisation des améliorations. Comme l'emphytéose s'échelonne souvent sur une longue période de temps, il vaut mieux prévoir une certaine flexibilité dans le calendrier afin de tenir compte d'une conjoncture économique défavorable qui rendrait difficile, sinon impossible, la réalisation de certaines améliorations à une date précise. Le Code prévoit qu'à la fin de l'emphytéose l'immeuble est remis au propriétaire avec les améliorations qui y ont été apportées (1210 C.c.Q.).

En cas de non-respect de l'obligation de faire des améliorations, une clause résolutoire (pacte commissoire[33]) est habituellement prévue au contrat afin de mettre fin à l'emphytéose avant terme. Malgré l'article 1742 du Code, une telle clause peut valoir plus de cinq ans, puisque la création d'une emphytéose n'entraîne pas la vente d'un immeuble, mais plutôt la constitution d'un démembrement.

4. DROITS ET OBLIGATIONS RELIÉS À L'EMPHYTÉOSE

Durant l'emphytéose, le propriétaire se voit attribuer un rôle fort discret, l'avant-scène est presque entièrement laissée à l'emphytéote.

4.1 L'emphytéote

L'importance des prérogatives détenues par l'emphytéote explique l'ampleur de ses droits et de ses obligations.

---

31. « Les obligations d'améliorer et de réparer sont tout à fait distinctes, n'ont pas la même signification et ne peuvent être confondues. » (*Larue* c. *Château Frontenac Co.*, *supra*, note 25, p. 200).
32. *Weissbourd* c. *The Protestant School Board of Greater Montreal*, [1984] C.A. 218, 245 (juge Nolan).
33. Le pacte commissoire est une convention par laquelle un contrat est résolu si l'un ou l'autre des contractants ne satisfait pas à ses engagements (1605 C.c.Q.).

4.1.1 Droits

La loi prévoit que l'emphytéote jouit de tous les droits attachés à la qualité de propriétaire (1200 C.c.Q.). L'acte constitutif veille à préserver ses pouvoirs en évitant d'entraver la liberté de l'emphytéote.

Libre utilisation des lieux – Au premier titre, l'emphytéote se fait accorder la libre utilisation des lieux (1195 C.c.Q.). Contrairement à l'usufruitier, l'emphytéote conserve sa liberté quant à la destination de l'immeuble. L'affectation initiale fixée par le propriétaire ne le lie pas. Ainsi, il conserve la faculté de s'adonner à des activités commerciales ou industrielles sur un immeuble voué jusque-là à une vocation résidentielle. En outre, l'emphytéote demeure libre, comme le serait le propriétaire lui-même, de modifier à son gré la destination de l'immeuble. Il va de soi que ce changement ne devrait pas porter atteinte aux améliorations exigées par la convention. Ainsi, l'emphytéote qui s'engage à aménager un terrain de golf sur l'immeuble cédé et qui, par la suite, lotit l'ensemble du terrain afin d'y aménager un développement résidentiel contrevient à son engagement et compromet l'existence de l'immeuble.

Restrictions – Les rédacteurs de conventions d'emphytéose prévoient fréquemment des restrictions à la liberté d'action des parties afin, le plus souvent, de protéger les droits du propriétaire et de faciliter le financement de l'opération. Ces limitations ont été remises en question au motif qu'elles entravaient, à l'excès, les droits de l'emphytéote. Au cours des années 1980, la Cour d'appel rendait un arrêt qui déclarait excessives ces limitations[34]. Le législateur intervint aussitôt à l'encontre de cette interprétation restrictive de l'emphytéose[35].

Malgré la liberté dont jouit l'emphytéote, *certaines restrictions sont susceptibles de marquer l'exercice des droits des parties* (1200 (2) C.c.Q.). L'acte constitutif aménage souvent l'exercice des droits afin d'accorder des droits et des garanties particulières pour protéger la valeur de l'immeuble, assurer sa conservation, son rendement ou son utilité, préserver les droits des parties et régler l'exécution des obligations prévues dans l'acte constitutif. Des clauses, apparentées aux exemples suivants, sont susceptibles d'apparaître dans les actes créant une emphytéose :

- L'obligation faite à l'emphytéote d'assurer l'immeuble contre les risques usuels permet au propriétaire de préserver l'enrichissement qu'il est en droit d'attendre.

34. *Weissbourd* c. *The Protestant School Board of Greater Montreal*, *supra*, note 32, p. 218 (juge Nolan).
35. *Loi modifiant le Code de procédure civile et d'autres dispositions législatives*, L.Q. 1984, c. 26, art. 29 (devenu l'article 569.1 C.c.B.-C., puis l'article 1200 (2) C.c.Q.).

- Une clause résolutoire (pacte commissoire) autorise le propriétaire à mettre fin au démembrement au cas du non-respect de ses obligations par l'emphytéote[36]. Une telle stipulation n'atteint pas l'emphytéose dans sa durée puisque le propriétaire n'a pas le loisir de l'invoquer quand bon lui semble (*supra*, section 3.2). Le but de la clause demeure la sanction de l'emphytéote en défaut.
- Le propriétaire se réserve souvent un pouvoir général d'inspection et de contrôle de manière à évaluer l'avancement des travaux, leur qualité et le comportement de l'emphytéote. L'expertise particulière de l'emphytéote explique que le propriétaire l'oblige à effectuer lui-même certaines améliorations avant de lui permettre de se départir de ses droits dans l'immeuble.

Si l'exercice des droits des parties connaît à l'occasion des brimades que le législateur estime légitimes, *les prérogatives transmises à l'emphytéote ne sauraient être diminuées sans risquer de compromettre l'existence même du démembrement* (1200 (1) C.c.Q.). L'emphytéote détient nécessairement l'ensemble des pouvoirs qui découlent des attributs attachés à la propriété. Le propriétaire qui retiendrait un des attributs de la propriété empêcherait la constitution du démembrement. L'emphytéote possède nécessairement la faculté de céder ses droits, sans l'obligation de requérir au préalable le consentement du propriétaire[37]. À tort, des tribunaux ont considéré compatibles avec l'emphytéose des clauses prescrivant le concours du propriétaire avant une aliénation[38]. L'emphytéote détient nécessairement le droit d'hypothéquer son droit, c'est-à-dire d'affecter l'immeuble en garantie d'un prêt[39]. L'affectation de l'immeuble relève de lui seul[40]. Durant l'emphytéose, il demeure libre d'ajouter des améliorations autres que celles prévues par l'acte constitutif[41]. Une clause ne pourrait permettre au propriétaire de résilier le contrat, selon son bon vouloir, moyennant un simple avis[42].

---

36. *Fraser* c. *The Rivière-du-Loup Pulp Co. Ltd.*, *supra*, note 16, p. 557 (juge Flynn), 559 (juge Bernier); *N° 229* c. *Ministre du Revenu national*, *supra*, note 25, p. 67-68.
37. *D'Amours* c. *Sirois*, (1935) 41 *R. de J.* 224, 233-234 (C.S.); *Ville de Montréal* c. *82155 Canada Ltd.*, *supra*, note 17, p. 9-10.
38. *Procureur général du Québec* c. *Les constructions M.I.S. Inc.*, [1989] R.D.I. 525, 528 (C.S.).
39. « Ne permettant pas au preneur d'hypothéquer l'immeuble baillé, le bailleur l'empêche de jouir de tous les droits attachés à la qualité de propriétaire de l'article 569 C.C. [devenu 1200 C.c.Q.], dérogeant ainsi au principe de base de l'emphytéose comportant aliénation ». (*Hefra Patentverwertungs* c. *Mr. Montreal Inc.*, *supra*, note 19, p. 210).
40. *Ville de Montréal* c. *82155 Canada Ltd.*, *supra*, note 17, p. 10.
41. *Ibid.*
42. *N° 229* c. *Ministre du Revenu national*, *supra*, note 25, p. 67-68.

Abandon – L'emphytéote a la faculté d'abandonner l'immeuble et de se décharger par le fait même des obligations inhérentes au démembrement (1211 C.c.Q.) (*infra*, section 6.1).

4.1.2 Obligations

La première obligation à laquelle est tenu l'emphytéote demeure la nécessité d'apporter à l'immeuble les améliorations décrites à la convention (*supra*, section 3.3).

État des immeubles – L'emphytéote dresse, à ses frais, un état des immeubles (1201 C.c.Q.). Il n'y a pas de règles particulières à adopter quant à la forme et au contenu du document. Le propriétaire est appelé à participer à son établissement. L'état servira notamment à établir si les améliorations ont été faites comme prévu. La précision de l'état risque de s'avérer particulièrement utile lorsque l'emphytéote est tenu de transformer un bâtiment existant. L'état est d'autant plus pertinent que l'emphytéose s'étend habituellement sur une très longue période. L'emphytéote peut tout de même être dispensé de cette obligation par le propriétaire.

Entretien – Durant le temps que dure le démembrement, l'emphytéote, contrairement à l'usufruitier (1151-1152 C.c.Q.), est chargé de toutes les réparations, petites et grosses (1203 C.c.Q.). L'obligation porte sur les immeubles existant lors de l'ouverture de l'emphytéose, ainsi que sur les constructions, ouvrages ou plantations qu'il est tenu de réaliser suivant le contrat. Malgré l'étendue de ses droits l'emphytéote ne peut donc pas dégrader l'immeuble[43]. Le propriétaire se réserve souvent un pouvoir général d'inspection et de contrôle sur les améliorations de manière à surveiller le respect de l'obligation (1200 (2) C.c.Q.). L'emphytéote ne serait pas obligé de reconstruire les bâtiments en état de délabrement lors de la mise en possession des biens[44]. Il n'est pas davantage astreint à l'entretien des constructions, ouvrages ou plantations qu'il a faits sans y être tenu[45].

En cas du non-respect de l'obligation d'entretien, le propriétaire pourra requérir du tribunal une sanction en se fondant sur les dégradations commises sur l'immeuble ou le dépérissement de celui-ci. Selon la gravité des circonstances, le tribunal pourrait résilier le droit de l'emphytéote, l'obliger à fournir une sûreté ou imposer toutes autres obligations ou conditions (1204 C.c.Q.).

---

43. *Hefra Patentverwertungs* c. *Mr. Montreal Inc.*, *supra*, note 19, p. 209.
44. Pierre-Basile Mignault, *supra*, note 4, p. 218.
45. *Commentaires du ministre de la Justice*, *supra*, note 23, p. 706.

Charges foncières – L'emphytéote acquitte toutes les charges foncières de l'immeuble, soit les taxes foncières et les autres cotisations semblables (1205 C.c.Q.). Cette obligation ne s'étend toutefois pas aux hypothèques qu'il n'a pas lui-même constituées.

Prix – Avant la révision du Code civil, le versement par l'emphytéote d'une redevance annuelle au propriétaire constituait une condition essentielle à la création de l'emphytéose (567 C.c.B-C.)[46]. Souvent modique, le montant se voulait une reconnaissance du domaine supérieur du propriétaire[47] ou une contrepartie à la cession de l'emphytéose[48]. Jugé formaliste et vieillot, cet élément n'a plus à figurer obligatoirement à l'acte constitutif[49].

Les parties à une convention demeurent libres d'établir une redevance annuelle (1207 C.c.Q.). Lorsqu'elles prévoient un prix, les parties arrêtent les diverses modalités de paiement. Le prix est payable globalement ou par versements. Le montant peut être variable suivant les années. Ainsi, il pourrait s'élever graduellement ou être indexé suivant une formule établie de manière à contrer les effets de l'inflation[50]. La perte partielle de l'immeuble n'entraîne pas une diminution du prix (1202 C.c.Q.). L'absence de prix ne transforme pas la convention en acte à titre gratuit. Les nombreux avantages conférés à l'emphytéote durant le démembrement et l'obligation d'apporter des améliorations au bénéfice du propriétaire en font clairement un acte à titre onéreux (1381 C.c.Q.)[51].

Le non-versement du montant durant trois années peut amener la résiliation de l'acte (1207 (1) C.c.Q.). Par ailleurs, les arrérages pour le non-paiement du prix au propriétaire s'éteignent par trois ans (2925 C.c.Q.)[52].

4.2 Le propriétaire

Le propriétaire, durant le démembrement, jouit d'un *abusus* limité par les droits déjà consentis à l'emphytéote. Il conserve cependant le droit

---

46. *N° 229* c. *Ministre du Revenu national*, *supra*, note 25, p. 67.
47. François Langelier, *Cours de droit civil de la province de Québec*, tome 2, Montréal, Wilson & Lafleur ltée, 1906, p. 320-321.
48. François Frenette, « L'affaire Weissbourd : une interprétation des intentions du législateur qui suscite sa réaction », (1984-1985) 87 *R. du N.* 580, 585.
49. *Commentaires du ministre de la Justice*, *supra*, note 23, p. 700-701.
50. *Weissbourd* c. *The Protestant School Board of Greater Montreal*, *supra*, note 32, p. 243 (juge Nolan).
51. Michel Poirier, « La convention d'emphytéose peut-elle être à titre gratuit ? » (1998) 58 *R. du B.* 401-405.
52. *Gagné* c. *Gagné*, [1997] R.D.I. 657, 660-661 (C.Q.). L'article 2250 du *Code civil du Bas-Canada* prévoyait un délai de prescription de cinq ans.

d'aliéner l'immeuble. Il continue de bénéficier de l'accession matérielle sur les immeubles déjà existants au moment de la naissance du droit puisqu'il serait impossible de départager les nouvelles améliorations par rapport aux anciennes. Il garde sous son emprise l'accession juridique qui lui permettra, à la fin du démembrement, de reprendre les prérogatives cédées à l'emphytéote.

À l'égard de l'emphytéote, le propriétaire est tenu des mêmes obligations que le vendeur vis-à-vis de l'acheteur (1206 C.c.Q.). Il doit délivrer le bien, garantir le droit de propriété ainsi que la qualité de l'immeuble (1716-1733 C.c.Q.). La présence de contaminant ou de polluant dans le sol constituerait un élément atteignant la qualité du bien en rendant éventuellement impossible ou difficile les aménagements prévus à la convention. Lors de la constitution de l'emphytéose, le propriétaire se réserve habituellement un pouvoir général d'inspection de l'immeuble afin de veiller à la protection de ses droits (1200 (2) C.c.Q.).

5. COPROPRIÉTÉ ET COEMPHYTÉOSE

Une situation particulière s'est présentée et a soulevé la controverse, soit l'éventualité de soumettre un immeuble tenu en emphytéose aux règles de la copropriété divise. La Cour supérieure a conclu qu'il y avait « incompatibilité fondamentale entre les deux modes de tenure »[53]. L'assujettissement de la modalité de la propriété – la copropriété divise – à la limite temporelle inhérente au démembrement – l'emphytéose – constituait un obstacle insurmontable à l'entreprise. Devant l'impact provoqué par le jugement, le législateur est finalement intervenu pour reconnaître la compatibilité des institutions[54].

Le Code distingue deux situations suivant la personne en faveur de qui joue la règle de l'accession. Lorsque les constructions, ouvrages ou plantations sont faits par l'emphytéote, celui-ci en devient propriétaire superficiaire puisque l'accession lui a été cédée et joue en sa faveur (1200 (1), 1110 C.c.Q.) (*supra*, section 1). Il lui est alors possible de constituer une copropriété divise sur un tel immeuble, à la condition que la durée non écoulée de l'emphytéose soit supérieure à 50 ans (1040 (1) C.c.Q.). La modalité de la propriété que constitue la copropriété prendra fin lors de l'extinction de l'emphytéose et le retour de l'accession matérielle entre les mains du propriétaire. Même si la situa-

---

53. *Roy* c. *Société immobilière du Cours Le Royer*, [1987] R.D.I. 392, 395 (C.S.).
54. *Loi modifiant le Code civil en matière de copropriété et d'emphytéose*, L.Q. 1988, c. 16.

tion paraît étonnante, elle demeure compatible avec le caractère souvent temporaire d'une modalité de la propriété[55].

Par ailleurs, l'emphytéote peut transformer un immeuble existant lors de l'ouverture du démembrement (1196 C.c.Q.). Dans cette hypothèse, l'emphytéote ne jouit pas de l'accession matérielle sur cet immeuble puisqu'il s'avère impossible de distinguer les éléments qui existaient déjà de ce qui a été ajouté à l'immeuble par la suite. Le législateur permet tout de même qu'un tel immeuble puisse faire l'objet d'une déclaration de coemphytéose, à la condition de respecter la durée non écoulée de l'emphytéose.

Le renouvellement de l'emphytéose portant sur un immeuble assujetti à une déclaration de copropriété ou à une déclaration de coemphytéose a lieu sans que l'emphytéote ne soit obligé d'apporter des améliorations entièrement nouvelles à l'immeuble. La loi se satisfait d'impenses utiles sur l'immeuble existant, soit des impenses qui contribuent à améliorer la valeur de l'immeuble de manière objective (1198 C.c.Q.).

Afin de faciliter la réunion des droits du propriétaire et de l'emphytéote, la loi prévoit que le syndicat d'une copropriété ou d'une coemphytéose puisse acquérir, par préférence à tout autre acquéreur éventuel, les droits du propriétaire de l'immeuble faisant l'objet d'une emphytéose (1082 C.c.Q.). L'opération met fin au démembrement.

6. EXTINCTION DE L'EMPHYTÉOSE

L'emphytéose malgré sa longue durée prend nécessairement fin un jour, ramenant sous la maîtrise du propriétaire, l'ensemble des prérogatives de la propriété.

6.1 Causes d'extinction

Arrivée du terme – L'emphytéose prend fin à l'arrivée du terme, tel que fixé dans l'acte constitutif (1208, 1° C.c.Q.). Le démembrement ne peut cependant pas dépasser 100 ans (1197 C.c.Q.), même si son renouvellement demeure possible.

---

55. Dans un commentaire sur cette situation, John E.C. Brierley ne semble pas établir de distinction entre un droit de propriété temporaire et une modalité temporaire du droit de propriété : « Regards sur le droit des biens dans le nouveau Code civil du Québec », [1995] *Revue internationale de droit comparé* 33, 38.

Perte ou expropriation totale de l'immeuble – La perte ou l'expropriation de l'objet de l'emphytéose (1208, 2° C.c.Q.) met fin à l'emphytéose. Si la perte n'est que partielle, elle n'entraîne pas la fin de l'emphytéose puisqu'il demeure encore un objet sur lequel elle puisse porter (1202 C.c.Q.).

Résiliation de l'acte – Le tribunal a le pouvoir de prononcer la résiliation de l'acte constitutif d'une emphytéose (1208, 3° C.c.Q.). L'intervention vise à protéger les droits du propriétaire lorsque l'emphytéote laisse l'immeuble se dégrader ou dépérir en négligeant d'effectuer des réparations nécessaires ou en posant des actes susceptibles de diminuer la valeur de l'immeuble. La cour possède aussi le pouvoir d'intervenir si l'emphytéote met autrement en danger les droits du propriétaire en négligeant, par exemple, d'assurer l'immeuble alors qu'il y est tenu. Les créanciers peuvent intervenir à la demande en résiliation pour assurer la conservation de leurs droits (1204 C.c.Q.).

La résiliation de l'acte est encore possible si l'emphytéote laisse s'écouler trois années sans payer le prix convenu. La règle connaît une exception puisque la sanction ne peut être réclamée lorsque l'immeuble a fait l'objet d'une déclaration de copropriété ou d'une déclaration de coemphytéose (1207 C.c.Q.). Le législateur a voulu éviter qu'à la suite d'un recours, la division de l'obligation entre les coemphytéotes ou les copropriétaires provoque une extinction partielle de l'emphytéose, soit à l'égard des seuls débiteurs en défaut[56].

La résiliation peut être faite à l'amiable dans les cas de sanction prévue à la convention pour le non-respect des obligations de l'emphytéote. Lorsqu'il est ainsi mis fin au démembrement, les droits des tiers – qu'il s'agisse de titulaires de droits personnels ou réels – subsistent (1209 C.c.Q.).

Réunion – Quand le propriétaire acquiert les droits de l'emphytéote ou vice-versa, les attributs de la propriété sont à nouveau réunis dans la même personne, ce qui entraîne l'extinction du démembrement (1208, 4° C.c.Q.). La réunion laisse subsister les droits des tiers (1209 C.c.Q.).

Non-usage durant dix ans – Le non-usage du droit d'emphytéose pendant une période de dix ans révèle un manque d'intérêt du titulaire du droit. La loi sanctionne ce comportement en mettant fin à l'emphytéose (1208, 5° C.c.Q.).

---

56. *Commentaires du ministre de la Justice*, *supra*, note 23, p. 708.

Abandon – L'emphytéote – titulaire d'un droit réel – a la faculté d'abandonner l'immeuble tenu en emphytéose (1208, 6° C.c.Q.). Par ce geste, l'emphytéote cherche à s'affranchir de charges réelles qu'il estime lourdes, notamment de l'obligation d'entreprendre les améliorations auxquelles il s'est engagé en vertu de l'acte constitutif.

Lorsqu'il procède à l'abandon de son droit, l'emphytéote est requis de respecter certaines conditions. La loi exige qu'il ait satisfait pour le passé à toutes les obligations prévues par l'acte constitutif. Selon cette exigence, les améliorations prescrites à la convention devront avoir été réalisées. Toutefois, si un calendrier prévoyait un échelonnement des travaux, il sera suffisant que l'emphytéote ait satisfait, jusque-là, à son engagement. En cas de défaut du paiement du prix convenu, il est tenu de verser les arrérages. De plus, l'immeuble revient à son propriétaire libre de toutes charges (1211 C.c.Q.). L'emphytéote a donc, en principe, l'obligation de racheter les droits réels ou personnels qui grèvent l'immeuble.

Le créancier, susceptible de subir un préjudice à la suite de l'abandon, peut intenter l'action en inopposabilité (1631 C.c.Q.). Rien n'empêche l'emphytéote de renoncer à l'avance à la faculté d'abandon dans l'acte constitutif (1211 C.c.Q.).

6.2 Effets de l'extinction

L'extinction de l'emphytéose permet au propriétaire – depuis toujours titulaire de l'accession juridique – de récupérer les attributs de la propriété (droit d'user, droit de jouir, droit de disposer et droit d'accession matérielle) qui pour un temps étaient passés à l'emphytéote. Le propriétaire reprend l'immeuble libre de tous les droits et de toutes les charges qui le grevaient (1209 C.c.Q.). Il y a remise au propriétaire de l'immeuble en bon état, ainsi que des améliorations qui y ont été apportées conformément à l'acte constitutif d'emphytéose (1210 (1) C.c.Q.).

L'emphytéote n'est pas tenu de remettre les immeubles qui ont péri par l'effet d'une force majeure. Une fois les améliorations réalisées, il est, en effet, libéré de son engagement[57]. Les assurances contre les risques usuels, souvent obligatoires, permettent de couvrir les pertes encourues (1200 (2) C.c.Q.).

Les pouvoirs transmis à l'emphytéote lui permettent d'apporter des améliorations autres que celles prévues à la convention. Le sort de ces améliorations faites volontairement donne lieu à un règlement

57. Pierre-Basile Mignault, *supra*, note 4, p. 217.

entre l'emphytéote et le propriétaire (1210 (2) C.c.Q.). La loi les considère comme des impenses faites par un possesseur de bonne foi. Suivant leur nature, ces améliorations sont assimilées à des impenses utiles ou d'agrément. S'il s'agit de la première hypothèse, le propriétaire a alors le choix de les rembourser à l'emphytéote ou de lui verser une indemnité égale à la plus-value apportée à l'immeuble (959 C.c.Q.). Si, par ailleurs, ces améliorations appartiennent à la catégorie des impenses d'agrément (961 C.c.Q.), le propriétaire a le choix de permettre à l'emphytéote de les enlever à ses frais, si elles peuvent l'être sans détérioration, ou de le forcer à les abandonner. L'abandon se fait alors moyennant compensation. Le propriétaire paie le moindre du coût ou de la plus-value accordée à l'immeuble. La situation se distingue de celle de l'usufruitier qui lui, ne jouissant pas de l'accession matérielle à l'égard des impenses, est assimilé à un possesseur de mauvaise foi.

À la fin de l'emphytéose, il y a extinction de tous les droits consentis par l'emphytéote qui affectent l'immeuble (bail, hypothèque, servitude, usufruit, aliénation, etc.). La situation résulte de la nature du titre de l'emphytéote et de la précarité qui en découle.

Bibliographie

CLAXTON, John B. « Emphyteusis : A Suggested Fresh Approach (Weissbourd and Nuns' Island Revisited », (1989) 31 *R. du B.* 345-373.

FRENETTE, François. « L'affaire Weissbourd : une interprétation des intentions du législateur qui suscite sa réaction », (1984-1985) 87 *R. du N.* 580-588.

FRENETTE, François. « De la propriété superficiaire, de l'usufruit, de l'usage et de l'emphytéose », dans Barreau du Québec et Chambre des notaires, *La réforme du Code civil*, Québec, P.U.L., 1993, p. 669-709.

FRENETTE, François. *De l'emphytéose.* Montréal, Wilson & Lafleur ltée/Sorej, 1983. xviii, 270 p.

FRENETTE, François. « De l'emphytéose », dans *Répertoire de droit – Biens – Doctrine*, document 1, 1986.

FRENETTE, François. « De l'emphytéose au louage ordinaire par la voie mal éclairée du doute », (1977) 18 *C. de D.* 557-565.

FRENETTE, François. « Des améliorations à l'immeuble d'autrui », [1980] *C.P. du N.* 1.

GAUTHIER, Wilbrod. « L'avenir du bail emphytéotique », (1975) 35 *R. du B.* 602-613.

GODIN, Robert-P. « L'emphytéose : son avenir », (1975) 35 *R. du N.* 614-620.

LAMONTAGNE, Denys-Claude. *La publicité foncière.* 2e éd. Cowansville, Les Éditions Yvon Blais Inc., 1996. xiv, 389 p.

POIRIER, Michel. « La convention d'emphytéose peut-elle être à titre gratuit ? » (1998) 58 *R. du B.* 401-405.

RAPPAPORT, N.L. « Emphyteutic Lease », (1963) 23 *R. du B.* 265-275.

SPORNS, Norbert. « The Mutability of Emphyteusis », (1980-1981) 83 *R. du N.* 3-69.

CHAPITRE 9

LES SERVITUDES

Contrairement aux démembrements déjà présentés, la servitude profite non pas à une personne mais à un fonds (1177 C.c.Q.). Elle vise à faciliter l'exploitation de la propriété immobilière en permettant de tirer profit des immeubles voisins.

L'existence de la servitude remonte à une haute antiquité, puisqu'on atteste sa présence à Rome dès les débuts de la ville[1]. Elle confère un droit réel sur l'immeuble d'autrui, sans pour autant porter atteinte au caractère exclusif de la propriété. Le propriétaire accepte de transférer un avantage limité offert par son fonds, au bénéfice d'un autre fonds. Une telle conception demeure étrangère au droit coutumier français de l'époque médiévale qui perçoit le rapport aux biens sous l'angle des maîtrises juxtaposées. Le partage des utilités d'un bien est inconcevable suivant une hiérarchie des droits qui subordonne tout à une idée de propriété absolue. La servitude, empruntée au droit romain, finit par s'insérer dans le droit coutumier au fur et à mesure que le rapport aux biens se transforme pour dégager, non sans hésitation et résistance, l'idée de propriété exclusive.

1. NOTION

Définition – La servitude est « [...] une charge imposée sur un immeuble, le fonds servant, en faveur d'un autre immeuble, le fonds dominant, et qui appartient à un propriétaire différent » (1177 C.c.Q.).

Droit réel – La servitude est un droit réel immobilier. Elle constitue également un démembrement de la propriété (1119 C.c.Q.). La constitution

1. Paul Ourliac et Jehan de Malafosse, *Histoire du droit privé*, tome 2, *Les biens*, 2e éd., Paris, P.U.F., 1971, p. 378-379.

d'une servitude sur le fonds servant a pour effet d'en diminuer l'utilité pour son titulaire[2]. En revanche, elle bénéficie au fonds en faveur de qui elle a été créée.

But – Le but premier de la servitude est de faciliter la mise en valeur d'un immeuble, et ce, pour diverses raisons. Par exemple, une servitude peut empêcher le propriétaire d'un fonds d'y construire des bâtiments excédant une hauteur donnée de façon à ce que le propriétaire d'un fonds voisin bénéficie d'une vue imprenable sur le paysage environnant. De même, un droit de passage peut être accordé sur un fonds au bénéfice d'un fonds voisin afin de permettre au propriétaire de celui-ci d'accéder à une voie publique.

2. ÉLÉMENTS CONSTITUTIFS

La servitude répond à des éléments essentiels[3]. Elle constitue une charge qui grève un immeuble au profit d'un autre immeuble. La relation entre les deux immeubles exige qu'ils soient voisins et qu'ils appartiennent à des propriétaires différents.

2.1 Une charge grevant un immeuble au profit d'un autre immeuble

Charge – La servitude établit une charge qui grève un immeuble en faveur d'un autre immeuble (1177 C.c.Q.). Elle crée un rapport de droit entre deux immeubles pour l'utilité de l'un d'entre eux. L'*avantage* offert facilite l'exploitation de l'immeuble ou contribue à son agrément en constituant, par exemple, une servitude de vue ou de non-construction[4]. Cette utilité présente éventuellement un intérêt économique puisqu'elle est susceptible de contribuer à la « valorisation de la destination du fonds »[5]. Elle confère à l'immeuble une plus-value dont l'importance est cependant fort variable suivant les situations.

Le fonds servant rend le service, tandis que le fonds dominant en bénéficie. Ce qui est une charge pour un immeuble constitue un avan-

---

2. « Ce démembrement peut être plus ou moins douloureux, onéreux ou gênant, mais toujours, pendant qu'il existe et qu'il dure, il rend la propriété incomplète ». (*Forget* c. *Gohier*, [1945] B.R. 437, 444 (juge Marchand)).
3. Jean-Guy Cardinal, « Un cas singulier de servitude réelle », (1954-1955) 57 *R. du N.* 478, 485; *Girard* c. *Ménard*, [1995] R.D.I. 24, 27-28 (C.A.) (juge Rousseau-Houle).
4. Henri, Léon et Jean Mazeaud, *Leçons de droit civil*, tome II, 2e vol. 6e éd., par François Gianviti, Paris, Éditions Montchrestien, 1984, p. 379.
5. *Autopoint Inc.* c. *Collin*, [1996] R.D.I. 160, 162 (C.A.) (juge Baudouin).

tage pour un autre. Ainsi, le propriétaire qui accorde un passage sur son fonds au profit d'un fonds voisin limite son droit d'utiliser une partie de son lot à d'autres fins que le service offert, alors que le fonds dominant acquiert cet avantage. Le rapport créé entre deux immeubles distingue la servitude des autres démembrements nommés (usufruit, usage et emphytéose) qui, eux, établissent un rapport de droit entre une personne et un bien.

Conséquence – Une fois établie, la servitude constitue un droit réel imposé sur un immeuble. Ce démembrement existe de plein droit à l'égard de toute personne qui a ou qui aura la propriété des fonds servant ou dominant. L'avantage est rendu à l'immeuble dominant peu importe les mutations de propriétaires qui surviendront dans le futur (1182 C.c.Q.).

2.2 Deux immeubles voisins appartenant à des propriétaires différents

La servitude fait en sorte qu'un service soit rendu par un immeuble en faveur d'un autre. Le mot « immeuble » s'entend au sens de l'article 900 (1) C.c.Q., soit un fonds de terre, une construction ou un ouvrage à caractère permanent. Il inclut évidemment la propriété superficiaire pour laquelle d'ailleurs le législateur a prévu des servitudes légales afin de faciliter l'aménagement des droits du superficiaire sur le tréfonds en l'absence d'entente conventionnelle à cet effet (1111 C.c.Q.).

Immeubles voisins – Un élément essentiel de la servitude demeure la situation des immeubles. Les fonds dominant et servant doivent être voisins. Ils n'ont toutefois pas à être contigus[6]. Un immeuble peut jouir d'une servitude de passage sur plusieurs lots dont un seul est contigu au fonds dominant. Des servitudes d'architecture lient fréquemment un ensemble d'immeubles faisant partie d'un même lotissement, sans être nécessairement tous contigus. En revanche, des fonds servant et dominant trop distants l'un par rapport à l'autre feraient conclure à un aménagement à caractère fictif et forceraient la remise en question de la qualification d'un droit de servitude[7].

Propriétaires différents – Une servitude existe en autant que les immeubles considérés appartiennent à des propriétaires différents puisque, en vertu d'une règle remontant au droit romain et reprise par le droit positif (1177 C.c.Q.), on n'a pas de servitude sur son propre

---

6. *Association Mitawanga* c. *Avrith*, [1993] R.D.I. 335, 339 (C.S.).
7. Jean-Guy Cardinal, *supra*, note 3, p. 485-486.

immeuble (*Nemini res sua servit*)[8]. Aussi, les différents aménagements qu'un propriétaire réalise sur un immeuble alors qu'il est propriétaire ou copropriétaire[9] d'un fonds voisin ne constituent pas une servitude, sauf s'il s'agit d'une servitude par destination du propriétaire (1183 C.c.Q.) (*infra*: section 5.2). La même règle explique que la servitude s'éteint lorsqu'il y a réunion dans la même personne de la qualité de propriétaire des fonds dominant et servant (1191, 1° C.c.Q.).

3. CARACTÈRES

Charge passive – La servitude est une charge passive qui grève le fonds servant en faveur du fonds dominant. Le droit moderne, en prenant appui sur le droit romain[10], estime qu'une servitude ne peut soumettre une personne à une obligation de faire (*Servitus in patiendo non in faciendo consistit*)[11]. Le titulaire du fonds servant se limite à un rôle passif. Il est tenu, par exemple, de laisser passer un voisin sur son fonds ou d'y laisser couler les eaux provenant d'un fonds supérieur. L'interdiction d'imposer une prestation active au titulaire du fonds servant connaît un tempérament notable dans le cas des obligations *propter rem*[12]. Ainsi, le propriétaire du fonds servant peut se voir obligé de poser certains gestes tel l'entretien de l'assiette d'un droit de passage (1178 C.c.Q.). Pour légitimer ces prestations de faire qui contreviennent au caractère passif de la charge, les auteurs précisent habituellement qu'elles remplissent une fonction essentiellement accessoire par rapport à la servitude.

Accessoire du fonds – La servitude est un accessoire inséparable du fonds. Le droit constitué par la servitude est vendu, saisi, hypothéqué avec le fonds dominant. Il ne pourrait l'être indépendamment du fonds. La charge constituée par la servitude se transmet aux propriétaires successifs du fonds (1182 C.c.Q.). Elle constitue, pour son titulaire, un droit

---

8. *Digeste*, 8, 2, 26; *Procureur général du Québec* c. *Lebeau*, [1982] C.A. 482, 483 (juge Monet).
9. *Succession Dubreuil-Legault* c. *Déry*, C.A.M. n° 500-09-001271-923, 27 janvier 1998, [1998] A.Q. (Quicklaw) n° 51, par. 18-22.
10. Paul Ourliac et Jehan de Malafosse, *supra*, note 1, p. 384.
11. *Président et syndics de la commune de Berthier* c. *Denis*, (1896-1897) 27 R.C.S. 147, 153-154 (juge en chef Strong).
12. Hassen Aberkane, *Contribution à l'étude de la distinction des droits de créance et des droits réels: essai d'une théorie générale de l'obligation propter rem en droit positif français*, Paris, L.G.D.J., 1957, p. 185-186; Shalev Ginossar, *Droit réel, propriété et créance*, Paris, L.G.D.J., 1960, p. 152-158.

propter rem[13]. Le caractère accessoire de la servitude fait que le propriétaire qui se départit du fonds dominant ne peut continuer de jouir des avantages de la servitude indépendamment de sa qualité de propriétaire.

Nature perpétuelle – De par sa nature, la servitude a un caractère perpétuel qui résulte du lien étroit qui l'unit à l'immeuble dont elle constitue un accessoire[14]. C'est là une singularité de la servitude puisque les autres démembrements de la propriété sont, par essence, temporaires. Une telle exception se justifie par la nécessité de favoriser l'exploitation des immeubles en maintenant à perpétuité les services dont ils bénéficient[15]. Des servitudes temporaires entraîneraient de graves incertitudes puisque le titulaire du fonds dominant devrait au terme d'une servitude en négocier la reconduction ou acquérir des droits de même nature sur un autre immeuble. Même si elle est habituellement perpétuelle, la durée de la servitude peut être limitée par convention[16].

4. ESPÈCES DE SERVITUDES

Le Code distingue les servitudes continues et discontinues (1179 C.c.Q.) et les servitudes apparentes et non apparentes (1180 C.c.Q.).

Servitudes continues et discontinues – Sont continues les servitudes dont l'exercice ne requiert pas le fait actuel de son titulaire (1179 (1) C.c.Q.), telles les servitudes de vue, de non construction, de conduites d'eau et d'égout. En revanche, sont discontinues celles dont l'exercice exige le fait actuel de son titulaire, comme les servitudes de passage à pied ou en voiture, de puisage et de baignade.

La distinction existe en fonction du mode d'exercice de la servitude; on y recourt lorsqu'il s'agit de déterminer le début de la prescription extinctive pour cause de non-usage d'une servitude (1192 C.c.Q.).

---

13. Hassen Aberkane, *ibid.*, p. 45-49.
14. Il n'est pas nécessaire de préciser le caractère perpétuel d'une servitude dans le titre qui la constitue : « A servitude is by its nature perpetual [...] unless a shorter term is stipulated. However, the authors do not require, as a condition precedent to the existence of a servitude, that a right of way be expressly stipulated in perpetuity ». (*Delmar* c. *163444 Canada Inc.*, [1992] R.D.I. 141, 151 (C.S.)).
15. Le droit romain reconnaissait le caractère perpétuel des servitudes (Paul Ourliac et Jehan de Malafosse, *supra*, note 1, p. 385.
16. « À titre d'accessoire du droit de propriété d'un immeuble dont elle facilite l'exploitation ou qu'elle valorise, la servitude réelle a vocation à la perpétuité. Elle n'a une durée temporaire que si les parties ont stipulé un terme extinctif dans l'acte créant la servitude sans que celle-ci perde le caractère de servitude réelle [...]. » (*Girard* c. *Ménard*, supra, note 3, p. 28 (C.A.) (juge Rousseau-Houle)).

Servitudes apparentes et non apparentes – Les servitudes apparentes sont celles dont l'existence est révélée par des indices extérieurs (porte, fenêtre, aqueduc, canaux, égout). Les servitudes non apparentes, pour leur part, ne se manifestent par aucun signe extérieur (la servitude de non construction : *non œdificandi* et la servitude défendant de surélever : *non altius tollendi*) (1180 C.c.Q.).

La distinction, qui est fonction du mode de publicité des droits, a perdu à peu près tout son intérêt depuis la mise en vigueur du nouveau Code puisqu'il n'y a plus de mention expresse à cette catégorie comme c'était le cas auparavant. Le caractère apparent ou non apparent d'une servitude n'est plus pris en compte pour déterminer si les droits réels sont opposables à un tiers acquéreur; l'inscription au registre foncier suffit (2943 C.c.Q.). La distinction pourrait toutefois conserver un intérêt dans le cas où le promettant-vendeur doit dénoncer au promettant-acheteur l'existence de servitudes non apparentes ou l'inexistence des servitudes apparentes dont pourrait jouir l'immeuble, puisque la promesse n'a pas à être publiée (2938 C.c.Q.)[17].

5. ÉTABLISSEMENT

Il n'y a pas de servitude sans titre (1181 C.c.Q.). Le titre peut prendre deux formes, il peut s'agir d'un titre exprès ou d'un titre par destination du propriétaire. Un tribunal, même en souhaitant rendre une décision fondée sur l'équité, ne saurait aller à l'encontre de cette règle et constituer de sa propre autorité une « servitude judiciaire »[18].

Il n'existe pas de présomption de servitude : « l'existence d'une servitude ne se présume pas; c'est à celui qui l'invoque de la prouver »[19]. Aussi, les tribunaux concluent-ils à l'inexistence d'une servitude lorsqu'un doute demeure[20].

Les servitudes et leur mode d'exercice ne s'acquièrent pas par prescription, c'est-à-dire par le simple écoulement du temps (1181 (2)

17. Denys-Claude Lamontagne, *Biens et propriété*, 3e éd., Cowansville, Les Éditions Yvon Blais Inc., 1998, p. 354-355.
18. *Hamel* c. *De Bellefeuille*, [1997] R.D.I. 4, 6 (C.A.) (juge Baudouin).
19. *Auger* c. *Grenier*, (1985) 33 R.P.R. 281, 286 (C.A.) (juge Paré); voir aussi : *Leduc* c. *Sauvé*, [1955] B.R. 85, 90 (juge Saint-Jacques) : « [...] en matière de servitude, il ne peut être question de présomption; il faut que le titre qui la crée soit complet par lui-même et qu'on y trouve le caractère de la servitude et les fonds qui y sont soumis ».
20. « Any doubt is interpreted against the existence of a servitude ». (*Boucher* c. *Roy*, (1981) 18 R.P.R. 45, 55 (C.A.) (juge Owen)).

C.c.Q.). C'est là une distinction importante entre les droits québécois et français, puisqu'en France les servitudes continues et apparentes peuvent s'acquérir par prescription[21]. Dans un premier temps, le législateur avait proposé de modifier le droit en ce sens[22]. Par la suite, il a préféré s'en tenir à la règle en vigueur qui permet de retracer aisément les servitudes par consultation du registre foncier[23].

Le titre établit la servitude. Il la cristallise en fixant ses limites. Les propriétaires des fonds dominant et servant devront, par la suite, s'en remettre à la description qui en a été donnée dans le titre pour l'exercice de leurs droits respectifs[24].

5.1 Servitude établie par titre exprès

Une servitude peut être fondée sur un contrat, un testament ou par l'effet de la loi (1181 C.c.Q.).

Contrat – Un contrat peut avoir pour objet principal la constitution d'une servitude. Néanmoins, la servitude est souvent comprise dans un contrat de vente. La convention qui constitue une servitude n'a pas nécessairement à être constatée par un écrit[25]. Elle l'est pratiquement toujours puisque, étant un droit réel immobilier, elle doit être publiée pour valoir à l'égard des tiers (2938 (1), 2941, 2943 C.c.Q.). La publicité n'est cependant pas essentielle à la validité du titre, sauf dans le cas où la servitude serait comprise dans un acte de donation (1824 (1) C.c.Q.). Une servitude dont le titre n'a pas été publié vaut à l'égard des parties à l'acte[26]. La preuve d'une convention non écrite risque d'être parfois difficile à établir. Elle reposerait, par exemple, sur un témoignage[27] ou sur l'aveu du propriétaire du fonds asservi[28].

---

21. Pierre-Basile Mignault, *Le droit civil canadien basé sur les « Répétitions écrites sur le Code civil »*, tome 3, Montréal, C. Théoret, 1897, p. 147.
22. Assemblée nationale du Québec, *Projet de loi 58. Loi portant réforme au Code civil du Québec du droit des biens*, 32e Législature, 4e session (1983), art. 1208.
23. *Commentaires du ministre de la Justice*, Québec, Publications du Québec, 1993, p. 693.
24. « [...], s'agissant d'une servitude conventionnelle, c'est essentiellement en vertu de ce titre que le droit de l'intimée [le titulaire du fonds dominant] doit être déterminé. » (*Domaine de la rivière Inc.* c. *Aluminium du Canada ltée*, [1996] R.D.I. 6, 10 (C.A.) (juge Chouinard); *Hébert* c. *Villeneuve*, [1969] B.R. 1103, 1106 (juge Brossard).
25. « Considérant que si la servitude ne peut avoir pour base la possession, le titre qui doit la constituer, n'implique pas nécessairement sa constatation par un écrit, ou par un contrat solennel; » (*Bonin* c. *Champagne*, (1919) 55 C.S. 153, 156).
26. « [...] registration is not essential to the validity of a servitude, at least as between the parties to the title ». (*Barrette* c. *Mercier*, [1976] C.A. 709, 711 (juge Montgomery)).
27. *Gauthier* c. *Joannette*, [1988] R.D.I. 96, 99 (C.S.).
28. *Lévesque* c. *Déry*, [1960] C.S. 61, 66.

Testament – La servitude prend parfois sa source dans un acte juridique unilatéral. En effet, un testateur peut établir, en faveur d'un légataire, une servitude sur un immeuble qu'il transmet à une autre personne.

Loi – Des lois, dans des circonstances bien précises, permettent la constitution de servitudes. Ainsi, la *Loi sur Hydro-Québec*[29] accorde à la société d'État un droit de passage sur tout immeuble, tant du domaine privé que du domaine public, pour l'installation du matériel requis à la fourniture d'énergie et pour son entretien. D'autres lois accordent le droit de créer des servitudes par expropriation. Ces lois peuvent conférer un pouvoir général, telle la *Loi sur l'expropriation*[30] dans la législation fédérale ou, au contraire, servir à des fins particulières comme le développement et l'exploitation de forces hydrauliques[31] ou encore répondre aux besoins des municipalités[32].

5.2 Servitude établie par destination du propriétaire

La destination du propriétaire[33] est un arrangement réalisé par le propriétaire d'un ou de plusieurs fonds. L'aménagement constituerait une servitude conventionnelle s'il portait sur des fonds appartenant à des propriétaires différents. Cet état de fait se transformera en servitude lors de l'aliénation d'une partie du fonds ou, en cas de pluralité d'immeubles, de l'un des fonds à un tiers[34].

Conditions – Des conditions particulières doivent être respectées pour la création d'une servitude par destination du propriétaire (1183 C.c.Q.).

---

29. L.R.Q., c. H-5, art. 30:

> La Société peut placer des poteaux, fils, conduits ou autres appareils sur, à travers, au-dessus, au-dessous ou le long de tout chemin public, rue, place publique ou cours d'eau, aux conditions fixées par entente avec la municipalité concernée en vertu d'un règlement municipal. À défaut d'une telle entente, la Régie [de l'énergie], à la demande de la Société, fixe ces conditions, qui deviennent obligatoires pour les parties.
>
> Tout préposé de la Société peut pénétrer à toute heure raisonnable sur tout immeuble pour installer les conduits, fils et autres appareils requis pour la fourniture d'énergie ou pour les réparer et faire tous travaux requis à cette fin, à charge de payer tous dommages qui pourraient être causés.

30. L.R.C. (1985), c. E-21, art. 7.
31. *Loi sur le régime des eaux*, L.R.Q., c. R-13, art. 19.
32. *Loi sur les cités et villes*, L.R.Q., C-19, art. 570; *Code municipal*, L.R.Q., c. C-27.1, art. 1097.
33. Le *Code civil du Bas-Canada* parlait autrefois de « destination du père de famille » (551 C.c.B.-C.).
34. Henri Turgeon, « La destination du père de famille dans le droit québécois », (1950-1951) 53 *R. du N.* 607-618.

Une même personne doit être propriétaire d'un fonds non encore morcelé ou de fonds distincts[35] et pourvoir à un arrangement – l'aménagement d'une vue ou d'un passage par exemple – qui serait une servitude si les fonds appartenaient à des propriétaires différents. L'arrangement est consigné dans un écrit qui constitue le titre de la servitude. Il n'est pas nécessaire que l'écrit soit un acte formel[36], tel un contrat ou un testament, il suffit d'un document qui atteste la création de la servitude. Les tribunaux ont accepté de reconnaître un plan de localisation préparé par un arpenteur-géomètre[37], un plan de subdivision signé par le propriétaire[38] et un plan d'implantation de constructions déposé à la municipalité[39]. Le document précise la nature, l'étendue et la situation de la servitude (*infra* : section 6). L'aliénation à deux personnes différentes des fonds concernés par l'arrangement rend la servitude effective.

Publication – La servitude par destination du propriétaire doit être publiée pour valoir à l'égard des tiers (2938, 2943 C.c.Q.). Ceci est contraire à la situation qui prévalait sous le *Code civil du Bas-Canada* où la publicité d'une servitude de cette catégorie n'était pas requise[40].

Une clause contenue dans un titre ne doit pas contredire l'arrangement fait antérieurement par un propriétaire dans le but de créer une servitude par destination du propriétaire, sinon cette clause postérieure prime l'arrangement[41].

6. DESCRIPTION

La création de la servitude n'a pas à adopter une terminologie consacrée. Au mieux, elle est formulée dans une seule clause comprise dans

---

35. Il peut s'agir de deux parties d'un même fonds ou de deux fonds distincts (Pierre-Basile Mignault, *supra*, note 21, p. 151-152).
36. « L'écrit [...] dont parle l'article 551 [1181 C.c.Q.] n'a rien de formel ou solennel, il suffit d'un document contenant une déclaration de la volonté du père de famille [du propriétaire] relative à l'arrangement par lui fait entre deux propriétés lui appartenant. » (*Martin* c. *Daignault*, (1925) 39 B.R. 374, 380 (juge Létourneau); *Plouffe* c. *Dufour*, [1992] R.J.Q. 47, 50 (C.S.)).
37. *Corriveau* c. *Gabanna*, [1977] C.S. 577.
38. *Roberge* c. *Martin*, (1926) R.C.S. 191, 192 (juge Mignault).
39. *St-Pierre Realties Co. Ltd.* c. *Tremblay*, [1988] R.D.I. 484 (C.A.).
40. *Roberge* c. *Martin*, *supra*, note 38, p. 193-194 (juge Mignault).
41. « [...] même si l'on pouvait soutenir qu'à l'origine, avant même qu'aucun lot ne soit vendu, Beauchesne [le propriétaire originaire du lotissement] avait établi un arrangement matériel constitutif de servitude, il n'en demeure pas moins que les clauses contenues aux titres de propriété ont par la suite réglé autrement le sort de cet arrangement matériel en en faisant, à l'évidence, autre chose qu'une servitude réelle. » (*Plourde* c. *Plante*, [1986] R.J.Q. 1844, 1850 (C.A.) (juge Nichols)).

un acte. Elle peut aussi résulter d'une combinaison de clauses ou même de plusieurs actes[42]. Peu importe la forme qu'il adopte, le titre constitutif contient une *description de la servitude*, c'est-à-dire l'identification des fonds dominant et servant, ainsi qu'une description de la nature, de l'étendue et de la situation de la servitude. Cette description gagnera à être la plus précise possible afin d'éviter des ennuis juridiques par la suite. Toutefois, une description incomplète ne remettrait pas nécessairement en cause l'établissement d'une servitude[43].

Identification des fonds – Il doit y avoir une identification du fonds dominant et du fonds servant[44], avec une mention du numéro d'immatriculation des immeubles au plan cadastral[45] (3026 C.c.Q.). L'identification précise des fonds s'impose pour éviter toute confusion dans le futur.

Identification de la servitude – La servitude, elle-même, a avantage à être identifiée avec précision, puisque « c'est le titre établissant ou constituant une servitude qui en détermine l'usage et l'étendue et [éventuellement] l'assiette [...] »[46]. S'il s'agit d'une servitude par destination du propriétaire, l'identification précise de la servitude constitue une condition de son existence (1183 C.c.Q.).

D'abord, la *nature* de la servitude permet d'établir avec précision le type de servitude dont il s'agit : servitude de passage, de vue, d'architecture, d'habitation bourgeoise[47], de chasse[48], de pêche[49], de non-

42. *Duchesneau* c. *Poisson*, [1950] B.R. 453, 461 (juge Pratte).
43. *Girard* c. *Ménard*, *supra*, note 3, p. 27 (C.A.) (juge Rouseau-Houle); *Morgan* c. *McCallum*, (1908) 14 R.L. 374, 384 (B.R.).
44. « Ici, il importe de rappeler que toute servitude établie par convention doit être énoncée et désignée de manière à ne laisser aucun doute sur le domaine au profit duquel elle est établie, sur celui qui en est grevé et sur la charge qui est imposée. » (*Leduc* c. *Sauvé*, *supra*, note 19, p. 95 (juge Pratte); voir aussi : Pierre-Basile Mignault, *Le droit civil canadien*, tome 9, Montréal, Wilson & Lafleur ltée, 1916, p. 312).
45. Autrefois, la mention du numéro d'immatriculation, si elle était souhaitable, n'était pas obligatoire (*Compagnie d'aqueduc du lac Saint-Jean* c. *Fortin*, (1925) 38 B.R. 75 (juge Dorion)).
46. *Pascal* c. *Moreau*, [1953] R.L.n.s. 235, 242 (C.S.); *Pelletier* c. *Trudeau*, (1906) 27 C.S. 196, 197.
47. Une telle servitude peut être définie comme une clause d'usage qui permet au titulaire d'un fonds dominant de « s'assurer que les lieux seraient habités bourgeoisement, c'est-à-dire pour fins de logement seulement, par un nombre restreint d'occupants, dans un décor paisible et agréable ». (*Huot* c. *Verbois Inc.*, [1989] R.D.I. 400, 403 (C.S.)).
48. Jean-Guy Cardinal, « Droit de chasse – Servitude – Occupation et accession – Louage », (1958-1959) 61 *R. du N.* 79, 82.
49. *Couture* c. *Abraham*, [1994] R.D.I. 469 (C.S.).

construction[50], de non-usage à certaines fins[51], de non-subdivision[52], d'extraction[53], de puisage, d'aqueduc, d'égout. La seule limite au type de servitude qui peut être créée demeure l'interdiction de contrevenir à l'ordre public (9 C.c.Q.).

L'*étendue* de la servitude réfère à son usage et à sa portée. Elle permet notamment de préciser son mode d'exercice[54]. Il serait important d'établir si la servitude est constituée pour une fin résidentielle, industrielle ou agricole. De même, la description d'une servitude pourrait établir un mode de locomotion spécifique pour l'exercice d'une servitude de passage. À défaut de restreindre l'usage d'une servitude dans l'acte constitutif, il deviendra difficile d'en limiter l'exercice par la suite[55].

La *situation* de la servitude donne une identification de l'endroit précis où s'exerce la servitude, soit l'assiette de la servitude. Il n'est cependant pas essentiel à l'existence de la servitude que l'assiette soit fixée[56]. Lorsque l'assiette est déterminée, elle ne peut, en principe, être déplacée[57]. Dans les cas de silence ou d'ambiguïté du titre quant à l'assiette d'une servitude, il peut être tenu compte de l'exercice plus ou moins constant qu'a fait de son droit le titulaire du fonds dominant et de la tolérance, à son égard, du titulaire du fonds servant[58].

Quoiqu'il soit de loin préférable qu'une servitude soit définie avec précision, le caractère vague de sa définition n'en compromet-

---

50. *Sunny State Investment Co.* c. *Les Restaurants McDonald du Canada ltée*, [1993] R.D.I. 426 (C.S.).
51. *Boily* c. *Leblanc*, [1980] C.S. 1133.
52. *Association Mitawanga* c. *Avrith*, *supra*, note 6, p. 335 (C.S.).
53. *Domaine des érables (Lac Brôme) Inc.* c. *Allard & Allard Construction Inc.*, [1994] R.D.I. 580, 581 (C.S.).
54. *St-Onge* c. *Cartier*, [1987] R.D.I. 531, 533 (C.S.).
55. « [...] une servitude dont l'usage n'est pas limité permet un usage très étendu. » (*Rodrigue* c. *Bolduc*, [1999] R.D.I. 661 (C.S.); *Dallaire* c. *Compagnie de béton du Saguenay ltée*, [1973] C.A. 862, 863 (juge Gagnon)).
56. « Il n'est assurément pas nécessaire que l'endroit précis où s'exercera le droit de passage soit décrit à l'acte. S'il a déjà été décidé dans *Hébert* c. *Villeneuve* [[1969] B.R. 1103] que l'assiette de la servitude ne peut être fixée à un endroit autre que celui qui est indiqué au titre, il ne faudrait pas conclure que le titre doit indiquer cette assiette. » (*Vinet* c. *Vernier*, [1989] R.D.I. 791 (C.S.)).
57. « [...] l'assiette de la servitude ne peut être fixée contrairement aux titres, lorsqu'ils la désignent, et la simple tolérance de l'utilisation d'une assiette différente de celle qui est indiquée au titre ne peut la déplacer légalement ou justifier qu'elle le soit judiciairement. » (*Hébert* c. *Villeneuve*, *supra*, note 24, p. 1106-1107 (juge Brossard)).
58. *Ibid.*

trait pas nécessairement la reconnaissance. Il suffit, pour qu'existe une servitude, que l'on puisse identifier sa nature et le fonds qui y est assujetti[59].

Interprétation – Il arrive que la disposition d'un acte juridique qui décrit une servitude soit incomplète, obscure ou ambiguë. Le sens à lui donner oppose éventuellement les propriétaires des fonds servant et dominant. Lorsqu'il existe une telle mésentente, il y a lieu d'interpréter la clause de manière à préciser les obligations et les droits respectifs des parties[60]. Les règles applicables à l'interprétation du contrat prévues au Code fournissent des balises sur lesquelles devrait s'appuyer l'interprète (1425-1432 C.c.Q.)[61].

La recherche de la commune intention des parties guide cette quête du sens (1425 C.c.Q.). Davantage que dans plusieurs contrats à durée éphémère – tels les contrats de consommation – l'acte qui crée une servitude possède souvent une longévité certaine. Cet élément complique le processus d'interprétation puisqu'il faut rechercher l'intention qui animait les parties « au moment où la servitude fut constituée »[62]. L'intention découle des faits tels qu'ils se présentaient lors de la constitution de la servitude et de sa formulation dans l'acte[63]. L'exercice d'interprétation s'avère d'autant plus ardu à accomplir que l'acte est ancien et qu'il devient difficile d'en établir le sens en s'appuyant sur des éléments extrinsèques, notamment le témoignage des parties originaires[64]. Il reste tout de même à considérer les circonstances qui ont entouré la conclusion de l'acte, l'interprétation qui en a été donnée

---

59. « Il n'est pas nécessaire, pour l'établissement de la servitude, qu'elle soit décrite d'une manière complète dans le titre : il suffit qu'elle y soit désignée par la dénomination spéciale qui lui convient; l'interprétation comble les lacunes qui s'y rencontrent. » (Pierre-Basile Mignault, *supra*, note 21, p. 148; *Girard* c. *Ménard*, *supra*, note 3, p. 27 (juge Rousseau-Houle)).
60. « Comme tous les autres contrats, ce n'est qu'en cas d'ambiguïté ou d'incertitude que le Tribunal devra interpréter l'acte, en examinant, notamment, l'intention des parties. » (*Rodrigue* c. *Bolduc*, *supra*, note 55, p. 662).
61. *Langevin* c. *Gestion François Cousineau Inc.*, C.A.M. nº 500-09-002159-960, 30 novembre 1999, [1999] J.Q. (Quicklaw) nº 5474, par. 29 (juge Forget); *Leduc* c. *Sauvé*, *supra*, note 19, p. 95 (juge Pratte). Pour un exposé sur les règles d'interprétation des contrats, voir : Maurice Tancelin, *Des obligations : actes et responsabilités*, 6e éd., Montréal, Wilson & Lafleur ltée, 1997, p. 152-161.
62. *Limoges* c. *Bouchard*, [1973] C.A. 791, 795 (juge Lajoie).
63. *Standard Life Insurance Co.* c. *Appartements Acadia Inc.*, [1995] R.D.I. 7, 9 (C.A.) (juge Deschamps). L'état physique des lieux juste avant l'établissement d'une servitude est une considération découlant des faits (*Wong Lee & Associates Inc.* c. *Sinomonde Holdings Inc.*, [1999] R.D.I. 343, 344 (C.A.)).
64. Encore que les tribunaux se montrent peu réceptifs à prendre en compte des éléments extrinsèques : « The title must be construed without extrinsic aid. » (*Boucher* c. *Roy*, *supra*, note 20, p. 55 (juge Owen)).

dans le passé, la conduite des parties et les usages (1426 C.c.Q.)[65]. Les tribunaux ne s'estiment toutefois pas liés par des interprétations qui ont pu se forger au fil des ans et s'éloigner de la préoccupation initiale des parties telle que cristallisée dans une convention[66].

La structure de l'acte qui crée une servitude fournit parfois un certain éclairage sur le sens à donner aux dispositions qu'il comprend. La division de l'acte en différentes sections permet au tribunal de conclure au regroupement des clauses suivant leur parenté ou leur finalité. L'existence dans un contrat d'un chapitre intitulé « Servitudes » et d'un autre portant la mention « Charges et conditions » a ainsi incité un tribunal à refuser de qualifier de servitudes les droits décrits dans le second chapitre au motif que le partage effectué trahissait la nature distincte des droits qui s'y trouvaient[67]. Aussi, une mention dans le préambule d'un acte non reprise dans le corps de cet acte a été considérée comme ne constituant pas le texte même de la convention qui liait les parties[68].

Malgré les jalons évoqués, la démarche suivie par les tribunaux appelés à établir le sens d'une servitude répond rarement à un processus strict et rigoureux. Les juges conservent une grande latitude dans le choix des règles sur lesquelles ils se fondent et des éléments qu'ils privilégient. Il demeure qu'au-delà de toute règle d'interprétation, les tribunaux sont particulièrement sensibles aux restrictions à l'usage de la propriété qui découlent de l'existence d'une servitude : « Considering that servitudes being of the nature restrictive of the exercice of the right of ownership should always be construed in a narrow sense and not in a broad and comprehensive one [...] »[69]. Aussi, s'efforcent-ils de ne pas accroître indûment la pression sur le fonds servant. Il n'est donc guère étonnant que, devant l'incertitude sur le sens à donner à une clause, ils se prononcent en faveur du fonds assujetti (1432 C.c.Q.)[70].

---

65. *Commentaires du ministre de la Justice*, *supra*, note 23, p. 866; *Lagacé* c. *Alain*, [1994] R.D.I. 404, 408 (C.S.).
66. « [...] l'interprétation à donner à une disposition contractuelle insérée dans un acte de cette nature ne saurait dépendre de l'opinion que certains notaires ont pu s'en faire longtemps après qu'elle eût été souscrite. La clause doit s'interpréter en elle-même dans le contexte où elle se trouve. » (*Boucher* c. *R.*, (1982) 22 R.P.R. 310, 316 (C.F.)).
67. *Auger* c. *Grenier*, *supra*, note 19, p. 286-287 (C.A.) (juge Paré); *Plourde* c. *Plante*, *supra*, note 41, p. 1847 (juge Nichols).
68. *Domaine de la rivière Inc.* c. *Aluminium du Canada ltée*, *supra*, note 24, p. 10 (juge Chamberland).
69. *Morgan* c. *McCallum*, *supra*, note 43, p. 379 (C.A.) (l'extrait cité provient du dispositif du jugement de la Cour supérieure) et « Il faut interpréter restrictivement l'étendue d'une servitude. » (*Fortier* c. *Côté*, [1995] R.D.I. 329, 333 (C.A.) (juge Brisson)).
70. *Domaine des érables (Lac Brôme) Inc.* c. *Allard & Allard Construction Inc.*, *supra*, note 53, p. 582.

Par ailleurs, en cas de doute sur l'identification des fonds dominant ou servant et sur la nature de la charge, ils se prononcent contre l'existence de la servitude[71]. Cette retenue s'accorde avec le caractère absolu du droit de propriété qui s'accommode mal des charges qui briment la liberté du propriétaire, ainsi que l'a précisé la Cour d'appel: « [l]a loi favorise la liberté des héritages de charges et celles dont ils sont grevés doivent être interprétées restrictivement. Elle tient en défaveur le démembrement du droit de propriété »[72].

7. EXERCICE DE LA SERVITUDE

7.1 Exercice par le propriétaire du fonds dominant

La servitude cherche, en toute logique, à répondre aux besoins particuliers d'un immeuble. Le titulaire du fonds dominant doit exercer ses droits en s'en tenant à la description de la servitude telle que formulée dans le titre constitutif afin de répondre aux besoins du fonds[73]. Un abus d'exercice amènerait éventuellement une intervention du propriétaire du fonds servant. Il demeure libre, toutefois, de modifier la destination de son immeuble[74].

Accessoires – Le propriétaire du fonds dominant d'une servitude peut exercer un droit sur le principal et les accessoires (1177 (2) (3) C.c.Q.). Ainsi, la servitude de puisage d'eau et la servitude de baignade emportent le droit de passage. Pour que le titulaire d'une servitude puisse prétendre à une servitude accessoire, il doit y avoir une connexité entre les deux[75].

---

71. *Leduc* c. *Sauvé*, *supra*, note 19, p. 95.
72. *Limoges* c. *Bouchard*, *supra*, note 62, p. 794 (juge Lajoie).
73. *Domaine des érables (Lac Brôme) Inc.* c. *Allard & Allard Construction Inc.*, *supra*, note 53, p. 582.
74. « Il m'apparaît incontestable que l'intimée [titulaire du fonds dominant] avait la faculté de changer la destination de son héritage et d'utiliser le passage qui constituait sa sortie sur le chemin public pour les fins de sa nouvelle exploitation. » (*Dallaire* c. *Compagnie de béton du Saguenay ltée*, *supra*, note 55, p. 864 (juge Gagnon)).
75. « [...], je ne puis me convaincre qu'un droit de passer chez autrui peut conférer en même temps le droit d'y stationner. Ces deux droits me paraissent aux antipodes l'un de l'autre; le premier est essentiellement transitoire, son exercice ne fait occuper que pour un moment l'endroit où il s'exerce, quand il a été exercé, il cesse et quand il reprend ce n'est que pour un moment: le second par ailleurs s'exerce toujours pour une occupation plus longue, une occupation qui peut être de plusieurs heures par plusieurs voitures sur plusieurs parcelles d'un immeuble. La servitude du premier est infiniment moins lourde que celle du second: et on ne peut entendre stationner quand on dit passer. » (*Forget* c. *Gohier*, *supra*, note 2, p. 443 (juge Marchand)).

De plus, la servitude accessoire doit être nécessaire à l'exercice de la servitude principale[76].

Droit de faire des ouvrages – Le titulaire d'une servitude a la liberté de faire tous les ouvrages nécessaires, tant pour l'usage que pour la conservation de la servitude (1184 C.c.Q.). Ces ouvrages sont à ses frais à moins d'indications contraires au titre constitutif[77]. Dans le cas où plusieurs fonds bénéficient d'une servitude, il est possible de partager les coûts d'entretien entre les différents titulaires des fonds dominants en tenant compte de l'utilisation des lieux par chacun d'entre eux[78]. Lorsque prend fin la servitude, le sort des aménagements faits par le propriétaire du fonds dominant relève du propriétaire du fonds servant. Il peut notamment demander la remise des lieux dans leur état antérieur.

Le propriétaire du fonds servant est en droit de s'attendre à être averti des travaux qui seront entrepris afin qu'il prenne les arrangements nécessaires pour éviter un dommage[79]. À défaut d'avertissement, la réparation des dommages serait à la charge du propriétaire du fonds dominant. Les ouvrages entrepris ne doivent pas aggraver la condition du fonds servant. De plus, ces ouvrages doivent être nécessaires à l'usage et à l'exercice de la servitude. Aussi, un droit de passage à pied et en voiture n'inclut pas le droit de poser des poteaux et des fils pour l'électricité et le téléphone[80].

Changements – La nécessité d'user d'une servitude que suivant le titre qui l'établit a pour corollaire l'interdiction pour le titulaire de la servitude d'apporter des changements qui aggravent la situation du fonds servant (1186 C.c.Q.).

La prospérité d'un fonds qui accroîtrait l'usage de la servitude n'est généralement pas assimilée à une aggravation. Une circulation accrue sur l'assiette d'un droit de passage à la suite d'une meilleure exploitation du fonds dominant ne peut, à elle seule, entraîner une sanction[81]. Il pourrait en aller autrement si la clause qui crée une servitude stipulait un usage restrictif de la servitude.

---

76. « On peut comprendre qu'une servitude de baignade puisse inclure un droit de passage pour se rendre au lac mais l'inverse n'est pas vrai. On ne peut pas inférer que le propriétaire du fonds a eu l'intention de créer une servitude de baignade et d'utilisation du lac artificiel du fait que des rues conduisent au lac. » (*Plourde* c. *Plante*, *supra*, note 41, p. 1848 (juge Nichols)).
77. *Létourneau* c. *Létourneau*, [1970] C.A. 40, 42 (juge en chef Tremblay).
78. *Patro Roc-Amadour* c. *Bélanger*, [1996] R.D.I. 574, 578 (C.S.).
79. *Sofin* c. *Ville de Rigaud*, [1973] C.S. 180, 183-184.
80. *Bogert* c. *Barlow*, [1970] C.S. 73, 75.

De la pérennité des servitudes découle que leur formulation risque de présenter un caractère vétuste après quelques décennies. L'exercice d'une servitude ne peut, en effet, faire abstraction de l'évolution technologique, sociale et économique[82]. Certaines servitudes ont, en effet, été constituées, il y a longtemps, bien avant que ne survienne une mutation dans le domaine du transport. S'il n'était pas tenu compte de cette évolution, la situation provoquerait une instabilité juridique. Ainsi, une servitude de passage, accordée au début du siècle, permettant d'accéder à un fonds grâce à des voitures à traction animale ne saurait être interprétée comme excluant, aujourd'hui, l'usage des automobiles[83]. L'adaptation de la servitude aux besoins, compte tenu de l'évolution, trouve une certaine justification dans l'énoncé suivant lequel « [l]a servitude s'étend à tout ce qui est nécessaire à son exercice » (1177 (3) C.c.Q.)[84].

Division du fonds – Au cas de division du fonds dominant, la servitude reste due pour chaque portion (1187 C.c.Q.). La condition du fonds servant ne doit cependant pas être aggravée. Au cas contraire, dans certaines circonstances, le propriétaire du fonds servant serait en droit de recevoir compensation.

7.2 Exercice par le propriétaire du fonds servant

Supporter l'usage du fonds – Le propriétaire du fonds servant doit supporter l'usage de son immeuble par le propriétaire du fonds dominant (1177 (2) C.c.Q.). Il ne peut empêcher le titulaire de la servitude d'exécuter des travaux nécessaires à l'usage de la servitude, même lorsque de tels travaux sont susceptibles de lui causer certains ennuis[85]. Il est passible de dommages-intérêts s'il entrave le titulaire de la servitude dans l'exercice de ses droits[86].

---

81. « La jurisprudence a admis qu'on ne pouvait invoquer une aggravation là où les affaires du fonds dominant avaient prospéré ». (*Lagacé* c. *Alain*, *supra*, note 65, p. 410; *Dallaire* c. *Compagnie de béton du Saguenay ltée*, [1972] C.S. 448, 456, confirmé en appel : *supra*, note 55).
82. *Thivierge* c. *Lapointe*, [1994] R.D.I. 434, 436 (C.S.).
83. « Considérant que l'usage par le public, plus répandu aujourd'hui qu'en 1917, de véhicules automobiles au lieu de voitures à traction animale, résulte de l'évolution générale des modes de circulation et de transport et de ce fait, même s'il était prouvé qu'il a aggravé l'obligation du propriétaire du fonds servant, ne pourrait justifier l'application de l'alinéa 3 de l'article 557 C.C. [devenu l'alinéa 2 de l'article 1186 C.c.Q.]. Décider autrement serait ouvrir la porte à de nombreuses actions en justice de la part de propriétaires de terrains grevés d'une servitude de passage, et favoriser sinon provoquer un bouleversement d'ordre général ». (*Richard* c. *Collette*, [1942] C.S. 4, 6; voir aussi : *Thivierge* c. *Lapointe*, *ibid.*, p. 436).
84. *Hofer* c. *Behar*, C.S.M. nº 500-05-016185-934, 15 novembre 1994, p. 9 (J.E. 94-1916).
85. *Sofin* c. *Ville de Rigaud*, *supra*, note 79, p. 183.
86. *Létourneau* c. *Létourneau*, *supra*, note 77, p. 42 (juge en chef Tremblay).

Obligation de faire – La convention, qui constitue une servitude, impose parfois au propriétaire du fonds servant une obligation de faire, par exemple de construire et d'entretenir le chemin d'une servitude de passage (1178 C.c.Q.). Le titulaire du fonds servant qui trouve cette charge trop lourde a la possibilité de s'en affranchir en abandonnant son fonds ou une portion suffisante de celui-ci pour l'exercice de la servitude (1185 C.c.Q.). L'abandon est un acte unilatéral que peut faire en tout temps le titulaire du fonds servant tenu de faire certains ouvrages nécessaires à l'usage ou à la conservation de la servitude[87].

Changements – L'obligation passive du propriétaire du fonds servant explique qu'il lui soit défendu de poser des gestes qui tendent à diminuer l'usage de la servitude ou à la rendre plus incommode[88] (1186 (2) C.c.Q.). Il doit se garder de limiter l'exercice de la servitude, de restreindre l'accès au fonds servant ou d'édifier des constructions ou des ouvrages nuisibles sur l'assiette de la servitude[89]. Par ailleurs, la présence d'une barrière, même si elle est postérieure à la création d'une servitude, se justifie parfois lorsqu'elle a pour but de conférer « un bénéfice nécessaire ou important au fonds servant, ou de le protéger contre un risque ou danger significatif »[90].

Le propriétaire du fonds servant, s'il démontre un intérêt, peut demander le déplacement de l'assiette d'une servitude de passage à un autre endroit que celui où la servitude est exercée (1186 (2) C.c.Q.). L'opération n'est pas que fantaisie, elle répond nécessairement aux besoins du fonds servant dont l'exploitation est entravée ou, à tout le moins, gênée par le lieu d'exercice de la servitude. Ce changement devrait donc s'avérer avantageux pour le fonds servant en permettant, par exemple, d'accroître son utilité économique[91]. Le propriétaire du fonds servant est tenu d'offrir au propriétaire du fonds dominant un endroit aussi commode pour l'exercice du passage. Afin d'évaluer le critère de la commodité, le tribunal peut, par

---

87. *Guerriero* c. *Gervais*, [1989] R.D.I. 104, 106 (C.S.).
88. William DeMontmollin Marler et George C. Marler, *The Law of Real Property, Quebec*, Toronto, Burroughs, 1932, p. 128.
89. Par exemple, l'érection d'un garage directement sur l'assiette d'une servitude: *Hydro-Québec* c. *Goguen*, [1993] R.D.I. 359, 362-363 (C.S.); de poteaux et d'une clôture: *Barbeau* c. *McKeown*, (1917) 51 C.S. 311, 314-315 (C. de rév.); d'une clôture, d'un hangar et d'un cabanon: *Gagné* c. *Kwasney*, [1995] R.D.I. 562, 565 (C.S.).
90. *Fragapane* c. *Sawicz*, [1993] R.D.I. 306, 310 (C.S.); *Royer* c. *Lachance*, (1890) 16 Q.L.R. 179 (C. de rév.).
91. *Entreprises Damath Inc.* c. *Tremblay*, [1997] R.D.I. 508, 511 (C.A.).

exemple, considérer les frais[92] que le déplacement de l'assiette entraînerait dans le futur ou les répercussions économiques négatives[93] qui en résulteraient. Le coût de déplacement est assumé par le propriétaire du fonds servant[94].

Division des fonds – La division du fonds servant n'affecte pas les droits du propriétaire du fonds dominant (1187 C.c.Q.). Les titulaires de la servitude continuent à en faire usage sur les parcelles distraites du lot originaire.

Rachat – Le Code prévoit maintenant le droit de rachat d'une servitude de passage (1189 C.c.Q.)[95]. Lorsqu'il s'agit d'un autre type de servitudes, on ne peut invoquer l'article 1189. De plus, il y a exclusion de ce droit lorsque la servitude de passage est la conséquence d'une enclave (997 C.c.Q.). La faculté de recourir au droit de rachat peut être exclue pour une période maximale de 30 ans (1190 C.c.Q.).

Pour que le rachat soit possible, l'utilité de la servitude de passage pour le fonds dominant doit être hors de proportion avec la gêne ou la dépréciation qu'elle entraîne pour le fonds servant. Le rachat permet de contrer les problèmes causés par l'existence de la servitude[96]. Au premier rang des irritants figure le caractère perpétuel d'une servitude, susceptible de présenter un inconvénient sérieux pour le fonds servant. En outre, l'entretien de la servitude laisse parfois à désirer notamment lorsqu'elle est à la charge du titulaire du fonds servant. Finalement, la seule solution offerte à qui voulait obtenir l'extinction d'une servitude en l'absence d'un droit de rachat demeurait le projet de loi privée.

Le rachat peut se faire par entente sur les modalités ou par recours au tribunal. Celui-ci fixe alors le prix du rachat en tenant compte de l'ancienneté de la servitude et du changement de valeur que l'extinction de la servitude entraîne.

---

92. Le tribunal a ainsi pris en compte l'augmentation des frais de déneigement dans l'éventualité du déplacement de l'assiette d'une servitude de passage (*Dufresne-Sanfaçon* c. *Tremblay*, [1997] R.D.I. 414, 417 (C.S.)).
93. *Placements G.M.R. Maltais Inc.* c. *126679 Canada Inc.*, [1997] R.D.I. 371, 374 (C.S.).
94. *Co-op d'habitation Villa Marcotte* c. *Hydro-Québec*, [1980] C.S. 843, 845.
95. Pour les servitudes de passage existantes au 1er janvier 1994, date d'entrée en vigueur du *Code civil du Québec*, leur rachat suivant l'article 1189 ne pourra être exercé que dans un délai de 30 ans de l'entrée en vigueur du Code (*Loi sur l'application de la réforme du Code civil*, L.Q. 1992, c. 57, art. 64).
96. *Commentaires du ministre de la Justice*, *supra*, note 23, p. 697.

8. EXTINCTION

L'extinction de la servitude est nécessairement fondée sur l'un des motifs mentionnés au Code[97]. Il ne suffirait pas d'invoquer le caractère désuet ou périmé d'une servitude à la suite de l'évolution sociale ou géographique d'un lieu pour obtenir son extinction par un tribunal[98].

Réunion – La réunion dans la même personne des qualités de propriétaire des fonds dominant et servant met fin à la servitude pour défaut d'utilité (1191, 1° C.c.Q.)[99]. Si le fonds vient à être subdivisé par la suite, une nouvelle servitude devra éventuellement être constituée au bénéfice du fonds pour lequel une telle servitude s'avérerait essentielle.

Arrivée du terme – Quoique la chose demeure rare, un terme peut avoir été fixé lors de la constitution de la servitude. Son arrivée met fin au démembrement (1191, 3° C.c.Q.). En l'absence de terme, elle sera présumée perpétuelle[100].

Renonciation – La renonciation expresse par le propriétaire du fonds dominant du bénéfice d'une servitude constituée en faveur de son fonds met fin à cette servitude (1191, 2° C.c.Q.). Les tribunaux se montrent toutefois stricts quant à la preuve exigée. Ainsi, la tolérance d'un empiétement illégal sur l'assiette d'une servitude de passage a été jugée comme ne permettant pas de présumer la renonciation à la servitude[101]. Pour valoir vis-à-vis les tiers, et notamment à l'égard d'un futur acquéreur, la renonciation est soumise à la publicité (2938 C.c.Q.).

Non-usage pendant dix ans – Le non-usage d'une servitude, pendant dix ans, par le propriétaire du fonds dominant met fin à la servitude (1191, 5° C.c.Q.).

Le calcul de la période de dix ans varie selon qu'il s'agit d'une servitude discontinue ou continue (1192 C.c.Q.) (*supra*, section 4). Le début de la période de dix ans commence, pour une servitude discontinue (par exemple une servitude de passage), le jour où le propriétaire du fonds dominant cesse d'en jouir, alors que pour une servitude continue (par exemple une servitude de vue ou une servitude de nonconstruction), il commence le jour où il est fait un acte contraire à

---

97. *Couture* c. *Abraham*, *supra*, note 49, p. 473.
98. *Meunier* c. *Ouimet-Plourde*, C.S.M. n° 500-05-014368-797, 24 août 1982, p. 5-7 (J.E. 82-985).
99. *Côté* c. *Morin*, [1990] R.D.I. 532 (C.S.).
100. *Girard* c. *Ménard*, *supra*, note 3, p. 28 (juge Rousseau-Houle).
101. *Campanella* c. *Ciavatella*, [1994] R.D.I. 272, 273 (C.S.).

l'exercice de la servitude (comme l'édification d'un bâtiment par le propriétaire du fonds servant en contravention d'une servitude de ne pas bâtir en faveur du fonds dominant[102]).

Le mode d'exercice de la servitude se prescrit comme la servitude elle-même (1193 C.c.Q.). Le titre d'une servitude prévoit parfois divers modes d'exercer le droit conféré. Une servitude de passage pourra s'exercer, par exemple, à pied ou en automobile. Or, si le titulaire de la servitude n'use que d'un des modes d'exercice qui lui ont été octroyés, il perdra l'usage de l'autre pour non-usage après une période de dix ans[103]. En revanche, lorsque le titre ne définit pas de mode de locomotion, le non-usage d'un mode donné ne saurait conduire à son extinction indépendamment de la servitude[104].

La prescription extinctive court même lorsque le fonds dominant ou le fonds servant subit un changement de nature à rendre impossible l'exercice de la servitude (1194 C.c.Q.). Prenons l'exemple d'un fonds qui bénéficie d'une servitude de passage sur un immeuble voisin. Le titulaire du fonds dominant pourrait ne pas user de cette servitude durant quelques années. Advenant que, par la suite, le passage devienne impraticable du fait d'un affaissement de terrain, la prescription extinctive continuerait de courir quand même. Cette règle, qui est nouvelle, vise à renforcer la certitude des titres[105].

Rachat – Le Code prévoit maintenant la possibilité de rachat d'une servitude de passage dans des circonstances bien précises (1189 C.c.Q.)[106]. Dès lors, il éteint la servitude (1191, 4° C.c.Q.). Le rachat d'un autre type de servitude demeure également possible, après entente entre les propriétaires des fonds dominant et servant.

Intervention législative – À l'occasion, le législateur est intervenu pour décréter l'extinction d'une servitude dont la présence entravait la valeur d'un fonds[107]. Une telle intervention, qui nécessite la présentation d'un projet de loi privée, est fort rare, mais constitue le seul recours lorsque le rachat d'une servitude est impossible.

---

102. François Langelier, *Cours de droit civil de la province de Québec*, tome 2, Montréal, Wilson & Lafleur ltée, 1906, p. 312.
103. *Newland* c. *Wigley*, [1991] R.D.I. 60, 63-64 (C.S.).
104. *St-Onge* c. *Cartier*, *supra*, note 54, p. 533.
105. *Commentaires du ministre de la Justice*, *supra*, note 23, p. 699-700.
106. *Supra*, note 95.
107. Par exemple : *Loi concernant certains immeubles du cadastre de la paroisse de Laprairie de La Madeleine*, L.Q. 1986, c. 127.

9. SANCTIONS

Les recours de type pétitoire ont pour but de protéger la propriété ou un autre droit réel (912 C.c.Q.). L'*action confessoire* est reconnue au titulaire d'une servitude afin de lui permettre d'en faire constater l'existence par le tribunal. Celui qui intente l'action a l'obligation d'établir la preuve de l'existence du droit qu'il invoque. Par ailleurs, l'*action négatoire* est ouverte à celui qui désire contester l'existence d'une servitude sur son fonds. En cas d'abus d'exercice de son droit par le propriétaire du fonds dominant, l'action permet d'exiger du titulaire de la servitude qu'il s'en tienne à la description donnée à son droit selon son titre. Elle ne donne pas ouverture à l'extinction de la servitude[108]. L'action négatoire est imprescriptible, elle peut donc être intentée en tout temps même plus de dix ans après qu'aient été posés des actes en contravention à la loi[109]. Ainsi, une construction qui ne respecterait pas les règles sur les distances prescrites pour percer des vues directes sur un fonds voisin demeure susceptible de sanction peu importe le nombre d'années écoulées depuis l'érection du bâtiment. La demande d'injonction et l'action en dommages-intérêts sont aussi des recours qui accompagnent fréquemment une action de type pétitoire.

Bibliographie

CARDINAL, Jean-Guy. « Droit de chasse – Servitude – Occupation et accession – Louage », (1958-1959) 61 *R. du N.* 79-82.

CARDINAL, Jean-Guy. « Un cas singulier de servitude réelle », (1954-1955) 57 *R. du N.* 478-492.

FRENETTE, François. « Les démembrements du droit de propriété : traits saillants d'une réforme », [1988] 3 *C.P. du N.* 215.

ROBARDET, Patrick. *Servitudes réelles et limitations de droit public en matière d'affectation du sol et d'implantation des bâtiments*. Thèse de doctorat présentée à la Faculté des études supérieures de l'Université Laval, Québec. 1986. xvi, 858 p.

TURGEON, Henri. « La destination du père de famille dans le droit québécois », (1950-1951) 53 *R. du N.* 607-618.

108. *Lagacé* c. *Alain*, *supra*, note 65, p. 409.
109. *Duchesneau* c. *Poisson*, *supra*, note 42, p. 459 (juge Pratte).

CHAPITRE 10

LES DÉMEMBREMENTS INNOMMÉS

Le Code traite expressément d'un certain nombre de démembrements de la propriété (l'usufruit, l'usage, l'emphytéose et la servitude) et il prévoit, parfois même de manière fort détaillée, le régime juridique qui leur est applicable.

La question se pose de savoir s'il peut exister des démembrements autres que ceux qui sont mentionnés au Code. Ces droits seraient créés par un acte juridique, le plus souvent un contrat. Afin de mieux comprendre ce que pourraient être ces modifications de la propriété, arrêtons-nous aux exemples suivants:

> Jean Latour vend à Pierrette Morin un lot boisé. L'acte de vente comprend la clause suivante: « Le vendeur réserve, pour lui-même et ses ayants cause, le droit de chasser sur le lot vendu, et ce, pour une période de 50 ans ».
>
> Martine Dupuis vend un lot à Paul Parent. L'acte de vente comprend la clause suivante: « Le lot cédé ne pourra être utilisé à des fins autres que résidentielles. Les constructions à être édifiées sur le lot devront être des maisons unifamiliales, dont la hauteur n'excédera pas deux étages ».

Les droits mentionnés dans chacune de deux clauses ne peuvent être assimilés à une modification connue de la propriété. Dans le premier cas, on pourrait croire qu'il s'agit d'un usufruit. Ce n'est toutefois pas le cas. Les animaux sauvages ne constituent pas des fruits ou des produits de la forêt; ce sont des *res nullii*, appropriables par occupation. Faute d'objet sur lequel il puisse porter, il ne saurait être question d'usufruit. La qualification de droit d'usage (le droit d'utiliser le lot à des fins de chasse) conviendrait mieux, encore que le droit de chasser dont il est question ici ne soit pas limité, ainsi que le veut la définition du droit d'usage, aux besoins de l'usager et des personnes qui habitent avec lui ou sont à sa charge (1172 C.c.Q.). Dans le second cas, à première vue, certains pourraient y reconnaître une servitude (1177 C.c.Q.). Pourtant, il n'en est rien. La qualification de servitude exige la présence d'un fonds dominant et d'un fonds servant. Ici, la clause n'identifie pas de fonds dominant. Est-ce à dire que les droits conférés par ces clauses ne peuvent être qualifiés de droits réels et qu'il s'agit plutôt de droits personnels? Là est la question.

1. RECONNAISSANCE DE L'EXISTENCE

La doctrine est unanime à reconnaître que les droits personnels sont illimités[1]. Le droit des obligations permet aux contractants d'établir, en toute liberté, le contenu de leurs engagements mutuels. Les seules limites qui s'imposent à eux sont de respecter les prescriptions de la loi, de ne pas déroger aux règles qui intéressent l'ordre public (8-9 C.c.Q.) et de ne pas aller à l'encontre des exigences de la bonne foi (7 C.c.Q.).

Les démembrements du droit de propriété ont souvent été perçus comme étant limités en nombre. La doctrine considère parfois d'un mauvais œil la reconnaissance de démembrements autres que ceux énumérés dans le Code[2]. Le rôle créateur de la volonté se cantonnerait au droit des obligations. Seule la loi serait habilitée à déterminer les pouvoirs susceptibles d'être exercés par une personne sur un bien. La règle de l'opposabilité des droits réels aux tiers exigerait un nombre limité de droits réels pour donner son plein effet.

L'opposition vive à l'existence de démembrements innommés de la propriété s'est maintenant estompée. Aucune disposition du Code ne s'oppose à la reconnaissance de démembrements autres que ceux qui y sont mentionnés. Le libellé de l'article 1119 du Code montre, au contraire, que la liste des démembrements prévus n'est pas limitative: « L'usufruit, l'usage, la servitude et l'emphytéose sont *des* démembrements du droit de propriété et constituent des droits réels » (italique ajouté). L'article indéfini employé ici révèle le choix du législateur pour une énumération non restrictive.

Des auteurs contemporains ont appuyé la thèse de l'énumération non limitative des démembrements de la propriété, les qualifiant

1. Maurice Tancelin, *Des obligations: actes et responsabilités*, 6e éd., Montréal, Wilson & Lafleur ltée, 1997, p. 5-6.
2. « [...] nous estimons que les droits réels ne peuvent être constitués qu'à l'intérieur du cadre du droit de propriété et de ses démembrements. » (Denys-Claude Lamontagne, *Biens et propriété*, 3e éd., Cowansville, Les Éditions Yvon Blais Inc., 1998, p. 57).

de servitudes personnelles[3] ou de droits réels de jouissance innommés[4]. À l'occasion, les tribunaux ont aussi accueilli cette thèse avec sympathie :

> « Je ne crois pas que la prétention de certains à l'effet que le code civil québécois ne connaît pas de servitudes personnelles autres que l'usufruit, l'usage et l'habitation, soit encore soutenable aujourd'hui. Il n'y a aucune raison de défendre une interprétation aussi restrictive des dispositions du code, ni sur le plan de l'exégèse ni sur le plan de la rationalité. »[5]

En France, malgré un courant doctrinal opposé à l'introduction de nouvelles modifications à la propriété, la Cour de cassation, dès la première moitié du XIXe siècle, déclarait, d'une part, que les articles 544, 546 et 552 du Code civil français (les articles 947, 948 et 951 de notre Code) énoncent le droit commun quant à la nature et aux effets de la propriété et, d'autre part, que l'on ne peut découvrir là le fondement d'une restriction aux modifications dont est susceptible la propriété[6].

Malgré une libéralisation apparente, la doctrine et la jurisprudence établissent fréquemment une distinction entre un *droit de jouissance sur un bien*, qui est généralement accepté comme démembrement innommé de la propriété, et une *restriction à l'usage d'un bien* qui parvient difficilement à être reconnue comme droit réel.

2. DROITS DE JOUISSANCE SUR UN BIEN

2.1 Généralités

Le droit de jouissance innommé sur un bien permet à une personne – et non à un immeuble – de bénéficier de l'avantage que procure un bien appartenant à autrui. Son titulaire tire un bénéfice direct du droit qui lui est reconnu. Ce droit est susceptible de prendre diverses formes. Les exemples fournis par la jurisprudence et la doctrine s'apparentent

---

3. Jean-Guy Cardinal, « Un cas singulier de servitude réelle », (1954-1955) 57 *R. du N.* 478-492; Camille Charron, « Ce droit réel méconnu : la servitude personnelle », (1982) 42 *R. du B.* 446.
4. Madeleine Cantin Cumyn, « De l'existence et du régime juridique des droits réels de jouissance innommés : essai sur l'énumération limitative des droits réels », (1986) 46 *R. du B.* 3-56.
5. *Boucher* c. *R.*, (1982) 22 R.P.R. 310, 314 (C.F.), confirmé en appel : (1985) 33 R.P.R. 308 (C.A.F.).
6. *Caquelard* c. *Lemoine*, Cour de cassation, Ch. req., 13 février 1834, *Sirey* 1834.1.205.

fréquemment à des démembrements nommés. Toutefois, pour diverses raisons, cette qualification se révèle impossible.

Ainsi, le droit de pêche et le droit de chasse[7] ne peuvent être considérés comme un usufruit, puisque les animaux sauvages ne constituent pas des fruits de la forêt et de la mer[8]. La qualification d'usufruit ne convient guère mieux au droit de coupe de bois[9] ou au droit d'extraction de certaines substances du sol[10], puisque le bois et les minéraux constituent des produits et non des fruits. Par ailleurs, même si la chose est rare, un droit de passage[11] peut être conféré à l'avantage d'une personne et non en faveur d'un immeuble rendant alors impossible la qualification de servitude. La qualification de démembrement innommé pourrait convenir à un contrat d'emphytéose auquel manquerait un élément essentiel à sa constitution[12].

Le démembrement innommé qui confère un droit de jouissance a été, à tort, présenté comme une mutation de la servitude qui se situerait « à mi-chemin de la servitude réelle et de l'obligation personnelle »[13]. Les auteurs de doctrine ont d'ailleurs l'habitude de qualifier les démembrements innommés de servitudes personnelles et de traiter de cette matière dans le chapitre qu'ils consacrent aux servitudes[14]. Or, les servitudes personnelles se rattachent aux droits réels et non aux droits personnels. Par ailleurs, cette catégorie s'oppose à celle des servitudes « réelles »[15]. De manière à éliminer toute confusion, il serait préférable d'éviter d'employer l'expression « servitudes personnelles » – même si elle est tout à fait justifiable – et de lui substituer une des expressions suivantes : démembrements innommés de la propriété[16], droits de jouissance innommés ou droits réels innommés[17].

---

7. *Boucher* c. *R.*, *supra*, note 5, p. 313-314.
8. Madeleine Cantin Cumyn, *supra*, note 4, p. 21-24.
9. *Archambault* c. *Archambault*, (1898) 22 R.J.R.Q. 134 (C.S.).
10. Madeleine Cantin Cumyn, *supra*, note 4, p. 37.
11. *Carrier* c. *Morency*, (1921) 31 B.R. 496.
12. François Frenette, « De l'emphytéose au louage ordinaire par la voie mal éclairée du doute », (1977) 18 *C. de D.* 557, 559.
13. Denys-Claude Lamontagne, *supra*, note 2, p. 339; voir aussi : p. 57, repris par la Cour d'appel dans l'affaire : *Lacroix* c. *Blackburn*, [1999] R.D.I. 551, 552 (C.A.).
14. Denys-Claude Lamontagne, *ibid.*, p. 339-349 et Pierre-Claude Lafond, *Précis du droit des biens*, Montréal, Les Éditions Thémis Inc., 1999, p. 842-851. Cet auteur, toutefois, distingue les notions de servitudes et de servitudes personnelles et évite de les confondre.
15. *Troisième rapport des commissaires chargés de codifier les lois civiles du Bas-Canada, en matières civiles*, Québec, George É. Desbarats, 1865, tome 1, p. 382.
16. *Procureur général du Québec* c. *Club Appalaches Inc.*, [1998] R.J.Q. 2113, 2124 (C.S.).
17. *Procureur général du Québec* c. *Club Appalaches Inc.*, [1999] R.J.Q. 2265 (C.A.) (juge Letarte).

2.2 Caractéristiques fondamentales

La logique du système de droit civil permet de dégager les principes qui devraient permettre l'aménagement d'un démembrement innommé, au moins quant à sa nature et à sa durée.

Droit réel en faveur d'une personne – Un démembrement innommé de la propriété confère un droit direct sur le bien objet du droit, et ce, au bénéfice d'une personne. Il porte soit sur un meuble, soit sur un immeuble. Puisqu'il est un droit réel, le démembrement suit le bien en quelques mains qu'il se trouve. À l'instar des autres droits réels immobiliers, le démembrement innommé portant sur des biens immobiliers est assujetti au régime de la publicité des droits (2938, 2941 C.c.Q.)[18]. Ceci a pour effet de le rendre opposable aux tiers acquéreurs subséquents (2941 C.c.Q.).

Le démembrement innommé prive le propriétaire de la jouissance du bien grevé, aussi son existence ne peut se présumer[19]. L'intention de créer un tel droit doit se manifester clairement et sans ambiguïté.

Ces droits sont, en principe, cessibles. Toutefois, un démembrement innommé qui s'apparenterait à l'usage serait sans doute déclaré incessible (1173 C.c.Q.). Le titulaire jouit évidemment de la faculté d'abandon[20], cette prérogative qui est reconnue à tout titulaire de droits réels.

Droit temporaire – La servitude est le seul démembrement de la propriété d'une nature perpétuelle[21], tous les autres étant temporaires par essence. Cette règle ne semble pas connaître d'exception, quoique certains auteurs aient soutenu une position plus nuancée[22]. Le seul fondement juridique à une possible durée perpétuelle des démembrements innommés reste l'arrêt du Conseil privé dans l'affaire *Matamajaw Salmon Club* c. *Duchaine*[23]. Le juge Marceau, de la Cour fédérale,

---

18. Madeleine Cantin Cumyn, *supra*, note 4, p. 47-48.
19. *Dagenais* c. *Fiori*, [1989] R.D.I. 68, 71 (C.S.).
20. Jean-Guy Cardinal, *supra*, note 3, p. 488.
21. *Girard* c. *Ménard*, [1995] R.D.I. 24, 28 (C.A.) (juge Rousseau-Houle).
22. Madeleine Cantin Cumyn, *supra*, note 4, p. 43; William DeMontmollin Marler et George C. Marler, *The Law of Real Property. Quebec*, Toronto, Burroughs, 1932, p. 103.
23. (1921) 2 A.C. 426, 436 (Conseil privé, lord Haldane), suivi par *Procureur général du Québec* c. *Club Appalaches Inc.*, *supra*, note 16, p. 2124, confirmé en appel *supra*, note 17, p. 2266 (juge Letarte). Pour un commentaire récent de l'affaire *Matamajaw* qui présente le droit de pêche comme pouvant être objet d'un droit de propriété, voir : André Cossette, « Essai sur le droit de pêche dans les cours d'eau non navigables », (1997-1998) 100 *R. du N.* 3-47. Pour une critique de l'arrêt, voir : Sylvio Normand, « Une relecture de l'arrêt *Matamajaw Salmon Club* », (1988) 29 *C. de D.* 807-813.

a particulièrement bien fait ressortir le caractère peu commun de la notion de démembrement perpétuel – il parle plutôt de servitude personnelle perpétuelle –, il s'agit selon lui d'une « [...] notion marginale, tout à fait exceptionnelle, plus ou moins conforme aux principes qui régissent le droit des biens dans le droit civil québécois [...] »[24]. L'idée d'un droit de jouissance innommé d'un caractère perpétuel, si elle heurte la conception moderne de la propriété, se concilie bien avec les propriétés simultanées du droit coutumier[25].

Même s'il n'est pas perpétuel, le démembrement qui confère un droit de jouissance sur un bien peut être d'une durée assez longue. La durée maximale de l'usufruit et de l'emphytéose, soit cent ans, pourrait servir de guide (1123, 1197 C.c.Q.).

Régime juridique conventionnel – Au-delà de la nature du droit et de sa durée, le démembrement innommé, contrairement aux démembrements prévus au Code, n'est pas assujetti à un régime juridique légal. L'acte qui le constitue doit donc prévoir un régime, notamment pour régler les droits et obligations des titulaires d'un tel démembrement. Il est possible de référer, en faisant les adaptations nécessaires, à un régime déjà prévu au Code, l'usufruit par exemple.

3. RESTRICTIONS À L'USAGE D'UN BIEN

Certaines clauses qui se retrouvent dans des contrats restreignent l'usage d'un bien. À titre d'exemples, on peut mentionner l'interdiction

24. *Boucher* c. *R.*, *supra*, note 5, p. 315 et « [...] une servitude personnelle est obligatoirement délimitée dans le temps ». (*Autopoint Inc.* c. *Collin*, [1991] R.D.I. 415, 421 (C.S.)). Ce jugement a été renversé par la Cour d'appel qui qualifie le droit de servitude [1996] R.D.I. 160, 162 (C.A.) (juge Baudouin). Voir aussi : *Vinet* c. *Vernier*, [1989] R.D.I. 791, 793-794 (C.S.).
25. L'opinion du juge Pelletier de la Cour du Banc du roi dans l'arrêt *Duchaine* c. *Matamajaw Salmon Club Ltd.* semble faire écho à la notion de propriétés simultanées : « [...] la vente faite à l'auteur de l'intimé a créé entre le riverain et l'acheteur des droits de pêche une situation d'*intérêts conjoints* dans la propriété du lit de la rivière » et plus bas : « L'appelant et l'intimé sont donc tous deux propriétaires du lit de la rivière. Ça n'est pas une propriété indivise, mais une copropriété qui, suivant le cas, donnera des fruits ou des avantages tantôt à l'un tantôt à l'autre. » ((1918) 27 B.R. 196, 203 (italiques ajoutées)). En France, durant la première moitié du XIXe siècle, les tribunaux et la doctrine reconnaissent que les utilités d'un immeuble peuvent constituer des « propriétés » autonomes et que la propriété des ces utilités exige nécessairement la copropriété du fonds par les bénéficiaires (Anne-Marie Patault, « La propriété non exclusive au XIXe siècle : histoire de la dissociation juridique de l'immeuble », (1983) 61 *Rev. hist. dr. fr. et ét.* 217, 229).

de construire sur un fonds ou une partie de celui-ci (servitude *non ædificandi*)[26], de surélever un bâtiment (servitude *non altius tollendi*) ou encore de s'adonner à certaines activités commerciales[27] ou récréatives. La jurisprudence et la doctrine acceptent difficilement de reconnaître l'existence de droits réels dans de telles restrictions à l'usage d'un bien.

Le premier réflexe qui vient aux tribunaux devant une clause qui restreint l'usage d'un bien est de chercher un rapprochement avec la servitude. Toutefois, les restrictions à l'usage d'un bien sont, le plus souvent, qualifiées de simples obligations personnelles et, par le fait même, elles sont exclues du domaine des droits réels. Pourtant, dans certains cas, ces restrictions pourraient aussi être qualifiées de démembrements innommés de la propriété ou d'obligations réelles.

Servitude – Plusieurs clauses comprenant des restrictions à l'usage d'un bien sont rédigées sous la forme de servitudes. Pour permettre une telle rédaction, *la situation des lieux doit évidemment mettre en présence un fonds dominant et un fonds servant.* On a également soutenu que la durée de telles clauses devrait, dans certains cas, être limitée[28].

Les tribunaux ont déjà qualifié de servitudes diverses restrictions à l'usage d'un bien, telles la prohibition d'édifier sur un fonds des bâtiments autres que résidentiels[29], l'interdiction de s'adonner sur un immeuble à la vente de nourriture et de boissons ou d'y construire un établissement à ces fins[30], ou encore une clause d'exclusivité en faveur d'un commerce d'alimentation[31]. Par ailleurs, les tribunaux refusent fréquemment de voir dans des restrictions de cette nature des démembrements de la propriété.

Ils invoquent le non-respect d'une des conditions de création d'une servitude pour repousser cette qualification. Ainsi, à l'égard d'une clause prohibant la construction sur une partie d'un fonds, le tribunal rejette tout rapprochement avec la servitude au motif de l'impossibilité d'identifier avec précision un fonds dominant[32]. De même, une clause de non-

---

26. Ainsi dans l'arrêt *Leduc* c. *Sauvé*, [1955] B.R. 85, il était interdit de construire à moins de 12 pieds de la rue.
27. *Auger* c. *Grenier*, (1985) 33 R.P.R. 281 (C.A.) (juge Paré).
28. Camille Charron, *supra*, *no*te 3, p. 450.
29. *Boswell* c. *Trustees for Charmers Wesley United Church of the United Church of Canada*, (1940) 78 C.S. 233.
30. *Zigayer* c. *Ruby Foo's (Montreal) Ltd.*, [1976] C.S. 1362.
31. *Magasin Co-op d'Asbestos* c. *Centre commercial d'Asbestos Inc.*, [1986] R.D.I. 551 (C.S.).
32. *Leduc* c. *Sauvé*, *supra*, note 26, p. 92 (juge St-Jacques); *Boucher* c. *Roy*, (1981) 18 R.P.R. 45, 55 (C.A.) (juge Owen); *Griffin* c. *Johnson*, (1924) 62 C.S. 541.

usage d'un fonds à une fin commerciale n'est pas assimilée à une servitude du fait qu'elle bénéficie à une personne[33] et non à un fonds. Pourtant, les tribunaux ont déjà considéré qu'une clause de non-usage conférerait un avantage réel à un immeuble en préservant, par exemple, la tranquillité d'un lieu[34] ou en contribuant à son agrément[35].

L'interprétation étroite donnée au critère du service ou de l'*avantage* offert au fonds dominant[36] pour qualifier un droit de servitude (*supra* : chapitre 9, section 2.1) explique, en partie, la réticence à accepter de reconnaître certaines restrictions à l'usage d'un immeuble comme des servitudes. Or, il est vraisemblable que ce critère connaîtra une évolution au cours des années à venir. Déjà, la Cour d'appel a parlé de la « valorisation de la destination du fonds » pour vraisemblablement décrire ce critère[37]. Cette formulation laisse la porte ouverte à une prise en compte de considérations économiques dans l'appréciation de l'avantage offert au profit d'un fonds. La jurisprudence française s'est d'ailleurs assouplie à cet égard allant jusqu'à accepter qu'une clause de non-concurrence puisse être constituée sous forme de servitude[38]. L'acceptation

---

33. « Une servitude de non-concurrence n'est pas une servitude au sens de l'article 1177 C.C.Q., mais une obligation personnelle, car établie à l'avantage d'un propriétaire et d'un fonds de commerce plutôt qu'à l'avantage du fonds lui-même. » (*Léveillé* c. *Coopérative funéraire d'Autray*, [1998] R.D.I. 404, 410 (C.S.); *Standard Life Assurance Co.* c. *Centre commercial Victoriaville ltée*, [1999] R.J.Q. 795, 803-804 (C.S.)).
34. « [...] cette servitude [prohibant des constructions autres que résidentielles], établie sur plusieurs fonds contigus avait évidemment pour objet de créer aux limites de la cité un centre de paix et de tranquillité, favorable au repos [...]; et qu'en cela telle servitude se caractérise nettement comme servitude d'utilité et d'agrément ». (*Boswell* c. *Trustees for Charmers Wesley United Church of the United Church of Canada*, *supra*, note 29, p. 236).
35. La servitude *non œdificandi*, qui fait défense de construire, pourrait ainsi être justifiée. La Cour supérieure, après avoir refusé de qualifier une clause de non-concurrence au motif qu'elle bénéficiait à son auteur et non pas à un immeuble, ajoute : « Il n'existe pas de commune mesure entre une telle clause et une servitude *non œdificandi* ». (*Gestion Lepco Inc.* c. *Nard*, [1992] R.D.I. 289, 281 (C.S.)).
36. Sur le critère de l'avantage, voir : Jean-Guy Cardinal, *supra*, note 3, p. 485, repris par la Cour d'appel dans *Girard* c. *Ménard*, *supra*, note 21, p. 27 (juge Rousseau-Houle).
37. *Autopoint Inc.* c. *Collin*, *supra*, note 24 p. 162 (juge Baudouin).
38. « Attendu que l'interdiction faite à l'acquéreur d'un fonds de l'affecter à un usage déterminé peut revêtir le caractère d'une servitude établie par le fait de l'homme attachée au fonds dans l'intérêt d'un autre fonds et est valable pourvu que ce service n'ait rien de contraire à l'ordre public et attendu qu'une convention restreignant sans limitation de temps l'exercice d'une activité commerciale définie est licite si elle est restreinte à un lieu déterminé. » (*Époux Brusquand* c. *Guiguet*, Cour de cassation, chambre commerciale, 15 juillet 1987, Dalloz 1988, Jurisprudence 360; voir aussi : *Société Plageco* c. *Société Doux et Trouillot*, Bulletin des arrêts de la Cour de cassation, 3e chambre civile, 24 mars 1993, nº 45). Les conclu-

de telles servitudes serait toutefois conditionnelle à l'affectation de l'immeuble à une fin particulière et à son aménagement en conséquence, par la construction, par exemple, d'un garage, d'un supermarché ou d'un hôtel[39]. La servitude bénéficierait à tous les titulaires du fonds dominant et non seulement à celui qui a introduit la restriction.

Les raisons pour repousser la qualification de servitudes à des clauses restrictives de l'usage d'un bien ne tiennent pas uniquement à des considérations techniques comme celles qui sont généralement invoquées. Ces clauses sont vues comme des limitations inacceptables au caractère absolu du droit de propriété, ainsi que l'a clairement exprimé la Cour d'appel : « La servitude *non œdificandi* est manifestement une restriction au droit de propriété et à l'exercice de la jouissance absolue de ce droit. Il faut donc, nécessairement, trouver dans les actes eux-mêmes une stipulation claire, non ambiguë et qui n'offre aucun doute sur la création de la servitude »[40]. Les clauses de non-concurrence sont, par ailleurs, présentées comme une brimade à la liberté de commerce qui constitue une violation de l'ordre public[41]. À ces motifs, il faut certes ajouter le caractère perpétuel de la servitude qui ne facilite guère la réception des clauses restrictives[42].

Obligation personnelle – Une fois rejetée la qualification de servitude, la doctrine[43] comme les tribunaux[44] qualifient habituellement la restriction à l'usage d'un bien de simple obligation personnelle. La violation d'une obligation de cette nature donne lieu éventuellement à l'octroi de dommages-intérêts et non pas à une ordonnance de

sions de ces arrêts atténuent passablement la portée de l'article de Robert Décary sur la validité des clauses de non-concurrence constituées sous forme de servitude, et ce, d'autant plus que l'auteur affirmait : « ils [les auteurs et les magistrats français] n'en sont pas moins unanimes dans leur refus de considérer comme servitude une clause dont le but est de réduire la compétition entre un commerce exercé sur un fonds dominant et un commerce exercé sur un fonds servant » (« De la validité d'une *servitude* de non-usage à des fins commerciales dans une zone commerciale », (1977) 80 *R. du B.* 63, 80). Cet article sert fréquemment d'appui au raisonnement des tribunaux qui concluent à la nullité de telles servitudes (*Léveillé* c. *Coopérative funéraire d'Autray*, *supra*, note 33).

39. Philippe Malaurie et Laurent Aynès, *Cours de droit civil : les biens, la publicité foncière*, 4e éd. par Philippe Thery, Paris, Éditions Cujas, 1998, p. 331-332.
40. *Leduc* c. *Sauvé*, *supra*, note 26, p. 90.
41. Robert Décary, *supra*, note 38, p. 65.
42. *Ibid.*, p. 75-76, l'auteur cite un extrait de Demolombe repris dans l'arrêt *Standard Life Assurance Co.* c. *Centre commercial Victoriaville ltée*, *supra*, note 33, p. 801.
43. « Avec respect, nous soumettons [...] que cette forme de « servitude » de non-concurrence ne constitue pas une servitude au sens du code civil mais une obligation personnelle [...] ». (Robert Décary, *supra*, note 38, p. 65).
44. *La Maison blanche ltée* c. *Babin*, [1987] R.D.I. 324, 327 (C.S.); *Boucher* c. *Roy*, *supra*, note 32, p. 55 (juge Owen).

démolition des constructions qui y contreviendraient[45]. Par ailleurs, la sanction de telles clauses est loin d'être une chose acquise. Encore faut-il que la débitrice de cette obligation personnelle et ses ayants cause à titre particulier y soient assujettis. Il est notamment essentiel que, dans les actes de disposition du bien subséquents à l'acte originaire soient mentionnées les charges et obligations affectant l'usage du bien, sinon il y a bris de la chaîne des engagements et, partant, impossibilité d'en exiger le respect[46].

Démembrement innommé – La restriction à l'usage d'un bien est rarement envisagée comme un droit réel innommé ou une servitude personnelle pour reprendre l'expression la plus souvent retenue. La doctrine a parfois estimé que de telles clauses étaient acceptables pour les « servitudes » de *non œdificandi* et de non-usage. La clause de non-concurrence pourrait même être ainsi formulée à la condition de ne pas atteindre l'ordre public par un caractère trop général ou une durée excessive[47]. Un assouplissement de la jurisprudence concernant la servitude entraînerait inévitablement une acceptation plus facile de la constitution des restrictions à l'usage sous forme de démembrements innommés. Il faut avouer cependant que l'opposition à considérer ces clauses comme des démembrements innommés demeure vive pour le motif principal que de telles restrictions ne confèrent pas de droit de jouissance à son titulaire[48].

Obligation réelle – Dans l'hypothèse du rejet de la qualification de la restriction à l'usage d'un bien comme démembrement innommé, il y a lieu d'envisager de la qualifier d'obligation réelle et non pas simplement d'obligation personnelle. La restriction devient un engagement lié à un droit réel qui donne alors naissance à une créance réelle[49]. L'obligation ainsi constituée crée une charge qui grève un bien au bénéfice d'une personne et non d'un fonds. Étant donné son lien avec le fonds, cette obligation a pour particularité d'assujettir le nouveau propriétaire du bien grevé. L'impact de certaines clauses

45. *Leduc* c. *Sauvé*, *supra*, note 26, p. 92 (juge Saint-Jacques).
46. *Auger* c. *Grenier*, *supra*, note 27, p. 287 (juge Paré).
47. Camille Charron, *supra*, note 3, p. 450.
48. Madeleine Cantin Cumyn, *supra*, note 4, p. 36-38.
49. « La servitude de ne pas faire (de ne pas bâtir par exemple) ne confère aucun pouvoir de jouissance au propriétaire du fonds dominant, et, partant, aucun droit réel à proprement parler, sur le fonds servant. Ce qu'il possède, c'est une créance réelle contre le propriétaire du fonds servant [...] ». (Hassen Aberkane, *Contribution à l'étude de la distinction des droits de créance et des droits réels : essai d'une théorie générale de l'obligation propter rem en droit positif français*, Paris, L.G.D.J., 1957, p. 126 et 242-253). Contrairement à l'auteur, je n'irais pas jusqu'à exclure ces charges de la catégorie des droits réels.

restrictives à la liberté de commerce exige que leur portée soit limitée dans le temps[50]. Le débiteur d'une obligation réelle peut s'en dégager en abandonnant la propriété du bien.

La reconnaissance de ce type d'obligations est encore tout à fait marginale en droit québécois. La Cour supérieure a déjà sanctionné une telle charge comprise dans l'acte de donation d'un terrain à une paroisse[51]. L'acte stipulait que le donataire s'engageait à utiliser le terrain à des fins religieuses ou éducatives seulement. Le tribunal, à qui il était demandé de déterminer si le terrain pouvait connaître d'autres usages, en vint à la conclusion que la condition devait être respectée puisqu'elle était « une charge réelle imposée au lopin de terre et qui suit ce dernier en quelques mains qu'il se trouve »[52].

Bibliographie

ABERKANE, Hassen. *Contribution à l'étude de la distinction des droits de créance et des droits réels : essai d'une théorie générale de l'obligation propter rem en droit positif français.* Paris, L.G.D.J., 1957. vii, 283 p.

CANTIN CUMYN, Madeleine. « De l'existence et du régime juridique des droits réels de jouissance innommés : essai sur l'énumération limitative des droits réels », (1986) 47 *R. du B.* 3-56.

CANTIN CUMYN, Madeleine. « Essai sur la durée des droits patrimoniaux », (1988) 48 *R. du B.* 3-46.

CARDINAL, Jean-Guy. « Un cas singulier de servitude réelle », (1954-1955) 57 *R. du N.* 478-492.

CHAIT, Samuel. « Contractual Land Use Control », [1962] *Meredith Memorial Lectures* 52-65.

CHARRON, Camille. « Ce droit réel méconnu : la servitude personnelle », (1982) 42 *R. du B.* 446-451.

COSSETTE, André. « Essai sur le droit de pêche dans les cours d'eau non navigables », (1997-1998) 100 *R. du N.* 3-47.

DÉCARY, Robert. « De la validité d'une *servitude* de non-usage à des fins commerciales dans une zone commerciale », (1977) 80 *R. du B.* 63-82 et 137-160.

---

50. Michel de Juglart, *Obligation réelle et servitudes en droit privé français*, thèse de doctorat, Bordeaux, Fredou & Manville, 1937, p. 355-356.
51. *Corporation de la paroisse de Saint-Télesphore* c. *Société d'habitation du Québec*, [1983] C.S. 656.
52. *Ibid.*, p. 658.

GOODMAN, Joy. « Stipulations de restriction d'usage, clauses de non-concurrence, d'exclusivité et de "rayon" », (1999) 59 *R. du B.* 289-305.

JUGLART, Michel de. *Obligation réelle et servitudes en droit privé français*. Thèse de doctorat. Bordeaux, Fredou & Manville, 1937. 388 p.

NORMAND, Sylvio. « Une relecture de l'arrêt *Matamajaw Salmon Club* », (1988) 29 *C. de D.* 807-813.

CHAPITRE 11

LA PUBLICITÉ FONCIÈRE

Le régime de la publicité foncière a pour but de faire en sorte que soient connus du public l'identification des propriétaires des immeubles et certains droits qui grèvent les biens et ainsi de conférer une plus grande sécurité aux titres. Il permet, par exemple, de rendre publique l'existence des servitudes et des hypothèques qui ont été constituées sur un immeuble donné. La publicité résulte de l'inscription des droits réels au registre foncier (2934 C.c.Q.).

Jusqu'aux années 1830, aucun système de publicité ne collige des données sur l'identité des propriétaires immobiliers et encore moins sur l'état des droits réels qui grèvent les immeubles. La situation crée de l'incertitude et suscite la critique, au fur et à mesure que l'immeuble devient un objet usuel de commerce. Malgré les difficultés posées par un régime parlementaire paralysé sous le Parlement du Bas-Canada, l'État met en place des bureaux d'enregistrement. Les premiers sont ouverts dans les Cantons de l'Est autour des années 1830, puis, en 1841, le système gagne le reste de la province. L'introduction du régime de publicité des droits réels immobiliers s'avère laborieuse. De multiples interventions législatives forgent un système dont l'évolution se caractérise surtout par l'empirisme[1].

À ses débuts, le régime de la publicité des droits est essentiellement nominatif[2]. Un index, dressé aux noms des propriétaires, permet

1. Sur l'historique du système de publicité des droits réels : Sylvio Normand et Alain Hudon, « Le contrôle des hypothèques secrètes au XIXe siècle : ou la difficile conciliation de deux cultures juridiques et de deux communautés ethniques », [1990] R.D.I. 169-201.
2. En l'absence de cadastre, la tenue d'un index des immeubles se révèle impossible : *Ibid.*, p. 190-193.

l'inscription sous chaque nom des actes auxquels cette personne a été partie. Même s'il s'avère d'un accès difficile, le système contribue à affirmer le rôle prépondérant de l'écrit dans la culture juridique québécoise. Les actes juridiques publiés sont censés révéler l'exacte situation juridique d'un immeuble[3]. À moyen terme, suivant un tel système, les droits plus ou moins apparents grevant un immeuble sont voués à la disparition, à défaut de pouvoir être identifiés clairement après consultation des registres des droits réels.

1. DROITS ASSUJETTIS

À ses débuts, le régime de publicité des droits réels immobiliers s'applique à certains actes juridiques bien spécifiques et lourds de conséquences. Au nombre de ces actes figurent l'aliénation d'un bien-fonds et la constitution d'une hypothèque[4]. Lors de la codification des lois civiles en 1866, les commissaires proposent d'élargir l'application du régime de publicité des droits réels afin de mieux protéger l'acquéreur d'un immeuble de même que le créancier[5]. Par la suite, le Code est modifié pour ajouter des dispositions qui soumettent au régime de la publicité toutes les servitudes réelles et contractuelles[6].

Le *Code civil du Québec*, qui présente l'aboutissement de l'évolution du régime de publicité, assujettit à peu près tous les actes juridiques portant sur des droits réels immobiliers au régime de la publicité foncière. En effet, la liste des droits visés mentionnés au Code laisse peu de possibilité de dérogation, puisqu'elle inclut l'acquisition, la constitution, la reconnaissance, la modification, la

3. Jack Goody, *La logique de l'écriture : aux origines des sociétés humaines*, Paris, Armand Colin, 1986, p. 154-158.
4. *Ordonnance pour prescrire et régler l'enregistrement des titres aux terres, ténements, et héritages, biens réels ou immobiliers, et des charges et hypothèques sur iceux; et pour le changement et l'amélioration, sous certains rapports, de la loi relativement à l'aliénation et l'hypothècation des biens réels, et des droits et intérêts acquis en iceux*, Ordonnances du Conseil spécial du Bas-Canada, 1841, c. 30, art. 1.
5. *Sixième rapport des commissaires chargés de codifier les lois civiles du Bas-Canada*, Québec, George É. Desbarats, 1865, p. 65 et 67.
6. S.R.Q. 1888, art 5834 [ajoute l'article 2116 a C.c.B.-C.]; *Loi modifiant le Code civil au sujet de l'enregistrement de certaines servitudes*, S.Q. 1916, c. 34, art 1 [ajoute l'article 2116 b C.c.B.-C.].

transmission et l'extinction des droits réels immobiliers. À ces actes, s'ajoutent les restrictions au droit de disposer et les droits de résolution, de résiliation ou d'extinction d'un droit réel soumis à la publicité (2938-2939 C.c.Q.)[7]. Par ailleurs, certains actes, comme la promesse de vente d'un immeuble, parce qu'ils ne créent pas de droits réels mais des droits personnels, ne sont pas assujettis au régime de la publicité foncière[8].

2. IMMATRICULATION DES IMMEUBLES

La mise en place d'un régime de publicité foncière accessible au public exige un traitement systématique et un repérage rapide des données colligées. La confection du cadastre a justement pour but de faciliter l'atteinte de cet objectif. Cet instrument permet, en effet, l'identification des immeubles, par leur numéro de lot. Aussi, une fois immatriculé, un immeuble, est désigné par un numéro spécifique, constitué de sept chiffres (par exemple : le lot n° 1 458 253), qui figure au plan cadastral (3032-3033 C.c.Q.) (illustration 2). Ce numéro, qui permet de distinguer un immeuble de tous les autres, suffira par la suite à son identification dans tout acte juridique le concernant.

2.1 Plan cadastral

Définition – Le plan cadastral permet l'identification des immeubles et facilite le fonctionnement du régime de la publicité foncière[9]. Il fait partie du registre foncier (3027 C.c.Q.) (*infra* : section 3.1). Malgré l'importance du plan cadastral, il ne peut cependant pas être assimilé à un titre portant sur un immeuble[10].

L'établissement du cadastre au Québec ne fut entrepris qu'une vingtaine d'années après l'introduction du régime de publicité des droits

---

7. Pour des exemples d'actes juridiques assujettis à la publicité : François Brochu, « Le mécanisme de fonctionnement de la publicité des droits en vertu du nouveau *Code civil du Québec* et le rôle des principaux intervenants », (1993) 34 *C. de D.* 949, 991-994.
8. Pierre-Gabriel Jobin, *La vente dans le Code civil du Québec*, Cowansville, Les Éditions Yvon Blais Inc., 1993, p. 39; Thérèse Rousseau-Houle, « Les récents développements dans le droit de la vente et du louage de choses au Québec », (1985) 15 *R.D.U.S.* 307, 323.
9. « Au Québec, le cadastre sert à l'identification des terrains et à l'enregistrement [la publicité] des actes qui les affectent. » (*Sacchetti* c. *Lockheimer*, [1988] 1 R.C.S. 1049, 1055 (juge Lamer)).
10. *Chalifour* c. *Parent*, (1900-1901) 31 R.C.S. 224, 231 (juge Taschereau).

réels, soit au cours des années 1860. Entre-temps, l'absence d'un tel instrument réduisit considérablement l'efficacité du système[11].

Le plan cadastral fournit une représentation graphique du territoire et permet l'immatriculation des immeubles. Il comprend les éléments suivants : le numéro attribué à chaque lot, les limites des lots qui font l'objet du plan, leurs mesures et leur contenance (3026 C.c.Q.). En outre, le plan mentionne le nom du cadastre[12], de la circonscription foncière[13] où sont situés les lots, et le nom de la municipalité locale dans laquelle ils sont compris[14]. Un document complète le plan cadastral[15]: il identifie le propriétaire, mentionne le mode d'acquisition de l'immeuble, le numéro d'inscription du titre et éventuellement établit la concordance avec l'ancien numéro cadastral (3026 (2) C.c.Q.).

Les immeubles susceptibles d'apparaître sur le plan cadastral sont nombreux. Au premier rang figurent les fonds de terre (3026 C.c.Q.), qu'ils fassent l'objet d'un plan horizontal ou d'un plan vertical dans les cas d'une copropriété divise et d'une coemphytéose (3030 (2) C.c.Q.) (illustrations 3-7). S'y retrouvent aussi l'assiette d'un droit réel d'exploitation de ressources de l'État (mines) et l'assiette d'un réseau de voies ferrées ou d'un réseau de télécommunications par câbles, de distribution d'eau ou de gaz, de lignes électriques et de canalisations (3031 C.c.Q.).

Présomption – Le plan cadastral est présumé exact (3027 C.c.Q.). Cette présomption est simple (2847 (2) C.c.Q.). En ce qui concerne les mesures et la contenance des immeubles, le plan a préséance sur les désignations figurant dans les actes de vente et les autres documents présentés au Bureau de la publicité foncière (2981 C.c.Q.).

2.2 Confection et modification du plan cadastral

Responsabilité – La confection du plan cadastral relève de la responsabilité du ministre des Ressources naturelles[16] à qui il revient égale-

---

11. Sylvio Normand et Alain Hudon, « Confection du cadastre seigneurial et du cadastre graphique », (1988-1989) 91 *R. du N.* 184, 192-198.
12. Il existe présentement pas moins de 1 700 plans cadastraux (par exemple, le plan cadastral de la paroisse de Sainte-Foy) qui seront remplacés par un cadastre unique – le cadastre du Québec – lorsque la rénovation du cadastre sera terminée.
13. « Division géographique, créée par la loi pour fins de publicité des droits, dans laquelle est établi un bureau de la publicité des droits ». (Hubert Reid, *Dictionnaire de droit canadien et québécois avec lexique anglais-français*, Montréal, Wilson & Lafleur ltée, 1994, p. 91).
14. *Loi sur le cadastre*, L.R.Q., c. C-1, art. 2.
15. François Brochu et Berthier Beaulieu, « Les hauts et les bas de la rénovation cadastrale », (1999) 101 *R. du N.* 11, 19-20 et annexe 8.
16. *Loi sur le cadastre*, *supra*, note 14, art. 1.

ment de mener à terme l'importante opération de rénovation du cadastre qui est présentement en cours[17]. Une fois terminée, cette vaste entreprise fournira une image conforme de l'état réel du territoire québécois en portant au cadastre les nombreux morcellements dont ont été l'objet les lots originaires. Dans les actes juridiques, la description d'un lot porté au cadastre devrait se limiter à la mention du nom de la circonscription foncière et du numéro attribué à ce lot sur le plan cadastral. Ainsi pourrait-on parler du lot n° 2 394 764 du cadastre du Québec, circonscription foncière de Québec. D'ailleurs, dès que le cadastre d'une circonscription foncière est rénové, le numéro d'un lot constitue la seule désignation de ce lot (3032-3033 C.c.Q.). Le système de numérotation des lots n'obéit pas à une recherche d'identification régionale. Des lots voisins pourront ainsi porter des numéros fort distants les uns des autres[18].

Description par tenants et aboutissants – Dans le passé toutefois – et cela vaut encore dans les régions du Québec où la rénovation cadastrale n'a pas été terminée – la désignation des biens fonciers s'est rarement limitée à la seule mention d'un numéro de lot, et ce, en raison de l'absence de mise à jour continuelle du cadastre. En effet, dans les actes juridiques, les lots morcelés sont, en l'absence de subdivision[19], désignés le plus fréquemment par « tenants » et « aboutissants »[20]. L'opération permet de situer la parcelle distraite d'un lot par rapport aux parcelles ou aux lots qui lui sont adjacents. Une telle description comprend généralement la forme de la parcelle (carrée, rectangulaire[21], triangulaire ou irrégulière) sa longueur, sa largeur et sa superficie. Il est fréquent dans une description de faire référence à des éléments physiques ou topographiques, comme un cours d'eau ou une route, qui servent de bornes à un lot. Dans un contrat de vente, un lot pourrait être ainsi décrit en territoire non rénové :

> Le vendeur vend à l'acquéreur un immeuble connu et désigné comme étant une partie du lot numéro vingt (ptie 20) au cadastre officiel de la paroisse de Sainte-Foy, circonscription foncière de Québec, mesurant cent mètres (100 m.) de largeur par deux cents mètres (200 m.) de profondeur, borné comme suit : à

17. *Loi favorisant la réforme du cadastre québécois*, L.R.Q., c. R-3.1, art. 1; François Brochu et Berthier Beaulieu, *supra*, note 15.
18. François Brochu et Berthier Beaulieu, *ibid.*, p. 24-25.
19. Sur la subdivision, voir *infra*, note 26.
20. « Les tenants sont les limites latérales d'un emplacement, tandis que les aboutissants en sont les limites dans le sens de la profondeur » (Albert Bélanger, « La description légale d'un emplacement », (1980-1981) 83 *R. du N.* 517, 522).
21. En l'absence d'angles à 90°, que confirmerait un plan d'arpentage, il est recommandé d'éviter de référer à la forme carrée ou rectangulaire (*Ibid.*, p. 524).

l'est, par le lot numéro trente (30) du même cadastre, au Nord et à l'Ouest par le résidu du lot vingt (20) et au sud par l'avenue Miramont.

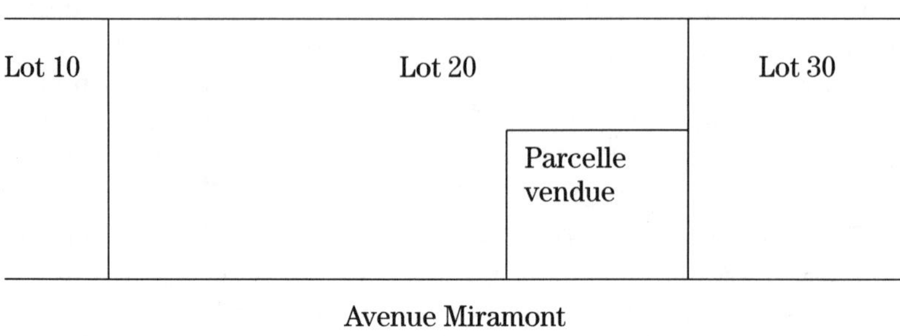

Lorsque la description d'un lot non rénové, en plus d'établir ses tenants et ses aboutissants, précise sa contenance, soit sa superficie, on privilégie les limites que fournit le titre en cas de contradiction[22].

Au fil des ans, ce mode de désignation des lots a donné lieu à des imprécisions et a rendu fort complexe l'identification des immeubles. Rapidement, le plan cadastral ne donna plus une image conforme du morcellement du territoire. À l'heure actuelle, le ministère des Ressources naturelles considère que sur les 3,3 millions de lots que compte le territoire du Québec, près de la moitié présentent des anomalies : 750 000 lots, quoique représentés au cadastre, renferment des inexactitudes et, plus grave, 850 000 lots n'y seraient tout simplement pas identifiés, parce que décrits par tenants et aboutissants[23]. Dans ce contexte, il est devenu usuel pour identifier un lot de s'en remettre à la matrice graphique constituée par les municipalités pour des fins fiscales[24]. L'actuel processus de rénovation du cadastre permettra de pallier ces lacunes.

Les plans cadastraux existants couvrent seulement la partie densément peuplée du territoire québécois. La représentation graphique que permet le cadastre est une manifestation non équivoque de l'appropriation et de la mise en valeur du territoire puisque, comme il a été affirmé, « [...] la cartographie est l'acte par excellence de prise de possession du monde naturel par l'homme [...] »[25].

---

22. *Vallée* c. *Gagnon*, (1910) 19 B.R. 165, 171 (juge Archambeault).
23. Ministère des Ressources naturelles, *Cadastre et réforme, informations générales*, 1999, à l'adresse électronique suivante : http://www.mrn.gouv.qc.ca/cadastre/info/info.asp#1.
24. François Brochu et Berthier Beaulieu, *supra*, note 15, p. 21-22.
25. Jean Chesneaux, *Jules Verne : une lecture politique*, Paris, François Maspero, 1982, p. 27.

Mise à jour – Étant donné qu'à l'avenir le cadastre renové devra être tenu à jour afin de refléter l'état réel du territoire, il fera l'objet de modifications constantes, notamment lors du morcellement[26] d'un lot (3043 C.c.Q.). Une telle opération entraînera l'immatriculation des lots qui en résulteront. La modification d'un plan cadastral est d'ailleurs préalable à l'inscription des droits énoncés dans une réquisition qui constate l'acquisition d'une partie de lot (3054 C.c.Q.).

Outre ces mises à jour, des modifications peuvent être apportées au cadastre par le ministre afin de corriger un plan ou la numérotation d'un lot à la suite d'une erreur (3043 (3) C.c.Q.)[27].

3. MODALITÉS

L'efficacité du système de la publicité des droits repose sur la tenue d'un certain nombre de registres qui permettent l'inscription et le repérage des droits qui concernent un immeuble.

3.1 Registre foncier

Un registre foncier, dans lequel sont inscrits les droits qui doivent faire l'objet d'une publication, est institué pour l'ensemble du Québec. Ce registre est tenu par l'officier chargé du Bureau de la publicité foncière (2969 C.c.Q.). Même s'il n'existe qu'un seul registre foncier, le territoire cadastré est divisé en circonscriptions foncières, avec un bureau régional dans chacune d'elles.

La masse documentaire au soutien de la publicité des droits réels immobiliers, constituée de registres et d'actes juridiques, est impressionnante. De manière à faciliter la gestion du système et à permettre un accès rapide aux données comprises dans le registre foncier, l'information est conservée sur support informatique. La numérisation rétrospective d'anciens documents conservés sur support papier a été entreprise. Les principales composantes du registre foncier seront brièvement décrites.

---

26. « Par la subdivision, on morcelle d'abord un lot en deux ou plusieurs lots, qu'on identifie ensuite par des numéros distincts ». (*Société de développement Marc Perreault Inc.* c. *Ville de Rosemère*, [1997] R.J.Q. 845, 850 (C.A.) (juge Michaud)). Par exemple, à la suite d'un morcellement, le lot 20 donne les lots 20-1 et 20-2, c'est-à-dire les subdivisions un et deux du lot 20.
27. *Loi sur le cadastre*, *supra*, note 14, art. 4.1.

Livres fonciers – Le registre foncier comprend autant de livres fonciers qu'il y a de circonscriptions foncières au Québec (2972 C.c.Q.). Chaque livre est constitué d'un index des immeubles, d'un registre des droits réels d'exploitation de ressources de l'État, d'un registre des réseaux de services publics et des immeubles situés en territoire non cadastré et d'un index des noms.

Plan cadastral – Le plan cadastral, qui sert à l'identification des immeubles, est une composante essentielle du registre foncier (3027 C.c.Q.) (*supra*, section 2.1).

Index des immeubles – L'index des immeubles est un registre dans lequel sont répertoriés les actes juridiques qui portent sur un immeuble immatriculé figurant sur le plan cadastral d'une circonscription foncière donnée (2972 C.c.Q.). Le droit peut porter sur un fonds de terre qui figure sur un plan horizontal ou sur un plan vertical dans les cas d'une propriété superficiaire, d'une copropriété divise et d'une coemphytéose, sur l'assiette d'un droit réel d'exploitation de ressources de l'État (mines), sur l'assiette d'un réseau de voies ferrées ou sur l'assiette d'un réseau de télécommunications par câbles, de distribution d'eau ou de gaz, de lignes électriques et de canalisations.

Chacun des immeubles immatriculés qui figurent sur un plan cadastral se voit attribuer une fiche immobilière (2972.1 C.c.Q.). Sur cette fiche sont inscrits, par ordre chronologique, le nom des parties à un acte, la nature de l'acte qui fait l'objet de l'inscription (vente, donation, hypothèque, etc.), la date et le numéro de l'inscription. Des remarques peuvent être ajoutées, comme le montant d'une transaction ou une précision sur la portée d'une servitude (illustration 8).

Autres composantes – Le registre foncier comprend d'autres composantes moins importantes, il s'agit du Registre des droits réels d'exploitation de ressources de l'État (2972.2 (1) C.c.Q.), du Registre des réseaux de services publics et des immeubles situés en territoire non cadastré (2972.2 (2) C.c.Q.), du Répertoire des titulaires de droits réels de biens immobiliers non immatriculés (2972.2 (3) C.c.Q.) et de l'Index des noms (2972 (2) C.c.Q.).

En plus des registres qui servent à l'inscription les droits réels immobiliers, les bureaux de la publicité des droits tiennent un registre informatisé des droits personnels et réels mobiliers (RDPRM)[28] (2980 C.c.Q.). Ce registre sert à inscrire des droits comme les renonciations à

28. Le site est situé à l'adresse électronique suivante: http://si2.rdprm.gouv.qc.ca/index.asp.

une succession mobilière ou au partage du patrimoine familial, les contrats de mariage et les droits réels mobiliers[29].

Caractère public – Les registres et les autres documents conservés dans les bureaux de la publicité sont des documents à caractère public (2971 C.c.Q.). Toutefois, les renseignements qui se trouvent dans ces documents ne doivent pas être détournés de leur finalité première et être utilisés de manière à porter atteinte à la réputation ou à la vie privée des personnes qui y sont désignées (2971.1, 3018 C.c.Q.). Les officiers de la publicité des droits, en plus d'être chargés de la tenue des registres, veillent à leur conservation ainsi qu'à celle des documents transmis à des fins de publicité (3021 C.c.Q.).

3.2 Inscription

Réquisition d'inscription – L'inscription d'un droit au registre foncier se fait au moyen d'une réquisition. En principe, la réquisition est présentée au Bureau de la publicité foncière. Toutefois, lorsque la réquisition est présentée sur support papier, elle doit être soumise au bureau de la publicité des droits établi pour la circonscription où est situé l'immeuble visé (2982 (1) C.c.Q.). La personne qui requiert l'inscription présente à l'officier de la publicité des droits l'acte lui-même ou un extrait authentique de celui-ci. Il est, en outre, possible de procéder au moyen d'un sommaire qui présente un résumé d'un document (2982, 2985 C.c.Q.). Le recours au sommaire pourra s'avérer particulièrement approprié lorsqu'une servitude est établie par destination du propriétaire (1183 C.c.Q.) ou pour ajouter un numéro de lot si le document original ne contient que l'adresse de l'immeuble vendu (3005 C.c.Q.). Le requérant présente, à des fins de conservation, le document qui fait l'objet d'un résumé (2985 C.c.Q.).

La réquisition mentionne la désignation des titulaires et des constituants des droits, de même que celle des biens visés, ainsi que toute autre mention prescrite par la loi ou les règlements (2981 (1) C.c.Q.).

---

29. *Règlement sur le registre des droits personnels et réels mobiliers*, décret 1594-93, *Gazette officielle du Québec*, vol. 125, n° 50 (1er décembre 1993), p. 8058-8081, modifié par les décrets suivants: *Règlement modifiant le Règlement sur le registre des droits personnels et réels mobiliers*, décret 444-98, *Gazette officielle du Québec*, vol. 130, n° 16 (15 avril 1998), p. 2015-2034; *Règlement modifiant le Règlement sur le registre des droits personnels et réels mobiliers*, décret 755-99, *Gazette officielle du Québec*, vol. 131, n° 29 (21 juillet 1999), p. 3035-3040; *Règlement modifiant le Règlement sur le registre des droits personnels et réels mobiliers*, décret 907-99, *Gazette officielle du Québec*, vol. 131, n° 33 (18 août 1999), p. 3846-3864.

Après l'entrée en vigueur d'un plan cadastral, le rédacteur d'un acte juridique soumis à publication est tenu de désigner un immeuble par son numéro d'immatriculation (3033 (1) C.c.Q.). Par ailleurs, la publication d'un droit de propriété portant sur un immeuble situé en territoire cadastré exige son identification par un numéro de lot propre (3030 (1), 3043, 3054 C.c.Q.). Aussi, lors du morcellement d'un lot, les inscriptions concernant la parcelle distraite ne peuvent être portées sur le même numéro de fiche immobilière de l'index des immeuble que le lot originaire. La mise à jour continue du cadastre justifie cette exigence.

De manière à contrer les fraudes ou les inexactitudes dans les réquisitions d'inscription, les actes et les sommaires doivent préciser que certaines vérifications ont été faites. Ainsi, le notaire, qui reçoit un acte donnant lieu à une inscription ou à la suppression d'un droit au registre foncier, est tenu d'attester qu'il a vérifié l'identité, la qualité et la capacité des parties et que le document traduit bien la volonté qu'elles ont exprimée (2988 C.c.Q.)[30].

Rôle de l'officier – L'officier de la publicité des droits reçoit les réquisitions d'inscription et détermine si le droit est susceptible d'être publié et si l'acte respecte quant à sa forme les prescriptions de la loi. En revanche, il n'a pas à se prononcer sur le fond même de l'acte[31]. L'officier fait mention de la réception des réquisitions dans le livre de présentation qui est un registre établi par ordre chronologique. Il note dans le livre la date, l'heure et la minute exactes de leur présentation, ainsi que les éléments nécessaires à l'identification des réquisitions. Lorsque les réquisitions et les documents qui les accompagnent sont soumis sur support papier, il voit à leur reproduction sur support informatique, puis à leur transmission sous cette forme au Bureau de la publicité foncière (3006.1 (1) C.c.Q.).

Les inscriptions sont faites par l'officier dans le registre approprié en respectant l'ordre de la présentation des réquisitions (3006.1 (2) C.c.Q.). L'officier a l'obligation d'agir avec diligence. L'inscription des droits au registre foncier réfère à la nature du document présenté ainsi qu'à la réquisition (2934.1 C.c.Q.). Les registres et les documents qui les complètent sont disponibles à la consultation publique (2971 C.c.Q.) et, lorsqu'une personne le requiert, l'officier délivre un état certifié des droits réels constitués sur un immeuble, ou des hypothèques et charges qui le grèvent (3019 C.c.Q.).

30. François Brochu, *supra*, note 7, p. 999-1004.
31. *Ibid.*, p. 1037-1038.

4. EFFETS DE LA PUBLICITÉ FONCIÈRE

La publicité des droits les rend opposables aux tiers et permet d'établir leur rang les uns par rapport aux autres.

4.1 Opposabilité

Tiers – Un acte produit des effets juridiques à l'égard des cocontractants, alors même qu'il n'a pas donné lieu à une publication au Bureau de la publicité foncière (2941 (2) C.c.Q.). Les tiers, qui pour leur part sont étrangers à l'acte, n'ont pas à en subir les effets juridiques. L'acte, dit-on, leur est *inopposable*. Toutefois, ce même acte devient *opposable* aux tiers à partir du moment où il aura été publié (2941 (1) C.c.Q.). Ainsi, le propriétaire d'un immeuble peut s'entendre avec son voisin pour que soit constituée une servitude de passage au bénéfice de son fonds. En l'absence d'une inscription de l'acte à l'index des immeubles, un acquéreur subséquent du fonds servant ne serait pas tenu de supporter cette charge.

Présomptions – L'inscription au registre foncier d'un droit réel portant sur un immeuble crée une *présomption de connaissance* à l'égard de celui qui acquiert ou publie un droit sur ce même bien (2943 C.c.Q.). Cette présomption est simple. Toutefois, la personne qui s'abstient de consulter la réquisition à laquelle réfère le registre foncier et le document qui éventuellement l'accompagne ne peut par la suite invoquer sa bonne foi (2943 (2) C.c.Q.).

Il revient à la Cour suprême, à la fin du XIXe siècle, d'avoir introduit la présomption de connaissance des droits publiés. Le juge Taschereau estimait alors que la publication d'un acte juridique créant un droit réel – en l'occurrence une substitution – « was notice of it to the world »[32]. Dès lors, personne ne pouvait ignorer l'existence du droit publié. L'introduction jurisprudentielle de cette présomption absolue reçut un accueil mitigé, la Cour d'appel alla jusqu'à refuser de respecter l'arrêt[33]. À la décharge du juge Taschereau, il faut dire que si son opinion paraissait peu compatible avec le droit, elle s'inscrivait dans la logique du système de publicité des droits réels immobiliers. Puisque l'information était disponible, on ne pouvait la méconnaître. À l'appui de son raisonnement, le juge n'hésitait pas à invoquer la maxime latine *Ignorantia juris non excusat* (Nul n'est censé ignorer la loi). C'était, sans doute, donner à la locution une extension quelque peu excessive.

32. *Meloche* c. *Simpson*, (1898-1899) 29 R.C.S. 375, 394 (juge Taschereau).
33. Pierre Martineau, *La prescription*, Montréal, P.U.M., 1977, p. 132-144.

À la présomption de connaissance des droits réels, la loi ajoute une *présomption d'existence* des droits inscrits au registre foncier (2944 C.c.Q.). Jusqu'à preuve du contraire, les énonciations qui se trouvent dans le registre foncier sont considérées vraies. Cette présomption quant à l'exactitude des énonciations est simple (2847 (2) C.c.Q.).

4.2 Rang

Les droits publiés prennent rang suivant la date, l'heure et la minute inscrites sur le bordereau de présentation, à la condition que les inscriptions soient faites dans le registre approprié (2945 C.c.Q.). Ainsi, un immeuble qui ferait l'objet d'une double vente par son propriétaire deviendrait propriété de celui des deux acquéreurs qui, le premier, ferait publier son droit (2946 C.c.Q.).

4.3 Absence de valeur probante

Le régime de la publicité foncière, malgré les avantages qu'il présente, n'a pas pour effet de prouver l'existence d'un droit. Une personne ne saurait prendre appui sur la publication d'un acte de vente pour établir la preuve qu'elle est propriétaire d'un immeuble. En principe, tous les actes qui forment la chaîne des titres d'un immeuble doivent être examinés en vertu de la règle suivant laquelle « Nul ne peut céder à autrui plus de droit qu'il n'en a lui-même » (*Nemo plus juris ad alium transferre potest quam ipse habet*). Toutefois, la prescription acquisitive (*infra* : chapitre 13), qui accorde des effets importants à la possession, permet de limiter les examens de titres dans le temps et de prouver, compte tenu des effets limités de la publicité foncière, l'existence d'un titre de manière irrévocable.

Illustration 2

Cadastre horizontal

Gouvernement du Québec, Ministère des Ressources naturelles, Direction générale du cadastre, Cadastre du Québec, circonscription foncière de Québec, ville de Charlesbourg, feuillet : 21L14-010-2217 (extrait) (reproduction autorisée).

Illustration 3

Cadastre vertical – immeuble en copropriété
Perspective axonométrique

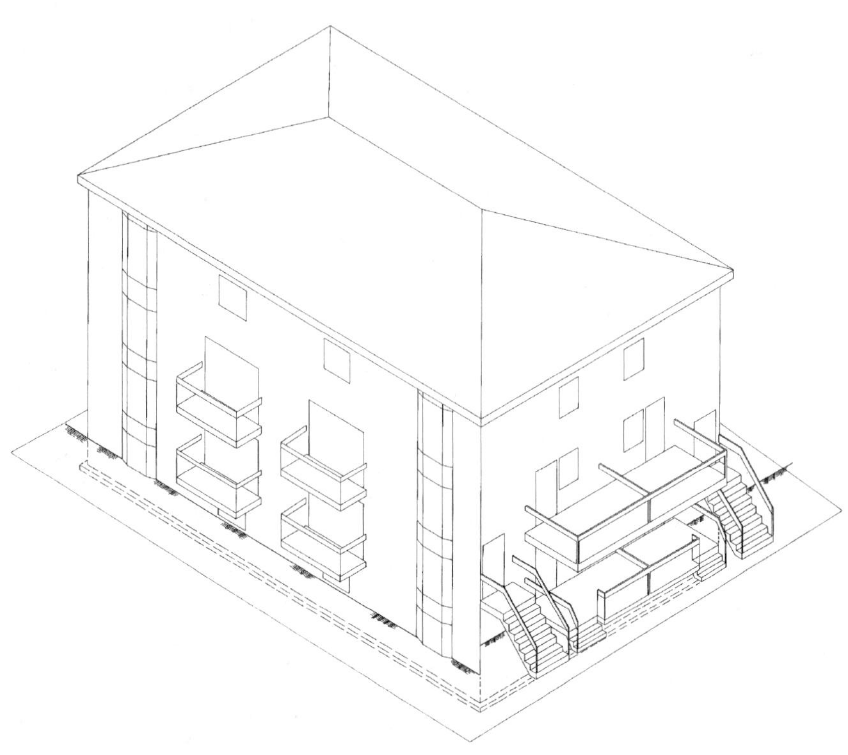

Gouvernement du Québec, Ministère des Ressources naturelles, Direction générale du cadastre, Cadastre du Québec, circonscription foncière de Québec, ville de Charlesbourg, lot 5836 (5836-2) (reproduction autorisée).

Illustration 4

Cadastre vertical – immeuble en copropriété
Vue en plan et localisation

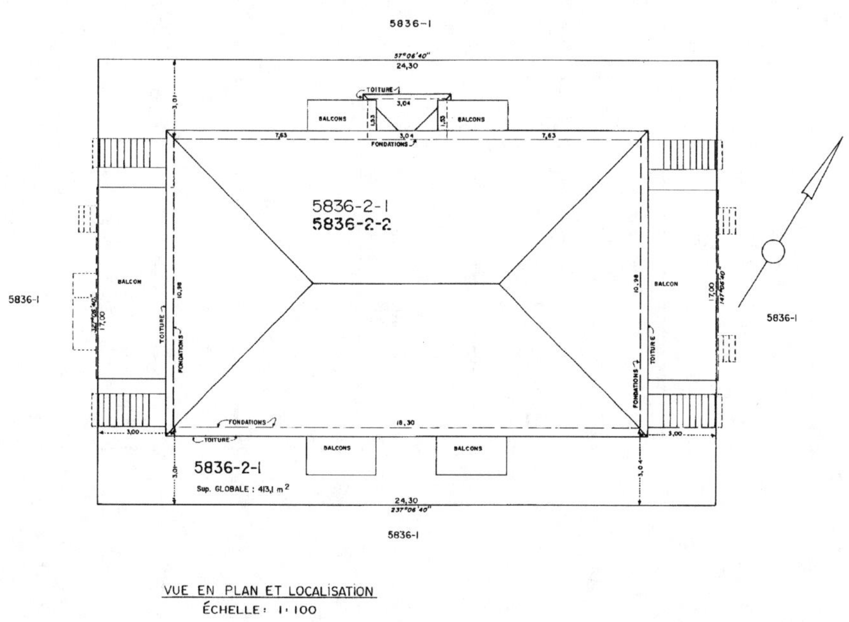

Gouvernement du Québec, Ministère des Ressources naturelles, Direction générale du cadastre, Cadastre du Québec, circonscription foncière de Québec, ville de Charlesbourg, subdivision du lot 5836-2, feuille 2/4 (extrait) (reproduction autorisée).

Illustration 5
Cadastre vertical – immeuble en copropriété Plan d'ensemble des parties communes, élévation sud-est

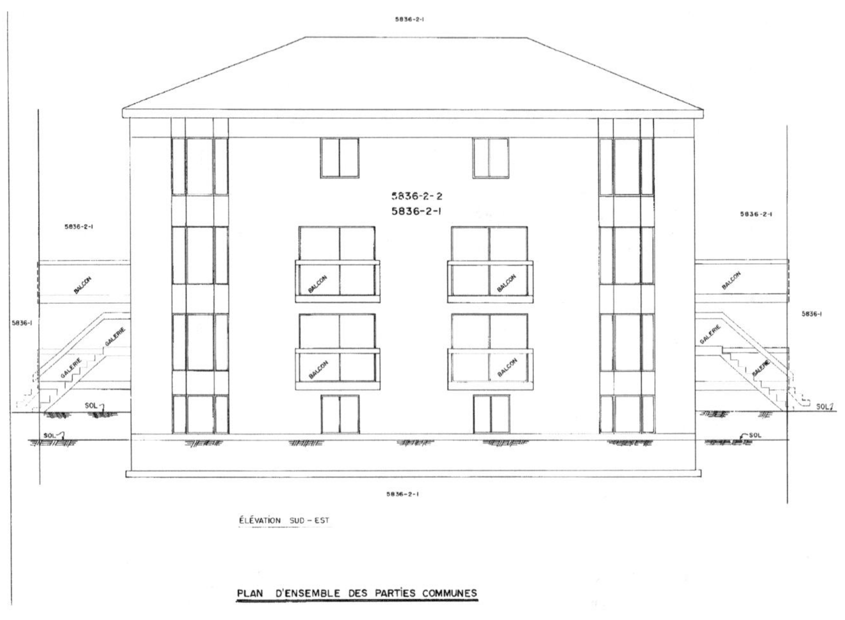

Gouvernement du Québec, Ministère des Ressources naturelles, Direction générale du cadastre, Cadastre du Québec, circonscription foncière de Québec, ville de Charlesbourg, subdivision du lot 5836-4, feuille 2/4 (extrait) (reproduction autorisée).

Illustration 6

Cadastre vertical – immeuble en copropriété

Sous-sol

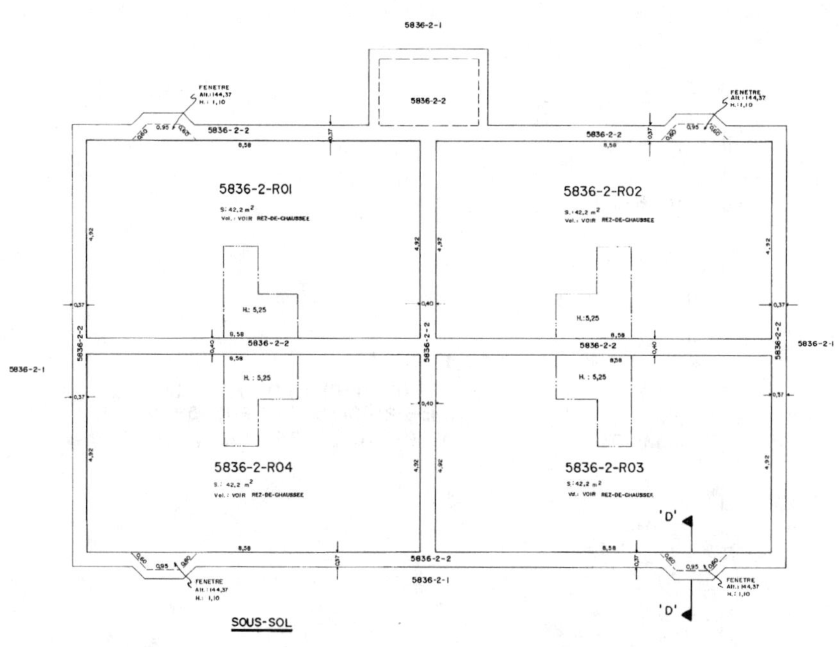

Gouvernement du Québec, Ministère des Ressources naturelles, Direction générale du cadastre, Cadastre du Québec, circonscription foncière de Québec, ville de Charlesbourg, subdivision du lot 5836-4, feuille 3/4 (extrait) (reproduction autorisée).

Illustration 7
Cadastre vertical – immeuble en copropriété
Coupe

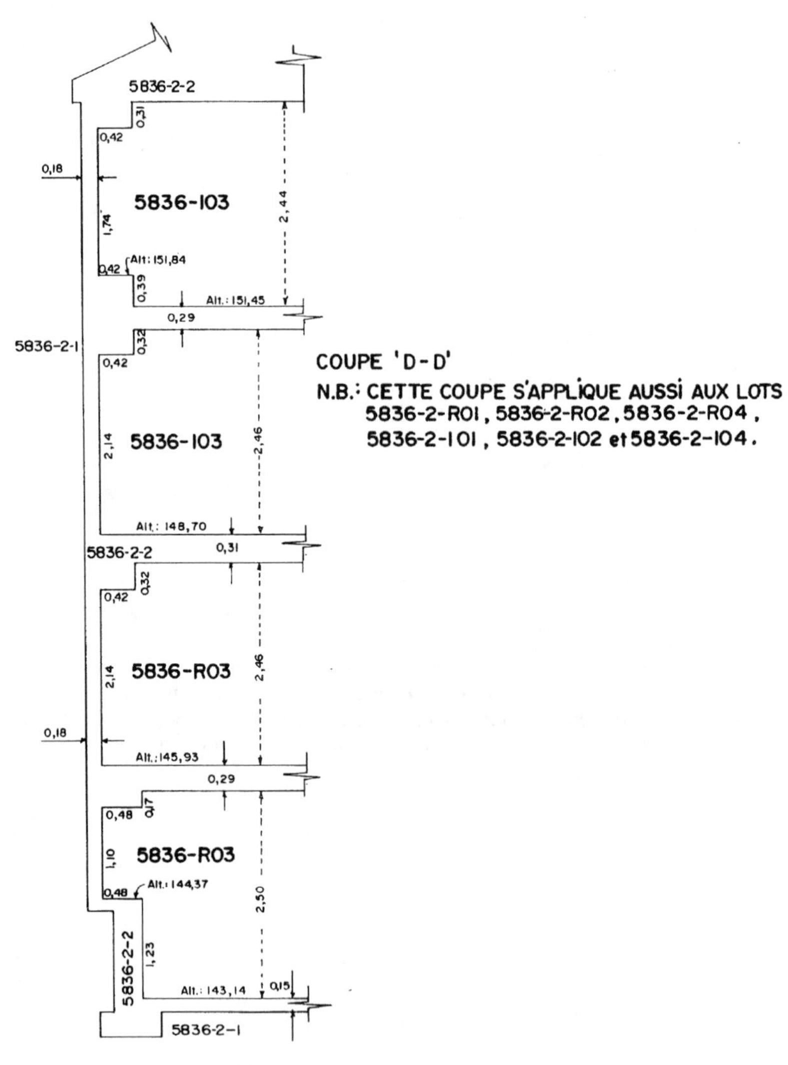

Gouvernement du Québec, Ministère des Ressources naturelles, Direction générale du cadastre, Cadastre du Québec, circonscription foncière de Québec, ville de Charlesbourg, subdivision du lot 5836-4, feuille 4/4 (extrait) (reproduction autorisée).

Illustration 8
Index des immeubles

INDEX DES IMMEUBLES

CIRCONSCRIPTION FONCIÈRE DE: CADASTRE DU QUÉBEC LOT Nº:

CONCORDANCE: Nº DE FEUILLET CARTOGRAPHIQUE ZONE DE REPÉRAGE

PLAN PARCELLAIRE Nº:

DATE D'ÉTABLISSEMENT: SIGNATURE DE L'OFFICIER:

AVIS D'ADRESSE	NOMS DES PARTIES	NATURE DE L'ACTE	INSCRIPTION		REMARQUES	RADIATIONS
			DATE	Nº		

• BE-36 (95-10) PAGE 1

Bibliographie

BÉLANGER, Albert. « La description légale d'un emplacement », (1980-1981) 83 *R. du N.* 517-578.

BROCHU, François. « Le mécanisme de fonctionnement de la publicité des droits en vertu du nouveau *Code civil du Québec* et le rôle des principaux intervenants », (1993) 34 *C. de D.* 949-1061.

BROCHU, François. « Les nouveaux effets de la publicité foncière : du rêve à la réalité? », (1999) 40 *C. de D.* 267-321.

BROCHU, François et Berthier BEAULIEU. « Les hauts et les bas de la rénovation cadastrale », (1999) 101 *R. du N.* 11-53.

CHARRON, Camille. « De la publicité des droits », dans Barreau du Québec et Chambre des notaires, *La réforme du Code civil*, Québec, P.U.L., 1993, p. 589-668.

DELAGE, Jean-François, Yvan DESJARDINS, Denys-Claude LAMONTAGNE, Paul-Yvan MARQUIS et Claude ROCH. « La publicité des droits », *Répertoire de droit – Titres immobiliers*, doctrine, document 2.

JOBIDON, Normand. « La réforme du Code civil et le cadastre », *Arpenteur-géomètre*, vol. 20, n° 2 (juillet 1993), p. 8-12.

JOBIN, Pierre-Gabriel. *La vente dans le Code civil du Québec*, Cowansville, Les Éditions Yvon Blais Inc., 1993. xx, 304 p.

LAFERRIÈRE, J.-André. « Le cadastre, désuétude et rénovation », [1967] *C. P. du N.* 99.

LAMONTAGNE, Denys-Claude. *La publicité foncière*. 2e éd. Cowansville, Les Éditions Yvon Blais Inc., 1996. xiv, 389 p.

MARTINEAU, Pierre. *La prescription*. Montréal, P.U.M., 1977. xxxii, 413 p.

NORMAND, Sylvio et Alain HUDON. « Confection du cadastre seigneurial et du cadastre graphique », (1988-1989) 91 *R. du N.* 184-199.

NORMAND, Sylvio et Alain HUDON. « Le contrôle des hypothèques secrètes au XIXe siècle : ou la difficile conciliation de deux cultures juridiques et de deux communautés ethniques », [1990] *R.D.I.* 169-201.

PINEAULT, Laval. « Le cadastre et son contexte », [1986] *C. P. du N.* 485-497.

ROUSSEAU-HOULE, Thérèse. « Les récents développements dans le droit de la vente et du louage de choses au Québec », (1985) 15 *R.D.U.S.* 307.

CHAPITRE 12

LA POSSESSION

La propriété et la possession constituent deux notions distinctes. La première est un droit (947 C.c.Q.), la seconde, un fait[1], soit un pouvoir physique exercé par une personne sur un bien[2] (921 C.c.Q.). La notion ne se situe pas pour autant en marge du droit comme on pourrait être tenté de le croire. Bien au contraire, elle constitue un concept juridique opérationnel, reconnu par le droit positif.

La possession est habituellement exercée par le propriétaire ou par le titulaire d'un autre droit réel sur le bien objet de leur droit. Autrement dit, le fait correspond généralement au droit. Le propriétaire d'une maison l'habite et en dispose suivant sa volonté. On ne s'étonnera donc pas que, dans le sens commun, la possession et la propriété soient souvent considérées comme des synonymes. Il arrive cependant que la possession et la titularité d'un droit ne coïncident pas. Un voleur qui ne s'est pas départi du bien dérobé en a la possession. Il exerce un pouvoir effectif sur le bien sans être en mesure de prétendre à la propriété. De même, le propriétaire d'un fonds de terre mal défini qui empiète sur un lot voisin exerce une maîtrise sur une parcelle occupée sans titre.

Le droit moderne qui régit la possession a subi une influence marquée du droit romain[3], c'est même l'un des domaines du droit civil où l'héritage romain demeure des plus vivaces. Le concept a donné lieu à

---

1. « La possession est un fait plutôt qu'un droit dans la chose qu'on possède. » (Robert-Joseph Pothier, *Traité sur différentes matières de droit civil, appliquées à l'usage du Barreau; et jurisprudence françoise*, tome 4, Paris/Orléans, Jean Debure/ Veuve Rouzeau-Montaut, 1774, p. 524).
2. Louis Josserand, *Cours de droit civil positif français*, 2e éd., tome 1, Paris, Sirey, 1932, p. 723.
3. Paul Ourliac et Jehan de Malafosse, *Histoire du droit privé*, tome 2, *Les biens*, 2e éd., Paris, P.U.F., 1971, p. 215-262.

de nombreuses études théoriques et philosophiques et a engendré des controverses doctrinales célèbres[4].

Le droit s'efforce de faciliter l'exploitation des biens. Il n'est donc pas étonnant que la loi accorde sa protection au possesseur (929 C.c.Q.), et ce, même si celui-ci n'est pas titulaire d'un droit réel et qu'il est de mauvaise foi. Le rôle de la possession, il faut en convenir, s'est considérablement atténué avec le temps. Il demeure cependant que la notion conserve encore aujourd'hui un intérêt pratique.

1. ÉLÉMENTS CONSTITUTIFS

L'existence de la possession exige la réunion de deux éléments: l'un matériel, le *corpus*, et l'autre intentionnel, l'*animus*.

1.1 *Corpus*

Le *corpus* est l'exercice de fait d'un droit réel (921 C.c.Q.). Il résulte de l'initiative du possesseur ou de ses auteurs (925 C.c.Q.). La personne à qui profite le *corpus* adopte un comportement identique à celui d'un titulaire de droit réel. Le possesseur doit donc manifester son pouvoir sur un bien par des actes matériels « de détention, d'usage et de transformation »[5]. Il en va ainsi d'une personne qui habite un immeuble, utilise un meuble, exploite une forêt ou cultive un champ[6]. La constatation de l'existence d'un état de fait assimilable à un *corpus* constitue une étape fondamentale à la reconnaissance de la possession[7].

Le *corpus* peut être exercé par le possesseur lui-même ou par l'intermédiaire d'une autre personne qui détient le bien pour lui[8] (921 C.c.Q.).

---

4. Frédéric Charles de Savigny, *Traité de la possession en droit romain*, trad. de l'allemand par Henri Staedtler, 7e éd., Paris, A. Durand, 1866, xxxi, 782 p.; Rudolf von Jhering, *Œuvres choisies*, trad. de l'allemand par O. de Meulanaere, Paris, A. Marcesq Aîné, 1893, 2 v.; voir aussi: l'étude de Jean-Marc Trigeaud, *La possession des biens immobiliers: nature et fondement*, Paris, Economica, 1981, x, 631 p.
5. *Bilodeau* c. *Dufour*, [1952] 2 R.C.S. 264, 268 (juge Taschereau).
6. *Jetté* c. *Registraire de la division d'enregistrement de Gatineau*, C.S. Labelle, no 560-14-000017-80, 28 octobre 1980, p. 7-9 (J.E. 80-990).
7. « [...] les faits matériels qui constituent la possession étant la première cause à laquelle doit s'attacher le tribunal [...] ». (*Shaink* c. *Dussault*, [1956] C.S. 164, 166).
8. *Lambert* c. *Desjardins*, (1936) 61 B.R. 328, 331 (juge Létourneau); *Primeau* c. *Cardinal*, [1992] R.D.I. 472, 473 (C.S.).

1.2 *Animus*

L'*animus* constitue une notion beaucoup plus abstraite que le *corpus*. Elle forme l'élément intentionnel ou subjectif de la possession. C'est l'expression de la volonté du possesseur de se présenter, aux yeux des autres, comme titulaire d'un droit réel. Le possesseur doit affirmer ses prétentions sans « admettre la précarité ou même l'inexistence de son droit [...] »[9]. Le voleur ne se contente donc pas de poser des actes matériels sur le bien dérobé, il se conduit comme un véritable propriétaire. En revanche, le locataire, qui exerce un *corpus* en se servant du bien loué avec prudence et diligence et en versant le loyer convenu au locateur (1855 C.c.Q.), n'a certes pas l'intention de prétendre être maître de ce bien, il est dépourvu de l'*animus*.

1.3 Réunion des deux éléments

La réunion du *corpus* et de l'*animus* est essentielle à la reconnaissance de la possession. L'exercice par un possesseur d'un pouvoir matériel sur un bien doit s'accompagner d'une volonté de se comporter en titulaire d'un droit réel sur ce bien (921 (1) C.c.Q.). La preuve de l'existence de cette volonté risque, dans bien des situations, d'être difficile sinon impossible à établir étant donné le caractère abstrait de cet élément. Aussi, le législateur présume-t-il l'existence de l'*animus* (921 (2) C.c.Q.). En conséquence, il suffit au possesseur d'établir l'exercice d'un pouvoir matériel sur un bien pour être considéré possesseur.

2. DOMAINE

La possession consiste nécessairement à exercer dans les faits ce qui semble être un droit réel, soit la propriété, l'une de ses modalités ou l'un de ses démembrements. La servitude constitue toutefois une exception majeure puisqu'elle ne peut être objet de possession sans titre (1181 C.c.Q.). Lors de la réforme du Code civil, la possibilité d'admettre la possession des servitudes en l'absence de titre avait été considérée[10]. Toutefois, le législateur a finalement décidé de laisser le droit inchangé.

---

9. *Jetté* c. *Registraire de la division d'enregistrement de Gatineau*, *supra*, note 6, p. 9-10.
10. Office de révision du Code civil, *Rapport sur le Code civil du Québec*, Québec, Éditeur officiel, 1978, vol. 1, p. 237, art. 163.

Seuls les biens susceptibles d'être appropriés peuvent faire l'objet d'une possession. Les choses communes (913 C.c.Q.) et les biens du domaine public (916 C.c.Q.) ne sont donc pas sujets à possession.

3. QUALITÉS

La possession doit posséder quatre qualités pour produire des effets juridiques, elle doit être paisible, continue, publique et non équivoque (922 C.c.Q.). Lorsqu'elle ne se conforme pas à ce gabarit, elle est viciée et ne produit pas d'effets juridiques.

Paisible – La possession ne doit pas être marquée par la violence. Son exercice ne saurait reposer sur des voies de fait ou des menaces. L'absence de violence s'impose surtout lors de l'entrée en possession. Aussi, n'assimile-t-on pas à un acte violent de possession le fait pour un possesseur de repousser les assauts extérieurs, même par le recours à la force[11]. Le caractère paisible de la possession exige aussi l'absence de trouble de droit comme une interpellation judiciaire[12]. La violence est un vice relatif. Seule la personne qui en est victime peut l'invoquer. À l'égard d'une autre personne, la possession est paisible[13].

Continue – Le possesseur doit accomplir, sans interruption, des actes qui correspondent au droit réel auquel il prétend. La continuité de la possession n'oblige pas nécessairement à un contact continu avec le bien, elle n'exige pas nécessairement non plus que soient posés fréquemment des actes de possession[14]. Le possesseur est simplement tenu de se comporter comme le ferait le titulaire du droit, eu égard à la nature du bien en sa possession[15] et de retirer du bien « l'utilité qu'il peut procurer »[16]. On ne pourrait exiger du possesseur d'un chalet

---

11. « These acts [repoussant une tentative de possession] did not serve to interrupt respondent's possession though he repelled them with violence and force with the object of dispossessing the intruder, which is a totally different thing from taking possession violently. ». (*Bélanger* c. *Morin*, (1922) 32 B.R. 208, 211 (juge Martin); *Talbot* c. *Lake St-John Power and Paper Company Ltd.*, (1937) 43 R.L.n.s. 107, 137 (C.S.)).
12. *Rousseau* c. *Baron*, [1948] R.L. 385, 388 (C.S.).
13. Marie-Louis Beaulieu, *Le bornage, l'instance et l'expertise, la possession, les actions possessoires*, Québec, Le Soleil, 1961, p. 319.
14. *Shaink* c. *Dussault*, *supra*, note 7, p. 166.
15. « La possession [...] doit être appréciée selon les circonstances et la nature de la propriété; elle *s'exerce suivant la nature de l'objet auquel elle s'applique* [...] ». (*Gatineau Power Co.* c. *Ramsay*, (1930) 49 B.R. 288, 291 (juge Létourneau)).
16. *Rousseau* c. *Baron*, *supra*, note 12, p. 387.

d'été d'y passer l'hiver ou encore du propriétaire d'une maison, mise en vente, de continuer de l'habiter, alors qu'il en a acquis une autre[17].

L'interruption de la possession résulte non seulement du délaissement volontaire du possesseur, mais aussi de gestes posés par le propriétaire ou par des tiers[18]. Ainsi, à la suite d'un fait matériel qui provoque l'abandon du bien – par exemple une expulsion – la possession perd ses effets à la condition que le possesseur soit privé de la jouissance du bien pendant plus d'un an (2923 (2), 929 C.c.Q.). Une demande en justice produit le même effet.

Afin de faciliter la preuve de la possession, la loi prévoit une présomption de possession continue en faveur du possesseur, et ce, depuis le jour de l'entrée en possession (925 C.c.Q.). Il en résulte que le fardeau d'établir la preuve de l'interruption de l'exercice de la possession revient à celui qui remet en question la continuité de la possession.

Publique – La possession ne saurait s'exercer dans la clandestinité. Elle se manifeste ouvertement et publiquement « au su et vu de tous ceux qui ont voulu voir et savoir et spécialement au su du défendeur auquel elle est opposée »[19]. Le caractère public de la possession ne doit pas laisser de doute[20]. À l'instar de la violence, la clandestinité est un vice relatif qui ne peut être invoqué que par la personne à qui la possession a été dissimulée.

Non équivoque – Les actes posés par le possesseur doivent révéler une intention non équivoque de se comporter comme titulaire d'un droit réel[21]. La possession doit permettre d'identifier aisément « à quel titre elle est exercée »[22]. L'ambiguïté de la possession trahit l'équivoque. En ce sens, un possesseur qui se comporte comme un titulaire de démembrement de la propriété ne saurait prétendre, par la suite, agir

---

17. *Thibault* c. *Chabot*, C.A.Q. n° 200-09-000774-932, 10 mars 1998 (J.E. 98-672) (juge Forget).
18. *Talbot* c. *Lake St-John Power and Paper Company Ltd.*, *supra*, note 11, p. 130-135.
19. *Chouinard* c. *Boislard*, [1945] R.L. 527, 532 (C.S.); « Nothing could be more apparent than the constant use of the land as a golf by thousand of players during a period well over forty years ». (*Rivermead Golf Club* c. *Connaught Park Jockey Club*, [1965] R.P. 175, 176 (C.S.)).
20. « Lorsque quelqu'un n'a d'autres titres à la propriété d'autrui que sa possession, la publicité de cette dernière doit être prouvée audelà de toute espèce de doute; or le défendeur n'a prouvé, avant la clôture d'embarras qui n'a été faite que 15 ans avant l'action, que des actes isolés au milieu des bois, et clandestins pour tout autre que les deux ou trois témoins qui les prouvent. » (*Roy* c. *Gagnon*, (1881) 7 Q.L.R. 207, 208 (C. de rév.) (juge Casault)).
21. *Paquet* c. *Blondeau*, (1914) 23 B.R. 330, 334-335 (juge en chef Archambeault).
22. *Beaudet* c. *Beaudet*, [1973] C.S. 47, 48.

comme un propriétaire[23]. Une possession concurrente d'un même bien serait également équivoque, ainsi que l'a signalé la Cour supérieure: « [...] les parties ont l'une et l'autre rapporté la preuve de faits possessoires en concurrence; [...] leur possession est équivoque parce qu'elle n'est pas exclusive [...] »[24]. Les actes de possession posés par deux personnes vivant en cohabitation ne possèdent pas le caractère d'exclusivité attendu pour fonder une possession utile en faveur d'un conjoint seulement[25]. En revanche, des personnes pourraient exercer une possession conjointe et indivise d'un même droit[26]. De même, des possessions de genres différents sur un même bien – une personne jouissant du sol et l'autre des arbres – ne sont pas inconciliables[27].

4. ACTES NE POUVANT FONDER LA POSSESSION

Certains actes peuvent, à prime abord, être confondus à la possession. Ils s'en distinguent toutefois en ce que celui qui bénéficie de ces actes reconnaît l'existence d'un domaine supérieur au sien[28].

4.1 Détention

Le détenteur est une personne qui exerce un pouvoir de fait sur un bien, et ce, pour le compte d'autrui ou en reconnaissant l'existence d'un domaine supérieur au sien[29]. Le bien détenu sera un jour remis à son propriétaire. Le détenteur est dépourvu d'*animus*, il y a chez lui une acceptation de la précarité de sa situation (921 (2), 923 C.c.Q.). Sont des détenteurs l'administrateur du bien d'autrui (1299 C.c.Q.), le locataire (1851 C.c.Q.), le dépositaire (2280 C.c.Q.), le titulaire d'un droit réel ou le vendeur qui conserve la chose vendue (1724 C.c.Q.)[30].

Interversion de titre – Le détenteur peut devenir possesseur s'il y a interversion de son titre (923 C.c.Q.). Celle-ci est fondée sur une cause émanant d'un tiers ou découle d'un acte du détenteur incompatible

---

23. *Paquet* c. *Blondeau*, *supra*, note 21, p. 334 (juge en chef Archambeault).
24. *Shaink* c. *Dussault*, *supra*, note 7, p. 170; *Tanguay* c. *Simard*, C.A.Q. nº 200-09-000257-870, 26 septembre 1989 (J.E. 89-1467).
25. *Sivret* c. *Giroux*, [1997] R.D.I. 167, 165 (C.A.).
26. *Jetté* c. *Registraire de la division d'enregistrement de Gatineau*, *supra*, note 6, p. 7.
27. *Shaink* c. *Dussault*, *supra*, note 7, p. 168-169.
28. *Commentaires du ministre de la Justice*, Québec, Les Publications du Québec, 1993, p. 543.
29. *Bilodeau* c. *Dufour*, *supra*, note 5, p. 268 (juge Taschereau).
30. *Cousineau* c. *Fortin*, [1998] R.D.I. 356 (C.A.).

avec sa situation juridique (2914 (1) C.c.Q.). L'interversion provoque la mutation du titre de détention en titre de possession. Le détenteur, qui pose déjà des actes matériels sur un bien, doit ajouter l'*animus* pour provoquer cette transformation. Ce faisant, il ne reconnaît plus le domaine supérieur du titulaire du droit réel. L'interversion vaut à compter du moment où le propriétaire a la connaissance du nouveau titre ou de l'acte de détention (2914 (2) C.c.Q.). La possession qui résulte de l'interversion de titre est fréquemment exercée de mauvaise foi. L'inaction sera éventuellement perçue comme une renonciation[31].

Lorsqu'il y a interversion de titre, les gestes posés par le détenteur prennent diverses formes. Un emphytéote qui cesse de payer le prix (1207 C.c.Q.) pendant une longue période, sans provoquer de réaction de la part du propriétaire, fournit une preuve de l'indifférence de ce dernier[32]. Un copropriétaire qui adopte un comportement de propriétaire exclusif sans actes de possession des autres copropriétaires nie de manière formelle les droits de ceux-ci[33]. La cause de l'interversion peut aussi venir d'un tiers. La vente d'un bien par une personne qui n'est pas mandatée pour ce faire laisse croire éventuellement à un détenteur qu'il est devenu propriétaire du bien. Relativement aux impenses que le détenteur a apportées au bien, il est assimilé à un possesseur de mauvaise foi (964 C.c.Q.).

4.2 Actes de pure faculté

Les actes de pure faculté ne peuvent fonder la possession puisqu'ils n'amènent aucun empiétement sur les droits d'autrui (924 C.c.Q.). Ainsi, le propriétaire d'une maison dotée d'une vue imprenable sur un environnement d'une grande beauté jouit de cet avantage jusqu'au jour où une construction, édifiée chez le voisin, vient l'en priver. Ce propriétaire ne peut prétendre à une possession fondée sur cette faculté dont il a bénéficié jusqu'ici et chercher à entraver les travaux que le voisin désire entreprendre.

4.3 Actes de simple tolérance

Les actes de simple tolérance ne confèrent guère plus d'avantages à celui qui en profite (924 C.c.Q.). La jurisprudence a défini l'acte de tolérance comme étant « le fait du propriétaire courtois, qui s'abstient de

---

31. *Danis* c. *Thibault*, (1909) 36 C.S. 213, 216-217.
32. *Commentaires du ministre de la Justice, supra*, note 28, p. 708; François Frenette, *De l'emphytéose*, Montréal, Wilson & Lafleur/Sorej ltée, 1983, p. 175.
33. *Danis* c. *Thibault*, *supra*, note 31, p. 214-215.

protester, comme il aurait droit de le faire, contre les agissements qu'il n'approuve pourtant pas »[34]. L'utilisation d'un raccourci sur un fonds voisin[35] ou l'usage d'une ruelle[36] sont fondés sur la tolérance du propriétaire. Il sera possible à ce dernier de mettre abruptement fin à la tolérance le jour où il l'estimera opportun[37]. L'acte de tolérance est différent de la permission, qui, elle, suppose la renonciation à un droit[38].

5. EFFETS

La possession confère des avantages notables à celui qui en bénéficie. La loi le présume titulaire du droit qu'il exerce, il a droit de prendre action pour protéger sa possession et, finalement, lorsqu'il se conforme aux conditions prescrites par la loi, il peut acquérir le droit qu'il exerce.

5.1 Présomption liée à la possession

D'emblée, le possesseur est dans une position avantageuse à l'égard de celui qui désire s'en prendre à sa possession. En effet, la preuve du fait matériel de la possession fait présumer l'existence du droit exercé (928 C.c.Q.). Dès que cette preuve est établie par le possesseur, il revient à son adversaire de révéler l'existence de vices de possession[39] puisque, comme il s'agit d'une présomption simple, elle est susceptible d'être repoussée par une preuve contraire (2847 (2) C.c.Q.). La présomption joue que le possesseur soit de bonne ou de mauvaise foi.

5.2 Protection possessoire

La protection possessoire protège le possesseur contre celui qui trouble sa possession ou qui l'a dépossédé. L'agression peut être causée par le propriétaire ou par toute autre personne. Le possesseur a alors le pouvoir d'intenter l'action possessoire (929 C.c.Q.). Cette action a pour objectif de faire cesser rapidement le trouble dont est victime le possesseur : « La possession est une question de fait et comme cette possession fait présumer la propriété, le législateur a donné un moyen

34. *Morin* c. *Grégoire*, (1969) 10 *C. de D.* 379, 379-380 (C.S.).
35. *Bélanger* c. *Morin*, (1922) 32 B.R. 208, 213 (juge Martin).
36. *Prince* c. *Provencher*, (1931) 51 B.R. 304.
37. *Couture* c. *Auger*, [1949] C.S. 470, 472 (le juge réfère au traité de Beaudry-Lacantinerie).
38. *Morin* c. *Grégoire*, *supra*, note 34, p. 380.
39. *Shaink* c. *Dussault*, *supra*, note 7, p. 165; *Mathurin* c. *Corporation municipale de St-Michel*, [1991] R.D.I. 482, 484 (C.S.).

rapide à celui qui est en possession de l'établir et d'obtenir du tribunal une ordonnance à celui qui la trouble de mettre fin à ses agissements. »[40]

L'action possessoire vise à faire cesser un trouble survenu durant la possession (l'action en complainte) ou à être remis en possession à la suite d'une dépossession violente (l'action en réintégrande). Le demandeur n'est pas tenu de désigner ces actions par leur appellation précise[41].

En principe, le détenteur ne peut intenter l'action possessoire. Toutefois, il faut considérer que la précarité de la détention ne présente pas nécessairement un caractère absolu. En effet, si cet état précaire existe à l'égard de celui en qui le détenteur reconnaît un domaine supérieur, il en va autrement vis-à-vis les tiers. Le détenteur peut être perçu, par eux, comme un possesseur et, dès lors, en droit d'intenter contre eux une action possessoire[42].

Conditions – Le respect de certaines conditions est requis pour qu'un tribunal fasse droit à une action possessoire[43]. L'objet de la possession porte nécessairement sur un droit réel, à l'exception évidemment de la servitude (1181 C.c.Q.). Le demandeur a le fardeau d'établir le fait matériel de la possession[44]. Pour produire des effets juridiques, la possession doit être non viciée (926 C.c.Q.), soit être paisible, continue, publique et non équivoque. Le possesseur peut être de bonne ou de mauvaise foi, ainsi que les tribunaux ont eu l'occasion de le mentionner fréquemment : « il convient de dire tout de suite, [...], que le titre écrit et la mauvaise foi ne peuvent pas être pris en considération dans une instance comme celle-ci »[45]. Le bornage s'avère parfois préalable à une action possessoire[46]. Le

---

40. *Leblond* c. *Bilodeau*, [1972] R.P. 401, 404 (C.S.).
41. *Commentaires du ministre de la Justice*, *supra*, note 28, p. 545; *Girard* c. *Price Brothers Company*, (1929) 47 B.R. 68, 74 (juge Cannon); *Talbot* c. *Lake St-John Power and Paper Company Ltd.*, *supra*, note 11, p. 129.
42. *Bilodeau* c. *Dufour*, *supra*, note 5, p. 268-269 (juge Taschereau).
43. « Tout ce qu'il suffit au demandeur d'établir, c'est qu'il possédait la chose qui est l'objet du litige, depuis un an et un jour, lors de la date du trouble ou de la dépossession, et que cette possession avait les caractères voulus par la loi, c'est-à-dire qu'elle a été continue et non interrompue, paisible, non-équivoque et à titre de propriétaire. » (*Price Brothers Co.* c. *Leduc*, (1915) 21 R.L.n.s. 484, 486 (B.R.)).
44. *Shaink* c. *Dussault*, *supra*, note 7, p. 165.
45. *Talbot* c. *Lake St-John Power and Paper Company Ltd.*, *supra*, note 11, p. 111.
46. « Quand il n'y a, entre deux héritages, ni bornes, ni clôtures, ni marques visibles, pour déterminer la possession de l'un et de l'autre voisin, il n'y a pas ouverture à l'action possessoire, et l'on doit recourir d'abord au bornage; mais s'il y a une ligne de division reconnue, des marques, une clôture, qui déterminent l'étendue du terrain possédé par chacun et qui permettent d'établir jusqu'où s'est exercée sa possession, l'action possessoire peut être maintenue, même en l'absence de bornage régulier. » (*Corporation de la paroisse de Saint-Valier* c. *Tanguay*, (1923) 34 B.R. 1, 6-7 (juge Rivard)).

demandeur est tenu d'être en possession depuis plus d'une année (929 C.c.Q.) et d'intenter son action dans l'année du trouble (2923 (2) C.c.Q.).

L'interdiction de cumuler l'action possessoire (929 C.c.Q.) et l'action pétitoire (912 et 953 C.c.Q.) n'existe vraisemblablement plus dans notre droit[47], depuis l'entrée en vigueur du nouveau Code et l'abrogation de l'article 772 du *Code de procédure civile*[48]. La règle du non-cumul interdisait l'étude simultanée des deux actions par le tribunal. La loi refusait au demandeur le droit de joindre à une action possessoire une demande visant à obtenir la reconnaissance d'un droit réel. Dans une telle instance, un titre ne pouvait être invoqué que pour qualifier une possession[49]. Le titulaire d'un droit réel ne pouvait intenter l'action pétitoire qu'au terme de l'instance possessoire.

Dommages-intérêts – Des dommages-intérêts peuvent également être réclamés pour réparer le préjudice subi par le demandeur troublé dans sa possession[50].

Action pétitoire – Un propriétaire ou le titulaire d'un autre droit réel peut mettre un terme à une possession en intentant une action de type pétitoire contre le possesseur (912 et 953 C.c.Q.). Par ailleurs, lorsque deux personnes exercent sur une même chose une possession non exclusive, le recours au pétitoire demeure le seul moyen de régler le différend[51].

5.3 Acquisition de droits

Le titulaire d'un droit réel reprend parfois le bien dont il a été dépossédé pendant un certain temps. La loi établit à qui reviennent les fruits et revenus générés par le bien durant la possession. Lorsqu'il est de bonne foi, le possesseur n'est pas tenu d'en rendre compte. En revanche, le possesseur de mauvaise foi doit les remettre après compensation des frais encourus pour les produire (931 C.c.Q.).

Dans certaines circonstances, la possession permet d'acquérir la propriété ou un de ses démembrements, sauf la servitude, par le seul

47. Denys-Claude Lamontagne, « L'imbrication du possessoire au pétitoire », (1995) 55 *R. du B.* 661-666; pour une opinion contraire, voir : Pierre Pratte, « L'action possessoire est-elle moins protégée sous le Code civil du Québec », (1995) 55 *R. du B.* 403-417.
48. *Loi sur l'application de la réforme du Code civil*, L.Q. 1992, c. 57, art. 367.
49. Marie-Louis Beaulieu, *supra*, note 13, p. 379-380; *Price Brothers Co.* c. *Leduc*, *supra*, note 43, p. 486 (juge en chef Archambeault); *Sivret* c. *Giroux*, supra, note 25 (juge Chamberland).
50. *Talbot* c. *Lake St-John Power and Paper Company Ltd*, *supra*, note 11, p. 139-141.
51. *Shaink* c. *Dussault*, *supra*, note 7, p. 169.

effet de l'écoulement du temps (930, 2910 C.c.Q.). Ce mode d'acquisition a notamment pour effet de couvrir des titres défectueux (*infra*: chapitre 13).

Bibliographie

BEAULIEU, Marie-Louis. *Le bornage, l'instance et l'expertise. La possession, les actions possessoires*, Québec, Le Soleil, 1961. xxxi, 670 p.

LAMONTAGNE, Denys-Claude. « Distinction des biens, domaine, possession et droit de propriété », dans Barreau du Québec et Chambre des notaires, *La réforme du Code civil*, Québec, P.U.L., 1993, p. 467-512.

LAMONTAGNE, Denys-Claude. « L'imbrication du possessoire au pétitoire », (1995) 55 *R. du B.* 661-666.

MARTINEAU, Pierre. *La prescription*. Montréal, P.U.M., 1977. xxxii, 413 p. (13)

PRATTE, Pierre. « L'action possessoire est-elle moins protégée sous le Code civil du Québec », (1995) 55 *R. du B.* 403-417.

TRIGEAUD, Jean-Marc. *La possession des biens immobiliers: nature et fondement*. Paris, Economica, 1981. x, 631 p.

VINCELETTE, Denis. *La possession*. Montréal, Chambre des notaires, 1989. 264 p.

CHAPITRE 13

LA PRESCRIPTION ACQUISITIVE

La loi reconnaît deux types de prescriptions : la prescription extinctive et la prescription acquisitive (2875 C.c.Q.). La prescription extinctive est un moyen d'opposer une fin de non-recevoir à une action (2921 C.c.Q.). Pour sa part, la prescription acquisitive (usucapion) est un moyen d'acquérir le droit de propriété ou l'un de ses démembrements par le simple effet de la possession durant un certain temps (916 et 2910 C.c.Q.).

Habituellement, la possession exercée sur un bien coïncide avec le droit de propriété détenu par une personne sur ce bien. Le plus souvent celui qui occupe un immeuble et l'exploite détient un droit de propriété sur cet immeuble. Dans certains cas, toutefois, le *fait* n'est pas conforme au *droit*. La prescription permet justement de légaliser ce type de situation, à défaut pour le régime de la publicité foncière de pouvoir jouer un rôle correcteur[1].

La prescription couvre les occupations sans titre, tel le squatter qui s'installe illégalement en un lieu donné. Outre cet exemple, plus ou moins folklorique, elle permet de légaliser des occupations qui débordent au-delà de la description d'un lot suivant un titre. L'institution sert aussi à corriger les vices ou les imprécisions d'un titre[2]. Ainsi, une personne pourrait s'appuyer sur la prescription pour renforcer son titre de propriété sur un immeuble que son auteur lui aurait cédé comme s'il en était seul propriétaire, alors qu'il le détenait en copropriété indivise. De même, la prescription permet de corriger la mauvaise désignation d'un immeuble découlant, par exemple, d'une occupation qui ne correspond

---

1. En effet, le régime de la publicité foncière ne sert qu'à départager les ayants cause d'un même auteur (2946 C.c.Q.), il n'a pas pour but de prouver hors de tout doute la validité d'un droit inscrit (*supra*, chapitre 11, section 4).
2. François Brochu, « La prescription », *Répertoire de droit / Nouvelle série* – section doctrine, Biens, par. 9-10 (http://www.cdnq.org/cnq/recherch/framnota.html).

pas au numéro de lot mentionné dans un titre. En permettant de corriger des anomalies et des contradictions nées de situations de faits ou d'erreurs d'écriture, la prescription accroît la stabilité du droit en restreignant la contestation des titres.

Dans certaines circonstances, la prescription acquisitive semble refléter des valeurs difficiles à concilier avec une société moderne. À l'ère de la prédominance de l'écrit, alors que s'affirment les nouvelles technologies de l'information, il demeure étonnant que l'occupation d'un immeuble puisse contredire une inscription qui figure au registre foncier. Conscient de l'incongruité de la situation, le législateur, lors de la révision du Code, avait prévu, à l'article 2944, une présomption irréfragable de l'existence d'un droit de propriété portant sur un immeuble immatriculé et ayant donné lieu à une inscription au registre foncier. L'inscription ne devait cependant pas avoir été contestée durant dix ans[3]. D'abord suspendue[4], cette présomption sera bientôt retirée du Code[5] au motif de l'insuffisance du système informatique au soutien du registre foncier et du caractère partiel de la réforme cadastrale. Il y a fort à parier qu'une fois terminée la mise en place des outils qui permettront d'accéder plus facilement à l'information contenue au registre foncier, le législateur introduira à nouveau la présomption irréfragable d'existence d'un droit de propriété dûment inscrit au registre foncier, et restreindra, dès lors, le champ d'application de la prescription acquisitive[6].

1. DOMAINE D'APPLICATION

La prescription acquisitive exige la possession d'un bien ou d'un droit durant un délai déterminé. La mise en œuvre de ce mode d'acquisition des biens impose le respect de règles à caractère technique. L'effet dra-

---

3. L'article 2944 du Code civil se lit comme suit :
   « L'inscription d'un droit sur le registre des droits personnels et réels mobiliers ou sur le registre foncier emporte, à l'égard de tous, présomption simple de l'existence de ce droit.
   L'inscription sur le registre foncier d'un droit de propriété dans un immeuble qui a fait l'objet d'une immatriculation, si elle n'est pas contestée dans les dix ans, emporte de même présomption irréfragable de l'existence du droit. »
4. *Loi sur l'application de la réforme du Code civil*, L.Q. 1992, c. 57, art. 155.
5. *Loi modifiant le Code civil et d'autres dispositions législatives relativement à la publicité foncière*, L.Q. 2000, c. 42, art. 15 (non en vigueur) qui modifie l'article 2944 du Code civil.
6. Sur cette question voir : François Brochu, « Les nouveaux effets de la publicité foncière : du rêve à la réalité? », (1999) 40 *C. de D.* 267, 297-309.

conien de la prescription, qui a pour conséquence de priver un propriétaire d'un droit réel, fait que le tribunal requiert des indices sérieux avant d'accueillir une telle demande[7].

En principe, tous les biens, meubles et immeubles, et les droits réels peuvent être objet de la prescription. Il existe tout de même des cas d'exclusion. La servitude, même à la suite d'une possession immémoriale, ne peut être créée sans titre (1181 (2) C.c.Q.). Sont aussi imprescriptibles les biens hors commerce, incessibles ou non susceptibles d'appropriation, par nature ou par affectation (2876 C.c.Q.). Les biens imprescriptibles par leur nature comprennent les choses communes (eau, air) (913 (2) C.c.Q.) et les biens de l'État[8] (916 (2) C.c.Q.). Les biens imprescriptibles par leur affectation incluent les biens des personnes morales de droit public[9] affectés à l'utilité publique (916 (2) C.c.Q.), comme un parc municipal[10], un réservoir raccordé à un aqueduc municipal[11] ou un chemin public[12]. En revanche, un bien cédé sous condition d'inaliénabilité ne devient pas pour autant imprescriptible puisqu'il ne respecte pas le critère de l'affectation à une fin d'utilité publique.

2. DÉLAIS REQUIS

Deux délais de prescription acquisitive sont reconnus par le Code : une prescription de dix ans et une autre, plus courte, de trois ans. Ces délais sont d'ordre public et ne peuvent être modifiés par convention (2884 C.c.Q.)[13].

2.1 Prescription décennale

La prescription décennale constitue la prescription de droit commun. Elle vaut donc dans tous les cas où ne s'applique pas un autre délai de prescription (2917 C.c.Q.).

---

7. « Il ne faut pas dépouiller facilement un propriétaire de son héritage. Lorsqu'il s'agit de savoir si la possession l'a privé de sa propriété, on doit interpréter l'acte équivoque dans le sens le plus favorable à celui « qui certat de damno vitando » [Celui qui lutte pour éviter une perte] » (*Paquet* c. *Blondeau*, (1914) 23 B.R. 330, 336 (juge Archambeault)).
8. *Young* c. *Musées nationaux du Canada*, [1984] C.S. 651.
9. Les personnes morales de droit public comprennent les corporations publiques, les municipalités, les commissions scolaires et les établissements de santé.
10. *Ville de Sherbrooke* c. *Pelouse de la Capitale Inc.*, J.E. 83-337 (C.S.).
11. *Concrete Column Clamps Ltd.* c. *Ville de Québec*, [1940] R.C.S. 522, 531.
12. *Desrosiers* c. *Leedham*, (1916) 49 C.S. 33.
13. *Commentaires du ministre de la Justice*, *supra*, note 13, p. 1808.

Conditions – La prescription décennale exige une possession utile et non viciée; elle doit donc être paisible, continue, publique et non équivoque (2911 et 922 C.c.Q.). Un délai de dix ans doit s'être écoulé depuis l'entrée en possession jusqu'à l'acquisition de la prescription[14]. Le début de la possession correspond généralement à la dépossession matérielle et juridique du titulaire initial[15]. Il n'est pas nécessaire, contrairement à ce que prévoyait l'ancien Code civil (2251 C.c.B.-C.), que le possesseur détienne un titre (2918 (1) C.c.Q.) ou qu'il soit de bonne foi pour invoquer la prescription décennale[16]. La prescription porte tant sur la propriété et ses modalités[17] que sur les démembrements de la propriété, encore que cette dernière hypothèse soit peu vraisemblable, sauf pour couvrir un titre défectueux. Elle peut aussi être invoquée par le possesseur d'un bien meuble qui est de mauvaise foi et qui, par conséquent, ne respecte pas les conditions requises pour que la prescription triennale (*infra*, section 2.2) puisse produire ses effets. En revanche, le voleur, le receleur et le fraudeur ne sauraient y prendre appui (927 C.c.Q.).

Jonction de possession – Un possesseur de bonne foi peut joindre sa possession à celle de ses auteurs, il bénéficie alors du temps déjà écoulé de la prescription (925, 2912 (1) et 2920 (2) C.c.Q.). Cette règle, qui résulte du caractère accessoire de la possession à l'égard de la propriété, est fondée sur le lien juridique qui lie l'auteur et son ayant cause. Cette jonction procède du seul effet de la loi et n'a donc pas à être prévue à un acte juridique[18]. En l'absence de lien de droit, fondé, par exemple, sur un contrat de vente ou un testament, il apparaît impossible de transmettre la possession[19]. Ainsi, le possesseur qui occupe un immeuble sans titre ne saurait prétendre joindre sa possession à celle d'un possesseur antérieur. L'ayant cause, peu importe à quel titre, s'il est de bonne foi, commence sa possession

---

14. *Commentaires du ministre de la Justice*, Québec, Publications du Québec, 1993, p. 1810.
15. Un problème particulier se pose vu le changement du délai de la prescriptrion de droit commun qui est passé de 30 ans (2242 C.c.B-C.) à 10 ans (2917 C.c.Q.). Une règle transitoire prévoit que si un délai est abrégé (10 ans au lieu de 30), le nouveau délai s'applique à partir de l'entrée en vigueur de la loi, soit le 1er janvier 1994. Toutefois l'ancien délai est maintenu, si le nouveau a pour effet de proroger l'ancien (*Loi sur l'application de la réforme du Code civil* (*supra*, note 4, art. 6 (2)). Ainsi, une prescription trentenaire commencée le 4 janvier 1970 prend fin le 4 janvier 2000 et non pas le 4 janvier 2004 (François Brochu, *supra*, note 2, par. 34).
16. La bonne foi est la conviction qu'a une personne qu'elle se conforme au droit.
17. *Gulf Power Company* c. *Habitat Mon Pays Inc.*, C.A.Q. nº 200-09-000487-75, 10 juillet 1978.
18. *Lambert* c. *Desjardins*, (1936) 61 B.R. 328, 330; *Thibault* c. *Chabot*, C.A.Q. nº 200-09-000774-932, 10 mars 1998, p. 16-19 (J.E. 98-672) (juge Forget).
19. *Miller* c. *Joncas*, [1997] R.D.I. 159, 161-162 (C.A.).

sans souffrir des vices qui marquaient la possession de son auteur (926 (2), 2920 C.c.Q.). Pour sa part, l'ayant cause universel ou à titre universel continue la possession de son auteur (2912 (2) C.c.Q.).

Reconnaissance judiciaire – La prescription d'un droit de propriété portant sur un immeuble n'opère pas de plein droit. Celui qui a acquis la prescription doit, en effet, pour obtenir un titre définitif, présenter une requête en reconnaissance de son droit de propriété (805 C.p.c.)[20].

La requête est accompagnée d'un état récent des droits inscrits au registre foncier de cet immeuble, d'une copie ou d'un extrait du plan cadastral de l'immeuble et d'un certificat de localisation si une construction se trouve sur l'immeuble. Le requérant fait signifier la requête aux propriétaires des immeubles contigus. Lorsque la procédure vise à régulariser un titre défectueux, le requérant, plutôt que de faire signifier la requête, demande habituellement aux propriétaires voisins d'acquiescer à sa présentation (806, 1° C.p.c.). Un affidavit appuie la demande en attestant de la vérité des faits allégués dont la preuve n'apparaît pas au dossier (763 C.p.c.).

Il revient à un juge de la Cour supérieure et non pas à un greffier de ce tribunal de se prononcer sur la demande de reconnaissance judiciaire du droit de propriété (808, 31 et 34 C.p.c.). Une requête de cette nature qui ne fait pas l'objet d'une contestation est soumise, soit par un avocat, soit par un notaire[21]. En l'absence de contestation, toutefois, le jugement rendu par le tribunal en est un de juridiction gracieuse et n'acquiert pas force de chose jugée[22]. La requête en rétractation et l'action directe en annulation de jugement constituent les moyens de se pourvoir contre un jugement de cette nature qui présenterait des irrégularités, tel un défaut de signification de la requête[23]. Le jugement en reconnaissance du droit de la propriété possède un effet attributif de droit (2918 (1) C.c.Q.). Il ne présente donc pas une portée rétroactive depuis l'entrée en possession[24].

2.2 Prescription triennale

La prescription triennale possède un champ d'application restreint. Elle vaut à l'égard des meubles seulement (2919 C.c.Q.).

---

20. Denis Ferland et Benoît Emery (dir.), *Précis de procédure civile du Québec*, 3e éd., tome 2, Cowansville, Les Éditions Yvon Blais Inc., 1997, p. 478-480.
21. *Loi sur le notariat*, L.R.Q., c. N-2, art. 9 e).
22. *Denis-Cossette* c. *Germain*, [1982] 1 R.C.S. 751, 803-806 (juge Beetz); *Chabot* c. *Labrecque*, C.A.M. n° 500-09-001109-859, 5 mai 1988, [1988] A.Q. (Quicklaw) n° 818 (juge Fortin).
23. *Chabot* c. *Labrecque*, *ibid.*
24. François Brochu, *supra*, note 2, par. 43-47.

Conditions – Celui qui invoque la prescription triennale doit être en possession non viciée du bien. Sa possession est paisible, continue, publique et non équivoque (922 C.c.Q.). Le voleur, le receleur et le fraudeur ne peuvent invoquer les effets de la possession (927 C.c.Q.). En conséquence, la prescription ne leur permet pas d'acquérir un droit réel.

La prescription triennale exige la bonne foi du possesseur lors de l'acquisition du bien (2919-2920 C.c.Q.). Le fardeau d'établir la preuve de la mauvaise foi du possesseur revient à celui qui conteste la possession (928 C.c.Q.). Le possesseur de bonne foi doit se croire propriétaire du bien dont il a la possession[25]. Il en découle qu'il ignore les vices qui entachent éventuellement son titre. L'existence de droits auxquels peut prétendre une tierce personne lors de l'acquisition du bien lui est inconnue[26]. En cas de doute, le possesseur est tenu de prendre les mesures nécessaires pour se renseigner sur la provenance du bien[27]. La simple connaissance, à la suite de l'acquisition, de l'existence du droit d'autrui sur le bien ne suffit pas à interrompre la prescription commencée. Pour produire une interruption, les vices du titre du possesseur doivent lui être dénoncés par une procédure civile (932 C.c.Q.)[28]. La loi présume l'existence de la bonne foi (2805 C.c.Q.).

Un délai de trois ans doit s'être écoulé depuis la dépossession du propriétaire. Le possesseur qui invoque la prescription de la propriété peut donc être en possession du bien depuis très peu de temps et être favorisé. Le non-respect des conditions requises entraîne un allongement du délai de prescription qui passe alors à 10 ans, soit le délai de la prescription de droit commun.

---

25. « Le possesseur doit avoir agi en vertu d'un titre pour appuyer ses allégations de bonne foi. Cependant, ce mot ne désigne pas nécessairement un document notarié ou écrit. Il suffit que le possesseur croie qu'il est véritablement le propriétaire et qu'il soit persuadé de l'existence d'un titre ou d'un droit en sa faveur. » (*Gingras* c. *Ministre des transports du Québec*, [1982] C.A. 490, 492 (juge Malouf)).
26. *Morin-Gagné* c. *Capital Midland Walwyn Inc.*, C.Q.M. nº 500-22-010142-977, 18 décembre 1998, [1998] A.Q. (Quicklaw) nº 3879 par. 32-42.
27. « À l'article 2268 C.C. [maintenant l'article 2919 C.c.Q.], l'acheteur, pour être de bonne foi, doit ignorer les droits qu'une tierce personne peut avoir sur la chose qui lui est cédée, ou plutôt il doit croire qui celui qui lui transmet la chose en est le véritable propriétaire. Son erreur cependant ne doit pas être volontaire, c'est-à-dire qu'il doit, s'il a raison d'avoir des soupçons ou des doutes, prendre des précautions raisonnables pour se renseigner. » (*René T. Leclerc Inc.* c. *Terreault*, [1970] C.A. 141, 147 (juge Turgeon)). Pour un exemple d'absence d'indice de mauvaise foi : *Joyal* c. *Boka*, C.S.M. nº 500-05-006757-841, 18 novembre 1987, p. 11 (J.E. 88-116).
28. *Delorme* c. *Cusson*, [1897-1898] 28 R.C.S. 66, 72 (juge Girouard); *Gingras* c. *Ministre des transports du Québec*, *supra*, note 25, p. 493.

Droits du propriétaire avant la prescription – Avant l'acquisition de la prescription, le propriétaire du bien meuble conserve des droits.

Il peut *revendiquer le bien* (946, 953 et 2919 (2) C.c.Q.), à la condition que la dépossession n'excède pas trois ans et que le bien n'ait pas été acquis sous l'autorité de la loi, soit à la suite d'une saisie et d'une vente judiciaire. Le propriétaire qui revendique est tenu de rembourser les frais d'administration et la valeur du travail effectué sur un bien perdu ou oublié (946 C.c.Q.). La revendication n'emporte pas nécessairement l'annulation de la vente lorsque le bien a fait l'objet d'une acquisition à titre onéreux[29]. Le possesseur, tenu de remettre le bien acquis à la suite d'une vente, pourra demander la nullité de cette vente en poursuivant son vendeur. Toutefois, si le bien revendiqué a été acquis dans le cours des activités d'une entreprise, le propriétaire qui revendique son bien est tenu de rembourser à l'acheteur de bonne foi le prix qu'il a payé (1714 (2) C.c.Q.). Dans cette dernière hypothèse, il sera vraisemblablement vain pour l'acheteur de demander la nullité de la vente une fois qu'il aura été remboursé par le propriétaire qui a récupéré son bien.

Le propriétaire a aussi la possibilité de *demander la nullité de la vente et la restitution du bien*. Lors de l'exercice d'un tel recours, le bien doit nécessairement provenir d'une vente conclue par une personne qui n'en était pas propriétaire ou qui n'était pas chargée ou autorisée à le vendre (1713 C.c.Q.). Le bien ne doit pas avoir été vendu sous l'autorité de la justice (1714 C.c.Q.) et la prescription de trois ans ne doit pas être acquise. Ce recours permet au propriétaire de récupérer son bien. De plus, il oblige le vendeur à restituer à l'acheteur le prix de la vente. Le propriétaire n'est alors pas tenu de verser à l'acheteur le prix qu'il a payé pour un bien acquis dans le cours des activités d'une entreprise[30].

3. MODALITÉS

Le délai de la prescription s'échelonne sur une longue durée et est parfois marqué par des incidents susceptibles de modifier la période de temps requise pour prescrire. Les circonstances qui surviennent mettent parfois même abruptement un terme à une prescription en cours.

3.1 Calcul du délai

Le calcul du délai de prescription répond à des règles précises. Le délai se compte par jour entier. Le jour à partir duquel commence la

29. Pierre-Gabriel Jobin, « Précis sur la vente », dans : Barreau du Québec et Chambre des notaires, *La réforme du Code civil*, tome 2, Sainte-Foy, P.U.L., 1993, p. 407.
30. *Ibid.*, p. 406.

prescription n'entre pas dans le calcul du délai (*dies a quo*). La prescription est acquise lorsque le dernier jour du délai est révolu. Lorsqu'il s'agit d'un jour non juridique (6 C.p.c.), la prescription est acquise le premier jour ouvrable suivant (2879 C.c.Q.).

La dépossession fixe le jour de départ pour la prescription acquisitive (2880 et 2919 C.c.Q.). Cette dépossession n'est pas simplement matérielle, elle est aussi juridique. Il devrait normalement y avoir correspondance entre la dépossession de la personne qui détenait un droit sur un bien et le début de la possession conduisant éventuellement à une prescription acquisitive[31].

3.2 Renonciation

Il est impossible de renoncer à l'avance à la prescription ou de convenir de délais de prescription autres que ceux prévus par la loi (2883-2884 C.c.Q.). Ces règles sont d'ordre public[32]. Le possesseur a toutefois la faculté de renoncer au bénéfice du temps écoulé ou à une prescription déjà acquise. Par cette renonciation, le possesseur abandonne le droit de bénéficier des effets de la possession. La conséquence sérieuse de cette renonciation fait que le tribunal exige « une manifestation volontaire, déterminante et sans équivoque » de cet abandon du droit à la prescription acquise[33]. À la suite d'une renonciation, la prescription peut toujours recommencer à courir (2888 C.c.Q.).

La renonciation doit être publiée au bureau de la publicité foncière lorsqu'elle porte sur un droit réel immobilier (2885 (2) C.c.Q.). La personne qui ne peut aliéner est privée de la faculté de renoncer à la prescription acquise (2886 C.c.Q.). Cette faculté est donc limitée à la personne majeure, disposant du plein exercice de ses droits civils. Une personne lésée par une renonciation à la prescription acquise peut s'y opposer (2887 C.c.Q.).

3.3 Interruption

L'interruption de la prescription a lieu lorsque se produisent des incidents qui font perdre le bénéfice du temps déjà écoulé à celui qui prescrivait. Une fois constatée l'interruption, la prescription recommence à courir à son début (2903 C.c.Q.).

---

31. *Commentaires du ministre de la Justice*, *supra*, note 13, p. 1808.
32. *Ibid.*, p. 1810-1811.
33. *Morin-Gagné c. Capital Midland Walwyn Inc.*, *supra*, note 26, par. 53.

Interruption naturelle – L'interruption naturelle se produit lorsque le possesseur est privé de la jouissance du bien par le propriétaire lui-même ou par un tiers qui, par exemple, le chasse d'un immeuble. La perte de la possession n'est pas qu'un simple incident, elle présente nécessairement un caractère notoire[34]. Pour interrompre la prescription, la dépossession doit avoir duré plus d'un an (2890 C.c.Q.). Durant cette période, le possesseur conserve une possession utile et a droit d'intenter une action possessoire afin de faire cesser le trouble et d'être remis en possession du bien (2923 (2), 929 C.c.Q.)[35].

Interruption civile – L'interruption civile prend sa source dans un acte juridique. Le dépôt d'une demande en justice (par exemple l'action pétitoire ou l'action en bornage[36]) provoque une telle interruption (2892 C.c.Q.). La demande doit être signifiée à celui qu'on veut empêcher de prescrire au plus tard dans les 60 jours qui suivent l'expiration du délai de prescription.

La loi précise que sont considérés comme des demandes en justice les actes suivants : la demande reconventionnelle, l'intervention, la saisie, l'opposition et l'avis exprimant l'intention d'une partie de soumettre un différend à l'arbitrage (2892 (2) C.c.Q.). Il n'y a pas d'interruption s'il y a rejet de la demande, désistement ou péremption de l'instance (2894 C.c.Q.). Par ailleurs, les actes qui interrompent la prescription doivent être posés contre le possesseur par le véritable titulaire du droit réel objet de la prescription. La saisie d'un bien par des policiers ne répond pas à ce critère et, en conséquence, elle n'affecte pas la possession[37].

---

34. « Il faut qu'il y ait une dépossession notoire, je dirais sérieuse, qui doit durer plus d'un an, comme l'exige l'article 2223 du *Code civil du Bas Canada* [2890 C.c.Q.]. La raison est fort simple. Le législateur a voulu ainsi prévenir les situations où un éventuel prescripteur se verrait troublé dans sa possession par des événements très ponctuels et de courtes durées, organisés parfois uniquement par des fauteurs de troubles envieux. Ceci créerait un chaos dans les titres de propriété du genre de celui visé par les présentes. » (*Corporation municipale du village de Deauville* c. *Régistrateur de la division d'enregistrement de Sherbroooke*, [1993] R.D.I. 374, 378-379 (C.S.)).
35. *Commentaires du ministre de la Justice*, *supra*, note 13, p. 1815.
36. *Dahmé* c. *Clerc*, [1999] R.D.I. 209, 211 (C.A.) (juge Gendreau)
37. « Suite à une telle saisie [une saisie policière], il appartient aux parties d'engager les procédures en revendication et en détermination du droit de propriété devant le tribunal civil. La saisie policière n'ayant aucune autorité en regard de la dispute sur la propriété, comment pourrait-elle corrompre la possession utile du possesseur ou même constituer un acte interruptif de prescription ? » (*Morin-Gagné* c. *Capital Midland Walwyn Inc.*, *supra*, note 26, par. 48; *Wawanesa Mutual Insurance* c. *Plante*, [1967] C.S. 540, 543-544).

3.4 Suspension

La suspension est un avantage que la loi reconnaît à des personnes particulièrement vulnérables à l'effet draconien de la prescription acquisitive. À cause de leur situation, ces personnes se trouvent dans l'impossibilité de poser les gestes requis pour interrompre la prescription. Aussi, le législateur a-t-il prévu d'arrêter momentanément le processus de la prescription à leur égard. La prescription recommence à courir lorsque prend fin la cause qui a provoqué la suspension.

Les personnes à l'égard de qui la prescription est suspendue sont en nombre fort limité puisqu'une règle générale du droit veut que la prescription coure à l'encontre de tous (2877 C.c.Q.). La loi protège la personne dans l'impossibilité en fait d'agir, soit par elle-même, soit en se faisant représenter par d'autres (2904 C.c.Q.). Une personne semi-inconsciente à la suite d'un accident serait dans une telle situation. L'enfant à naître (2905 C.c.Q.) et les époux pendant la vie commune[38] (2906 C.c.Q.) bénéficient aussi de cette mesure de protection.

Bibliographie

BROCHU, François. « La prescription », *Répertoire de droit / Nouvelle série* – section doctrine, Biens (http://www.cdnq.org/cnq/recherch/framnota.html).

BROCHU, François. « Les nouveaux effets de la publicité foncière : du rêve à la réalité? », (1999) 40 *C. de D.* 267-321.

CANTIN CUMYN, Madeleine. « Les principaux éléments de la révision des règles de la prescription », (1989) 30 *C. de D.* 611-625.

FERLAND, Denis et Benoît EMERY (dir.). *Précis de procédure civile du Québec.* 3e éd. Tome 2. Cowansville : Les Éditions Yvon Blais Inc., 1997.

FRENETTE, François. « De la prescription », dans Barreau du Québec et Chambre des notaires, *La réforme du Code civil*, Québec : P.U.L., 1993, p. 565-587.

FRENETTE, François. « Prescription acquisitive et rétroactivité », (1985-1986) 88 *R. du N.* 367-378.

MARTINEAU, Pierre. *La prescription.* Montréal : P.U.M., 1977. xxxii, 413 p.

38. Il s'agit ici de personnes mariées suivant les lois civiles, la prescription n'est donc pas suspendue à l'égard des personnes qui vivent en union de fait.

CHAPITRE 14

LA FIDUCIE

La fiducie est une institution parmi les plus typiques du droit anglais (le *trust*). Elle pénètre à l'intérieur du droit privé québécois par le biais du droit des testaments. En effet, le Parlement britannique, en instituant la liberté de tester par l'*Acte de Québec*, autorise le recours à l'utilisation de la fiducie comme instrument de transmission des biens[1]. La présence de la fiducie est d'ailleurs attestée dans la province au cours de la première moitié du XIXe siècle, alors que des juristes se fondent sur l'institution pour répondre aux besoins de certains de leurs clients[2]. La pénétration de la fiducie dans le droit civil constitue un des éléments qui favorise la mixité du droit québécois.

La reconnaissance de la fiducie testamentaire ne répond toutefois pas aux besoins de ceux qui désirent recourir à l'institution pour transmettre des biens par donations entre vifs. Afin de combler cette carence, le législateur québécois intervient, peu de temps après la mise en vigueur du *Code civil du Bas-Canada*, en faisant voter une loi qui élargit le champ de la fiducie aux donations entre vifs et établit un régime juridique propre à l'institution[3]. Au cours des décennies qui suivent, les tribunaux sont confrontés à des problèmes inédits et s'efforcent d'interpréter l'institution en tenant compte de son contexte particulier. Les solutions avancées, qui parfois heurtent des principes fondamentaux de la tradition civiliste, donnent lieu à bien des déchirements[4].

---

1. *Acte de Québec*, 1774, art. 10.
2. L'affaire *Masson* c. *Masson* ((1912) 47 R.C.S. 42) est fondée, par exemple, sur un testament fiduciaire rédigé en 1845. Sur les origines de la fiducie, voir: Madeleine Cantin Cumyn, « L'origine de la fiducie québécoise », dans *Mélanges offerts par ses collègues de McGill à Paul-André Crépeau*, Cowansville, Les Éditions Yvon Blais Inc., 1997, p. 199-219.
3. *Acte concernant la fiducie*, S.Q., 1879, c. 29. Les articles compris dans cette loi furent introduits dans le Code civil lors de la refonte des lois de 1888.
4. Sylvio Normand et Jacques Gosselin, « La fiducie du *Code civil* : un sujet d'affrontement dans la communauté juridique québécoise », (1990) 31 *C. de D.* 681-729.

Au début du siècle, le législateur permet la création de fiducies qui assurent le financement des entreprises par l'émission d'obligations[5]. En dépit de cet ajout, le monde des affaires québécois ne dispose toujours pas des mêmes outils qu'ailleurs en Amérique du Nord, où la fiducie offre une flexibilité enviée. Ainsi, malgré des tentatives audacieuses de praticiens du droit pour introduire la fiducie d'investissement, celle-ci est vue comme un emprunt au droit américain – le *Real Estate Investment Trust* – et jugée tout à fait incompatible avec les institutions du droit civil québécois[6].

À la faveur du processus de révision du code civil, le législateur fait de la réforme de la fiducie une de ses préoccupations majeures. Il introduit la notion de patrimoine d'affectation de manière à rendre plus harmonieuse l'intégration de la fiducie dans un environnement de droit civil et, par là, met un terme à un long débat sur la nature de l'institution. Le champ d'application de la fiducie est aussi élargi afin de tenir compte de l'évolution et des besoins des entreprises. Le code ajoute également à un régime juridique par trop embryonnaire (981a-981n C.c.B.-C.)[7]. Ce nouvel encadrement contribue à rendre la fiducie plus accessible que par le passé en évitant de devoir nécessairement recourir à de coûteux services juridiques pour mettre sur pied une fiducie qui, tout en étant adaptée à une situation donnée, porte sur des biens d'une valeur réduite.

De multiples considérations entrent en ligne de compte lorsqu'une personne décide de constituer une fiducie et de lui transférer une partie ou même la totalité de ses biens. Il est manifeste que fréquemment le constituant cherche à soumettre l'usage de ses biens, pendant une période plus ou moins longue, à l'expression de sa volonté. Des intentions altruistes, comme le bien-être de personnes chères ou le développement de la recherche scientifique, dictent souvent une telle initiative. Le désir de confier la gestion de ses biens – ou de son entreprise – à du personnel expérimenté motive certains constituants. La fiducie permet aussi d'assurer la protection de l'intégrité du patrimoine fiduciaire, en autant que la démarche du constituant ne soit pas frauduleuse[8]. Enfin, l'envie de réduire l'imposition des biens joue chez plusieurs.

5. *Loi amendant les Statuts refondus, 1909, en y insérant les articles 6119a, 6119b, 6119c et 6119d*, S.Q., 1914, c. 51.
6. *Crown Trust Co.* c. *Higher*, [1977] 1 R.C.S. 418, 425-426 (juge de Grandpré).
7. *Commentaires du ministre de la Justice*, Québec, Publications du Québec, 1993, p. 746. Sur la fiducie en général, voir: Jacques Beaulne, *Droit des fiducies*, Montréal, Wilson & Lafleur ltée, 1998, xi, 345 p.
8. Mario Naccarato, *Dans quelle mesure le droit positif québécois répond-il aux besoins créés par l'institution nouvelle de la division du patrimoine du Code*

Même si la fiducie s'inscrit dans un environnement civiliste, elle a subi par le passé l'influence de la *common law*[9] et il y a fort à parier que cette ascendance continuera dans le futur[10]. Les liens étroits qui unissent le monde nord-américain des affaires, l'usage de modèles d'actes issus de la tradition de *common law* et, surtout, la volonté des justiciables québécois qui constituent des fiducies de parvenir aux mêmes fins que le permet le *trust* ailleurs en Amérique du Nord rendent prévisible cette influence. Le recours à l'expérience étrangère devrait se produire dans la mesure où il y a compatibilité entre le droit anglais et le droit québécois[11].

1. NOTION

La fiducie est une institution difficile à définir. Le Code établit qu'elle résulte d'un acte par lequel le constituant transfère des biens de son patrimoine à un autre patrimoine affecté à une fin particulière et dont l'administration est confiée à un fiduciaire (1260 C.c.Q.). John E.C. Brierley présente l'institution comme une « [...] relation juridique triangulaire reconnue en vue d'une affectation des biens aux finalités permises par la loi »[12]. La définition retenue par le droit positif québécois est conforme à celle proposée par la *Convention [de La Haye] relative à la loi applicable au trust et à sa reconnaissance*[13].

---

civil du Québec, mémoire de maîtrise présenté à la Faculté des études supérieures de l'Université Laval, Québec. 1996, 150 p. et Michel Legendre, « L'utilisation de la fiducie à titre de mécanisme de protection des actifs dans un contexte de difficultés financières », (1996) 18 *Revue de planification fiscale et successorale* 11-67.

9. C'est d'ailleurs ce que reconnaissait la Cour suprême dans une affaire célèbre : *Curran* c. *Davis*, [1933] R.C.S. 283, 302 (juge Rinfret).
10. Peter E. Graham, « Evolution of Quebec Trust Law : Common Law Influence seen from 1962 to 1992 is likely to continue in relation to the New *Civil Code of Quebec* », (1993-1994) 96 *R. du N.* 474-491.
11. *Royal Trust Co.* c. *Tucker*, [1982] 1 R.C.S. 250, 261 (juge Beetz); voir aussi : *Canada Trust* c. *Gabriel*, C.S.M. n° 500-05-009203-926, 28 janvier 1993, [1993] A.Q. (Quicklaw) n° 99, par. 59-63.
12. John E.C. Brierley, « Titre sixième. De certains patrimoines d'affectation. Les articles 1256-1298 », dans Barreau du Québec et Chambre des notaires (dir.), *La réforme du Code civil*, Québec, P.U.L., 1993, tome 1, p. 745.
13. Conférence de La Haye de droit international privé, 1er juillet 1985, art. 2 :

    « Aux fins de la présente Convention, le terme « trust » vise les relations juridiques créées par une personne, le constituant – par acte entre vifs ou à cause de mort – lorsque des biens ont été placés sous le contrôle d'un trustee dans l'intérêt d'un bénéficiaire ou dans un but déterminé.

    Le trust présente les caractéristiques suivantes :

    a) les biens du trust constituent une masse distincte et ne font pas partie du patrimoine du trustee;

Patrimoine d'affectation – La fiducie étant un patrimoine d'affectation (*supra*, chapitre 1, section 3.2), les biens qui lui sont transférés constituent un patrimoine autonome sur lequel ni le constituant, ni le fiduciaire, ni le bénéficiaire n'ont de droit réel (1261 C.c.Q.). En niant l'existence d'un droit réel sur les biens transmis à la fiducie, le législateur, tout en conservant le rattachement de l'institution au droit des biens, lui a conféré une autonomie relative. Dans la structure générale du droit des biens, la fiducie se situe désormais en marge.

Comme tout patrimoine, celui de la fiducie se compose d'un actif auquel se greffe un passif qui représente les obligations auxquelles s'est engagé le fiduciaire. La subrogation réelle joue à l'intérieur de ce patrimoine de sorte que les biens acquis en lieu et place de biens faisant déjà partie du patrimoine de la fiducie demeurent soumis au régime juridique applicable au patrimoine d'affectation[14].

L'introduction de la notion de patrimoine d'affectation dans le droit qui régit la fiducie constitue une innovation puisque, auparavant, le fiduciaire se voyait reconnaître la propriété des biens qu'il détenait[15]. Toutefois, la singularité de cette propriété, dont le fiduciaire ne pouvait profiter, avait amené les tribunaux à la qualifier de *sui generis*[16], c'est-à-dire de propriété particulière.

2. CONSTITUTION

Acteurs – La fiducie met en scène trois personnes : le constituant, le fiduciaire et le bénéficiaire. Le *constituant* est celui qui crée la fiducie. Le *fiduciaire* est la personne qui détient les biens transférés par le constituant et voit à leur administration. Finalement, le *bénéficiaire* est celui qui reçoit les bénéfices de la fiducie.

---

b) le titre relatif aux biens du trust est établi au nom du trustee ou d'une autre personne pour le compte du trustee;
c) le trustee est investi du pouvoir et chargé de l'obligation, dont il doit rendre compte, d'administrer, de gérer ou de disposer des biens selon les termes du trust et les règles particulières imposées au trustee par la loi.
Le fait que le constituant conserve certaines prérogatives ou que le trustee possède certains droits en qualité de bénéficiaire ne s'oppose pas nécessairement à l'existence d'un trust. »

Le texte de la Convention se trouve à l'adresse électronique suivante : http://www.hcch.net/f/conventions/text30f.html.

14. *Commentaires du ministre de la Justice*, *supra*, note 7, p. 750.
15. *Curran* c. *Davis*, *supra*, note 9, p. 293-294 (juge Rinfret); Pierre-Basile Mignault, « À propos de fiducie », (1933-1934) 12 *R. du D.* 73-79.
16. *Royal Trust Co.* c. *Tucker*, *supra*, note 11, p. 273 (juge Beetz).

Transfert de biens – La création d'une fiducie exige du constituant qu'il transfère des biens de son patrimoine à un patrimoine fiduciaire qui poursuivra un but déterminé. Les biens susceptibles de composer le patrimoine fiduciaire sont de différente nature. Il peut s'agir de meubles ou d'immeubles, de biens corporels ou incorporels (899-907 C.c.Q.). Il est ainsi assez fréquent que des titres de créances constituent l'essentiel d'un patrimoine fiduciaire. Le transfert des biens dans le patrimoine fiduciaire est définitif. Il n'y a pas de retour possible au constituant[17], sauf par action en inopposabilité en cas de fraude aux droits des créanciers (1631-1636 C.c.Q.) ou encore en cas d'absence de bénéficiaire du capital au terme de la fiducie (1297 (2) C.c.Q.).

À titre d'initiateur, le constituant joue un rôle essentiel lors de la mise en place de la fiducie. Sans son fait, l'existence de ce patrimoine d'affectation serait impossible. Contrairement à ce que l'on pourrait croire, le rôle actif du constituant ne prend pas nécessairement fin à la suite du transfert des biens, puisque la loi lui permet d'être lui-même fiduciaire (1275 C.c.Q.), de bénéficier éventuellement de la fiducie (1269 C.c.Q.) et de veiller à sa surveillance (1287 C.c.Q.). Dans certains cas, sa présence à l'un ou l'autre titre risque d'être inévitable tout au long de l'existence de la fiducie.

Acceptation du fiduciaire – Le fiduciaire doit accepter de détenir et d'administrer les biens transférés en fiducie puisque c'est à partir de l'acceptation de sa charge que la fiducie est constituée (1264 C.c.Q.). L'acceptation a un effet rétroactif au décès du constituant dans le cas d'une fiducie testamentaire. Désormais, les biens transférés ne font plus partie du patrimoine du constituant, ils sont rattachés au patrimoine d'affectation.

Modes d'établissement – Suivant leur mode d'établissement (1262 C.c.Q.), les fiducies se divisent en deux grandes catégories[18]. Les fiducies expresses (*express trust*) résultent d'un testament ou d'un contrat, alors que les fiducies statutaires (*statutory trust*) découlent de la loi ou d'un jugement.

L'établissement d'une fiducie testamentaire exige que le testateur possède, lors de la signature du testament, la capacité requise pour

17. « A tous les points de vue, les biens sont sortis de son patrimoine [le patrimoine du constituant] d'une façon absolue et sont définitivement affectés aux fins qu'il a définies dans le contrat que les « trustees » se sont engagés à accomplir. Il n'est plus le maître. » (*Curran* c. *Davis*, *supra*, note 9, p. 306 (juge Rinfret)). Il pourrait cependant y avoir une révocation fondée sur une condition simplement potestative (1296 (2), 1497 C.c.Q.) (John E.C. Brierley, *supra*, note 12, p. 756).

18. John E.C. Brierley, *ibid.*, p. 752-753.

tester (707 C.c.Q.). Les règles qui régissent la forme des testaments doivent être respectées (712-730 C.c.Q.). Longtemps, au Québec, le legs testamentaire a été le mode de constitution privilégié de la fiducie.

La constitution d'une fiducie par contrat à titre gratuit n'est pas une nouveauté; le *Code civil du Bas-Canada* prévoyait déjà la possibilité de recourir à la donation entre vifs (981a C.c.B.-C.). Ce type de contrat continue sans doute d'être un des modes privilégiés d'établissement d'une fiducie[19]. De plus, le *Code civil du Québec* prévoit maintenant qu'en vertu du droit commun il est possible de créer une fiducie par contrat à titre onéreux[20]. Il s'agit là d'une modification importante qui facilite le développement de l'institution. Le respect des conditions générales de formation des contrats s'impose lors de la constitution d'une fiducie contractuelle (1385-1415 C.c.Q.). Il se peut aussi que s'appliquent des règles particulières à la formation de certains types de contrat. La fiducie créée par donation est ainsi assujettie aux règles de forme de ce contrat nommé (1824 C.c.Q.). Par ailleurs, la création d'une fiducie vise parfois l'obtention de bénéfices fiscaux. Aussi, lors de la rédaction du contrat, il faut veiller à respecter les exigences des lois dont on désire tirer avantage.

Le législateur, tant fédéral que québécois, a la faculté de créer une fiducie. Ainsi, des lois fiscales chargent des personnes de percevoir des sommes d'argent au nom de l'État. De manière à assurer la protection des sommes ainsi détenues, la loi prévoit que ces personnes sont réputées les détenir en fiducie[21].

Un tribunal, lorsque la loi l'y autorise (1262 C.c.Q.), a également le pouvoir d'ordonner la constitution d'une fiducie. La marge de manœuvre du juge se trouve limitée aux seuls cas prévus expressément par un texte législatif. Un tribunal ne possède donc pas le pouvoir de créer une fiducie implicite[22]. Le Code prévoit que le tribunal peut rendre une ordonnance afin de garantir le paiement d'une créance alimentaire par

---

19. John E.C. Brierley a émis l'hypothèse que la fiducie à titre gratuit telle que décrite dans le *Code civil du Québec* constituerait une nouvelle libéralité aux côtés du testament et de la donation (« The Gratuitous Trust : A New Liberality in Quebec Law », (1997-1998) 100 *R. du N.* 213-250).
20. Le droit statutaire permettait cependant l'existence de telles fiducies, par exemple en vertu de la *Loi sur les régimes supplémentaires de rentes*, L.R.Q., c. R-17; voir aussi : *TSCO of Canada Ltd.* c. *Châteauneuf*, [1995] R.J.Q. 637, 673-682 (C.A.) (juge LeBel).
21. *Loi sur la faillite et l'insolvabilité*, L.R.C. (1985), c. B-3, art. 67 (2); *Loi sur le ministère du Revenu*, L.R.Q., c. M-31, art. 20; voir aussi : Jacques Deslauriers, *La faillite et l'insolvabilité*, Notes de cours, Québec, Université Laval – Faculté de droit, 1999-2000, p. 116-118.
22. *Commentaires du ministre de la Justice*, *supra*, note 7, p. 750-751.

un débiteur (591 C.c.Q.). Il est manifeste qu'un tribunal utilise une telle solution dans des circonstances particulières. La crainte de voir un débiteur se défiler de ses obligations rend particulièrement approprié le recours à la fiducie. Ainsi, la baisse prévisible des revenus du débiteur, l'éloignement de son lieu de résidence, l'importance de ses actifs par rapport à ses revenus ou l'existence de manœuvres visant à dissimuler des revenus sont de nature à justifier que soient ordonnés le versement d'une somme forfaitaire par le débiteur et la constitution d'une fiducie[23]. À l'instar d'un acte juridique qui définit une fiducie, le dispositif d'un jugement doit contenir certains éléments essentiels que la loi seule ne saurait combler. Il précise les biens que le constituant est tenu de transférer dans la fiducie, détermine l'affectation conférée à ce patrimoine en identifiant le bénéficiaire des fruits et revenus ainsi que celui du capital, désigne le fiduciaire, fixe la durée de la fiducie et arrête toute autre modalité jugée nécessaire compte tenu de la situation.

Même si les constituants jouissent d'une grande marge de manœuvre dans l'établissement des buts poursuivis par les fiducies qu'ils constituent, ils doivent toutefois se garder de porter atteinte à l'ordre public (9 C.c.Q.).

3. ESPÈCES

Les fiducies sont distinguées selon la finalité qui leur est assignée lors de leur constitution. Le Code en prévoit trois types : la fiducie personnelle, la fiducie à des fins d'utilité privée et la fiducie à des fins d'utilité sociale (1266 C.c.Q.). La première et la troisième existaient sous le *Code civil du Bas-Canada*, alors que la seconde est nouvelle dans le droit commun.

Le rattachement à une catégorie permet de déterminer la durée de la fiducie (1271-1273 C.c.Q.), d'identifier les mécanismes de contrôle auxquels elle est soumise (1287-1289 C.c.Q.) et d'établir les pouvoirs du tribunal quand des modifications doivent être apportées à une fiducie (1294 C.c.Q.) ou lorsqu'elle prend fin (1298 C.c.Q.).

---

23. *Droit de la famille-2282*, [1995] R.D.F. 677, 681-682 (C.S.); *Droit de la famille-2344*, [1996] R.D.F. 44 (C.S.); *Droit de la famille-2396*, [1996] R.D.F. 264 (C.S.); *Lefebvre* c. *Lyra*, C.S.Q. n° 200-04-001002-938, 7 juillet 1994; (*Droit de la famille québécois. Informations récentes*, Farnham, Les publications CCH/FM ltée, 1994-1995, n° 200-045). Sur cette question, voir aussi : Jacques Beaulne, « La nouvelle fiducie judiciaire au service du droit de la famille », (1996) 27 *R.G.D.* 55-68.

La rédaction d'un acte qui constitue une fiducie doit permettre d'identifier aisément à quelle fin les biens transférés devront être affectés. Il est particulièrement approprié d'adopter une formulation qui, tout en étant précise, ne soit pas trop contraignante. En effet, puisque certaines fiducies sont susceptibles d'exister durant plusieurs décennies, il est avantageux de prévoir une certaine souplesse dans l'affectation des biens.

3.1 Fiducie personnelle

La fiducie personnelle existe depuis longtemps dans notre droit. Elle profite à une ou à plusieurs personnes, conjointement ou successivement. Cette fiducie est toujours constituée à titre gratuit, soit par le recours à un legs testamentaire ou à une donation. L'objectif du constituant en créant une fiducie personnelle est habituellement d'assurer la sécurité financière de ses proches. Ces fiducies sont souvent désignées sous l'appellation de « fiducies familiales ». Des considérations fiscales entrent souvent en ligne de compte lorsqu'une personne choisit de constituer une telle fiducie[24].

La fiducie personnelle n'est jamais perpétuelle, sa durée est limitée à trois ordres de bénéficiaires au maximum, soit deux ordres pour les fruits et revenus et un ordre pour le capital (1271 C.c.Q.). Ainsi, un testateur peut prévoir qu'à son décès ses biens seront transmis à une fiducie et que son épouse deviendra alors bénéficiaire des revenus. Au décès de celle-ci, ce même droit passera aux enfants du couple. Finalement, au décès des enfants, le capital sera remis aux petits-enfants. La règle sur le nombre des ordres est impérative, elle ne pourrait pas être écartée par le constituant. Une personne peut cependant faire partie de plus d'un ordre[25]. Par ailleurs, le législateur ajoute un élément de nature à allonger la durée d'une fiducie personnelle. Il précise, en effet, que le droit du bénéficiaire de premier ordre doit s'ouvrir au plus tard à l'expiration des 100 ans qui suivent la constitution de la fiducie (1272 C.c.Q.). Le premier ordre pourrait donc être celui des petits-enfants du constituant et ainsi de suite. Ce report de l'ouverture de la fiducie, de l'avis même du ministre de la Justice, pourrait porter la durée d'une fiducie personnelle à 200 ans[26].

---

24. Pierre Royer et James Drew, *Impôts et planification*, Montréal, Science et culture, 1999, p. 461-480; Lucie Beauchemin, « La fiducie, véhicule de planification hors pair dans un contexte familial », (1996) 18 *Revue de planification fiscale et successorale* 873-921.
25. *Myrand* c. *Simard*, C.S.M. n° 500-05-031757-972, 24 octobre 1997, [1997] A.Q. (Quicklaw) n° 3695, par. 34-35.
26. *Commentaires du ministre de la Justice*, *supra*, note 7, p. 757.

3.2 Fiducie d'utilité privée

La fiducie d'utilité privée est devenue, depuis son introduction dans le droit commun, un instrument d'une grande souplesse, susceptible de se prêter à la poursuite de plusieurs buts.

À titre gratuit – Lorsqu'elle est constituée à titre gratuit, la fiducie d'utilité privée peut viser l'érection, l'entretien ou la conservation d'un bien corporel, tel un bâtiment (1268 C.c.Q.). Elle peut aussi pourvoir à l'utilisation d'une chose affectée à un usage déterminé, comme un édifice servant de musée. De plus, elle peut procurer un avantage indirect à une personne (défrayer les frais de scolarité de ses petits-enfants) ou à sa mémoire (entretenir le souvenir d'un écrivain célèbre en organisant des activités culturelles autour de son œuvre) ou encore rechercher un autre but de nature privée (mettre un immeuble de villégiature à la portée des employés d'une entreprise). Dans certains cas, on le remarque, aucune personne physique ou morale n'est désignée bénéficiaire d'une fiducie de ce type[27].

À titre onéreux – Par ailleurs, la fiducie d'utilité privée est aussi constituée à titre onéreux, soit dans le but de rechercher un profit ou de retirer un avantage (1269, 1381 C.c.Q.). Ainsi, elle permet la réalisation de profits au moyen de placements ou d'investissements[28], pourvoit à un fonds de retraite ou procure un avantage au constituant ou aux personnes qu'il désigne. La fiducie sert aussi à offrir une protection aux actifs d'une personne en les mettant à l'abri des créanciers. Certains recourent à la fiducie plutôt qu'à la société commerciale pour l'exploitation d'une entreprise[29] ou la gestion d'un projet. La fiducie ne bénéficie pas alors des taux d'imposition avantageux accordés aux sociétés commerciales. En revanche, elle est exemptée des impôts auxquels sont spécifiquement assujetties ces mêmes sociétés[30].

Une fiducie d'utilité privée a aussi pour objet de garantir l'exécution d'une obligation (1263, 1269 C.c.Q.). Une telle fiducie est susceptible de prendre diverses formes, suivant les besoins et les actifs, tant de

---

27. *Ibid.*, p. 754.
28. Pierre-Yves Châtillon et Martin Cloutier, « La fiducie comme véhicule de fonds commun de placement », (1997) 19 *Revue de planification fiscale et successorale* 69-117.
29. David B. Kierans et David Perez, « La fiducie à l'aide de l'entreprise », dans Institut Wilson & Lafleur Inc., *Les fiducies dans le Code civil du Québec: une réforme radicale*, Montréal, Institut Wilson & Lafleur Inc., 1995, p. 16-18.
30. André Morrissette, « Utilisation des fiducies dans un contexte commercial », (1996) 18 *Revue de planification fiscale et successorale* 925, 944-945.

l'entreprise que de ses dirigeants[31]. Elle sert, par exemple, à garantir le remboursement d'un prêt contracté en contrepartie d'une émission d'obligations faite par une institution financière (2692 C.c.Q.). Le constituant transfère alors au patrimoine fiduciaire l'ensemble des biens de l'entreprise ou seulement les biens en stock ou encore son équipement[32]. La fiducie pour fins de garantie peut aussi porter sur des biens qui ne sont pas nécessairement liés à l'entreprise, comme une police d'assurance sur la vie ou des actions dans une société commerciale (*collateral investment trust*). Enfin, grâce à la fiducie, la titrisation (*securitization*)[33] est appelée à jouer un rôle grandissant dans le financement des entreprises. Le mécanisme de la titrisation permet à une entreprise de regrouper des actifs qui génèrent des revenus (prêts, créances, etc.) et de les transférer à une fiducie qui, par la suite, émet des titres. Dans ces différentes hypothèses, le rôle du fiduciaire est généralement confié à une société de fiducie et les bénéficiaires sont les porteurs d'obligations ou de titres.

La fiducie d'utilité privée n'a pas à être limitée dans le temps, elle peut être perpétuelle (1273 C.c.Q.). La fin poursuivie par la fiducie permet de se prononcer sur sa permanence. Une fiducie constituée pour servir de garantie à un prêt ne saurait être perpétuelle puisque l'acte qui l'a créée a nécessairement prévu des délais d'exécution. En revanche, une fiducie qui vise à célébrer la mémoire d'une personne célèbre pourrait prétendre à la perpétuité.

3.3 Fiducie d'utilité sociale

La fiducie d'utilité sociale cherche à favoriser un but d'intérêt général à caractère culturel, éducatif, philanthropique, religieux ou scientifique (1270 C.c.Q.). Parfois, elle peut permettre d'atteindre des objectifs similaires à ceux de la fiducie d'utilité privée, toutefois ses visées

---

31. Roderick A. Macdonald, « The Security Trust », dans Institut Wilson & Lafleur Inc., *supra*, note 29, p. 10-18; Michel Deschamps, « La fiducie pour fins de garantie », dans *La Conférence Meredith 1997. Les sociétés, les fiducies et les entités hybrides en droit commercial contemporain*, Montréal, Faculté de droit de l'Université McGill, 1997, 39 p.; Louis Payette, « Hypothèque et fiducie pour fins de garantie : comparaisons », *ibid.*, 62 p.; James Smith et Yvon Renaud, *Droit québécois des corporations commerciales*, tome 2, Montréal, Judico, 1977, p. 958-1026; Louise Lévesque, *L'acte de fiducie*, Cowansville, Les Éditions Yvon Blais Inc., 1991, xxiii, 244 p. (pour un modèle d'acte de fiducie, voir : p. 139-201).
32. Autrefois, une telle garantie existait en vertu de la *Loi sur les pouvoirs spéciaux des corporations*, L.R.Q., c. P-16, art. 27-31 (articles abrogés). Sur ce type de fiducie, voir : John B. Claxton, « The Corporate Trust Deed under Quebec Law : Article 2692 of the *Civil Code of Quebec* », (1997) 42 *McGill L. J.* 797-859.
33. David B. Kierans et David Perez, *supra*, note 29, p. 4-11.

seront plus générales. Ainsi, plutôt que d'être créée pour défrayer les frais de scolarité des descendants d'une personne, elle cherchera à favoriser le public en général ou une personne choisie suivant des critères objectifs[34]. Cette espèce de fiducie n'a pas pour objet essentiel de réaliser un bénéfice. La fiducie d'utilité sociale est susceptible d'être perpétuelle (1273 C.c.Q.). Fréquemment, cette fiducie constitue une fondation.

Fondation – La fondation « résulte d'un acte par lequel une personne affecte, d'une façon irrévocable, tout ou partie de ses biens à une fin d'utilité sociale ayant un caractère durable » (1256 C.c.Q.)[35].

L'institution est susceptible de se présenter sous deux formes différentes, soit le patrimoine d'affectation et la personne morale (1257 C.c.Q.). La définition retenue par le législateur est suffisamment générale pour convenir à ces deux modalités de la fondation[36]. Lorsqu'elle est constituée sous la forme d'une personne morale, la fondation est soumise aux règles qui régissent les personnes morales à but non lucratif[37]. À l'occasion, certaines fondations sont constituées par une loi particulière qui peut l'assujettir à un régime juridique spécifique[38]. Quand la fondation adopte la forme d'un patrimoine d'affectation, elle est régie par les dispositions du Code applicable à la fiducie d'utilité sociale.

La fondation fiduciaire est créée par donation ou par testament. Les règles de constitution de ces actes juridiques doivent être respectées (1258 C.c.Q.). Le constituant transfère alors des biens qui désormais seront affectés à la fin qu'il a déterminée. De manière à accroître le capital de base, il est fréquent qu'une fondation organise des activités de financement. Toutefois, étant donné l'objectif premier de l'institution, elle ne peut s'adonner principalement à des activités lucratives. Puisque l'affectation des biens doit avoir pour objectif de poursuivre une fin à caractère durable, le capital mis à la disposition de la fondation lors de sa création doit donc être préservé (1256, 1259 C.c.Q.), à

---

34. *Commentaires du ministre de la Justice*, *supra*, note 7, p. 756.
35. Sur la fondation, voir : Lucie Quesnel et Michel B. Paré, « Les fondations de charité », [1982] *C. de P. N.* 277-412; John E.C. Brierley, « Le régime juridique des fondations au Québec », dans René-Jean Dupuy (dir.), *Le droit des fondations en France et à l'étranger*, Paris, La documentation française, 1989, p. 81-96.
36. *Commentaires du ministre de la Justice*, *supra*, note 7, p. 743.
37. Voir notamment la partie III de la *Loi sur les compagnies*, L.R.Q., c. C-38. Sur les personnes morales à but non lucratif, voir : Michel Filion, *Droit des associations*, Cowansville, Les Éditions Yvon Blais Inc., 1986, 373 p.
38. À titre d'exemple, voir : *Loi créant la Fondation Jean-Charles-Bonenfant*, L.Q. 1978, c. 101. Cette fondation est soumise à la partie III de la *Loi sur les compagnies* (art. 3).

moins que l'acte constitutif prévoit le contraire. Les revenus générés par le capital serviront à remplir la fin poursuivie. La constitution d'une fondation sous-entend la poursuite d'un but sur une période de temps qui ne peut pas être que temporaire. La protection du capital participe de cette pérennité.

4. ADMINISTRATION

4.1 Fiduciaire

Le fiduciaire détient les biens qui ont été transférés à la fiducie par le constituant et voit à leur administration.

Désignation – La fonction de fiduciaire peut être confiée à une personne physique capable ou à une personne morale autorisée par la loi, soit une société de fiducie[39] (1274 C.c.Q.). Le nombre de fiduciaires est fonction de l'importance de la tâche qui leur est confiée et du contexte propre à chaque fiducie. Il est possible même pour les personnes en relation étroite avec la fiducie, tel le constituant ou le bénéficiaire, d'agir à titre de fiduciaire. Dans un tel cas, toutefois, le fiduciaire agit de concert avec une personne qui n'est pas dans la même situation (1275 C.c.Q.). La mesure cherche à contrer les conflits d'intérêts. Le législateur veut par exemple éviter que le constituant – qui pourrait être en même temps bénéficiaire – ne fractionne artificiellement son patrimoine afin de le mettre à l'abri de ses créanciers tout en continuant à exercer un contrôle exclusif sur le patrimoine affecté et éventuellement à bénéficier des revenus qu'il génère[40]. Le choix d'une personne morale pour exercer la fonction de fiduciaire est souvent plus coûteux que le recours à une personne physique. En revanche, il présente l'avantage d'éviter les problèmes posés par un remplacement au cours de la fiducie.

Le mode de désignation du fiduciaire varie. Le plus souvent le constituant choisit le fiduciaire (1276 C.c.Q.). Le constituant renonce parfois à désigner nommément un fiduciaire et préfère établir un mode de désignation (1276 C.c.Q.). Finalement, il revient au tribunal de pourvoir au choix d'un fiduciaire lorsque le constituant a omis de le faire ou qu'il est impossible d'en désigner un (1277 C.c.Q.). La demande à cet effet est présentée par un intéressé. Le constituant désigne autant de fiduciaires qu'il le

39. Il s'agit des sociétés de fiducie dont l'existence est prévue, au Québec, par la *Loi sur les sociétés de fiducie et les sociétés d'épargne*, L.R.Q., c. S-29.01 et au fédéral par la *Loi sur les sociétés de fiducie*, L.R.C. (1985), c. T-20.
40. *Commentaires du ministre de la Justice, supra*, note 7, p. 758.

désire. Par ailleurs, le tribunal a le pouvoir d'ajouter un ou plusieurs fiduciaires si l'administration d'une fiducie devient trop lourde (1277 C.c.Q.).

Pouvoirs et obligations – Le fiduciaire jouit de pouvoirs étendus sur les biens de la fiducie. Une fois entré en fonction, il agit librement sans devoir tenir compte des opinions formulées par le constituant ou le bénéficiaire[41] (1261 C.c.Q.). Il a la maîtrise et l'administration exclusive du patrimoine affecté (1278 C.c.Q.). Le fiduciaire agit à titre d'administrateur du bien d'autrui chargé de la pleine administration (1306-1307 C.c.Q.) (*infra* : chapitre 15). Il se comporte à l'égard des biens comme s'il en était propriétaire, alors qu'il ne dispose d'aucun droit réel sur le patrimoine fiduciaire. Vu l'étendue des pouvoirs détenus par le fiduciaire, les biens qui forment ce patrimoine ne peuvent être considérés comme étant sans maître[42]. Tout au long de son administration, le fiduciaire est tenu de veiller au respect de l'affectation du patrimoine de la fiducie.

Au cours de son administration, le fiduciaire a l'obligation d'agir avec prudence, diligence, honnêteté et loyauté (1309 C.c.Q.). Il est tenu de ne pas se placer en situation de conflit entre son intérêt personnel et les obligations qui découlent de sa fonction de fiduciaire (1310 C.c.Q.)[43]. Or, certaines fiducies qui présentent un cumul des rôles sont de nature à favoriser de telles situations.

Il est rare que le constituant d'une fiducie s'en remette uniquement aux dispositions du Code pour déterminer les pouvoirs et les obligations du fiduciaire. L'acte constitutif fournit généralement une liste détaillée des pouvoirs qui lui sont attribués. Le constituant peut préciser l'étendue des prérogatives que possède le fiduciaire sur les biens, mentionner la nature des placements autorisés, le dispenser de l'obligation d'accroître le patrimoine, lui accorder une grande latitude dans les choix permis en vertu de la législation fiscale, etc. Le fiduciaire a parfois même la faculté d'apporter, de son propre chef, des modifications substantielles à l'acte constitutif de la fiducie. La légalité d'une telle disposition est cependant douteuse.

4.2 Bénéficiaire

Le bénéficiaire est la personne en faveur de qui la fiducie a été créée. Lors de la constitution de la fiducie, son existence n'est pas requise. Elle devra l'être lors de l'ouverture de son droit.

---

41. *Curran* c. *Davis*, *supra*, note 9, p. 304-306 (juge Rinfret).
42. *Commentaires du ministre de la justice*, *supra*, note 7, p. 761.
43. *Pelletier* c. *Desrochers*, C.S.Q. nº 500-05-029683-974, 8 juillet 1997, [1997] A.Q. (Quicklaw) nº 2454, par. 57-78.

Conditions – Les conditions à respecter pour qu'une personne soit bénéficiaire d'une fiducie varient suivant la nature de la fiducie et les stipulations prévues à l'acte. Le bénéficiaire d'une fiducie constituée à titre gratuit doit être une personne capable de recevoir par donation (1814-1815 C.c.Q.) ou par testament (617 C.c.Q.). Il doit posséder les qualités requises lors de l'ouverture de son droit (1279 (1) C.c.Q.). S'il y a plusieurs bénéficiaires du même ordre, il suffit que l'un d'eux possède les qualités requises pour préserver les droits des autres (1279 (2) C.c.Q.). Ainsi, une fiducie testamentaire créée au bénéfice d'enfants non encore nés au moment de sa constitution ne sera pas invalide au motif qu'il n'existe pas alors de bénéficiaires. En revanche, en l'absence d'enfants à l'ouverture de la fiducie, elle deviendra caduque[44].

En plus de respecter ces conditions de base, le bénéficiaire doit remplir les conditions requises par l'acte constitutif de la fiducie, tels l'âge, l'appartenance à un groupe, le fait d'être porteur de titres obligataires, la situation financière d'une personne ou l'apport au capital d'un fonds de retraite ou d'un fonds commun de placement[45] (1280 C.c.Q.). Il est particulièrement important de déterminer des critères suffisamment précis afin d'être capable d'identifier les bénéficiaires avec certitude.

Faculté d'élire – Le constituant peut se réserver la faculté d'élire, soit la possibilité de choisir les bénéficiaires et de déterminer leur part. Il lui est aussi possible d'accorder cette faculté au fiduciaire, à un bénéficiaire[46] ou à un tiers (1282 C.c.Q.). Dans le cas d'une fiducie d'utilité sociale, la faculté d'élire du fiduciaire est présumée, puisque les bénéficiaires sont indéterminés lors de la constitution de la fiducie[47]. S'il s'agit d'une fiducie personnelle ou d'une fiducie d'utilité privée, la catégorie de personnes parmi lesquelles doivent être choisis les bénéficiaires doit être clairement déterminée dans l'acte constitutif (1282 (2) C.c.Q.). La personne qui exerce la faculté d'élire jouit d'une grande marge de manœuvre, sans aller toutefois jusqu'à exercer cette faculté à son propre avantage. Elle peut modifier ou révoquer la décision prise (1283 C.c.Q.). Ainsi, il lui serait possible de retirer à un étudiant une bourse accordée pour la poursuite d'études universitaires, si l'étudiant abandonnait son programme d'études.

---

44. *Royal Trust Co.* c. *Tucker*, *supra*, note 11, p. 275-276.
45. *Commentaires du ministre de la Justice*, *supra*, note 7, p. 763.
46. *Myrand* c. *Simard*, *supra*, note 25, par. 43.
47. *Commentaires du ministre de la Justice*, *supra*, note 7, p. 764.

Constituant – Le constituant peut être bénéficiaire de la fiducie (1281 C.c.Q.)[48]. Cette règle est susceptible de s'appliquer autant aux fiducies établies à titre onéreux qu'à celles qui sont établies à titre gratuit.

Prérogatives – Le bénéficiaire d'une fiducie a droit d'exiger, pendant la durée de la fiducie, la prestation d'un avantage qui lui est accordé ou le paiement des fruits et des revenus ou du capital ou des deux (1284 C.c.Q.). Toutefois, il ne jouit pas de droits réels sur le patrimoine fiduciaire (1261 C.c.Q.).

Acceptation – L'acceptation du bénéficiaire n'est pas nécessaire lors de la création d'une fiducie, l'acceptation du fiduciaire suffit. À l'ouverture de son droit, le bénéficiaire d'une fiducie constituée à titre gratuit est présumé l'accepter (1285 (1) C.c.Q.). L'absence de préjudice causé par une telle acceptation explique que le législateur ait prévu une telle présomption. Il est loisible au bénéficiaire de renoncer au droit que lui confère la fiducie. L'importance de la décision explique que cette renonciation soit faite par acte notarié en minute s'il s'agit d'une fiducie personnelle ou d'utilité privée (1285 (2) C.c.Q.). En revanche, la renonciation au bénéfice d'une fiducie d'utilité sociale n'exige aucun formalisme. La cession qu'un bénéficiaire pourrait faire de ses droits dans la fiducie est souvent rendue impossible par une clause d'inaliénabilité comprise dans l'acte constitutif.

4.3 Surveillance et contrôle

La loi reconnaît à plusieurs personnes un pouvoir de surveillance et de contrôle sur les actes du fiduciaire. Au premier rang des personnes aptes à intervenir vient le constituant ou ses héritiers. Cette situation est exceptionnelle puisque le constituant n'a plus de droits sur les biens une fois qu'ils sont transférés à la fiducie. Les bénéficiaires, même éventuels, jouissent aussi de ce privilège. Les droits de surveillance et de contrôle du bénéficiaire d'une fiducie personnelle sont exercés, dans le cas où il n'est pas conçu, par le curateur ou la personne désignée à cet effet par le tribunal (1289 (1) C.c.Q.).

L'administration d'une fiducie d'utilité privée ou sociale est, en outre, soumise à la surveillance de personnes ou d'organismes désignés par la loi (1287 (2) C.c.Q.). Suivant la nature de la fiducie qui a été constituée, il pourrait s'agir de la Commission des valeurs mobilières[49],

48. Voir l'exemple suivant en contexte de faillite: *Faillite de Gaston Tardif* c. *Raymond Chabot Inc.*, [1998] R.J.Q. 2608 (C.A.) (juge Brossard).
49. *Loi sur les valeurs mobilières*, L.R.Q., V-1.1, c., art. 5 et 11.

du curateur public, de l'inspecteur général des institutions financières ou de la Régie des rentes du Québec[50]. Dans le but de faciliter ce rôle de surveillance, le fiduciaire est tenu, dès la constitution de la fiducie, de produire une déclaration et, par la suite, de répondre aux demandes adressées par la personne ou l'organisme chargé d'assumer la surveillance (1288 C.c.Q.).

Lorsqu'une fiducie d'utilité privée est constituée sans qu'aucune personne ne puisse en être bénéficiaire, le curateur public est habilité à exercer la surveillance et le contrôle du fiduciaire (1289 (2) C.c.Q.). Cette situation vise les fiducies qui ont pour but l'érection, l'entretien ou la conservation d'un bien corporel (1268 C.c.Q.), par exemple un monument édifié à la mémoire d'un écrivain célèbre.

Le constituant, le bénéficiaire ou une autre personne intéressée ont le pouvoir d'intenter certaines actions contre le fiduciaire. Ils peuvent ainsi agir afin de le contraindre à exécuter ses obligations ou à faire un acte nécessaire à la fiducie, lui enjoindre de s'abstenir de tout acte dommageable à la fiducie ou obtenir sa destitution (1290 (1) C.c.Q.). En outre, ils peuvent attaquer les actes faits par le fiduciaire en fraude du patrimoine fiduciaire ou des droits du bénéficiaire (1290 (2) C.c.Q.).

5. MODIFICATION À LA FIDUCIE OU AU PATRIMOINE

Augmentation du capital – Toute personne peut augmenter le patrimoine fiduciaire. Ce faisant, elle n'acquiert pas pour autant la qualité de constituant et, en conséquence, ne possède pas les pouvoirs qui lui sont reconnus. L'augmentation du capital d'une fiducie se rencontre souvent dans les fiducies d'utilité privée constituées à titre onéreux et les fiducies d'utilité sociale. Les biens ainsi transférés se confondent aux autres biens déjà compris dans le patrimoine fiduciaire, ils ne constituent pas de nouveaux patrimoines autonomes. Ils sont assujettis aux buts établis dans l'acte constitutif (1293 C.c.Q.).

Intervention judiciaire – À la demande d'un intéressé, le tribunal peut mettre fin à une fiducie lorsqu'elle a cessé de répondre à la volonté première du constituant à la suite de circonstances qui rendent la poursuite du but de la fiducie impossible ou trop onéreuse

50. *Loi sur les régimes complémentaires de retraite*, L.R.Q., c. R-15.1, art. 24-32.

(1294 C.c.Q.) (*infra*: section 6). En revanche, si la fiducie répond encore à la volonté du constituant, mais que des mesures nouvelles permettraient de mieux respecter sa volonté, le tribunal possède le pouvoir de modifier les dispositions de l'acte constitutif (1294 (2) C.c.Q.). Il pourrait ainsi apporter des changements au nombre des fiduciaires, aux pouvoirs qu'ils détiennent ou à la durée d'une fiducie[51]. Lorsque la gestion d'une fiducie confiée à une personne morale se révèle trop coûteuse compte tenu de l'importance du capital à gérer, le remplacement du fiduciaire par une personne physique s'avère une solution appropriée[52]. Toute personne intéressée devra être avisée lorsqu'une demande de cette nature est adressée à un tribunal (1295 C.c.Q.).

Un fiduciaire même avec l'accord du constituant ne saurait obtenir d'un tribunal une modification ayant pour effet de transformer la fin poursuivie par une fiducie et exprimée clairement dans l'acte constitutif. La cour a notamment refusé de modifier une fiducie constituée à l'origine au bénéfice exclusif d'une enfant afin qu'elle puisse profiter par la suite à tous les enfants du constituant. Dans sa requête, le requérant précisait que la fiducie avait été constituée d'abord et avant tout pour des considérations fiscales. Or, le tribunal n'a considéré que la volonté exprimée à l'acte et a refusé de prendre en compte l'expression d'une nouvelle finalité[53]. Le pouvoir attribué au tribunal ne saurait être vu comme un outil qui permet d'adapter les fiducies au gré de l'évolution des volontés des personnes intéressées.

Dans le cas d'une fiducie d'utilité sociale, le tribunal possède la faculté de substituer un but qui se rapproche le plus possible du but original. Ce pouvoir constitue un emprunt à la doctrine du cy-près (si près) du droit anglais[54].

Le pouvoir d'intervention désormais accordé au tribunal permettra d'éviter de recourir au législateur pour demander des modifications à des fiducies[55].

---

51. *Commentaires du ministre de la Justice*, *supra*, note 7, p. 772.
52. *Succession Marmette*, C.S.Q. n° 200-14-003345-987, 10 février 1999, [1999] A.Q. (Quicklaw) n° 511, par. 34-35.
53. *Poirier* c. *DeCoste*, C.S. Terrebonne, n° 700-05-004686-972, 4 août 1997 (J.E. 97-1742).
54. Donovan W.M. Waters, *Law of Trusts in Canada*, 2e éd., Toronto, Carswell Company Ltd., 1984, p. 611-632.
55. Pour un exemple d'intervention législative, voir: *Loi concernant une fiducie constituée au bénéfice de Phyllis Barbara Bronfman*, L.Q. 1985, c. 66.

6. FIN

La durée de la fiducie est dictée par l'affectation qui lui a été attribuée par le constituant[56]. Elle demeure soumise également à des règles d'ordre public fixées par le législateur qui établit que la fiducie personnelle, même si elle peut se prolonger pendant plusieurs décennies, demeure à durée limitée. En revanche, la fiducie d'utilité privée ou sociale peut être perpétuelle (1273 C.c.Q.).

Causes – De multiples causes peuvent provoquer la fin d'une fiducie (1296-1297 C.c.Q.). Elle découle d'une clause prévue à l'acte constitutif, de la survenance d'un événement ou d'une décision judiciaire.

Un terme est fixé dans plusieurs actes constitutifs de fiducie. Un testament fiduciaire pourra prévoir que les bénéficiaires des revenus de la fiducie constituée seront les enfants du testateur et que, au décès du dernier de ceux-ci, les petits-enfants recueilleront le capital. Le décès du dernier des enfants marque l'arrivée du terme. Il en va de même d'un jugement qui établit qu'une fiducie constituée en vue de fournir des aliments à un enfant prend fin lorsque celui-ci atteint l'âge de 21 ans. L'avènement d'une condition prévue dans l'acte constitutif met également fin à la fiducie. La réalisation du but de la fiducie rend celle-ci inutile. Une fois le but de la fiducie atteint, elle prend fin. Ainsi, une fiducie qui aurait pour dessein d'amasser des fonds en vue de restaurer un bâtiment historique prendrait fin une fois terminés les travaux pour lesquels elle avait été créée.

Tous les bénéficiaires peuvent décider de renoncer au droit qui leur avait été accordé; la fiducie devient ainsi caduque. La caducité résulte également de l'absence de bénéficiaires lors de l'ouverture de la fiducie. L'épuisement des biens compris dans le patrimoine d'affectation conduit au même effet[57].

Le tribunal a le pouvoir de mettre fin à une fiducie qui a cessé de répondre à la volonté première du constituant en raison de circonstances qui rendent impossible ou trop onéreuse la poursuite du but fixé au départ (1294 (1), 1296 (2) C.c.Q.). L'analyse de la situation par le tribunal considère d'abord l'objectif poursuivi par le constituant[58]. Le

---

56. *Commentaires du ministre de la Justice*, *supra*, note 7, p. 758.
57. John E.C. Brierley, *supra*, note 12, p. 775.
58. « En tout état de cause, le premier devoir du Tribunal est de rechercher, par delà les mots et les expressions utilisés par le testateur, quelle était l'intention véritable de celui-ci et quels étaient les objectifs qu'il cherchait à atteindre ». (*Stevenson* c. *National Trust Co.*, C.S.M. nº 500-05-000103-950, 30 mars 1995, p. 8 (J.E. 95-780); *Succession Marmette*, *supra*, note 52, par. 27-37).

tribunal examine avec attention l'expression de la volonté du constituant et ne met fin à la fiducie que lorsque les circonstances rendent impossible la poursuite de l'affectation prévue. Ainsi, lorsque le but d'une fiducie était d'assurer la sécurité financière du bénéficiaire et que le coût de gestion et le coût fiscal de la fiducie laissent peu de revenus et que, par surcroît, le bénéficiaire jouit d'une indépendance financière, il est raisonnable d'y mettre fin[59]. La même solution prévaut quand les revenus nets que génère une fiducie ne permettent pas au bénéficiaire de mener une vie convenable, alors qu'il s'agissait là d'un objectif recherché lors de la constitution de la fiducie[60].

Effets – Lorsque la fiducie prend fin, les biens affectés sont transportés à ceux qui y ont droit (1297 C.c.Q.). Dans plusieurs cas, l'acte constitutif désigne des bénéficiaires à qui les biens sont dévolus le jour où la fiducie prend fin. Plus rarement, le constituant a droit de reprendre les biens. Cette situation se rencontre lorsque la fiducie a été constituée pour fins de garantie et que le débiteur-constituant a rempli son obligation en remboursant la créance à laquelle il était tenu[61]. Dans certaines circonstances – par exemple la renonciation des bénéficiaires du capital – les héritiers du constituant recueillent les biens[62]. Lorsqu'une fiducie d'utilité sociale prend fin à la suite d'une impossibilité d'accomplir le but de la fiducie, les biens sont remis à une fiducie, à une personne morale ou à tout autre groupement de personnes ayant une vocation rapprochée de celle de la fiducie éteinte. Il revient au tribunal de désigner le bénéficiaire (1298 C.c.Q.).

Bibliographie

BEAULNE, Jacques. « Aspects théoriques et pratiques de la fiducie testamentaire au Québec », dans Jacques Beaulne et Michel Verwilghen (dir.). *Points de droit familial. Rencontres universitaires notariales belgo-québécoises*. Montréal, Wilson & Lafleur ltée, 1997, p. 5-35.

BEAULNE, Jacques. *Droit des fiducies*. Montréal, Wilson & Lafleur ltée, 1998. xi, 345 p.

BEAULNE, Jacques. « La nouvelle fiducie judiciaire au service du droit de la famille », (1996) 27 *R.G.D.* 55-68.

---

59. *Stevenson* c. *National Trust Co.*, *ibid.*
60. *Succession de feu Clément Forgeron* c. *Forgeron*, C.S.M. n° 500-05-010752-952, 8 février 1996 (J.E. 96-599).
61. Louis Payette, *supra*, note 31, p. 24.
62. *Succession de feu Clément Forgeron* c. *Forgeron*, *supra*, note 60, p. 7-8.

BRIERLEY, John E.C. « The Gratuitous Trust : A New Liberality in Quebec Law », (1997-1998) 100 *R. du N.* 213-250.

BRIERLEY, John E.C. « The New Quebec Law of Trusts : the Adaptation of Common Law Thought to Civil Law Concepts », dans H. Patrick Glenn (dir.). *Droit québécois et droit français : communauté, autonomie, concordance*. Cowansville, Les Éditions Yvon Blais Inc., 1993, p. 383-397.

BRIERLEY, John E.C. « Le régime juridique des fondations au Québec », dans René-Jean Dupuy (dir.), *Le droit des fondations en France et à l'étranger*. Paris, La documentation française, 1989, p. 81-96 (Coll. La documentation française, nº 4879).

BRIERLEY, John E.C. « Titre sixième. De certains patrimoines d'affectation. Les articles 1256-1298 », dans Barreau du Québec et Chambre des notaires, *La réforme du Code civil*, Québec, P.U.L., 1993, tome 1, p. 735-782.

CANTIN CUMYN, Madeleine. *Les droits des bénéficiaires d'un usufruit, d'une substitution et d'une fiducie*. Montréal, Wilson & Lafleur ltée, 1980. 134 p.

CANTIN CUMYN, Madeleine. « La fiducie en droit québécois, dans une perspective nord-américaine », dans J. Herbots et D. Philippe (dir.). *Le trust et la fiducie : implications pratiques*. Bruxelles, Bruylant, 1997, p. 71-81.

CANTIN CUMYN, Madeleine. « L'origine de la fiducie québécoise », dans *Mélanges offerts par ses collègues de McGill à Paul-André Crépeau*. Cowansville, Les Éditions Yvon Blais Inc., 1997, p. 199-219.

CANTIN CUMYN, Madeleine. « The Trust in a Civilian Context : The Quebec Case », [1994] 2 *Journal of International Trust and Corporate Planning* 69-77.

CHARBONNEAU, Pierre. « Les patrimoines d'affectation : vers un nouveau paradigme en droit québécois du patrimoine », (1982-1983) 85 *R. du N.* 491-530.

CHÂTILLON, Pierre-Yves et Martin CLOUTIER. « La fiducie comme véhicule de fonds commun de placement », (1997) 19 *Revue de planification fiscale et successorale* 69-117.

FARIBAULT, Marcel. *Traité théorique et pratique de la fiducie ou trust du droit civil dans la province de Québec*. Montréal, Wilson & Lafleur ltée, 1936. v, 459 p.

FILION, Michel. *Droit des associations*. Cowansville, Les Éditions Yvon Blais Inc., 1986. 373 p.

GRAHAM, Peter E. « Evolution of Quebec Trust Law : Common Law Influence seen from 1962 to 1992 is likely to continue in relation to the New *Civil Code of Quebec* », (1993-1994) 96 *R. du N.* 474-491.

GRENON, Aline. *Les fiducies*. Bruxelles/Cowansville, Bruylant/Les Éditions Yvon Blais Inc., 1997. xiv, 82 p.

INSTITUT WILSON & LAFLEUR INC. *Les fiducies dans le Code civil du Québec : une réforme radicale.* Montréal, Institut Wilson & Lafleur Inc., 1995. Paginations multiples.

KIERANS, David B. et David PEREZ. « La fiducie à l'aide de l'entreprise », dans Institut Wilson et Lafleur Inc., *Les fiducies dans le Code civil du Québec : une réforme radicale.* Montréal, Institut Wilson et Lafleur Inc., 1995. 22 p.

LÉVESQUE, Louise. *L'acte de fiducie.* Cowansville, Les Éditions Yvon Blais Inc., 1991. xxiii, 244 p.

MORRISSETTE, André. « Utilisation des fiducies dans un contexte commercial », (1996) 18 *Revue de planification fiscale et successorale* 925-958.

NACCARATO, Mario. *Dans quelle mesure le droit positif québécois répond-il aux besoins créés par l'institution nouvelle de la division du patrimoine du Code civil du Québec.* Mémoire de maîtrise présenté à la Faculté des études supérieures de l'Université Laval, 1996. 150 p.

NORMAND, Sylvio et Jacques GOSSELIN. « La fiducie du *Code civil* : un sujet d'affrontement dans la communauté juridique québécoise », (1990) 31 *C. de D.* 681-730.

QUESNEL, Lucie et Michel B. PARÉ. « Les fondations de charité », [1982] *C. de P. N.* 277-412.

ROYER, Pierre et James DREW. *Impôts et planification.* Montréal, Science et culture, 1999. xiv, 570 p.

TASCHEREAU, Jacques. « Les fiducies entre vifs », [1995] 1 *C.P. du N.* 284-312.

WATERS, Donovan W. M. *Laws of Trusts in Canada.* 2e éd. Toronto, Carswell, 1984. cxvi, 1240 p.

CHAPITRE 15

L'ADMINISTRATION DU BIEN D'AUTRUI

Le propriétaire, étant donné l'étendue des prérogatives qu'il possède sur un bien, est autorisé à poser sur celui-ci divers actes matériels ou juridiques. Or, même si ce cas d'espèce demeure courant, il est des situations où les droits et les pouvoirs sont distingués. Une personne détient alors un droit de propriété sur un bien alors qu'une autre a le pouvoir de l'administrer pour le compte de la première. Outre, cette situation, les patrimoines d'affectation, à cause de leur autonomie, exigent que les pouvoirs d'administrer le bien affecté soient confiés à un administrateur.

Plusieurs personnes sont chargées de l'administration d'un bien ou d'un patrimoine qui ne leur appartient pas (1299 C.c.Q.). Cette charge peut leur incomber en vertu de la loi ou d'un acte juridique. Dans le but de veiller à ce que les biens administrés ne soient pas dilapidés, mais au contraire préservés sinon accrus, le Code civil prévoit des règles qui régissent l'administration du bien d'autrui. Loin d'être cantonnés à la gestion des biens de pupilles, les administrateurs du bien d'autrui se voient confier une part importante des richesses de nos sociétés, ne serait-ce que par le truchement des régimes de retraite gérés par des fiducies d'utilité privée[1].

L'administrateur du bien d'autrui peut être appelé à gérer des biens corporels ou incorporels, des meubles ou des immeubles. La nature des biens administrés a sensiblement changé depuis le siècle dernier. Alors qu'à cette époque, l'immeuble constituait le placement par excellence, on privilégie souvent aujourd'hui le portefeuille de valeurs mobilières.

1. En 1995, 1 673 régimes de retraite gérés par acte de fiducie regroupaient 435 954 participants québécois qui possédaient un actif net en valeur marchande de 49,0 milliards (Régie des rentes du Québec, *Les régimes complémentaires de retraite au Québec : statistiques 1995*, Québec, juin 1998, p. 40 et 43, disponible à l'adresse électronique suivante : http://www.rrq.gouv.qc.ca/fr/stat/stat.rcr/st_rcr.htm).

Le législateur soumet l'administration du bien d'autrui à un régime juridique détaillé. Il est cependant possible qu'une loi, un acte juridique ou même des circonstances particulières écartent l'application de certaines des règles prévues au Code.

1. FORMES D'ADMINISTRATION

L'administration du bien d'autrui peut être soumise à deux régimes différents selon la liberté laissée à l'administrateur chargé de cette fonction, il peut s'agir de la simple administration ou de la pleine administration.

1.1 Simple administration

La simple administration est d'abord et avant tout marquée par un « souci de protection »[2] du bien administré. Les pouvoirs de l'administrateur chargé de la simple administration du bien d'autrui sont limités. Au cours de son administration, il veille à la conservation du bien qu'il administre et, en outre, voit à ce que le bien demeure en bon état d'utilisation ou de fonctionnement (1301 C.c.Q.). Dans ces circonstances, il n'est guère étonnant qu'il ne puisse porter atteinte à la destination de ce bien (1303 C.c.Q.).

Assurer la conservation du bien – L'obligation faite à l'administrateur d'assurer la conservation du bien vise à empêcher sa dépréciation monétaire. S'il s'agit d'un immeuble ou d'un meuble corporel, cet objectif pourrait être atteint assez facilement par un entretien régulier du bien[3]. En revanche, la gestion d'un portefeuille de valeurs mobilières rend vraisemblablement nécessaire la prise en compte de l'effet de l'inflation. L'administrateur devrait donc maintenir la « valeur *réelle* »[4] de l'actif qui lui est confié. L'obligation de conserver s'entendrait ici au sens de maintien du pouvoir d'achat[5].

---

2. *Commentaires du ministre de la Justice*, Québec, Publications du Québec, 1993, p. 778.
3. À propos des immeubles, voir : Lise I. Beaudoin, « La gestion de portefeuille pour autrui et les dispositions nouvelles du Code civil du Québec », (1989) 68 *R. du B. can.* 480, 488.
4. *Ibid.*, p. 491-493.
5. « [...] la conservation consiste [...] à procurer au capital géré des plus-values nominales suffisantes pour en préserver la valeur réelle. » (*Ibid.*, p. 507). La jurisprudence ne partage pas nécessairement ce point de vue, voir : *Meakins* c. *Royal Trust Co.*, C.S.M. nº 500-05-005052-814, 25 septembre 1985, [1985] J.Q. (Quicklaw) nº 83; pour une critique de cet arrêt, voir : *ibid.*, p. 502-503.

Perception des fruits et des revenus – L'administrateur perçoit les fruits et les revenus générés par le bien qui lui est confié. Il reçoit aussi les créances venues à échéance durant son administration (1302 C.c.Q.). L'intérêt du bénéficiaire justifie que l'administrateur soit tenu de continuer à utiliser ou à exploiter un bien qui génère des fruits ou des revenus (1303 C.c.Q.). Il revient donc à l'administrateur d'assurer l'exploitation d'un commerce ou d'une entreprise, de cultiver une terre ou de maintenir un immeuble en location[6]. Toutefois, il pourra être autorisé à mettre fin à l'exploitation s'il s'avérait, par exemple, qu'elle ne constitue plus un avantage pour le bénéficiaire, mais qu'au contraire elle fonctionne à perte ou génère très peu de revenus.

Placements et aliénation – À l'égard des sommes d'argent qu'il administre, l'administrateur chargé de la simple administration s'en tient à des placements présumés sûrs (1304 C.c.Q.) (*infra*, section 3.1). Il est vraisemblable qu'une partie des revenus générés serviront à l'entretien des biens soumis à son administration. Son pouvoir d'aliéner le bien ou de le grever de droits réels est limité (1305 C.c.Q.). Toutefois, après avoir obtenu la permission du bénéficiaire ou, au cas d'empêchement, du tribunal, il pourra poser de tels actes pour payer des dettes, maintenir l'usage du bien ou en conserver la valeur. La crainte de voir un bien perdre une partie de sa valeur à la suite d'une détérioration possible du marché peut aussi conduire un administrateur à considérer l'aliénation d'un bien. Par ailleurs, lorsqu'il existe un danger qu'un bien connaisse une dépréciation rapide ou dépérisse, l'administrateur est justifié d'agir seul.

Situations visées – Le tuteur à l'absent (87, 208 C.c.Q.), le tuteur au mineur (208 C.c.Q.), le tuteur au majeur (286 C.c.Q.), le liquidateur d'une succession (802 C.c.Q.), le gérant d'une copropriété indivise (1029 C.c.Q.), le gérant du syndicat d'une copropriété divise (1085 (2) C.c.Q.), le gérant chargé d'une gestion d'affaires, sauf dans la mesure où il y a incompatibilité compte tenu des circonstances (1484 (2) C.c.Q.) et le séquestre (2308 C.c.Q.) sont des personnes chargées de la simple administration du bien d'autrui. Dans la plupart de ces situations, le bénéficiaire est unique et l'administration n'est pas susceptible de se prolonger durant une longue période. Généralement, le curateur public est tenu à ce type d'administration[7].

---

6. *Commentaires du ministre de la Justice*, *supra*, note 2, p. 780.
7. *Loi sur la curatelle publique*, L.R.Q., c. C-81, art. 30.

1.2 Pleine administration

Croissance du patrimoine – L'administrateur à qui est confiée la pleine administration du bien d'autrui est tenu de faire fructifier le bien, en d'autres termes d'accroître le patrimoine (1306 C.c.Q.). Les attentes sont ici plus exigeantes que dans le cas du régime de la simple administration du bien d'autrui. L'accroissement du patrimoine fait en sorte qu'il acquiert une plus-value[8]. La recherche de rentabilité caractérise donc la gestion de l'administrateur chargé de la pleine administration[9]. Cette obligation n'est pas sans incidence sur la distribution des revenus. Ainsi, le fiduciaire est souvent justifié de retenir une partie des revenus afin d'accroître le capital, privant d'autant le bénéficiaire du revenu[10].

Pouvoirs étendus – L'administrateur chargé de la pleine administration jouit d'une marge de manœuvre beaucoup plus grande que celui à qui est confié la simple administration. Il lui est loisible d'aliéner le bien à titre onéreux, de le grever d'un droit réel et d'en changer la destination. Finalement, il est libre de faire toute espèce de placements (1307 C.c.Q.). Malgré la liberté d'action fort étendue qui lui est reconnue, l'administrateur du bien d'autrui demeure tenu d'agir avec prudence et diligence, honnêteté et loyauté (1309 C.c.Q.).

Situations visées – Le curateur au majeur (282 C.c.Q.)[11], le liquidateur des biens d'une personne morale (360 C.c.Q.), le fiduciaire (1278 C.c.Q.) et le créancier détenant une hypothèque sur les biens d'une entreprise et qui en prend temporairement possession (2773 C.c.Q.) sont ainsi chargés de la pleine administration du bien d'autrui. Le curateur, malgré qu'il soit chargé de la pleine administration des biens de la personne protégée, doit s'en tenir à des placements présumés sûrs (282 C.c.Q.) (*infra*, section : 3.1).

2. FONCTION D'ADMINISTRATEUR

L'administrateur du bien d'autrui est tenu de plusieurs obligations. De plus, la fonction est assujettie à des modalités d'exercice qui varient suivant les cas de figure rencontrés.

---

8. « [...] l'obligation de faire fructifier équivaut à l'obligation de conserver une somme d'argent, au sens valoriste retenu d'abord, en y ajoutant un surplus nominal. L'objectif est d'augmenter le pouvoir d'achat de la somme initiale. » (Lise I. Beaudoin, *supra*, note 3, p. 508).
9. *Commentaires du ministre de la Justice*, *supra*, note 2, p. 782.
10. « [...] le fiduciaire a l'obligation d'accroître le capital, le bénéficiaire du revenu ne pourrait pas s'opposer à ce qu'il retranche du revenu la somme nécessaire à cette fin. » (Lise I. Beaudoin, *supra*, note 3, p. 509).
11. Le curateur au majeur doit toutefois s'en tenir à des placements présumés sûrs.

2.1 Principales obligations

L'administrateur du bien d'autrui doit respecter les obligations prévues par la loi, ainsi que par l'acte[12] en vertu duquel il s'est vu confier sa fonction (1308 C.c.Q.). En outre, il est tenu d'agir avec prudence et diligence, honnêteté et loyauté (1309 C.c.Q.). Dans l'exercice de ses fonctions, il adopte la « norme de conduite objective et abstraite de la personne normalement avisée, placée en semblables circonstances »[13].

Prudence et diligence – La *prudence* oblige l'administrateur à prendre les mesures nécessaires pour éviter que soit causé un préjudice au bénéficiaire[14]. La Cour d'appel qui s'est prononcée sur le devoir de prudence qui incombe au « bon père de famille » – la personne raisonnable – s'est efforcée d'en établir l'étendue et les limites :

> À ce sujet, il convient de rappeler que « le bon père de famille » n'est pas l'homme qui prévoit toujours tous les obstacles susceptibles de se dresser entre lui et l'accomplissement de son devoir, et qui ne manque jamais d'être en état de les vaincre; c'est celui dont la prudence est à la mesure de la probabilité et de la gravité des risques normalement prévisibles et qui, pour empêcher que ceux-ci ne se réalisent, prend les mesures qu'il est raisonnable d'adopter dans les circonstances, eu égard aux difficultés que leur adoption peut présenter et à l'importance de l'intérêt qu'il a à sauvegarder.[15]

Un administrateur prudent s'efforce de prendre des décisions judicieuses. Au besoin, il s'entoure de personnes compétentes et requiert l'avis d'un expert lorsqu'il ne possède pas les connaissances nécessaires avant d'arrêter des décisions importantes[16]. Celui qui a la pleine administration du bien d'autrui, même s'il n'est pas tenu d'effectuer des placements présumés sûrs, ne place pas les sommes d'argent administrées sans user de discernement. La prudence exige qu'il surveille l'évolution de son portefeuille et qu'il se départe à temps de titres

---

12. *Poirier* c. *DeCoste*, C.S. Terrebonne, n° 700-05-004686-972, 4 août 1997 (J.E. 97-1742).
13. *Commentaires du ministre de la Justice*, *supra*, note 2, p. 785 et *U. Cayouette Inc.* c. *Provigo Distribution Inc.*, C.Q.M. n° 500-22-012591-973, 13 mai 1999, [1999] J.Q. (Quicklaw) n° 1563, par. 33.
14. Claude Fabien, *Les règles du mandat*, Montréal, Chambre des notaires, 1987, p. 140.
15. *Ouellette Motor Sales Ltd.* c. *Standard Tobacco Company*, [1960] B.R. 367, 370 (juge Pratte).
16. *Pelletier* c. *Desrochers*, C.S.M. n° 500-05-029683-974, 8 juillet 1997, [1997] A.Q. (Quicklaw) n° 2454, par. 51.

trop spéculatifs[17]. Par ailleurs, lorsqu'un administrateur s'en tient à des placements présumés sûrs, il est censé agir prudemment. Cette présomption n'est toutefois pas absolue. Investir tous les avoirs de l'administré dans des immeubles pourrait être une grossière erreur. La responsabilité d'un administrateur pourrait être engagée s'il n'a pas agi avec la prudence attendue[18] (1343 (1) C.c.Q.). L'administrateur prudent serait justifié de refuser de faire des actes qui occasionneraient pour le bénéficiaire un coût disproportionné par rapport à la valeur du bien administré[19].

Le devoir de *diligence* exige de l'administrateur qu'il agisse avec célérité dans l'exécution de ses responsabilités, en tenant compte de son expérience et des circonstances[20]. Ainsi, il renouvelle, dans un délai raisonnable, les placements venus à échéance. La diligence l'incite à éviter de poser des gestes excessifs et déraisonnables dans l'exercice de ses fonctions.

L'obligation d'agir avec prudence et diligence impose à l'administrateur d'évaluer la nécessité d'assurer les biens qu'il administre contre les risques usuels, tels le vol et l'incendie (1331 C.c.Q.). Il faut tenir compte cependant de la nature ou de l'état des biens qui les rendrait éventuellement non assurables.

Honnêteté et loyauté – La charge confiée à l'administrateur requiert qu'il agisse également avec honnêteté et loyauté, et ce, dans le meilleur intérêt du bénéficiaire ou de la fin poursuivie (1309 C.c.Q.). L'*honnêteté* exige la probité de l'administrateur. Il doit se garder de toute manœuvre frauduleuse. La *loyauté* s'avère un devoir particulièrement exigeant pour l'administrateur. Elle suppose le respect par celui-ci des

17. « [...] dans la cas d'une fiducie qui doit durer longtemps, il n'est pas sage de garder indéfiniment des obligations ou actions dans des compagnies industrielles ou de commerce, dont l'actif et le crédit peuvent varier subitement et sont sujets à tous les abus de la spéculation. » (*Curran* c. *Montreal Trust Company*, [1945] C.S. 363, 364; voir aussi : *Trust général du Canada* c. *Zeller's Ltd.*, (1940) 78 C.S. 468).
18. *Commentaires du ministre de la Justice, supra*, note 2, p. 808-809.
19. Office de révision du Code civil, *Rapport sur le Code civil du Québec*, Québec, Éditeur officiel, 1977, vol. 2, tome 1, p. 520, art. 513.
20. « La diligence prévue au Code civil du Québec n'est pas intransigeante, loin de là. À notre avis, elle doit s'adapter aux personnes désignées et aux circonstances de chaque cas. On pourra décider, par exemple, qu'un délai de six mois pour présenter une requête en vérification d'un testament comme celui dont il s'agit ici est nettement inacceptable pour une fiducie publique reconnue et acceptée comme spécialiste en matière de règlement de succession, délai qui pourrait cependant être justifié selon les circonstances si le liquidateur désigné est un individu sans expérience en la matière comme cela se produit évidemment souvent. » (*Fondation des maladies du cœur du Québec* c. *Succession Morency*, C.S.M. n° 500-14-002575-942, 12 avril 1996, [1996] A.Q. (Quicklaw) n° 985, par. 57).

prescriptions de la loi, la fidélité à ses engagements et la sauvegarde des intérêts en cause[21]. Advenant, par exemple, qu'il n'y ait plus de bénéficiaire du bien administré, il revient à l'administrateur de s'adresser au tribunal afin que celui-ci détermine la marche à suivre[22].

En vertu de son devoir de loyauté, l'administrateur du bien d'autrui doit, en outre, se garder de se placer dans une situation de conflit d'intérêts, en recherchant son propre intérêt ou celui d'un tiers[23]. Aussi, le Code veille-t-il à éviter qu'une telle situation se produise (1310-1313 C.c.Q.). L'administrateur est notamment tenu de dénoncer tout intérêt ou droit qu'il détient sur les biens qui lui sont confiés (1311 C.c.Q.). Il lui est interdit d'être partie à un contrat qui touche les biens administrés[24] (1312 C.c.Q.) ou de confondre ses propres biens avec ceux qu'il administre (1313 C.c.Q.). L'obligation de loyauté empêche l'administrateur de tirer un profit personnel de son administration (1314 C.c.Q.). Cette interdiction ne se limite pas à l'exploitation qu'il pourrait faire d'un bien, elle s'étend également à l'éventuelle utilisation d'une information acquise dans l'exercice de ses fonctions, par exemple de secrets commerciaux qui lui auraient été révélés[25]. Le devoir de loyauté exige de l'administrateur qu'il réponde aux demandes légitimes de renseignements que lui adresse une personne intéressée à l'administration[26].

2.2 Modalités d'exercice

Rémunération – L'administrateur du bien d'autrui a droit, en principe, de recevoir une rémunération en contrepartie des services qu'il rend. Cette rémunération est fixée par l'acte en vertu duquel une personne a été chargée de l'administration du bien d'autrui. Elle peut l'être aussi suivant les usages, la loi ou la valeur des services rendus (1300 C.c.Q.).

---

21. *Commentaires du ministre de la Justice*, *supra*, note 2, p. 216, art. 322.
22. *Ibid.*, p. 785-786.
23. *Des Marais* c. *Des Marais*, [1996] R.J.Q. 951, 958-959 (C.S.), le dispositif du jugement a été modifié en appel: *Succession de feu Pierre DesMarais: Jacques Des Marais* c. *Des Marais*, [1997] R.J.Q. 2662 (C.A.); *Fondation des maladies du cœur du Québec* c. *Succession Morency*, *supra*, note 20, par. 84 et *Banque de Montréal* c. *Kuet Leong Ng*, [1989] 2 R.C.S. 429, 443 (juge Gonthier).
24. Ainsi, le gérant d'une copropriété par indivision ne peut être locataire de l'immeuble administré (*Boutin* c. *Boutin*, [1994] R.D.I. 594, 597 (C.S.).
25. *Commentaires du ministre de la Justice*, *supra*, note 2, p. 788.
26. *Fondation des maladies du cœur du Québec* c. *Succession Morency*, *supra*, note 20, par. 84 et « Le devoir général de loyauté de l'administrateur l'oblige, par exemple, à commmuniquer au bénéficiaire tous les renseignements utiles et qui peuvent influer sur sa volonté de maintenir l'administration, la modifier ou y mettre fin. » (Office de révision du Code civil, *supra*, note 19, p. 520, art. 512).

Évidemment, la charge s'exerce aussi gratuitement, comme c'est souvent le cas du tuteur aux biens chargé d'administrer le patrimoine d'un mineur de sa famille. En revanche, il en va autrement lorsque l'administrateur a la responsabilité d'un patrimoine important qui exige un temps considérable et une expertise spécialisée, tel le fiduciaire d'une fiducie d'utilité privée constituée à titre onéreux (1269 C.c.Q.). Le caractère gratuit d'une administration permet à un tribunal de réduire les dommages-intérêts qui découlent de la responsabilité d'un administrateur du bien d'autrui (1318 C.c.Q.).

Inventaire, assurances et sûretés – Quoique la chose ne soit pas obligatoire, l'administrateur du bien d'autrui peut être tenu de procéder à l'inventaire des biens administrés, de souscrire une assurance ou de fournir une sûreté visant à garantir ses obligations (1324 C.c.Q.). Ces exigences découlent d'une loi, d'un acte juridique ou d'une décision judiciaire. Par ailleurs, le tribunal a la discrétion pour dispenser de telles obligations[27]. En rendant sa décision, il devra tenir compte de la valeur des biens administrés, de la situation des parties et des autres circonstances pertinentes (1325 C.c.Q.). Le Code prévoit expressément une dérogation pour les père et mère agissant à titre de tuteur, à l'égard d'un patrimoine d'une valeur de 25 000 $ ou moins (209 C.c.Q.).

L'inventaire énumère avec précision tous les biens administrés et en indique la valeur (1326 C.c.Q.). Cependant afin de limiter les coûts de confection de l'inventaire, les biens personnels du titulaire du patrimoine dont la valeur est de 100 $ ou moins n'ont pas à être énumérés ou décrits précisément, il suffit de les mentionner généralement (1328 C.c.Q.). L'inventaire est fait par acte notarié en minute ou par acte sous seing privé (1327 C.c.Q.).

Pluralité d'administrateurs – L'importance des biens à administrer ou les circonstances propres à une situation justifie la nomination de plusieurs administrateurs. Ainsi, lorsqu'une fiducie est constituée, la désignation de plusieurs fiduciaires peut s'imposer pour assurer une gestion efficace du patrimoine affecté et aussi permettre, si c'est là le souhait du constituant, une participation active du bénéficiaire à la gestion des biens.

La pluralité d'administrateurs associe parfois des personnes qui présentent des profils fort différents les uns des autres. Une société de fiducie se trouve, par exemple, aux côtés de personnes qui ne possèdent pas nécessairement d'expertise dans la gestion des placements. Les fonctions d'administrateurs du bien d'autrui engagent souvent

---

27. *Droit de la famille-2282*, [1995] R.D.F. 677, 686 (C.S.).

ceux-ci durant une période prolongée. De manière à assurer une gestion harmonieuse des biens, l'acte constitutif a parfois avantage à établir des règles spécifiques afin de régir l'administration du bien d'autrui, sinon il faudra s'en remettre au droit commun.

Une fois en fonction, les administrateurs sont égaux et, en conséquence, ont chacun droit d'exprimer leurs idées sur la gestion du bien administré[28]. Leurs décisions sont prises à la majorité (1332 C.c.Q.). Lorsqu'un vote a lieu, les fiduciaires en minorité ne peuvent, en principe, agir unilatéralement en opposition avec la décision majoritaire[29]. L'absence ou l'opposition de certains administrateurs rend parfois impossible la prise de certaines décisions. Dans une telle circonstance, afin d'éviter la paralysie de l'administration, les autres administrateurs ont le droit de poser des actes conservatoires et, à la suite de l'autorisation du tribunal, d'agir pour des actes qui exigent célérité. Lorsque l'administration est sérieusement perturbée pour une période qui n'est pas que temporaire, le tribunal a le pouvoir d'intervenir afin d'apporter une solution durable, y compris par l'exclusion d'un administrateur[30] (1333 C.c.Q.).

L'administration collective rend, en principe, les administrateurs solidairement responsables (1334 C.c.Q.). La rigueur de cette règle est atténuée par un pouvoir de dissidence reconnu à un administrateur à l'égard d'une décision prise par la majorité des administrateurs (1335-1336 C.c.Q.).

Délégation de fonctions – La gestion des biens confiés à un administrateur amène parfois ce dernier à devoir déléguer ses fonctions ou à se faire représenter par un tiers pour un acte déterminé (1337 C.c.Q.). Ainsi, le fiduciaire d'un fonds commun de placement peut, par contrat, charger un gérant de l'administration du fonds[31]. Le fiduciaire ne se dégage cependant pas entièrement de ses obligations en s'en remettant à un tiers. Une telle attitude aurait pour effet de réduire à néant la tâche confiée à l'administrateur.

Aliénation – Une saine gestion interdit à l'administrateur de se départir des biens qu'il administre en les aliénant à titre gratuit (1315 C.c.Q.).

---

28. *Canada Trust* c. *Gabriel*, C.S.M. nº 500-05-009203-926, 28 janvier 1993, [1993] A.Q. (Quicklaw) nº 99, par. 66-67.
29. La minorité pourrait être justifiée d'aller à l'encontre d'une décision majoritaire lorsque, par exemple, un fiduciaire agit avec malhonnêteté ou contre l'intérêt des bénéficiaires (*Stevenson* c. *National Trust Co.*, C.S.M. nº 500-05-000103-950, 30 mars 1995, p. 12-14 (J.E. 95-780)).
30. *Commentaires du ministre de la Justice, supra*, note 2, p. 800.
31. Pierre-Yves Châtillon et Martin Cloutier, « La fiducie comme véhicule de fonds de placement », (1997) 19 *Revue de planification fiscale et successorale* 69, 84 s.

Cette restriction vaut tant pour l'administrateur chargé de la simple administration que pour celui qui s'est vu confié la pleine administration du bien d'autrui. À titre d'exception cependant, le Code prévoit le don d'un bien de peu de valeur fait dans l'intérêt du bénéficiaire. De plus, en raison de la nature même de l'administration du bien d'autrui, un administrateur peut devoir disposer à titre gratuit des biens qu'il administre. Le fiduciaire d'une fiducie d'utilité sociale et l'administrateur d'une fondation ont justement pour but de distribuer les revenus d'un patrimoine d'affectation ou d'une personne morale[32].

Ester en justice – Les pouvoirs étendus conférés à l'administrateur lui permettent d'ester en justice pour ce qui regarde l'administration du bien (1316 C.c.Q.).

Responsabilité – Le manquement aux obligations auxquelles est tenu un administrateur du bien d'autrui et le préjudice qui en découle engagent éventuellement sa responsabilité à l'égard du bénéficiaire et le rend passible de dommages-intérêts (1318 C.c.Q.). Cette responsabilité résulte, par exemple, d'un défaut d'agir suivant les règles de comportement attendu d'un administrateur, soit la prudence et la diligence, l'honnêteté et la loyauté. Le tribunal possède une discrétion pour réduire les dommages-intérêts compte tenu des circonstances ou du caractère gratuit de la charge. La rigueur de ces règles est atténuée dans le cas où la perte d'un bien dépendrait d'une force majeure ou d'une détérioration à la suite d'une utilisation normale (1308 (2) C.c.Q.). L'importance du préjudice causé peut conduire à la destitution de l'administrateur du bien d'autrui. Une telle sanction s'avère appropriée lorsque l'administrateur laisse dépérir les biens administrés[33] ou encore refuse de remplir les obligations auxquelles il est tenu par la loi[34].

L'administrateur est appelé à contracter assez fréquemment avec des tiers. En principe, il n'est pas personnellement responsable lorsqu'il s'engage au nom du bénéficiaire ou pour le patrimoine fiduciaire. Toutefois, il peut engager sa responsabilité lorsqu'il excède ses pouvoirs (1319-1320 C.c.Q.). À la suite d'un préjudice causé à un tiers par la faute d'un administrateur, un bénéficiaire peut être tenu à la réparation de ce préjudice. Toutefois, comme il se trouve bien souvent

32. *Commentaires du ministre de la Justice*, *supra*, note 2, p. 789.
33. *Curran* c. *Davis*, [1933] R.C.S. 283, 294 (juge Rinfret).
34. La Cour a destitué un liquidateur successoral qui refusait de participer aux démarches visant à récupérer les biens d'une succession de concert avec un coliquidateur au motif que par son comportement il retardait le règlement de la succession (*Thibault* c. *Thibault*, C.S.Q. n° 200-05-002563-943, 11 janvier 1995, [1995] A.Q. (Quicklaw) n° 2372, par. 13).

dans une situation où il n'exerce pas un contrôle sur la conduite de l'administrateur, sa responsabilité n'excédera pas l'avantage que lui aura procuré l'acte (1322 C.c.Q.).

Répartition des bénéfices et des dépenses – Un bien dont l'administration est confiée à autrui produit généralement des fruits et des revenus et entraîne des dépenses. Les bénéfices et les dépenses sont répartis entre, d'une part, le bénéficiaire des fruits et des revenus et, d'autre part, le bénéficiaire du capital. La répartition se fait suivant les dispositions de l'acte constitutif ou, à défaut de précisions à cet égard, en s'efforçant d'être le plus équitable possible (1345 C.c.Q.).

Compte annuel – À chaque année, l'administrateur rend compte de sa gestion (1351 C.c.Q.). Quoiqu'il soit sommaire, ce compte doit toutefois être suffisamment détaillé pour permettre de juger de la qualité de l'administration (1352 C.c.Q.). Le bénéficiaire, première personne à se soucier de la qualité de la gestion des biens confiés à un administrateur, possède le droit d'examiner les livres et les pièces justificatives liés à l'administration (1354 C.c.Q.). Ce compte annuel se distingue de la reddition de compte exigée d'un administrateur lorsque ses fonctions prennent fin. Il ne permet pas la tenue d'un débat sur compte (*infra*, section 4.2). En effet, le bénéficiaire qui reçoit le compte l'estime convenable et l'accepte ou, au contraire, s'en déclare insatisfait et demande éventuellement le remplacement de l'administrateur (1360 (2) C.c.Q.)[35].

3. PLACEMENTS

Une responsabilité importante de l'administrateur du bien d'autrui demeure l'obligation d'effectuer des placements à partir des avoirs qui lui sont confiés et des revenus générés par les biens qu'il administre. Puisque les biens de l'administrateur ne doivent pas être confondus avec ceux qu'il administre, il est tenu de faire des placements ès qualité (1344 C.c.Q.).

3.1 Placements présumés sûrs

Une des obligations à laquelle est assujetti l'administrateur chargé de la simple administration est celle de s'en tenir à des placements présumés sûrs. À cet effet, le législateur a établi une liste de placements qu'il

35. *Succession de feu Pierre DesMarais : Jacques Des Marais* c. *Des Marais*, *supra*, note 23, p. 2668 (juge Biron).

qualifie comme tel (1339 C.c.Q.). Les différents véhicules de placements énumérés au Code devraient permettre à l'administrateur de ne pas mettre en péril les biens qui lui sont confiés.

La liste des placements privilégiés par le législateur adopte une énumération qui va du placement présumé le plus sûr au plus risqué. Cette liste comprend les éléments suivants :

1) Les *titres de propriété* sur les immeubles (1339, 1° C.c.Q.). Il s'agit ici des immeubles au sens de l'article 900 du Code civil, de même que des immeubles détenus en copropriété indivise ou divise et d'immeubles constituant une propriété superficiaire. La bienveillance à l'égard de l'immeuble a été critiquée par la doctrine qui a souligné, avec justesse, le caractère hasardeux de certains placements immobiliers et reproché au législateur l'absence de plafond pour ce type de placements[36].

2) Les *obligations ou autres titres d'emprunt émis par des corps publics*. Ces obligations ou titres peuvent être émis par le gouvernement fédéral, le gouvernement d'une province, les États-Unis ou un de ses États, une municipalité ou une commission scolaire au Canada, une fabrique au Québec ou une société exploitant un service public au Canada et autorisée à instaurer un tarif en contrepartie du service offert (1339, 2° et 3° C.c.Q.).

   Les obligations émises par le gouvernement fédéral peuvent comprendre des *obligations négociables* qui ont l'avantage d'être transférables, des *obligations non négociables* qui elles ne sont ni transférables ni cessibles telles les *obligations d'épargne*[37].

   Pour sa part, la notion d'*autres titres d'emprunt* inclut vraisemblablement les bons du Trésor émis par le gouvernement fédéral ou par les gouvernements provinciaux, qui constituent des « reconnaissances de dettes à court terme »[38], les billets à ordre émis par les sociétés d'État et les débentures[39].

3) Les *obligations ou autres titres d'emprunt garantis ou encore émis par une société fiable ou agréée par le gouvernement* (1339, 4°, 5° et 6° C.c.Q.). Les *obligations* accordent à leur titulaire

---

36. Lise I. Beaudoin, *supra*, note 3, p. 516-517.
37. René Dussault et Louis Borgeat, *Traité de droit administratif*, 2e éd., tome 2, Québec, P.U.L., 1986, p. 748-749.
38. *Ibid.*, p. 749.
39. La débenture est un « **[t]itre d'emprunt** émis par un gouvenement, une municipalité ou une société, qui n'est garanti que par la réputation de crédit de l'émetteur et non par un bien élément d'**actif** de l'emprunteur. » (Institut canadien des valeurs mobilières, *Le placement : termes et définitions*, Montréal, Institut canadien des valeurs mobilières, 1995, p. 31).

le droit à un revenu : l'intérêt. L'émetteur a généralement offert des biens pour garantir son prêt[40].

Les *autres titres d'emprunt* comprennent probablement les acceptations bancaires (*banker's acceptance*)[41], les débentures de sociétés et les billets à ordre (le papier commercial[42]: *commercial paper*).

La loi insiste sur la sécurité des titres considérés sous cette rubrique. Elle exige qu'ils soient garantis par un engagement de verser une subvention suffisante pour couvrir les intérêts et le capital (1339, 4° C.c.Q.) ou par une hypothèque de premier rang (1339, 5° a) et b) C.c.Q.). L'offre de garantie peut être compensée par le caractère fiable de la société émettrice (1339, 5° c) C.c.Q.) ou encore par le fait que la société émettrice est une société de prêts constituée par une loi du Québec ou une société autorisée en vertu de la *Loi sur les sociétés de prêts et de placements*[43] et agréée par le gouvernement et dont l'activité habituelle au Québec consiste à faire des prêts aux municipalités, aux commissions scolaires ou aux fabriques ou des prêts garantis par une hypothèque de premier rang sur des immeubles situés au Québec (1339, 6° C.c.Q.).

4) Les *créances, garanties par hypothèque sur des immeubles situés au Québec*, suivant les modalités fixées par le Code (1339, 7° C.c.Q.).

5) Les *actions privilégiées* d'une société dont les actions ordinaires constituent des placements présumés sûrs ou qui a versé le dividende stipulé, au cours de ses cinq derniers exercices, sur toutes ses actions privilégiées (1339, 8° C.c.Q.). Le détenteur d'une action privilégiée reçoit un dividende fixe avant les actionnaires ordinaires et, en cas de liquidation de la société, il se voit attribuer une somme fixe[44].

6) Les *actions ordinaires* d'une société publique qui satisfait depuis trois ans à ses obligations d'information[45] et qui possède

---

40. *Ibid.*, p. 68.
41. L'acceptation bancaire est un « [t]ype de titre de créance à court terme **négociable** émis par une société non financière telle que Ford ou General Motors et dont le **capital** et l'**intérêt** sont garantis par la banque. Cette garantie a pour effet de réduire le **risque**; elle se traduit de ce fait par un prix d'émission plus élevé, donc par un **rendement** plus faible. » (*Ibid.*, p. 1).
42. Le papier commercial est un « [t]itre d'emprunt à court terme (quelques jours à un an) négociable émis par des sociétés non financières. » (*Ibid.*, p. 76).
43. L.R.Q., c. S-30.
44. Institut canadien des valeurs mobilières, *supra*, note 39, p. 6.
45. Cette obligation est prévue par la *Loi sur les valeurs mobilières*, L.R.Q., c. V-1.1, art. 73-80.2.

une capitalisation boursière suffisante[46] (1339, 9° C.c.Q.). En outre, ces actions doivent être inscrites à une bourse reconnue par le gouvernement[47]. Les actions susceptibles de comporter trop de risques sont donc exclues de la liste des placements présumés sûrs.

7) Les *actions d'une société d'investissement à capital variable* et les *parts d'un fonds commun de placement ou d'une fiducie d'utilité privée* selon des modalités précises déterminées par le Code (1339, 10° C.c.Q.). Ces titres s'avèrent fort utiles lorsque les sommes placées sont relativement peu importantes. Ils permettent de diversifier les placements et généralement de bénéficier des rendements supérieurs offerts par le marché des actions[48].

Même si les placements de cette liste devraient s'avérer fructueux, ils ne sont pas nécessairement à l'abri de fluctuations. Aussi, afin d'éviter des pertes, l'administrateur du bien d'autrui est incité à diversifier les placements. Dans ce même but, il lui est interdit d'acquérir plus de 5 % des actions d'une même société et des titres d'une personne morale ou d'une société en commandite qui aurait fait défaut de verser les dividendes ou les intérêts dus sur ses titres (1340 C.c.Q.).

Les sommes d'argent qui échoient à l'administrateur, notamment les revenus générés par les biens détenus, peuvent être déposées dans une banque, une caisse d'épargne ou de crédit ou un autre établissement financier à la condition qu'il s'agisse d'un dépôt remboursable à vue – soit à la discrétion du déposant[49] – ou sur un avis d'au plus 30 jours. Autrement, il peut maintenir un dépôt pour un terme plus long, s'il est garanti par la Régie de l'assurance-dépôt du Québec[50] (1341 C.c.Q.).

---

46. Cette capitalisation, qui est sujette à révision, est actuellement d'au moins 75 000 000 $, voir : *Règlement sur la capitalisation bousière minimale d'une société aux fins du paragraphe 9° de l'article 1339 du Code civil du Québec*, décret 1683-93, 1er décembre 1993, *Gazette officielle du Québec*, vol. 125, n° 52 (15 décembre 1993), p. 8647-8648).
47. Il s'agit des bourses de Montréal, de Toronto, de Vancouver, de l'Alberta et de Winnipeg (*Décret concernant la reconnaissance de bourses pour l'application du paragraphe 9° de l'article 1339 du Code civil du Québec*, décret 36-94, 10 janvier 1994, *Gazette officielle du Québec*, vol. 126, n° 5 (2 février 1994), p. 797).
48. Lise I. Beaudoin, *supra*, note 3, p. 512.
49. Louis Ménard, Murielle Arsenault et Jean-François Joly, *Dictionnaire de la comptabilité et de la gestion financière : anglais-français avec index français-anglais*, Toronto, Institut canadien des comptables agréés, 1994, p. 226.
50. *Loi sur l'assurance-dépôts*, L.R.Q., c. A-26 et *Règlement d'application de la Loi sur l'assurance-dépôts*, R.R.Q., c. A-26, r. 1.1.

3.2 Placements suivant l'acte constitutif

L'acte constitutif qui confère sa charge à l'administrateur du bien d'autrui précise parfois la nature des placements qu'il sera tenu de faire. Ainsi, dans une fiducie d'utilité privée, une liste de placements acceptables a pu être dressée, alors que d'autres ont été spécifiquement défendus. Dans une telle situation, l'administrateur a l'obligation de respecter les exigences de l'acte constitutif[51]. S'il outrepasse ses pouvoirs en effectuant des placements autres que ceux qui sont permis, l'administrateur engage sa responsabilité pour les pertes qui pourraient en découler, sans même qu'il soit nécessaire d'établir une faute (1343 (2) C.c.Q.).

4. FIN DE L'ADMINISTRATION

La fin de l'administration ou de la fonction d'administrateur du bien d'autrui conduit à l'obligation de rendre un compte définitif et, éventuellement, de remettre le bien en plus de dénoncer les avantages dont aurait pu bénéficier l'administrateur.

4.1 Causes

L'administration du bien d'autrui est susceptible de prendre fin par la cessation du droit du bénéficiaire sur les biens administrés, par l'arrivée du terme, par l'avènement de la condition stipulée dans l'acte donnant lieu à l'administration et par l'accomplissement de l'objet de l'administration ou la disparition de la cause qui y a donné naissance (1356 C.c.Q.).

Par ailleurs, la charge d'administrateur du bien d'autrui est susceptible de prendre fin indépendamment de l'administration elle-même. Une telle situation est d'autant plus prévisible que l'administration se prolonge parfois sur une très longue période. Le décès de l'administrateur, sa démission, sa destitution ou son remplacement (1360 C.c.Q.), sa faillite ou l'ouverture à son égard d'un régime de protection mettent fin à ses fonctions (1355 (1), 1361 C.c.Q.). L'administrateur a aussi le loisir de renoncer unilatéralement à sa charge sur simple avis (1357-1358 C.c.Q.). Une démission donnée sans motif sérieux ou à contretemps qui causerait un préjudice pourrait engager la responsabilité de l'administrateur (1359 C.c.Q.).

---

51. *Commentaires du ministre de la Justice*, *supra*, note 2, p. 808-809.

Des causes liées à la situation du bénéficiaire peuvent également produire le même effet. Ainsi, lorsque le bénéficiaire est propriétaire des biens administrés, la faillite de celui-ci aura pour effet de faire passer les biens qui font partie de son patrimoine sous l'administration d'un liquidateur[52]. L'ouverture d'un régime de protection à l'égard du bénéficiaire peut également décharger l'administrateur de sa fonction (1355 (2) C.c.Q.).

4.2 Effets

Compte définitif – Lorsque l'administration du bien d'autrui prend fin, l'administrateur rend un compte[53] définitif de son administration au bénéficiaire et éventuellement à l'administrateur qui le remplacera[54] ou à ses coadministrateurs. Sans suivre une forme déterminée, le compte doit tout de même être suffisamment précis pour permettre les vérifications (1363 C.c.Q.). Après examen, l'administré insatisfait a droit d'intenter une action en réformation de compte[55].

Lorsque l'administrateur ne soumet pas le compte exigé par la loi, une action en reddition de compte peut être intentée contre lui par la personne à qui il est dû (1364 (2) C.c.Q.)[56]. La procédure comporte plusieurs étapes[57]. Le tribunal se prononce d'abord sur le droit à la reddition. Le jugement qui accorde l'action fixe le délai de production du compte (532 C.p.c.). Ensuite, vient l'étape de la reddition elle-même. Le compte est détaillé et répond à une forme rigoureuse. Il est divisé en deux chapitres, celui des revenus et celui des dépenses, et se termine par la fixation du solde entre les deux (534 C.p.c.). Une fois le compte établi, il est produit au greffe du tribunal, appuyé d'un affidavit et accompagné des pièces justificatives; une copie est signifiée à celui qui l'a réclamé (533 C.p.c.). Le demandeur a la faculté d'interroger le ren-

---

52. *Ibid.*, p. 816.
53. « La reddition de compte est due par ceux qui ont administré le bien d'autrui, à quelque titre que ce soit » (*Racine* c. *Barry*, [1957] R.C.S. 92, 98 (juge Taschereau), voir aussi : *Samson* c. *Fondation Joie d'enfants*, C.S. Trois-Rivières, n° 400-05-000034-927, 21 avril 1994, p. 3 (J.E. 94-794).
54. *Boutin* c. *Boutin*, *supra*, note 24, p. 597.
55. « Il a été décidé bien des fois, et c'est un point qui ne souffre plus de difficulté, que lorsque la personne obligée de rendre un compte en a rendu un, et que ce compte n'est pas ce qu'il devrait être, ce n'est pas par une action en reddition de compte qu'il faut procéder contre elle, mais par une action en réformation de compte » (*Beaudry* c. *Prévost*, (1902) 22 C.S. 32, 36 et *Bourassa* c. *Ringuette*, [1957] C.S. 445).
56. Denis Ferland et Benoît Emery (dir.), *Précis de procédure civile du Québec*, 3e éd., tome 2, Cowansville, Les Éditions Yvon Blais Inc., 1997, p. 85-88 et Philippe Ferland, *Traité de procédure civile*, Montréal, Les Établissements Henri-Bourassa ltée, 1969, p. 15-26.
57. *Hemmings* c. *Hemmings*, [1972] C.A. 261, 263.

dant compte ainsi que d'autres témoins devant le juge ou le greffier (535 C.p.c.). Un débat peut alors s'ouvrir entre les parties sur le compte soumis (537 C.p.c.). Finalement, un second jugement pourrait être rendu afin d'établir le montant du reliquat, s'il y en a un (538 C.p.c.). En cas de défaut de produire le compte dans le délai imparti, le demandeur peut établir le compte lui-même et inscrire pour jugement (539 C.p.c.).

Remise du bien et dénonciation des avantages – L'administration terminée, le bien est remis à la personne à qui il revient (1365 C.c.Q.). L'administrateur est également tenu de remettre tout ce qu'il a reçu dans l'exécution de ses fonctions. Il doit dénoncer et rendre compte des avantages personnels dont il a bénéficié durant l'exercice de ses fonctions (1366 C.c.Q.). Cette règle découle de l'obligation de loyauté à laquelle l'administrateur est tenu (1309 C.c.Q.)[58].

Bibliographie

BEAUDOIN, Lise I. *Le contrat de gestion de portefeuille de valeurs mobilières : nature juridique, rôle des règles de l'administration du bien d'autrui, obligations des parties*. Cowansville, Les Éditions Yvon Blais Inc., 1994. xvi, 206 p.

BEAUDOIN, Lise I. « La gestion de portefeuille pour autrui et les dispositions nouvelles du Code civil du Québec », (1989) 68 *R. du B. can.* 480-537.

CANTIN CUMYN, Madeleine. *L'administration du bien d'autrui*. Cowansville, Les Éditions Yvon Blais Inc., 2000. xxv, 467 p.

CHÂTILLON, Pierre-Yves et Martin CLOUTIER. « La fiducie comme véhicule de fonds de placement », (1997) 19 *Revue de planification fiscale et successorale* 69-117.

DUSSAULT, René et Louis BORGEAT. *Traité de droit administratif*. 2e éd. Tome 2. Québec, P.U.L., 1986. xvi, 1393 p.

FERLAND, Denis et Benoît EMERY (dir.). *Précis de procédure civile du Québec*. 3e éd. Tome 2. Cowansville, Les Éditions Yvon Blais Inc., 1997.

INSTITUT CANADIEN DES VALEURS MOBILIÈRES. *Le placement : termes et définitions*. Montréal, L'Institut canadien des valeurs mobilières, 1995. 127 p.

RAINVILLE, François. « De l'administration du bien d'autrui », dans Barreau du Québec et Chambre des notaires, *La réforme du Code civil*, tome 1, Québec, P.U.L., 1993, p. 783-812.

58. *Commentaires du ministre de la Justice, supra*, note 2, p. 823.

CHAPITRE 16

LE DOMAINE PUBLIC

La propriété de l'État forme le domaine public. Les normes juridiques applicables à cette propriété, singulière à plusieurs égards, relèvent tantôt du droit public, tantôt du droit privé. Les fondements de ces normes, profondément enracinés dans l'histoire, rendent souvent nécessaire le recours à une perspective diachronique afin d'en mieux comprendre la teneur.

1. ÉLÉMENTS CONSTITUTIFS

Font partie du domaine public les biens qui appartiennent à l'État – tant fédéral que provincial – ainsi que les biens des personnes morales de droit public qui sont affectés à une fin d'utilité publique (*infra*, section 1.2). Les biens compris dans le domaine public sont de différentes natures. Il peut s'agir de meubles ou d'immeubles, de biens corporels ou de biens incorporels, ainsi qu'a déjà eu l'occasion de l'exprimer la Cour d'appel : « L'expression « domaine public » comprend tous les biens de l'État sans distinction »[1]. Pour les fins de cette présentation, il sera surtout tenu compte de la situation juridique du domaine de l'État québécois. Cette restriction se justifie d'autant plus qu'en vertu de la *Loi constitutionnelle de 1867*, les provinces sont, en principe, titulaires du domaine public compris à l'intérieur de leurs frontières[2]. L'État fédéral détient cependant de nombreuses propriétés dans chacune des provinces canadiennes. Au Québec, il possède notamment des bases militaires, des aéroports, des parcs et de nombreux bâtiments qui servent à l'Administration fédérale. Il est, en outre, titulaire du domaine public situé à l'extérieur des

1. *Richard Lasalle Construction Ltée* c. *Comcepts Ltd.*, [1973] C.A. 944, 949 (juge Turgeon).
2. *Loi constitutionnelle de 1867*, U.K., 1867, c. 3, art. 109 et 117.

frontières provinciales. Entrent dans ce domaine les parties du territoire canadien non constituées en provinces et les fonds marins.

Le droit de propriété d'un État ne doit pas être confondu avec sa compétence législative. Ainsi, même si la domanialité fédérale demeure restreinte sur le territoire québécois, le Parlement canadien possède une large capacité d'intervention législative fondée sur les pouvoirs qui lui ont été conférés par la constitution[3].

1.1 Les biens de l'État

L'État possède des droits étendus sur le territoire, le lit des cours d'eau et des lacs navigables et flottables, les richesses naturelles et les immeubles nécessaires à l'Administration.

1.1.1 Les terres

Une grande partie du territoire du Québec fait partie du domaine public. Toutefois, au fil des ans, l'État s'est départi de portions importantes de sa propriété foncière au bénéfice de particuliers. Ces concessions ont permis de constituer le domaine privé.

1.1.1.1 Les terres non concédées

D'emblée, il faut garder à l'esprit que l'État est un propriétaire résiduaire, puisque les parties du territoire qui n'appartiennent pas à des personnes physiques ou morales lui appartiennent (918 C.c.Q.). Cette prétention découle de l'effet de la simple découverte du territoire par les représentants des souverains européens, aux XVIe et XVIIe siècles. Or, malgré qu'elle soit généralement acceptée, cette prétention doit être temporisée, puisqu'elle ne prend pas en compte les droits des Autochtones sur des portions importantes du territoire québécois[4].

Droits des Autochtones – Le droit positif canadien reconnaît aux Autochtones l'existence de *droits ancestraux* qui, éventuellement, peuvent être exercés sur des terres domaniales. Ces droits, qui se rattachent à une collectivité autochtone et non pas à une personne déterminée, sont

---

3. *Corporation de la municipalité de St-Denis de Brompton* c. *Filteau*, [1996] R.J.Q. 2400 (C.A.).
4. Dans la doctrine, le *Traité de droit administratif* de René Dussault et de Louis Borgeat, 2e éd., tome II, Québec, P.U.L., 1986, p. 95-109) aborde la question des droits des Autochtones, alors qu'elle est ignorée dans le récent ouvrage de Pierre Labrecque (*Le domaine public foncier au Québec: traité de droit domanial*, Cowansville, Les Éditions Yvon Blais Inc., 1997, xxxiv, 439 p.).

susceptibles d'une gradation en fonction de l'intensité du rattachement qui les lie à un territoire. La reconnaissance constitutionnelle des « coutumes, pratiques et traditions » d'une communauté permet éventuellement à celle-ci de s'adonner à des activités de nature culturelle ou religieuse sur des terres. Le droit de prélever et d'exploiter certaines ressources naturelles accorde à une communauté la faculté, par exemple, de chasser ou de pêcher sur un site déterminé. Dans ces deux hypothèses, la possession d'un titre foncier ne s'avère pas essentielle à l'existence du droit reconnu. Finalement, une communauté peut détenir un *titre aborigène*, soit un droit portant sur le territoire lui-même[5]. Ce droit accorde à la communauté qui en bénéficie la maîtrise exclusive des terres détenues, y compris éventuellement sur les ressources minérales comprises dans le sous-sol[6].

L'éventail des situations exposées engendre inévitablement des cas de juxtapositions de droits où le domaine public québécois constitue tantôt une avant-scène, tantôt une toile de fond, quand il n'est pas complètement occulté par les droits d'une communauté autochtone. Il est donc plus que présomptueux de prétendre qu'en dehors de la partie du territoire québécois occupée par le domaine privé, s'étend sans discontinuité le domaine public.

1.1.1.2 Les terres concédées

Depuis les débuts de la colonie, l'État concède des parties de son domaine à des particuliers afin que ceux-ci s'y établissent. L'étude du régime de concession des terres, en plus de permettre de comprendre l'évolution du rapport de la personne à la propriété foncière, est parfois nécessaire pour mesurer l'étendue des droits d'un propriétaire sur son fonds de terre. Ainsi, l'établissement des droits d'un propriétaire sur la rive adjacente à son lot exige parfois l'examen d'actes de concession qui remontent au Régime français[7]. L'interprétation de ces actes exige fréquemment une preuve historique afin d'établir le sens du texte conformément au contexte et au droit applicable à l'époque[8].

---

5. *Delgamuukw* c. *Colombie-Britannique*, [1997] 3 R.C.S. 1010, par. 137-139 (juge en chef Lamer); *R.* c. *Adams*, [1996] 3 R.C.S. 101, 119 (juge en chef Lamer); Ghislain Otis, « Le diptyque Côté-Adams ou la préséance de l'ordre établi dans le droit post-colonial des peuples autochtones », (1997) 8 *Forum constitutionnel* 70-78 et *Idem*, « Les sources des droits ancestraux des peuples autochtones », (1999) 40 *C. de D.* 591-620.
6. *Delgamuukw* c. *Colombie-Britannique*, *ibid.*, par. 119-124 (juge en chef Lamer).
7. *Société du port de Québec* c. *Lortie-Côté*, [1991] R.J.Q. 25 (C.A.).
8. *Lortie-Côté c. Bureau d'assainissement des eaux du Québec métropolitain*, C.S.Q. nº 200-05-002759-822, 16 janvier 1987.

Historique – En Nouvelle-France, le pouvoir de concéder des terres revient surtout à des compagnies à qui le roi cède la colonie avec l'obligation d'en assurer le peuplement. La Compagnie des Cent Associés, active de 1628 à 1663, concède des portions importantes du territoire de la colonie, dont pas moins de 65 seigneuries (Beauport, Île d'Orléans, Lauzon, etc.). Selon ce régime, le seigneur cède, à son tour, les terres de sa seigneurie à des censitaires. Ces derniers sont redevables de certaines obligations à l'égard du seigneur[9]. Ils doivent notamment lui verser des prestations annuelles, soit le cens et la rente. L'acte de concession exige fréquemment que le censitaire consacre un certain nombre de journées de corvées au bénéfice du seigneur. De plus, des réserves portant sur des ressources naturelles sont prévues en faveur du roi et du seigneur. L'aménagement du régime seigneurial amène un partage de la propriété entre le seigneur et le censitaire.

Après la Conquête, les Britanniques maintiennent le régime seigneurial. Ils concèdent même quelques seigneuries. Toutefois, les nouveaux dirigeants introduisent un mode de tenure libre : le franc et commun soccage. Le titulaire d'une terre assujettie à cette tenure en est pleinement propriétaire et n'est tenu à aucune obligation une fois acquise sa concession. Ce mode de tenure se rencontre surtout dans les Cantons-de-l'Est.

Jusqu'au milieu du XIXe siècle, le régime seigneurial et la tenure en franc et commun soccage se livrent une vive concurrence sur fond de conflit ethnique entre Canadiens et Britanniques, attachés les uns et les autres à leur régime de prédilection. Finalement, après des tergiversations, le régime seigneurial est aboli en 1854. L'abolition du régime pose des problèmes juridiques complexes et le législateur décide de soumettre certaines questions à un tribunal spécial : la Cour seigneuriale. La décision rendue par la cour[10], à la suite des questions posées par le parlement, facilite le passage à la tenure libre. De surcroît, cette décision établit l'état du droit patrimonial au Bas-Canada alors que des parties importantes de la Coutume de Paris sont abrogées. Dans toute affaire judiciaire subséquente, fondée sur des faits réels, la décision de la Cour seigneuriale devra être considérée comme s'il s'agissait d'un jugement d'appel en dernière instance. Les tribunaux auront souvent

---

9. Pour des études historiques sur le régime seigneurial en Nouvelle-France, voir : Louise Dechêne, « L'évolution du régime seigneurial au Canada. Le cas de Montréal aux XVIIe et XVIIIe siècles », (1971) 12 *Recherches sociographiques*, 143-183 et Sylvie Dépatie, Mario Lalancette et Christian Dessureault, *Contributions à l'étude du régime seigneurial canadien*, LaSalle, Éditions Hurtubise HMH, 1987, xv, 290 p.
10. *Questions seigneuriales*, Québec/Montréal, Augustin Côté/La Minerve, 1856.

l'occasion de se fonder sur cette décision pour établir le droit applicable sur certains éléments du droit patrimonial[11].

Au XIXe siècle, des lois statutaires régissent la cession d'une terre pour fin d'établissement agricole. Ces terres sont accordées à des colons qui, en contrepartie, doivent verser à l'État un certain montant d'argent et démontrer une capacité de mettre en valeur la terre concédée. Cette notion de mise en valeur « est principalement économique et prend essentiellement en considération la possibilité d'investir, de faire fructifier et de dégager une plus-value »[12]. La procédure de concession prévoit l'aliénation d'une terre par *billet de location*. Il s'agit là d'une vente conditionnelle, susceptible d'être résiliée si le colon ne respecte pas les conditions de la concession[13]. L'État émet des *lettres patentes* lorsque les conditions de paiement et d'établissement ont été dûment remplies. Ces lettres confirment le droit de propriété du colon[14].

Droit positif – Encore aujourd'hui, l'État possède le pouvoir d'aliéner des terres du domaine public. Il revient au ministre de l'Agriculture, des pêcheries et de l'alimentation de disposer des terres agricoles du domaine public. Cette aliénation se fait par acte notarié portant minute ou par délivrance de lettres patentes[15]. Les autres terres du domaine public relèvent du ministre des Ressources naturelles qui peut les vendre ou les céder à titre gratuit[16]. Dans cette dernière hypothèse, la cession – par acte notarié ou lettres patentes – a lieu pour un usage d'utilité publique[17]. Par ailleurs, les terres qui constituent un parc

11. *Boswell* c. *Denis*, (1860) 10 L.C.R. 294, 298 (B.R.); *Hurdman* c. *Casgrain*, (1895) 4 B.R. 409, 438; *Tanguay* c. *Canadian Electric Light Company*, (1908) 40 R.C.S. 1, 12; *Société du Port de Québec* c. *Lortie-Côté*, *supra*, note 7 et *Champs* c. *Corporation municipale de Labelle*, [1991] R.J.Q. 2313, 2326 (C.S.).
12. Étienne Le Roy, « L'appropriation et les systèmes de production », dans Émile Le Bris, Étienne Le Roy et Paul Mathieu (dir.), *L'appropriation de la terre en Afrique noire*, Paris, Éditions Karthala, 1991, p. 33.
13. S.R.Q., 1909, art. 1519 à 1596; le colon était tenu au paiement de droits et au défrichement d'une certaine surface de la terre concédée.
14. *Howard* c. *Stewart*, (1914-1915) 50 R.C.S. 311, 350-351 (juge Brodeur) et *Schrankler* c. *Schroeder*, [1997] R.D.I. 337, 339 (C.A.) (juge Dussault). Pour une analyse de l'évolution législative des droits et des obligations des parties à un billet de location, voir: René Dussault, *Traité de droit administratif canadien et québécois*, 1re éd. tome 1, Québec, P.U.L., 1974, p. 589-597.
15. *Loi sur les terres agricoles du domaine public*, L.R.Q., c. T-7.1, art. 9 et 10.
16. Les modèles d'actes utilisés se retrouvent sur le site internet du ministère des Ressources naturelles, à l'adresse électronique suivante : http://www.mrn.gouv.qc.ca/5/52/525/intro.asp.
17. *Loi sur les terres du domaine public*, L.R.Q., c. T-8.1, art. 34 et 37 et *Règlement sur la vente, la location et l'octroi de droits immobiliers sur les terres du domaine public*, R.R.Q., c. T-8.1, r. 6.

provincial ne peuvent faire l'objet d'une vente ou d'un échange, à moins que leur destination n'ait été changée[18].

1.1.2 Le régime des eaux

Lit des cours d'eau navigables et flottables – Le lit des cours d'eau navigables et flottables est propriété de l'État, et ce, jusqu'à la ligne des hautes eaux (919 C.c.Q.).

La maîtrise sur les rivières navigables est reconnue au roi selon le droit coutumier français : « les [rivières] navigables étant publiques ainsi que les grands chemins, le Roi s'en est attribué la Seigneurie »[19]. En Nouvelle-France, lors de la concession d'une seigneurie, le roi conserve ses droits sur les cours d'eau navigables, sauf s'il s'en départit expressément au bénéfice du seigneur. En revanche, le lit des rivières non navigables revient, en principe, au seigneur[20]. La qualité de rivière « navigable et flottable » n'est pas établie en recourant à des critères fixés par la loi, elle est une question de fait laissée à l'appréciation du tribunal. Les critères élaborés par la jurisprudence au siècle dernier reflètent souvent les besoins de l'industrie forestière, telle qu'elle fonctionnait encore durant la première moitié du XXe siècle.

Pour être qualifié de « navigable et flottable » un cours d'eau doit répondre aux caractéristiques suivantes, selon les conditions sanctionnées par le Conseil privé[21]:

1) Le cours d'eau doit être capable de porter des trains ou des radeaux chargés de bois[22]. Le volume d'eau produit doit donc être important.

---

18. *Loi sur les parcs*, L.R.Q., c. P-9, art. 5.
19. Charles Loyseau, « Les traitez des seigneuries », dans *Les œuvres de maistre Charles Loyseau, avocat en Parlement*, Lyon, Compagnie des Libraires, 1701, p. 74.
20. « Par la concession du fief faite au seigneur, il est devenu propriétaire des rivières, ruisseaux et autres eaux courantes, non navigables ni flottables, qui traversent le fief ou qui s'y trouvaient totalement ou partiellement situés; quant aux mêmes rivières et ruisseaux qui baignaient le fief, le même principe s'appliquait à la propriété jusqu'au fil de l'eau. Il est également en vertu de la même concession, devenu propriétaire des lacs non navigables, ainsi que des étangs. » (*Questions seigneuriales*, *supra*, note 10, vol. 1, p. 71a).
21. *St. Francis Hydro Electric Co. Ltd.* c. *La Reine*, (1939) 66 B.R. 374, 380 (Conseil privé, lord Maugham).
22. « On entend par trains, ou trains de bois, les groupes ou faisceaux de bois coupés en bouts de moindre ou médiocre longueur, que l'on assujettit les uns avec les autres par des perches et des liens, pour pouvoir les soigner ensemble comme un seul corps lancé à flot dans la rivière par laquelle on veut les faire descendre.

2) Ce critère n'a toutefois pas à être respecté de manière constante. Une période de sécheresse pourrait ainsi rendre difficile sinon impossible la navigation. Par ailleurs, des circonstances exceptionnelles ne rendraient pas navigable et flottable un cours d'eau qui habituellement ne l'est pas.

3) Un cours d'eau n'a pas à être navigable et flottable sur toute sa longueur, il peut l'être sur une partie seulement de son parcours. La qualification doit valoir pour l'embouchure; par la suite, le cours d'eau peut cesser de se prêter à la navigation.

4) L'existence de rapides ne fait pas perdre à un cours d'eau sa qualification de navigable et flottable, si, au-delà des rapides, la navigation et le flottage sont possibles.

5) La navigation et le flottage doivent se pratiquer de « façon utile et profitable au public »[23].

En somme, de tous ces critères, il faut conclure que la navigabilité et le flottage sont fondés sur l'exploitation commerciale dont peut être l'objet un cours d'eau, ainsi que l'a rappelé récemment la Cour d'appel: « [...] le critère déterminant constamment réaffirmé par la jurisprudence est demeuré toutefois celui de l'utilité du cours d'eau en matière de navigation commerciale »[24]. Le caractère navigable et flottable d'un cours d'eau est établi en remontant à la situation telle qu'elle était à l'époque de la concession du cours d'eau[25]. Une preuve historique est donc essentielle.

Les cours d'eau incapables de porter des trains et des radeaux peuvent être également considérés comme flottables, mais uniquement « à bûches perdues ». Cette catégorie de cours d'eau n'entre pas dans le domaine public puisque les critères de navigabilité ne sont

---

Le mot radeau s'applique plus spécialement aux grands bois de charpente ou de mâture qu'on lance en rivière et qu'on y assujettit de même les uns avec les autres par des perches et des liens, pour pouvoir les soigner ensemble, et en gouverner la conduite comme s'ils ne formaient qu'un seul corps. »

Jean-Baptiste Victor Proudhon, *Le domaine public*, tome 3, Dijon, Victor Lagier, 1834, p. 220-221, n° 857, cité par le juge en chef Fitzpatrick dans l'arrêt: *Tanguay* c. *Canadian Electric Light Company*, *supra*, note 11, p. 9.

23. *St. Francis Hydro Electric Co. Ltd.* c. *La Reine*, *supra*, note 21, p. 380 (lord Maugham).

24. *Procureur général du Québec* c. *Houde*, [1998] R.J.Q. 1358, 1362 (C.A.) (juge Rousseau-Houle) et Guy Lord (dir.), *Le droit québécois de l'eau*, Québec, Ministère des Richesses naturelles, 1977, vol. 1, p. 65.

25. « [Le] caractère de navigabilité ou de flottabilité s'apprécie non à l'époque actuelle mais à celle du titre invoqué. » (*R.* c. *Gatineau Power Co.*, [1952] B.R. 559, 560) et *St. Francis Hydro Electric Co. Ltd.* c. *La Reine*, *supra*, note 21, p. 380-383 (lord Maugham).

pas respectés. En conséquence, les propriétaires riverains ont, en principe, droit à la propriété du lit[26]. Lorsqu'un tel cours d'eau borde deux lots appartenant à deux propriétaires distincts, le lit appartient à ces deux propriétaires *usque ad medium filum aquæ*, soit jusqu'au milieu du cours d'eau[27].

Une fois reconnus à l'État des droits sur le lit des cours d'eau, il faut encore en déterminer l'étendue. Le Code civil précise que la propriété de l'État sur les cours d'eau navigables et flottables s'étend jusqu'à la ligne des hautes eaux. L'établissement de cette ligne peut être complexe, puisqu'il faut tenir compte de la variation du niveau des eaux au cours de l'année. À cet égard, le droit distingue les cours d'eau marqués par la marée et ceux qui ne le sont pas. Dans la première hypothèse, cette ligne est celle qu'atteignent les eaux lors « des plus hautes marées de l'année, celles du mois de mars de chaque année » et non les hautes marées ordinaires[28]. Pour les eaux non marquées par la marée, la jurisprudence considère que cette ligne s'établit en considérant le niveau ordinaire des hautes eaux. Ceci exclut donc le débordement d'un cours d'eau dû, par exemple, à la fonte des neiges au printemps. Il faut donc éviter d'assimiler les « hautes eaux » et les « plus hautes eaux »[29]. En plus de servir à établir la limite de la domanialité pour les cours d'eau navigables et flottables, la ligne des hautes eaux permet aussi de fixer le milieu d'un cours d'eau faisant partie du domaine privé[30]. L'abornement d'un lot riverain apparaît inutile puisque la marque des hautes eaux sert de borne naturelle à de tels lots[31].

---

26. « [...] I must say that a careful examination of the authorities has convinced me that by the law of the Province of Quebec the plaintiffs, as owners of the soils on both sides of a stream floatable only for logs are owners of the soil that forms the bed of the stream [...] » (*Tanguay* c. *Canadian Electric Light Company*, *supra*, note 11, p. 17 (juge en chef Fitzpatrick)).
27. « Il a toujours été reconnu que le propriétaire d'un emplacement situé sur le bord d'une rivière non navigable possède des droits riverains s'étendant jusqu'au milieu de la rivière *usque ad medium filum aquæ*, s'il n'est propriétaire que d'un côté, et à toute la rivière s'il est propriétaire des deux côtés » (*Turgeon* c. *Dominion Tar & Chemical Company Ltd.*, [1972] C.S. 647, 649 et André Cossette, « Le sens de la locution *usque ad medium filum aquæ* », (1992-1993) 95 *R. du N.* 360-381).
28. *Œuvre et Fabrique de la paroisse de Saint-Bonaventure* c. *Leblanc*, (1918) 27 B.R. 286, 287-288 (juge Lavergne).
29. *Girard* c. *Price Brothers Company*, (1929) 47 B.R. 68, 78 (juge Létourneau).
30. Isabelle Marcil, « La ligne des hautes eaux, critère de délimitation du domaine hydrique québécois », *Arpenteur-géomètre*, vol. 23, n° 5 (février 1997), p. 3-8.
31. « La marque des hautes eaux est une borne naturelle que nulle autre borne, posée par la main de l'homme, se saurait remplacer avantageusement » (*Côté* c. *Côté*, (1927) 42 B.R. 548, 552 (juge Tellier)).

Grève et batture – La grève et la batture[32] des cours d'eau navigables et flottables, soit les étendues de terre que la marée haute recouvre et qui est découverte à la marée basse, font partie, en principe, du domaine public[33]. Toutefois, l'une et l'autre de ces étendues ont pu être concédées à des particuliers dans les actes qui ont fait sortir certaines terres du domaine public (*supra*, section 1.1.1.2).

Lit des cours d'eau non navigables ni flottables bordant des terres aliénées par l'État à une date postérieure au 9 février 1918 – L'État est aussi propriétaire du lit des cours d'eau non navigables ni flottables bordant des terres aliénées par l'État à une date postérieure au 9 février 1918 (919 (2) C.c.Q.).

Depuis le 1er juin 1884, lors de ventes ou de cessions de terres, l'État s'est réservé une bande de terre, d'une profondeur de trois chaînes (198 pieds ou 60 mètres et 350 millièmes), en bordure des rivières non navigables ni flottables. La portée de cette réserve a donné lieu à des interprétations divergentes. Elle fut tantôt assimilée à une simple servitude de pêche, tantôt à une pleine propriété. Devant les incertitudes que de telles positions pouvaient susciter, le législateur est intervenu à quelques reprises pour en clarifier la portée. En 1919, notamment, une loi a tenté de mettre un terme à la controverse en précisant l'état du droit antérieur[34]. La polémique reprit lorsque le gouvernement québécois chercha à affirmer ses droits sur une terre concédée en 1904 et visée par la réserve de trois chaînes. La Cour suprême a tranché en établissant que la loi de 1919 avait eu un effet rétroactif et que l'État détenait bel et bien la pleine propriété de la bande de terre litigieuse[35].

Malgré cette victoire, l'Assemblée nationale a, en 1987, dévolu le droit de propriété de l'État sur ces réserves en faveur du concessionnaire

32. Les battures peuvent être définies comme « des étendues de terre recouvertes à marée haute et découvertes à marée basse, sur lesquelles pousse du foin de très grande qualité et où vient y errer une très grande quantité de gibier et d'oiseaux migrateurs, particulièrement au printemps et à l'automne ». (*Painchaud* c. *Procureur général de Québec*, C.A.Q. no 200-09-000756-921, 18 novembre 1997, p. 4 (juge Forget), voir aussi : Olivier Laurendeau, « Droits riverains : le cas des battures », (1980-1981) 83 *R. du N.* 251-311.

33. « La Cour seigneuriale avait reconnu la légalité de l'octroi exprès sans lequel la grève est restée partie du domaine public » (*Tanguay-Bédard* c. *Procureur général du Québec*, C.S.Q. no 8783, 24 mars 1975, p. 8 ([1975] C.S. 593 (résumé)).

34. *Loi amendant la Loi de la pêche de Québec et la Loi de la chasse de Québec*, S.Q. 1919, c. 31, art. 14-15. Pour les lois antérieures, voir : *Acte pour amender et refondre les lois de pêche*, S.Q. 1888, c. 17 et *Loi concernant la pêche et les pêcheries*, S.Q. 1899, c. 23.

35. *Healey* c. *Procureur général du Québec*, [1987] R.C.S. 158.

ou de ses ayants cause[36]. La réserve est censée faire partie du domaine privé depuis la date de la vente ou de la cession. Dès lors, le droit privé s'y applique, y compris le droit de la prescription[37]. Quelques exceptions sont tout de même prévues à cette généreuse dévolution. L'État a conservé la propriété des réserves qui affectent certaines terres expressément mentionnées dans la loi[38]. Il a également maintenu ses droits sur les réserves qui relèvent d'un ministre ou d'un organisme public autre que le ministre des Ressources naturelles. Les réserves aménagées comme chemins forestiers, chemins miniers et chemins utilisés à des fins publiques et relevant du ministre sont aussi restées dans le domaine public. Il en va de même des réserves sur lesquelles le ministre a octroyé des baux à des tiers[39]. Finalement, l'État a conservé, en faveur du public, un droit de passage pour fins de pêche sur certaines terres nommément désignées[40].

Après le 1er janvier 1970, lors de ventes ou de cessions de terres bornées par des rivières ou des lacs, l'État a conservé, en pleine propriété, une réserve de 60 mètres et 350 millièmes de profondeur. Cette réserve s'applique à toutes les rivières et à tous les lacs qu'ils soient navigables ou pas[41]. Finalement, l'État a renoncé à retenir une bande de terre en bordure des lacs et des rivières pour les cessions ou les ventes postérieures au 17 décembre 1987[42]. À partir de cette date, lorsque le gouvernement désire maintenir une telle bande de terre dans le domaine public, il doit décrire la parcelle cédée en distrayant la bande qu'il veut conserver.

Lacs navigables et flottables – Les lacs navigables et flottables sont aussi propriétés de l'État (919 (1) C.c.Q.). Le caractère « navigable ou flottable » d'un lac a été fort peu commenté par la jurisprudence ou la doctrine jusqu'à maintenant. Le lac doit être naturel et non pas artificiel. Son étendue constitue un élément tenu en compte[43]. Par ailleurs, le lac ne peut être un simple élargissement d'une rivière[44]. Il doit, en outre, respecter les critères déjà mentionnés pour qualifier un cours d'eau de navigable et flottable. La domanialité du lac s'étend jusqu'à la ligne des hautes eaux (919 (1) C.c.Q.).

---

36. *Loi sur les terres du domaine public*, *supra*, note 17, art. 45, 45.1 et 45.1.1.
37. *Ibid.*, art. 45.1 (1) (2).
38. *Ibid.*, art. 45.2.1 et annexe I.
39. *Ibid.*, art. 45.2.
40. *Ibid.*, art. 45.4 et annexe II.
41. *Ibid.*, art. 45 (2); la réserve a été réduite à 60 mètres à compter du 22 décembre 1977 : art. 45 (3).
42. *Ibid.*, art. 45 (4).
43. *Garneau* c. *Diotte*, [1927] R.C.S. 261, 262 (juge Rinfret).
44. *Atkinson Ltd.* c. *Beaudoin*, (1928) 44 B.R. 424, 427 (juge Létourneau).

1.1.3 Les mines

Les mines sont la propriété de l'État[45]. Une distinction est établie par le droit entre la propriété du sous-sol et la propriété des mines qu'il contient. La loi attribue à l'État la propriété des substances minérales[46] comprises dans le sous-sol[47]. En effet, lors de la concession d'une terre, le propriétaire de la surface n'obtient aucun droit à des substances minérales contenues dans le sous-sol. Ces substances continuent d'appartenir à l'État qui peut conférer à des tiers des droits de recherche et d'exploitation sur ces ressources.

Les titres de concession des seigneuries sous le Régime français prévoyaient une réserve sur certaines mines et minéraux en faveur du roi[48]. Par la suite, dans les différentes lois qui ont gouverné la concession des terres publiques, les autorités responsables ont constamment retenu la propriété de certaines mines et minéraux, cette liste s'allongeant au fil des ans. Aussi, le propriétaire d'un fonds de terre devait remonter à son titre originaire et vérifier la teneur de l'acte de concession ou de la loi en vertu de laquelle avait été faite la concession afin d'établir ses droits sur les mines et minéraux du sous-sol. De manière à permettre une gestion rationnelle des richesses minérales comprises dans le territoire, l'État québécois, en 1982, s'est déclaré propriétaire d'à peu près toutes les substances minérales contenues dans le sous-sol[49]. Puisque la propriété ne peut faire l'objet d'une expropriation sans compensation (952 C.c.Q.), la loi prévoit qu'une contrepartie sera versée à un propriétaire dont le sous-sol renferme des substances faisant l'objet d'une exploitation, à la condition que son titre originaire lui confère des droits sur la substance en exploitation[50].

Le propriétaire du sol conserve la propriété du sable, du gravier et généralement des matériaux de construction[51].

---

45. *Loi sur les mines*, L.R.Q., c. M-13.1, art. 3. Sur le droit minier, voir: Denys-Claude Lamontagne, *Le droit minier: tentative de conciliation du Code civil du Québec, de la Loi sur les mines et d'autres lois complémentaires relativement aux droits du propriétaire dans le sol et le sous-sol*, Montréal, Les Éditions Thémis Inc., 1998, xii, 140 p.
46. La notion de substances minérales reçoit une acception très étendue puisqu'elle comprend les gaz et les substances organiques fossilisées (*Ibid.*, art. 1).
47. *Ibid.*, art. 3-4.
48. François-Joseph Cugnet, *Traité de la Loi des fiefs*, Québec, Brown, 1775, p. 62.
49. *Loi sur la révocation des droits de mines et modifiant la loi sur les mines*, L.Q. 1982, c. 27; la disposition pertinente se retrouve dans la *Loi sur les mines*, *supra*, note 45, art. 237.
50. *Ibid.*, art. 240.1
51. *Ibid.*, art. 5.

1.1.4 Les autres biens de l'État

Tous les autres biens de l'État non énumérés jusqu'ici font également partie du domaine public. Il en va de même des biens qui se joignent au domaine, et ce, au fur et à mesure de leur inclusion. Une part de ces biens est acquise par expropriation.

Biens confisqués et biens sans maître – Les biens confisqués deviennent la propriété de l'État dès leur confiscation (917 C.c.Q.). Les biens dont le propriétaire est inconnu ou introuvable sont administrés provisoirement par le curateur public[52]. Les immeubles sans maître sont propriétés de l'État à partir du moment où un avis du curateur public est inscrit au registre foncier (936 C.c.Q.).

1.2 Les biens des personnes morales de droit public

La domanialité publique ne se limite pas aux biens de l'État. Elle est susceptible de s'étendre à certains biens des personnes morales de droit public. Ces corps, qui sont en quelque sorte le prolongement de l'État, comprennent notamment les municipalités, les commissions scolaires[53] et les sociétés d'État[54]. Parmi leurs biens, seuls ceux qui « sont affectés à l'utilité publique »[55] se rattachent au domaine public, le reste de leurs biens tombe dans le domaine privé (916 (2) C.c.Q.). Cette situation de dualité domaniale ne vaut pas pour les biens de l'État[56].

Le critère retenu par le législateur pour inclure un bien dans le domaine public d'une personne morale de droit public est sa destination. Le bien doit être affecté, directement ou indirectement[57], à l'avantage du public. Il doit permettre à la personne morale de droit public à qui il appartient d'atteindre la mission que lui a confiée l'État[58]. En se

---

52. *Loi sur le curateur public*, L.R.Q., c. C-81, art. 24 et 40.
53. « Une commission scolaire est une personne morale de droit public. » (*Loi sur l'instruction publique*, L.R.Q., c. I-13.3, art. 113).
54. Patrice Garant, *Droit administratif*, 4e éd., Cowansville, Les Éditions Yvon Blais Inc., 1996, p. 117-170.
55. La disposition équivalente du *Code civil du Bas-Canada* employait l'expression « pour l'usage général et public » et en anglais « for the general use of the public » (art. 2200).
56. Jules Brière, « La dualité domaniale au Québec », dans Raoul-P. Barbe (dir.), *Droit administratif canadien et québécois*, Ottawa, Éditions de l'Université d'Ottawa, 1969, p. 313-363 et *Richard Lasalle Construction Ltée* c. *Comcepts Ltd.*, *supra*, note 1, p. 946-949 (juge Turgeon).
57. *Bâtiments Kalad'art Inc.* c. *Construction D.R.M. Inc.*, C.A.Q. nº 200-09-000860-988, 29 décembre 1999, p. 6-9 (juge Mailhot).
58. *Commission scolaire Port-Royal* c. *L. Martin (1984) Inc.*, [1994] R.J.Q. 916, 922 (C.A.) (juge Chouinard).

fondant sur la jurisprudence de l'ancien ou du nouveau code, les biens suivants feraient ainsi partie du domaine public des municipalités : un parc[59], un réservoir raccordé à un aqueduc[60], un incinérateur[61], un chemin public[62], une caserne de pompiers[63] et un entrepôt pour le sel et le sable[64]. En somme, les biens qui servent à assurer un service public à la population se rattachent au domaine public de la municipalité. Les biens d'une commission scolaire affectés à sa mission d'enseignement recevraient la même qualification[65], quoique la population qui fréquente ces établissements soit nécessairement limitée en nombre.

La jurisprudence donne souvent une interprétation restrictive au critère de l'affectation à l'utilité publique. On précise, par exemple, que le bien, pour être rattaché au domaine public, doit présenter un « caractère d'usage général »[66] ou encore que son « usage doit être commun à tous »[67]. L'ensemble des biens des commissions scolaires, même s'ils appartiennent à des personnes morales de droit public, sont pour ces motifs habituellement exclus de la domanialité publique[68]. Leurs biens sont considérés comme de simples accessoires, interchangeables, à leur mission publique[69]. Cette interprétation se concilie difficilement avec le libellé de l'article 916.

---

59. *Ville de Sherbrooke* c. *Pelouse de la Capitale Inc.*, J.E. 83-337 (C.S.).
60. *Concrete Column Clamps Ltd.* c. *Ville de Québec*, [1940] R.C.S. 522, 531 (juge Taschereau).
61. *Calor* c. *Kwait*, [1975] C.A. 858.
62. *Desrosiers* c. *Leedham*, (1916) 49 C.S. 33.
63. *139172 Canada* c. *Ville de Laval*, C.A.M. n° 500-09-001499-949, 7 février 1997, cité dans *Bâtiments Kalad'art Inc.* c. *Construction D.R.M. Inc.*, *supra*, note 57, p. 7 note 25 (juge Mailhot).
64. *Bâtiments Kalad'art Inc.* c. *Construction D.R.M. Inc.*, *ibid.*, p. 8. En revanche, les tribunaux ont rattaché au domaine privé de la municipalité un bâtiment réservé à l'usage de l'administration municipale (*Cité de Montréal* c. *Hill-Clark-Francis (Quebec) Ltd.*, [1968] B.R. 211, 213 (juge Choquette) et un bâtiment servant à des fins de loisir (*J. Serrentino Construction Co. Ltd.* c. *Cité de Laval-sur-le-Lac*, [1966] C.S. 425, 428-429).
65. *Commission scolaire Outaouais-Hull* c. *Plomberie Chouinard et fils Ltée*, [1992] R.J.Q. 1860 (C.S.).
66. *Commission scolaire de la Côte-du-Sud* c. *Construction Cloutier et Fils Inc.*, [1998] R.D.I. 441, 444 (C.S.)
67. *Commission scolaire Saint-Jérôme* c. *Alco-Teck Électrique Inc.*, [1997] R.D.I. 234, 236 (C.S.)
68. *Commission scolaire de la Côte-du-Sud* c. *Construction Cloutier et Fils Inc.*, *supra*, note 66, p. 444 et *Commission scolaire Saint-Jérôme* c. *Alco-Teck Électrique Inc.*, *ibid.*
69. « Il est [...] aisément concevable qu'un immeuble appelé école soit vendu, un autre acheté, un autre loué puisqu'ils ne sont que des accessoires de l'obligation publique qu'est l'instruction. Si la mission est publique, les biens nécessaires à celle-ci ne le sont pas nécessairement. » (*Commission scolaire Port-Royal* c. *L. Martin (1984) Inc.*, *supra*, note 58, p. 922 (juge Chouinard).

La situation des sociétés d'État est plus complexe. Même si leurs biens peuvent faire partie du domaine public, les lois constitutives de ces sociétés créent fréquemment des dérogations qui ont pour effet de les priver, au moins partiellement, des avantages du régime juridique applicable au domaine public[70] (*infra*, section 2).

2. RÉGIME JURIDIQUE

Prérogatives – Les biens du domaine public sont, à plusieurs égards, soumis à un régime juridique exorbitant du droit commun. Leur situation singulière découle notamment des prérogatives dont bénéficie l'État. En effet, les biens qui appartiennent à l'État, de même que ceux des personnes morales de droit public affectés à l'utilité publique sont, en principe, imprescriptibles, insaisissables et jouissent d'une immunité fiscale.

L'*imprescriptibilité* des biens du domaine public, clairement énoncée dans le Code (916 (2) C.c.Q.), découle de la maxime bien connue: *nullum tempus occurrit regi* (Aucun délai de prescription n'affecte le roi). Elle protège autant les immeubles que les meubles[71]. Aucun bien de l'État ne peut donc être l'objet d'une possession pouvant conduire à une prescription. Nul ne pourrait davantage intenter une action possessoire contre l'État[72].

L'*insaisissabilité* rend impossible la constitution d'une hypothèque sur les biens du domaine public, ainsi que la saisie des biens du domaine à la suite d'un jugement rendu contre l'État (2645 et 2668 (1) C.c.Q.; 94.9 C.p.c.). Il arrive, par ailleurs, que certaines lois constitutives de sociétés d'État prévoient que même si les biens d'une société font partie du domaine public, l'exécution des obligations de la société est possible sur ses biens[73].

Une *immunité fiscale* met les biens du domaine public à l'abri de l'impôt foncier ainsi que le précise l'article 125 de la *Loi constitution-*

70. *Procureur général du Québec* c. *Villeneuve*, [1996] R.J.Q. 2199, 2212-2217 (C.A.) (juge Rousseau-Houle, opinion partagée par le juge Philippon).
71. *Young* c. *Musées nationaux du Canada*, [1984] C.S. 651.
72. « [...] le Lac St-Jean navigable et flottable dans presque toute son étendue est, comme telle, une dépendance du domaine public hors de commerce et partant soustraite au domaine des actions possessoires » (*Girard* c. *Price Bros. Co. Ltd.*, (1929) 35 R.L.n.s. 132, 136 (C.S.)).
73. *Loi sur la Société des loteries du Québec*, L.R.Q., c. S-13.1, art. 4, *Loi sur la Société du Palais des congrès de Montréal*, L.R.Q., c. S-14.1, art. 3 et *Procureur général du Québec* c. *Villeneuve*, *supra*, note 70.

nelle de 1867: « Nulle terre ou propriété de la Couronne appartenant au Canada ou à aucune province en particulier ne sera sujette à la taxation »[74]. Par ailleurs, les gouvernements fédéral[75] et québécois[76] versent annuellement aux municipalités des sommes d'argent en lieu et place des taxes foncières auxquelles l'un et l'autre gouvernements seraient normalement assujettis pour leurs immeubles situés sur le territoire d'une municipalité donnée.

Inaliénabilité – En principe, les biens du domaine public sont considérés inaliénables. La législation autorise toutefois les différents paliers de gouvernements à se départir des biens du domaine public moyennant le respect de certaines conditions[77].

Présomptions – L'État bénéficie de quelques présomptions en faveur de ses biens. Il jouit, en effet, d'une présomption de non-concession des biens du domaine public[78]. Cette présomption peut être renversée par l'emploi de termes exprès dans un acte de concession. Dans un cas d'ambiguïté, la présomption joue à l'avantage de l'État. De plus, les titres sur les biens de l'État sont présumés (918 C.c.Q.). Cette présomption d'existence des titres de l'État est maintenue jusqu'à ce que soit présenté un titre privé à l'effet contraire[79].

Superposition de droits – Par rapport à la propriété privée, la propriété publique ne se caractérise pas par l'exclusivité d'utilisation. Les droits des Autochtones sur une partie importante du territoire québécois l'attestent avec éloquence[80]. Par ailleurs, il est fréquent que le

---

74. Voir aussi : *Loi sur la fiscalité municipale*, L.R.Q., c. F-2.1, art. 204, 1° et 1.1°.
75. *Loi sur les subventions aux municipalités*, L.R.C. (1985), c. M-13 et *Règlement de 1980 sur les subventions aux municipalités*, DORS/81-29; *Règlement sur les subventions versées par les sociétés de la Couronne*, DORS/81-1030 et *Règlement sur les versements provisoires et les recouvrements*, DORS/81-226.
76. *Loi sur la fiscalité municipale*, *supra*, note 74, art. 254, 255, 257 et 262 et *Règlement sur la participation gouvernementale au financement des corporations municipales*, R.R.Q., c. F-2.1, r. 7, art. 2 et 5.
77. Pour les biens de l'État fédéral, voir : *Loi sur la gestion des finances publiques*, L.R.C. (1985), c. F-11, art. 61. (1); *Loi sur les immeubles fédéraux*, L.R.C. (1985), c. F-8.4 et *Règlement concernant les immeubles fédéraux*, DORS/92-502. Pour les biens de l'État québécois, voir : *Loi sur le régime des eaux*, L.R.Q., c. R-13, art. 2 et 2.1; *Loi sur les terres du domaine public*, supra, note 17, art. 34 à 40.2 et *Loi sur la Société immobilière du Québec*, L.R.Q., c. S-17.1, art. 18. Pour les biens des municipalités, voir : *Loi sur les cités et villes*, L.R.Q., c. C-19, art. 28 (2.1°); *Code municipal*, L.R.Q., c. C-27.1, art. 6 (1.1°) et *Loi sur la vente des services publics municipaux*, L.R.Q., c. V-4.
78. *Société du port de Québec* c. *Lortie-Côté*, *supra*, note 7, p. 33 (juge Dussault).
79. Henri Brun et Guy Tremblay, *Droit constitutionnel*, 3e éd., Cowansville, Les Éditions Yvon Blais Inc., 1997, p. 93.
80. *Procureur général du Québec* c. *Sioui*, [1990] 1 R.C.S. 1025, 1073 (juge Lamer).

gouvernement accorde à des particuliers des droits qui, s'ils ne sont pas concurrents, peuvent à tout le moins se superposer à ceux de l'État.

Expropriation – L'État possède un pouvoir exorbitant du droit commun, soit la possibilité d'exproprier la propriété privée pour cause d'utilité publique (952 C.c.Q.). Des personnes morales de droit public, comme les municipalités ou Hydro-Québec[81], possèdent également un tel pouvoir. Une juste indemnité doit être versée au propriétaire en contrepartie de la perte de son droit de propriété.

Inscription des droits réels – Les droits réels de l'État, lorsqu'ils portent sur des immeubles situés à l'intérieur de la partie du territoire qui a été cadastrée, font l'objet d'inscriptions dans les registres des bureaux de la publicité des droits réels. Chaque bureau tient, par ailleurs, un registre où sont inscrits les droits réels d'exploitation des ressources de l'État qui ont été cédés à des particuliers (3031 et 3039-3040 C.c.Q.)[82]. Ces droits donnent également lieu à une inscription dans une quinzaine de registres tenus par différents ministères[83]. Ainsi, le ministère des Ressources naturelles tient son propre registre des droits miniers, réels et immobiliers[84], ainsi que le terrier, un registre dans lequel sont enregistrés les différents droits fonciers cédés ou acquis par l'État[85]. Ce même ministère est présentement à mettre sur pied un système de publicité qui permettra de centraliser l'ensemble des données concernant les droits qui affectent le domaine public. La banque de données projetée, accessible au public au moyen du réseau internet, fournira une description des droits existants et en donnera une représentation graphique[86].

3. GESTION

Dans le but d'assurer une gestion efficace et adéquate du domaine public, l'État a identifié des gestionnaires à qui il a confié cette charge. Dans la poursuite des objectifs qui leur ont été fixés, ces gestionnaires sont appelés à poser des gestes de différentes natures. Il sera ici fait mention des efforts de l'Administration afin de préserver certaines parties du domaine public et aussi de l'octroi de droits sur le domaine public à des particuliers.

81. *Loi sur Hydro-Québec*, L.R.Q., c. H-5, art. 33, 3°.
82. Ce registre est utilisé pour publier des claims et des droits miniers.
83. Laval Pineault, « EDIT, la réforme de la publicité foncière sur les terres publiques », *Géomatique*, vol. 25, n° 5 (février 1999), p. 6.
84. *Loi sur les mines*, *supra*, note 45, art. 11.
85. *Loi sur les terres du domaine public*, *supra*, note 17, art. 26.
86. Laval Pineault, *supra*, note 83.

3.1 Les gestionnaires

Même si le domaine public de l'État forme un tout, sa gestion se doit, pour des raisons d'efficacité, d'être confiée à différents intervenants, en l'occurrence des ministères ou des personnes morales de droit public[87].

Le ministère des Ressources naturelles demeure le premier gestionnaire du domaine foncier au Québec. Ses responsabilités portent sur le territoire, les cours d'eau et les ressources naturelles[88]. Il lui revient de veiller à l'exploitation rationnelle des biens du domaine public. Pour sa part, le ministère de l'Environnement et de la Faune a pour mission de s'assurer de la protection de parties du domaine public que l'État souhaite préserver, tels les parcs et les réserves[89].

Le gouvernement peut aussi transférer une partie des biens du domaine public à des personnes morales de droit public. La Société des établissements de plein air du Québec a ainsi pour mission d'administrer, d'exploiter et de développer des équipements, des immeubles ou des territoires à vocation récréative ou touristique[90]. Pour sa part, la Société immobilière du Québec est chargée de mettre des immeubles à la disposition des ministères et des organismes publics. Elle en assume également la gestion[91].

Il revient au curateur public de voir à l'administration provisoire des biens devenus propriété de l'État par déshérence ou par confiscation définitive[92].

3.2 La protection

Des espaces du domaine public, dont l'étendue varie suivant les situations, peuvent être affectés par le gouvernement comme parcs ou réserves. La surface du territoire protégé des activités industrielles correspond à seulement 4,2 % de la superficie totale du Québec[93].

---

87. La juge Rousseau-Houle précise dans un arrêt de la Cour d'appel que les personnes morales qui agissent à titre de mandataires du gouvernement et dont les biens font partie du domaine public suivant leurs lois constitutives ont la possession et non la propriété des biens qu'elles gèrent : *Procureur général du Québec* c. *Villeneuve*, *supra*, note 70, p. 2213.
88. *Loi sur le ministère des Ressources naturelles*, L.R.Q., c. M-25.2, art. 12.
89. *Loi sur le ministère de l'Environnement et de la Faune*, L.R.Q., c. M-15.2.1, art. 11, 4°.
90. *Loi sur la Société des établissements de plein air du Québec*, L.R.Q., c. S-13.01, art. 3, 18 et 22.
91. *Loi sur la Société immobilière du Québec*, *supra*, note 77, art. 3, 18 et 26.
92. *Loi sur le curateur public*, *supra*, note 52, art. 24.
93. Danielle Cantin, « Portrait statistique des forêts québécoises : de la foresterie à la conservation », dans Danielle Cantin et Catherine Potvin (dir.), *L'utilisation durable des forêts québécoises : de l'exploitation à la protection*, Québec, P.U.L., 1996, p. 16-23.

Parcs – Les parcs constituent des espaces naturels, faisant partie du domaine public, que l'État destine à des fins de conservation ou de récréation[94]. De manière à préserver la mission d'un parc, la loi interdit que des personnes s'y adonnent à la chasse ou au piégeage. De plus, l'exploitation des ressources naturelles comprises dans le parc est prohibée[95]. La réglementation précise les conditions dans lesquelles les activités permises dans le parc peuvent se dérouler. Toute abolition d'un parc ou modification à ses limites ou à sa classification doit donner lieu, au préalable, à une audience publique permettant aux personnes intéressées à présenter leur point de vue de le faire[96].

Réserves – L'État crée des réserves afin de protéger certains habitats naturels. Les *réserves écologiques* sont formées de terres du domaine public que le gouvernement entend conserver à l'état naturel, réserver à la recherche scientifique ou à l'éducation ou encore utiliser afin de sauvegarder des espèces fauniques et floristiques menacées ou vulnérables[97]. Les aires ainsi protégées, de superficie réduite, présentent chacune des singularités qui les distinguent les unes des autres. Il peut s'agir d'un marécage, d'une tourbière, d'une forêt, de plantes ou d'animaux rares. L'objectif premier des réserves écologiques étant la conservation intégrale d'aires naturelles, les accès y sont limités pour des fins de recherche et d'éducation. Les *réserves fauniques*, établies totalement ou partiellement sur des terres du domaine public, sont vouées « à la conservation, à la mise en valeur et à l'utilisation de la faune »[98]. Des activités de chasse, de piégeage et de pêche, de même que des activités récréatives sont permises dans ces réserves[99]. Finalement, les *refuges fauniques*, qui peuvent être établis sur des terres domaniales, cherchent à conserver des habitats fauniques particuliers[100].

3.3 L'octroi de droits sur le domaine public

Dans l'ensemble de la législation québécoise, plusieurs lois permettent à divers ministères et organismes gouvernementaux de conférer à des particuliers des droits de différentes natures sur le domaine public. Ces droits vont du droit de propriété au droit personnel en passant par le démembrement du droit de propriété. L'octroi de droits sur le domaine public permet à la personne qui en bénéficie de se livrer à

94. *Les sur les parcs, supra*, note 18, art. 2.
95. *Ibid.*, art. 7.
96. *Ibid.*, art. 4.
97. *Loi sur les réserves écologiques*, L.Q. 1993, c. 32, art. 1.
98. *Loi sur la conservation et la mise en valeur de la faune*, L.R.Q., c. C-61.1, art. 111.
99. *Ibid.*, art. 121.
100. *Ibid.*, art. 122.

diverses activités suivant la teneur de son titre. Elle peut ainsi s'établir sur une terre, exploiter les ressources naturelles du sous-sol ou, plus simplement, utiliser le domaine public aux fins prévues par la loi.

3.3.1 Droits d'exploitation des ressources

L'État accorde des droits d'exploitation de ses biens à différentes personnes. Ces droits concernent notamment les richesses naturelles, telles les forêts, les mines et les eaux. Cette façon particulière d'exploiter le domaine public est utilisée surtout depuis le milieu du XIXe siècle.

3.3.1.1 Les forêts

Historique – Au XIXe siècle, les gouvernements trouvent alors normal de confier l'exploitation des forêts publiques à l'entreprise privée. Tenants du libéralisme, ils exercent peu de contrôle sur les concessionnaires. Ils se réjouissent de pouvoir compter sur les revenus des concessions pour combler les besoins de l'État[101]. Les débuts de l'exploitation des forêts publiques se heurtent aux prétentions des Amérindiens sur d'importantes parties du territoire. L'exploitation forestière, longtemps limitée à la zone de la colonisation française, s'étend peu à peu jusqu'à toucher les terres où des Amérindiens s'adonnent à des activités traditionnelles. L'Outaouais est la première région périphérique touchée[102], suivie des régions du Saguenay, du Lac-Saint-Jean et de la Côte-Nord[103]. Une commission gouvernementale constituée en 1842 pour se pencher sur certains problèmes touchant les Amérindiens établit un lien direct entre les activités des entreprises forestières et la dépossession subie par les Amérindiens de leur territoire de chasse[104].

Exploitation – Lentement les gouvernements en viennent à mieux contrôler les activités des concessionnaires de droits sur les forêts publiques. Aujourd'hui, l'exploitation de la forêt publique a considérablement changé. Le rôle des sociétés privées demeure central dans

---

101. Jean Hamelin et Yves Roy, *Histoire économique du Québec, 1851-1896*, Montréal, Fides, 1971, p. 209 et 214.
102. *Ibid.*, p. 207-208.
103. Hélène Bédard, *Les Montagnais et la réserve de Betsiamites, 1850-1900*, Québec, Institut québécois de recherche sur la culture, 1988, p. 25-26.
104. Legislative Assembly of the Province of Canada, « Report on the Affairs of the Indians in Canada », dans *Journals of the Legislative Assembly of the Province of Canada*, 2e Parlement, 3e session, 1847, appendice T, Section III, III-Lands, 1. Title to Lands.

l'exploitation des forêts, mais les activités forestières font désormais l'objet d'un encadrement plus strict.

Les contrats octroyés par le ministère des Ressources naturelles portent à la fois sur l'approvisionnement en matière ligneuse et sur l'aménagement forestier. Les personnes qui en bénéficient doivent nécessairement détenir une usine de transformation du bois. Le bénéficiaire d'un tel contrat acquiert le droit de récolter, chaque année, sur un territoire donné, un volume déterminé de bois rond, appartenant à une ou plusieurs essences[105]. Il est également tenu d'exécuter des travaux de traitements sylvicoles dont la teneur est décrite dans le contrat. Des droits doivent être payés par le bénéficiaire. Ils peuvent être versés en argent ou prendre la forme de traitements sylvicoles[106]. Le contrat d'approvisionnement et d'aménagement est incessible[107].

Malgré les obligations qui balisent désormais les activités des concessionnaires, les politiques gouvernementales font l'objet de vives critiques de groupes écologistes qui remettent en question les modes d'exploitation des forêts[108]. De plus, des revendications territoriales des Amérindiens concernent de vastes zones du domaine public qui souvent donnent lieu à une exploitation intensive par des sociétés forestières[109].

3.3.1.2 Les mines

Le Québec met du temps à exploiter les *substances minérales* que renferme son sous-sol. La méconnaissance du territoire, l'absence de sources d'énergie, les difficultés de communication et l'insuffisance du marché local expliquent ce retard[110]. L'industrie minière prend finalement son essor après la Première Guerre Mondiale.

Accès au domaine public – Malgré les nombreux changements apportés à la *Loi sur les mines*, le législateur québécois est toujours demeuré fidèle au principe du « free mining » qui domine la législation minière depuis le siècle dernier. En vertu de ce principe, l'État accorde

105. *Loi sur les forêts*, L.R.Q., c. F-4.1, art 42.
106. *Ibid.*, art. 71 et 73.1.
107. *Ibid.*, art. 39.
108. Les doléances de Greenpeace Canada sont à cet égard représentatives des opinions véhiculées par de tels groupes; voir le site internet de l'organisation à l'adresse électronique suivante : http://www.greenpeacecanada.org/.
109. Sur les conceptions des Autochtones dans l'exploitation de la forêt, consulter le site internet de l'Assemblée des premières nations à l'adresse électronique suivante : http://www.fnc.ca/nafa/nafa.html.
110. Jean Hamelin et Yves Roby, *supra*, note 101, p. 245-259.

à des particuliers l'accès au domaine public dans le but d'y rechercher des substances minérales et reconnaît au premier découvreur le droit d'exploiter les substances trouvées. Par ailleurs, les activités concernant la recherche ou l'exploitation de substances minérales contenues dans les terres du domaine public nécessitent l'obtention de permis, de baux ou de concessions.

Procédure – Pour explorer un territoire dans le but d'y découvrir des substances minérales, il est nécessaire de détenir un titre d'exploration, soit un « claim ». Ce titre confère à celui qui le détient « le droit exclusif de rechercher des substances minérales sur le terrain qui en fait l'objet »[111], à l'exception notamment du pétrole, du gaz naturel et de la saumure et des substances minérales de surface. Un claim s'obtient par désignation sur carte ou par jalonnement. Selon la première méthode, un demandeur désigne au ministère des Ressources naturelles la portion du territoire qu'il désire, et ce, en référant à des cartes conservées par le registraire du ministère[112]. Le jalonnement exige qu'une personne se rende sur le terrain convoité, en parcourt le périmètre, et plante des piquets aux extrémités du lot. Par la suite, le claim obtenu par jalonnement doit donner lieu à un avis au ministère[113]. Le recours à l'une ou l'autre méthode est fonction d'un découpage préétabli du territoire du Québec[114]. La durée de validité d'un claim est de deux ans[115]. Le claim permet à son titulaire de recueillir des substances minérales pour des fins d'études[116]. L'exploitation d'une mine exige, au préalable, la conclusion d'un bail minier ou l'obtention d'une concession minière[117].

Dans le cas des hydrocarbures (pétrole, gaz naturel, saumure et réservoir souterrain), il faut d'abord obtenir un permis de recherche et ensuite, sur démonstration de la présence d'un gisement ou d'un réservoir souterrain économiquement rentable, un bail d'exploitation[118].

3.3.1.3 Les ressources hydriques

Au milieu du XIXe siècle, l'utilisation et l'exploitation des *cours d'eau* devient de plus en plus nécessaire au développement de l'industrie

---

111. *Loi sur les mines*, *supra*, note 45, art. 64; sur le claim, voir : Jean-Paul Lacasse, *Le claim en droit québécois*, Ottawa, Éditions de l'Université d'Ottawa, 1976, 254 p.
112. *Ibid.*, art. 47.
113. *Ibid.*, art. 44 et 46.
114. *Ibid.*, art. 60.1.
115. *Ibid.*, art. 61 (1).
116. *Ibid.*, art. 69.
117. *Ibid.*, art. 100.
118. *Ibid.*, art. 165-206.

du sciage et du flottage du bois[119]. Le législateur intervient alors afin de faciliter l'usage des cours d'eau au bénéfice des propriétaires riverains[120].

En vertu de la *Loi sur le régime des eaux*, toute personne qui désire construire un ouvrage sur un cours d'eau ou un lac faisant partie du domaine public doit, au préalable, obtenir de l'État l'aliénation, la location ou l'émission d'un permis d'occupation de l'immeuble concerné[121]. Le titulaire de ces droits pourra, par la suite, édifier diverses constructions, notamment des barrages.

Par ailleurs, la cession des forces hydrauliques du domaine public est en principe prohibée, sauf au bénéfice d'Hydro-Québec pour l'édification d'une centrale hydro-électrique[122]. Toutefois, la location de forces hydrauliques par le ministre des Ressources naturelles est possible suivant certaines conditions. La location des forces hydrauliques nécessaires à la construction d'une centrale hydroélectrique d'une puissance supérieure à 25 mégawatts exige une autorisation donnée par une loi. Cette autorisation est accordée par décret du gouvernement lorsque la puissance de la centrale est de 25 mégawatts ou moins ou lorsque le locataire est une municipalité[123]. Cette dernière hypothèse s'applique à la construction et à l'exploitation des petites centrales de production d'hydroélectricité par un producteur privé[124].

Le locataire d'un bail consenti en vertu de la *Loi sur le régime des eaux* a le droit de poursuivre toute personne qui possède illégalement ou empiète sur les terrains sur lesquels porte le bail[125].

---

119. Lorne Giroux, Marie Duchaîne, Gilbert-M. Noreau et Johanne Vézina, « Le régime juridique applicable aux ouvrages de retenue des eaux au Québec », (1997) 38 *C. de D.* 3, 8-9.
120. *Acte pour autoriser l'exploitation des cours d'eau*, S.P.C., 1856, c. 104.
121. *Loi sur le régime des eaux*, *supra*, note 77, art. 6.
122. *Ibid*, art. 3 et *Loi sur Hydro-Québec*, *supra*, note 81, art. 32.
123. *Loi sur le régime des eaux*, *supra*, note 77, art. 3 et *Règlement sur la location des terres du domaine public aux fins de l'aménagement, de l'exploitation et du maintien d'une centrale de production d'hydroélectricité de 25 MW et moins par un producteur privé*, R.R.Q., c. T-8.1, r. 4.1.
124. Voir par, exemple : *Décret concernant la cession d'ouvrages et la location de forces hydrauliques et autres droits immobiliers en faveur d'Innergex, société en commandite, pour maintenir et exploiter une centrale hydroélectrique sur la rivière Chaudière, aux Chutes-de-la-Chaudière, MRC Les chutes-de-la-Chaudière*, décret 175-98 (17 février 1998), *Gazette officielle du Québec*, vol. 122, nº 11 (11 mars 1998), p. 1531-1532.
125. *Loi sur le régime des eaux*, *supra*, note 77, art. 4.

3.3.2 Droits d'utilisation

Des terres du domaine public peuvent être louées à des particuliers[126]. Lors d'une location pour des fins de villégiature, le locataire acquiert le droit de construire une seule habitation sur la terre louée. La durée d'un bail de cette nature ne peut excéder quatre ans[127]. Une personne qui occupe sans droit une terre publique peut être forcée de la délaisser à la suite d'une ordonnance rendue par la Cour supérieure et de remettre les lieux dans leur état[128]. L'occupant n'a pas à être compensé pour les améliorations apportées à l'immeuble. Les règles du droit commun en matière d'impenses ne s'appliquent donc pas, et ce, même à l'égard du possesseur de bonne foi[129].

L'État accorde, par le seul effet de la loi, un droit de passage sur les terres du domaine public. Ce droit peut toutefois se voir limiter par une loi ou un règlement[130]. Un droit de circuler sur un chemin forestier est également accordé à toute personne[131].

Bibliographie

BEAULIEU, Berthier et Bernard FOURNIER. *La délimitation du domaine hydrique*. Cours exclusifs de formation continue dispensés à Montréal et à Québec aux membres de l'Ordre des arpenteurs-géomètres du Québec. Janvier 1999. 47 p.

BOUFFARD, Jean. *Traité du domaine*. Québec, Le Soleil, 1922.

BRUN, Henri. « Le droit québécois et l'eau (1663-1969) », dans *Le territoire du Québec : six études juridiques*. Sainte-Foy, P.U.L., 1973, p. 147-203.

BRUN, Henri et Guy TREMBLAY. *Droit constitutionnel*. 3e éd. Cowansville, Les Éditions Yvon Blais Inc., 1997. liv, 1403 p.

126. *Loi sur les terres du domaine public*, *supra*, note 17, art. 47. Les modèles de baux utilisés se trouvent sur le site internet du ministère à l'adresse électronique suivante : http://www.mrn.gouv.qc.ca/5/52/525/intro.asp.
127. *Règlement sur la vente, la location et l'octroi de droits immobiliers sur les terres du domaine public*, R.R.Q., c. T-8.1, r. 6, art. 29 et 25.
128. *Loi sur les terres du domaine public*, *supra*, note 17, art. 60-62.1; *Procureur général du Québec* c. *Bélanger*, [1993] R.D.I. 594 (C.A.) et *Procureur général du Québec* c. *Fleury*, [1998] R.D.I. 306 (C.S.), les conclusions pourraient être différentes si par ses agissements l'Administration avait incité une personne à occuper le domaine public pour refuser par la suite de régulariser sa situation : *Procureur général du Québec* c. *Parent*, [1999] R.D.I. 292, 298 (C.S.), en appel.
129. *Procureur général du Québec* c. *Péloquin*, C.S. Richelieu, no 765-05-000160-926, 5 janvier 1999 (J.E. 99-1537).
130. *Loi sur les terres du domaine public*, *supra*, note 17, art. 53.
131. *Loi sur les forêts*, *supra*, note 105, art. 31 et 33.

COSSETTE, André. « Le sens de la locution *usque ad medium filum aquæ* », (1992-1993) 95 *R. du N.* 360-381.

CUGNET, François-Joseph. *Traité de la Loi des fiefs*. Québec, Brown, 1775. 71 p.

DECHÊNE, Louise. « L'évolution du régime seigneurial au Canada. Le cas de Montréal aux XVIIe et XVIIIe siècles », (1971) 12 *Recherches sociographiques*, 143-183.

DÉPATIE, Sylvie, LALANCETTE, Mario et Christian DESSUREAULT. *Contributions à l'étude du régime seigneurial canadien*. LaSalle, Éditions Hurtubise HMH, 1987. XV, 290 p.

DUSSAULT, René et Louis BORGEAT. *Traité de droit administratif*. 2e éd. Tome II. Québec, P.U.L., 1986. xvi, 1393 p.

GARANT, Patrice. *Droit administratif*. 4e éd. Cowansville, Les Éditions Yvon Blais Inc., 1996. 2 vol.

GIROUX, Lorne, DUCHAÎNE, Marie, NOREAU, Gilbert-M. et Johanne VÉZINA. « Le régime juridique applicable aux ouvrages de retenue des eaux au Québec », (1997) 38 *C. de D.* 3.

HAMELIN, Jean et Yves ROBY. *Histoire économique du Québec, 1851-1896*. Montréal, Fides, 1971. xxxvii, 436 p.

HUTCHINS, Peter et Patrick J. KENNIFF. « La dualité domaniale en matière municipale », (1971) 12 *C. de D.* 477-501.

KIERAN, Yvette Marie. « Histoire d'eau. Guide à l'intention des notaires », (1995-1996) 98 *R. du N.* 145-202.

LABRECQUE, Pierre. *Le domaine public foncier au Québec : traité de droit domanial*. Cowansville, Les Éditions Yvon Blais Inc., 1997. xxxiv, 439 p.

LACASSE, Jean-Paul. *Le claim en droit québécois*. Ottawa, Éditions de l'Université d'Ottawa, 1976. 254 p.

LAMONTAGNE, Denys-Claude. *Le droit minier : tentative de conciliation du Code civil du Québec, de la Loi sur les mines et d'autres lois complémentaires relativement aux droits du propriétaire dans le sol et le sous-sol*. Montréal, Les Éditions Thémis Inc., 1998. xii, 140 p.

LAURENDEAU, Olivier. « Droits riverains : le cas des battures », (1980-1981) 83 *R. du N.* 251-311.

Le ROY, Étienne. « L'appropriation et les systèmes de production », dans Émile Le Bris, Étienne Le Roy et Paul Mathieu (dir.). *L'appropriation de la terre en Afrique noire*. Paris, Éditions Karthala, 1991, p. 27-35.

LORD, Guy (dir.). *Le droit québécois de l'eau*. Québec, Ministère des Richesses naturelles, 1977. 2 vol.

LOYSEAU, Charles. « Les traitez des seigneuries », dans *Les œuvres de maistre Charles Loyseau, avocat en Parlement*. Lyon, Compagnie des Libraires, 1701.

MARCIL, Isabelle. « La ligne des hautes eaux, critère de délimitation du domaine hydrique québécois », *Arpenteur-géomètre*, vol. 23, n° 5 (février 1997), p. 3-8.

MARQUIS, Paul-Yvan. « La tenure seigneuriale dans la province de Québec », dans *Répertoire de droit – Titres immobiliers*, doctrine, document 4 (1987).

OTIS, Ghislain. « Le diptyque Côté-Adams ou la préséance de l'ordre établi dans le droit postcolonial des peuples autochtones », (1997) 8 *Forum constitutionnel* 70-78.

PINEAULT, Laval. « EDIT, la réforme de la publicité foncière sur les terres publiques », *Géomatique*, vol. 25, n° 5 (février 1999).

TASCHEREAU, André. « Les rivières de la province de Québec », (1964) 10 *McGill L. J.* 203-216.

Expressions et maximes latines usuelles en droit des biens[1]

Jus in re: Droit dans la chose (*Roy* c. *Procureur général du Québec*, C.A.Q. n° 200-09-000215-902, 24 mai 1995, [1995] A.Q. (Quicklaw) n° 459 (juge Baudouin)).

Jus abutendi: Droit de disposer (François Frenette, « Du droit de propriété : certaines de ses dimensions méconnues », (1979) 20 *C. de D.* 439, 446).

Jus fruendi: Droit aux fruits (François Frenette, « Du droit de propriété : certaines de ses dimensions méconnues », (1979) 20 *C. de D.* 439, 446).

Jus utendi: Droit d'usage (François Frenette, « Du droit de propriété : certaines de ses dimensions méconnues », (1979) 20 *C. de D.* 439, 445).

Neminem lædit qui suo jure utitur: Celui qui use de son droit ne nuit à personne (*Katz* c. *Reitz*, [1973] C.A. 230, 237 (juge Lajoie)).

Nemini res sua servit: On ne peut avoir de servitude sur son propre fonds (*Digeste*, 8, 2, 26 et *Procureur général du Québec* c. *Lebeau*, [1982] C.A. 482, 483 (juge Monet)).

Nemo plus juris ad alium transferre potest quam ipse habet: Nul ne peut céder à autrui plus de droit qu'il n'en a lui-même (*Singer Sewing Machine Co. of Canada* c. *Singh*, C.S.M. n° 500-05-018252-930, 1er décembre 1995, [1995] A.Q. (Quicklaw) n° 1095, par. 32.

Non œdificandi: Défense de construire (*Leduc* c. *Sauvé*, [1955] B.R. 85, 88 (juge St-Jacques)).

Non altius tollendi: Défense de surélever (*Dubé* c. *Couture*, [1989] R.J.Q. 1775, 1778-1779 (C.A.) (juge Hannan)).

Nullum tempus occurrit regi: Aucun délai de prescription n'affecte le roi (René Dussault et Louis Borgeat, *Traité de droit administratif*, 2e éd., tome II, Québec, P.U.L., 1986, p. 19).

---

1. Les traductions proviennent des ouvrages suivants : Albert Mayrand, *Dictionnaire de maximes et locutions latines utilisées en droit*, 3e éd., Cowansville, Les Éditions Yvon Blais Inc., 1994, 575 p. et Henri Roland et Laurent Boyer, *Locutions latines du droit français*, Paris, Litec, 1998, xvii, 566 p.

Plena in re potestas: Plein pouvoir sur la chose (François Frenette, « Du droit de propriété : certaines de ses dimensions méconnues », (1979) 20 *C. de D.* 439).

Qui certat de damno vitando: Celui qui lutte pour éviter une perte » (*Paquet* c. *Blondeau*, (1914) 23 B.R. 330, 336 (juge en chef Archambeault)).

Quod solo inædificatur, solo cedit: Ce qui est édifié sur le sol, s'incorpore au sol (*Lower St. Lawrence Power Co.* c. *Immeuble Landry ltée*, [1926] R.C.S. 655, 668 (juge Rinfret)).

Res communis: Chose commune (*Gravel* c. *Carey Canadian Mines Ltd.*, [1982] C.S. 1097, 1102 (juge Bernier)).

Res nullius: Bien sans maître (*Beaudoin* c. *Rancourt*, C.P. Beauce, n° 02-000666-76, p. 7 (juge Gobeil), [1977] C.P. 217 (résumé)).

Servitus in patiendo non in faciendo consistit: La servitude consiste à subir, non à faire (*Président et syndics de la commune de Berthier* c. *Denis*, (1896-1897) 27 R.C.S. 147, 153-154 (juge en chef Strong)).

Sic utere tuo ut alienum non lædas: Use de tes biens de manière à ne pas nuire à autrui (*Katz* c. *Reitz*, [1973] C.A. 230, 237) et *Drysdale* c. *Dugas*, (1896) 26 R.C.S. 20, 23 (juge en chef Strong)).

Usque ad medium filum aquæ: Jusqu'au milieu du cours d'eau (*Turgeon* c. *Dominion Tar & Chemical Company Ltd.*, [1972] C.S. 647, 649 (juge Dorion)).

Vis attractiva: Pouvoir d'attraire (François Frenette, *De l'emphytéose*, Montréal, Wilson & Lafleur ltée/Sorej, 1983, p. 87-88 et 264).

Bibliographie citée et consultée

1. LÉGISLATION

1.1 Traités internationaux

Accord de 1979 régissant les activités des États sur la lune et les autres corps célestes, 5 décembre 1979, art. II, dans (1980) 5 *Annales de droit aérien et spatial* 705. **13**

Convention des Nations Unies sur le droit de la mer, 1982. (http://www.un.org/french/law/los/losfcon1.htm). **13**

Convention pour la protection du patrimoine mondial culturel et naturel, 16 novembre 1972, dans *Un patrimoine pour tous : les principaux sites naturels, culturels et historiques dans le monde*, Paris, UNESCO, 1984. **13**

Convention relative à la loi applicable au trust et à sa reconnaissance, Conférence de La Haye de droit international privé, 1er juillet 1985. (http://www.hcch.net/f/conventions/text30f.html). **323**

Convention sur la vente internationale de marchandises (Vienne, 1980). (http://rw20hr.jura.uni-sb.de/scripts/webplus.exe?Script=/webplus/Normen/EinzelGliederung.wml). **74**

1.2 Loi du Royaume-Uni

Loi constitutionnelle de 1867, U.K., 1867, c. 3. **361**

1.3 Lois fédérales

Charte canadienne des droits et libertés, L.R.C. (1985), App. II, annexe B, partie I, n° 44. **157**

Code criminel, L.R.C. (1985), c. C-46. **126**

Loi canadienne sur la protection de l'environnement, L.R.C. (1985), c. C-15.3. **63**

1.4 Lois québécoises

Loi concernant la pêche et les pêcheries, S.Q. 1899, c. 23. **369**

Loi concernant la Régie intermunicipale de gestion des déchets sur l'île de Montréal, L.Q. 1990, c. 95. **66**

Loi concernant les droits sur les mutations immobilières, L.R.Q., c. D-15.1. **141**

Loi concernant les immeubles situés au 3470 et 3480 rue Simpson à Montréal, L.Q. 1984, c. 80. **204**

Loi concernant une fiducie constituée au bénéfice de Phyllis Barbara Bronfman, L.Q. 1985, c. 66. **337**

Loi créant la Fondation Jean-Charles-Bonenfant, L.Q. 1978, c. 101. **331**

Loi favorisant la protection des eaux souterraines, L.Q. 1998, c. 25.

Loi favorisant la réforme du cadastre québécois, L.R.Q., c. R-3.1. **283**

Loi modifiant, en matière de sûretés et de publicité des droits, la Loi sur l'application de la réforme du Code civil et d'autres dispositions législatives, L.Q. 1995, c. 33.

Loi modifiant la Loi des cités et villes 1922, S.Q. 1924, c. 55. **106**

Loi modifiant le Code civil au sujet de l'enregistrement de certaines servitudes, S.Q. 1916, c. 34. **280**

Loi modifiant le Code civil en matière de copropriété et d'emphytéose, L.Q. 1988, c. 16. **238**

Loi modifiant le Code civil et d'autres dispositions législatives relativement à la publicité foncière, L.Q. 2000, c. 42. **279, 312**

Loi modifiant le Code de procédure civile et d'autres dispositions législatives, L.Q. 1984, c. 26. **234**

Loi relative aux constituts et au régime de tenure dans la cité de Hull, S.Q. 1924, c. 99. **186**

Loi sur Hydro-Québec, L.R.Q., c. H-5. **252, 376, 382**

Loi sur l'accès aux documents des organismes publics et sur la protection des renseignements personnels, L.R.Q., c. A-2.1. **53**

Loi sur l'accès aux renseignements personnels dans le secteur privé, L.R.Q., c. P-39.1. **53**

Loi sur l'aménagement et l'urbanisme, L.R.Q., c. A-19.1. **97, 99, 126**

Loi sur l'application de la réforme du Code civil, L.Q. 1992, c. 57. **57, 170, 181, 262, 308, 312, 314**

Loi sur l'assurance-dépôts, L.R.Q., c. A-26. **356**

Loi sur l'instruction publique, L.R.Q., c. I-13.3. **372**

Loi sur la conservation et la mise en valeur de la faune, L.R.Q., c. 61.1. **64, 65, 378**

Loi sur la curatelle publique, L.R.Q., c. C-81. **345**

Loi sur la fiscalité municipale, L.R.Q., c. F-2.1. **54, 59, 195, 375**

Loi sur la prévention des incendies, L.R.Q., c. P-23. **110**

Loi sur les sociétés de fiducie et les sociétés d'épargne, L.R.Q., c. S-29.01. **332**

Loi sur les sociétés de prêts et de placements, L.R.Q., c. S-30. **355**

Loi sur les terres agricoles du domaine public, L.R.Q., c. T-7.1. **365**

Loi sur les terres du domaine public, L.R.Q., c. T-8-1. **365, 370, 375, 376, 383**

Loi sur les valeurs mobilières, L.R.Q., c. V-1.1. **335, 355**

Loi visant la préservation des ressources en eau, L.Q. 1999, c. 63. **63**

Ordonnance pour prescrire et régler l'enregistrement des titres aux terres, ténements, et héritages, biens réels ou immobiliers, et des charges et hypothèques sur iceux; et pour le changement et l'amélioration, sous certains rapports, de la loi relativement à l'aliénation et l'hypothècation des biens réels, et des droits et intérêts acquis en iceux, Ordonnances du Conseil spécial du Bas-Canada, 1841, c. 30. **280**

1.5 Projet de lois québécois

Assemblée nationale du Québec, *Projet de loi n° 58. Loi portant réforme au Code civil du Québec du droit des biens*, 4e session, 32e Législature : 1983. **251**

1.6 Lois françaises

Déclaration des droits de l'homme et du citoyen, 26 août (http://www.justice.gouv.fr/textfond/ddhc.htm). **79**

Loi n° 65-557 du 10 juillet 1965 fixant le statut de la copropriété des immeubles. **158**

2. RÉGLEMENTATION ET AUTRES ACTES

2.1 Règlements fédéraux

Règlement concernant les immeubles fédéraux, DORS/92-502. **375**

Règlement de 1980 sur les subventions aux municipalités, DORS/81-29. **375**

Règlement de zonage de l'aéroport de Québec, C.R.C., 1978, c. 104. **97**

Règlement sur les subventions versées par les sociétés de la Couronne, DORS/81-1030. **375**

Règlement sur les versements provisoires et les recouvrements, DORS/81-226. **375**

2.2 Règlements et autres actes provinciaux

Règlement sur la vente, la location et l'octroi de droits immobiliers sur les terres du domaine public, R.R.Q., c. T-8.1, r. 6. **365, 383**

Règlement sur le registre des droits personnels et réels mobiliers, décret 1594-93, *Gazette officielle du Québec*, vol. 125, n° 50 (1er décembre 1993), p. 8058-8081. **287**

Règlement sur les animaux en captivité, décret 1029-92 (8 juillet 1992), *Gazette officielle du Québec*, vol. 124, n° 31 (22 juillet 1992), p. 4709-4721. **65**

Règlement sur les cessions à titre gratuit de terres pour usages d'utilité publique, R.R.Q., c. T-8.1, r. 1.

3. TRAVAUX PARLEMENTAIRES ET RAPPORTS OFFICIELS

3.1 Parlement du Canada

Legislative Assembly of the Province of Canada, « Report on the Affairs of the Indians in Canada », dans *Journals of the Legislative Assembly of the Province of Canada*, 2e Parlement, 3e session, 1847, appendice T, Section III, III-Lands, 1. Title to Lands. **379**

Sénat et Chambre des Communes du Canada, *Procès-verbaux et témoignages du Comité mixte spécial du Sénat et de la Chambre des Communes sur la Constitution du Canada*, fasc. n° 4 (13 novembre 1980), p. 86-87 et fasc. n° 45 (26 janvier 1981). **80**

3.2 Assemblée nationale du Québec

Débats de l'Assemblée législative du Québec, 28e Législature, 3e session, vol. 7, n° 80 (31 octobre 1968), p. 3740-3741. **152**

3.3 Gouvernement du Québec

Commentaires du ministre de la Justice. Québec, Publications du Québec, 1993. 2253 p.

Office de révision du Code civil. *Rapport sur le Code civil du Québec*. Québec, Éditeur officiel, 1977. 2 t. en 3 vol. **301, 348**

Rapport des commissaires chargés de codifier les lois civiles du Bas-Canada, en matières civiles. Québec, George É. Desbarats, 1865. 3 tomes. **95, 270, 280**

4. JURISPRUDENCE

Béland c. *Kaushansky*, [1994] R.D.I. 236 (C.S.). **108**

Bélanger c. *Chartrand*, C.S.M. n° 500-05-035299-971, 17 février 1998 (J.E. 98-685). **216**

Bélanger c. *Morin*, (1922) 32 B.R. 208. **302, 306**

Belavance c. *Reed*, (1909) 36 C.S. 392. **186, 195**

Belzile c. *Laroche*, [1994] R.D.I. 455 (C.S.). **108**

Bergeron c. *Martin*, [1997] R.D.I. 241 (C.S.). **156, 168**

Bernard c. *Syndicat des copropriétaires Condo Formula 1*, [1996] R.D.I. 220 (C.S.). **174**

Bilodeau c. *Dufour*, [1952] R.C.S. 264. **187, 300, 304, 307**

Blais c. *Giroux*, [1958] C.S. 569. **100, 103**

Blais c. *Tremblay*, [1978] C.P. 395. **88**

Blanchet c. *Claude*, [1994] R.D.I. 697 (C.Q.). **192**

Bogert c. *Barlow*, [1970] C.S. 73. **259**

Boily c. *Leblanc*, [1980] C.S. 1133. **255**

Boily c. *Tremblay*, [1976] C.S. 1774. **192**

Boisjoli c. *Goebel*, [1982] C.S. 1. **101, 104**

Boivin c. *Procureur général du Québec*, C.A.Q. n° 200-09-001503-975, 3 mars 2000, [2000] J.Q. (Quicklaw) n° 686. **67**

Bolduc c. *Rada*, [1996] R.D.I. 449 (C.S.). **119**

Bonin c. *Champagne*, (1919) 55 C.S. 153. **108, 251**

Boswell c. *Denis*, (1860) 10 L.C.R. 294, 298 (B.R.). **365**

Boswell c. *Trustees for Charmers Wesley United Church of the United Church of Canada*, (1940) 78 C.S. 233. **273, 274**

Bouchard c. *Beaulieu*, (1897) 12 C.S. 499. **116**

Bouchard c. *Fortin*, [1977] C.S. 1125. **187**

Boucher c. *Côté*, [1981] C.S. 282. **190**

Boucher c. *Lepage*, (1904) 10 *R. de J.* 161 (C.S.). **114**

Boucher c. *R.*, (1982) 22 R.P.R. 310 (C.F.); (1985) 33 R.P.R. 308 (C.A.F.). **32, 269, 270, 272**

Boucher c. *Roy*, (1981) 18 R.P.R. 45 (C.A.). **250, 256, 257, 274, 275**

Boulet c. *Pelchat*, (1940) 46 R. de J. 306 (C. de M.). **58**

Bourassa c. *Ringuette*, [1957] C.S. 445. **358**

Boutin c. *Bérard*, [1997] R.D.I. 108 (C.S.). **111, 113**

Boutin c. *Blais*, [1988] R.D.I. 409 (C.S.). **125**

Boutin c. *Boutin*, [1994] R.D.I. 594 (C.S.). **143, 349, 358**

Boyer c. *McKyes*, [1961] C.S. 1. **113**

Brault c. *Lavoie*, (1924) 62 C.S. 520. **141**

Brodeur c. *Choinière*, [1945] C.S. 334. **100**

Chouinard c. *Boislard*, [1945] R.L. 527 (C.S.). **303**

Christopoulos c. *Restaurant Mazurka Inc.*, C.A.M. n° 500-09-001810-936, 16 mars 1998. **104**

Cité de Montréal c. *Hill-Clark-Francis (Quebec) Ltd.*, [1968] B.R. 211. **373**

Cité de Québec c. *Boucher*, (1936) 60 B.R. 152. **103**

Cité de Sherbrooke c. *Bureau des commissaires d'écoles catholiques romains de la cité de Sherbrooke*, [1957] R.C.S. 476. **57**

Clarke c. *Lacombe*, (1914) 23 B.R. 466. **126**

Comité régional de tourisme de Bretagne c. *Kerguezec*, Cour d'appel de Paris, 7e chambre, 12 avril 1995 (J.C.P. 1997-22806), 19 mars 1997, p. 131. **84**

Commission des droits et libertés de la personne c. *Brzozowski*, [1994] R.J.Q. 1447 (T.D.P.). **21**

Commission des écoles catholiques de Montréal c. *Lambert*, [1984] C.A. 179. **108**

Commission scolaire de la Côte-du-Sud c. *Construction Cloutier et Fils Inc.*, [1998] R.D.I. 441 (C.S.). **373**

Commission scolaire Outaouais-Hull c. *Plomberie Chouinard et fils ltée*, [1992] R.J.Q. 1860 (C.S.). **373**

Commission scolaire Port-Royal c. *L. Martin (1984) Inc.*, [1994] R.J.Q. 916 (C.A.). **372, 373**

Commission scolaire Saint-Jérôme c. *Alco-Teck Électrique Inc.*, [1997] R.D.I. 234 (C.S.). **373**

Compagnie d'aqueduc du lac Saint-Jean c. *Fortin*, (1925) 38 B.R. 75. **254**

Compagnie de téléphone du Lac St-Jean c. *Compagnie de téléphone du Saguenay*, (1933) 54 B.R. 314. **136, 151**

Compagnie Montréal Trust du Canada c. *Koprivnik*, [1996] R.J.Q. 443 (C.S.). **60**

Concrete Column Clamps Ltd. c. *Ville de Québec*, [1940] R.C.S. 522. **313, 373**

Constructions S.P. Inc. c. *Sauvé*, [1996] R.D.I. 427 (C.S.). **111**

Co-op d'habitation Villa Marcotte c. *Hydro-Québec*, [1980] C.S. 843. **262**

Corbeil c. *Horner-Corbeil*, [1978] C.S. 703. **58**

Corporation de la municipalité de St-Denis de Brompton c. *Filteau*, [1996] R.J.Q. 2400 (C.A.). **362**

Corporation de la paroisse de Saint-Télesphore c. *Société d'habitation du Québec*, [1983] C.S. 656. **277**

Corporation de la paroisse de Saint-Valier c. *Tanguay*, (1923) 34 B.R. 1. **307**

Corporation municipale du village de Deauville c. *Régistrateur de la division d'enregistrement de Sherbroooke*, [1993] R.D.I. 374 (C.S.). **319**

Corriveau c. *Gabanna*, [1977] C.S. 577. **253**

Domaine des érables (Lac Brôme) Inc. c. *Allard & Allard Construction Inc.*, [1994] R.D.I. 580 (C.S.). **255, 257, 258**

Doyon c. *Poulin* [1985] C.S. 1242. **104**

Doyon c. *2866-0884 Québec inc.*, [1996] R.D.I. 243 (C.S.). **139**

Driver c. *Coca-Cola Ltd.*, [1961] R.C.S. 201. **16, 17, 20**

Droit de la famille – 164, [1988] R.D.F. 226. **137**

Droit de la famille – 579, [1989] R.J.Q. 51 (C.A.). **224**

Droit de la famille – 2282, [1995] R.D.F. 677 (C.S.). **327, 350**

Droit de la famille – 2295, [1995] R.D.F. 770 (C.S.). **224**

Droit de la famille – 2338, [1996] R.J.Q. 393 (C.S.). **137, 147**

Droit de la famille – 2344, [1996] R.D.F. 44 (C.S.). **327**

Droit de la famille – 2396, [1996] R.D.F. 264 (C.S.). **327**

Droit de la famille – 2669, [1997] R.D.F. 331 (C.S.). **20**

Drolet-Bertrand c. *Déry*, [1976] C.A. 407. **115**

Drysdale c. *Dugas*, (1896) 26 R.C.S. 20. **103, 105**

Dubarle c. *Valla*, [1992] R.D.I. 227 (C.S.). **144, 148**

Dubé-Pierre-Pierre c. *Copropriété Port de Plaisance*, [1996] R.D.I. 635 (C.Q.). **175**

Dubeau c. *Rule*, [1943] R.L. 273 (C.S.). **65**

Duchaine c. *Matamajaw Salmon Club Ltd.*, (1918) 27 B.R. 196. **272**

Duchesneau c. *Poisson*, [1950] B.R. 453. **254, 265**

Dufour c. *Fortin*, [1997] R.D.I. 426 (C.S.). **112**

Dufresne-Sanfaçon c. *Tremblay*, [1997] R.D.I. 414 (C.S.). **262**

Dufromont c. *Syndicat des copropriétaires du Manoir du carrefour*, [1999] R.D.I. 713 (C.Q.). **170**

Entreprises Damath Inc. c. *Tremblay*, [1997] R.D.I. 508 (C.A.). **261**

Entreprises Jean M. Saurette Inc. c. *Martin*, [1974] C.A. 518. **224**

Époux Brusquand c. *Guiguet*, Cour de cassation, chambre commerciale, 15 juillet 1987, Dalloz 1988, Jurisprudence 360. **274**

Excelsior, compagnie d'assurance-vie c. *Mutuelle du Canada, compagnie d'assurance-vie*, [1992] R.J.Q. 2666 (C.A.). **50**

Fabrique de la paroisse de l'Ange-Gardien c. *Procureur général du Québec*, [1980] C.S. 175. **73**

Faillite de Gaston Tardif c. *Raymond Chabot Inc.*, [1998] R.J.Q. 2608 (C.A.). **335**

Fauteux c. *Parant*, [1959] C.S. 209. **88, 185, 198**

Fisette c. *Turgeon*, [1999] R.D.I. 57 (C.S.). **181**

Girard c. *Price Brothers Company*, (1929) 47 B.R. 68. **307, 368**

Girard c. *Saguenay Terminals Ltd.*, [1973] R.L. 264 (C.P.). **102, 103, 105, 106**

Goulet c. *Gagnon*, (1882) 8 Q.L.R. 208 (C. de rév.). **225**

Gravel c. *Carey Canadian Mines Ltd.*, [1982] C.S. 1097. **63, 102, 103, 106**

Gravel c. *Carey Canadian Mines Ltd.*, C.S. Beauce, 12 janvier 1965 dans Yvon Duplessis, Jean Hétu et Jean Piette, *La protection de l'environnement au Québec*, Montréal, Les Éditions Thémis Inc., 1981, p. 197. **106**

Griffin c. *Johnson*, (1924) 62 C.S. 541. **274**

Guaranty Trust Company of New York c. *R.*, [1948] R.C.S. 183. **206, 208, 209, 210, 211**

Guerriero c. *Gervais*, [1989] R.D.I. 104 (C.S.). **261**

Gulf Power Company c. *Habitat Mon Pays Inc.*, C.A.Q. n° 200-09-000487-75, 10 juillet 1978. **185, 186, 192, 194, 314**

Hamel c. *De Bellefeuille*, [1997] R.D.I. 4. (C.A.). **250**

Hampson c. *Vineberg*, (1887) 15 R.L. 391 (C.S.). **119**

Hand c. *Auclair*, [1970] C.A. 253. **137**

Healey c. *Procureur général du Québec*, [1987] R.C.S. 158. **369**

Hébert c. *Cité de St-Jean*, (1935) 73 C.S. 391. **105**

Hébert c. *Villeneuve*, [1969] B.R. 1103. **251, 255**

Hefra Patentverwertungs c. *Mr. Montreal Inc.*, [1981] C.S. 208. **230, 235, 236**

Hemmings c. *Hemmings*, [1972] C.A. 261. **358**

Hénault c. *Gervais*, (1906) 12 *R. de J.* 229 (C.S.). **231**

Henri c. *Landry*, [1994] R.D.I. 620 (C.S.). **119**

Heurtebise c. *Farman*, Tribunal civil de la Seine, 1re chambre, 10 juin 1910, Dalloz 1914.2.193. **97**

Hofer c. *Behar*, C.S.M. n° 500-05-016185-934, 15 novembre 1994 (J.E. 94-1916). **260**

Hogues c. *Blouin*, [1996] R.D.I. 103 (C.S.). **115**

Horn Elevator Ltd. c. *Domaine d'Iberville Ltée*, [1972] C.A. 403. **56, 60**

Howard c. *Stewart*, (1914-1915) 50 R.C.S. 311. **365**

Huot c. *Gariépy*, [1949] C.S. 143. **119, 120**

Huot c. *Verbois Inc.*, [1989] R.D.I. 400 (C.S.). **254**

Hurdman c. *Casgrain*, (1895) 4 B.R. 409. **365**

Hydro-Québec c. *Goguen*, [1993] R.D.I. 359 (C.S.). **261**

In re Amédée Leclerc Inc. : Thibault c. *De Coster*, [1965] C.S. 266. **57**

J. Robertson & Son Ltd. c. *Guilbault*, (1918) 54 C.S. 343. **138**

Larue c. *Château Frontenac Co.*, (1911) 41 C.S. 193. **232, 233**

Latour c. *Guèvremont*, (1910) 16 *R. de J.* 270 (C. de R.). **115**

Laurin c. *Allaire*, [1996] R.L. 651 (C.Q.). **56**

Lauzière c. *Désilets*, [1997] R.D.I. 589 (C.S.). **107**

Lavallière c. *Morin*, [1958] C.S. 274. **127**

Leblond c. *Bilodeau*, [1972] R.P. 401 (C.S.). **307**

Lebœuf c. *Douville*, (1969) 10 *C. de D.* 563 (C.S.). **110, 188, 190**

Leduc c. *Sauvé*, [1955] B.R. 85. **250, 254, 256, 258, 273, 274, 275**

Lefebvre c. *Corrigan*, [1957] C.S. 290. **209, 221**

Lefebvre c. *Lyra*, C.S.Q. n° 200-04-001002-938, 7 juillet 1994 (*Droit de la famille québécois. Informations récentes*, Farnham, Les publications CCH/FM ltée, 1994-1995, n° 200-045). **327**

Lehouillier c. *Lehouillier*, [1991] R.D.I. 146 (C.S.). **216, 217**

Lemay c. *Hardy*, (1922) 64 R.C.S. 222. **136**

Lepage c. *Laberge*, (1927) 42 B.R. 490. **119**

Lessard c. *Bernard*, [1996] R.D.I. 210, 213 (C.S.). **105**

Lessard c. *E. W. Caron et Cie*, [1976] C.S. 966. **107**

Lessard c. *Gagnon*, (1950) C.S. 1. **115**

Létourneau c. *Létourneau*, [1970] C.A. 40. **259, 260**

Léveillé c. *Caisse populaire Desjardins*, [1994] R.D.I. 255 (C.S.). **192, 194**

Léveillé c. *Coopérative funéraire d'Autray*, [1998] R.D.I. 404 (C.S.). **273, 275**

Lévesque c. *Déry*, [1960] C.S. 61. **251**

Lévesque c. *Hadd*, [1996] R.D.I. 573 (C.S.). **125**

Limoges c. *Bouchard*, [1973] C.A. 791. **256, 258**

Location Fortier Inc. c. *Pacheco*, C.S.M. n° 500-000480-973, 5 décembre 1997 (J.E. 97-197). **90**

Lortie-Côté c. *Bureau d'assainissement des eaux du Québec métropolitain*, C.S.Q. n° 200-05-002759-822, 16 janvier 1987. **363**

Lower St. Lawrence Power Co. c. *Immeuble Landry ltée*, [1926] R.C.S. 655. **8**

Magasin Co-op d'Asbestos c. *Centre commercial d'Asbestos Inc.*, [1986] R.D.I. 551 (C.S.). **273**

Maheux c. *Boutin*, C.Q.Q. n° 200-02-004635-944, 27 novembre 1995 (J.E. 96-136). **100, 107**

La Maison blanche ltée c. *Babin*, [1987] R.D.I. 324 (C.S.). **275**

Malette c. *Sûreté du Québec*, [1994] R.J.Q. 2963 (C.S.). **68, 69**

Malo c. *Laoun*, C.S.M. n° 500-17-002955-980, 12 janvier 2000, [2000] J.Q. (Quicklaw) n° 7. **17**

Myrand c. *Simard*, C.S.M. n° 500-05-031757-972, 24 octobre 1997, [1997] A.Q. (Quicklaw) n° 3695. **328, 334**

Nadeau c. *Rousseau*, (1928) 44 B.R. 545. **54, 57**

Nassif c. *Bisson*, (1931) 51 B.R. 118. **40**

Neveu c. *Corporation municipale de Ste-Mélanie*, [1977] C.S. 590; C.A.M. n° 500-09-000798-777 (11 février 1980). **55, 187, 190, 191**

Newland c. *Wigley*, [1991] R.D.I. 60 (C.S.). **264**

N° 229 c. *Ministre du Revenu national*, (1955) 9 D.T.C. 63. **232, 235, 237**

Noël c. *Syndicat des copropriétaires Domaine Rive St-Charles*, [1997] R.J.Q. 3057 (C.S.) **161, 170**

Œuvre et Fabrique de la paroisse de Saint-Bonaventure c. *Leblanc*, (1918) 27 B.R. 286. **368**

O'Farrell c. *Blouin*, [1994] R.D.J. 30 (C.S.). **177**

Olivier c. *Méthot*, [1945] B.R. 284. **118**

Ouellette Motor Sales Ltd. c. *Standard Tobacco Company*, [1960] B.R. 367. **347**

Ouimet c. *Ouimet*, [1963] B.R. 735. **114**

Painchaud c. *Procureur général du Québec*, C.A.Q. n° 200-09-000756-921, 18 novembre 1997. **369**

Paquet c. *Blondeau*, (1914) 23 B.R. 330. **303, 304, 313**

Parent c. *Quebec North Shore Turnpike Road Trustees*, (1900-1901) 31 R.C.S. 556. **110, 188**

Pascal c. *Moreau*, [1953] R.L.n.s. 235 (C.S.). **254**

Patro Roc-Amadour c. *Bélanger*, [1996] R.D.I. 574 (C.S.). **259**

Patry c. *Merleau-Lill*, [1990] R.D.I. 1 (C.A.). **114, 115**

Pelchat c. *Carrière d'Acton Vale ltée*, [1970] C.A. 884. **106**

Pelletier c. *Desrochers*, C.S.Q. n° 500-05-029683-974, 8 juillet 1997, [1997] A.Q. (Quicklaw) n° 2454. **333, 347**

Pelletier c. *Trudeau*, (1906) 27 C.S. 196. **254**

Peluzo c. *Crédit Industriel Desjardins Inc.*, [1996] R.D.I. 495 (C.A.). **171**

Perreault c. *Perreault*, [1993] R.D.I. 265 (C.S.). **145**

Piché c. *Centre de viandes Campbell Inc.*, [1980] C.S. 537. **110, 111, 188**

Pierre Thibault (Canada) ltée c. *Thibault*, (1970) 11 *C. de D.* 586 (C.S.); [1970] C.A. 10. **212**

Pilon c. *Héritiers de Julien Bellemarre*, [1966] R.L. 385 (C.S.). **138**

Pilon c. *St-Janvier Golf & Country Inc.*, [1975] C.S. 975. **106**

Placement Nouvelle-Vie ltée c. *Ryan*, [1987] R.D.I. 277 (C.S.). **154**

Placements Bertrand Fradet Inc. c. *Banque Nationale du Canada*, C.S.M. n° 500-05-037979-976, 13 octobre 1998 (J.E. 98-2211). **192**

Renda c. *Investissements Contempra ltée (Remorquage québécois à vos frais engr.)*, C.P.M. nº 500-02-048, 30 juillet 1982 (J.E. 82-928). **169**

René T. Leclerc Inc. c. *Terreault*, [1970] C.A. 141. **316**

Rhéault c. *Fouquette*, [1985] C.A. 522. **185, 192**

Richard c. *Collette*, (1942) C.S. 4. **260**

Richard Lasalle Construction Ltée c. *Concepts Ltd.*, [1973] C.A. 944. **361, 372**

Richer c. *Lamothe*, [1994] R.D.I. 102 (C.S.). **147**

Rivermead Golf Club c. *Connaught Park Jockey Club*, [1965] R.P. 175 (C.S.). **303**

Rizzuto c. *Rocheleau*, [1996] R.R.A. 448 (C.S.). **18**

Roberge c. *Martin*, [1926] R.C.S. 191. **253**

Robidoux-Primeau c. *Bernard*, [1996] R.D.I. 364 (C.S.). **205**

Rochefort c. *Rioux*, (1916) 49 C.S. 514. **87**

Rocois construction c. *Quebec Ready Mix*, [1990] 2 R.C.S. 440. **18**

Rodrigue c. *Bolduc*, [1999] R.D.I. 661 (C.S.). **255, 256**

Rousseau c. *Baron*, [1948] R.L. 385 (C.S.). **302**

Roy c. *Gagnon*, (1881) 7 Q.L.R. 207 (C. de rév.). **303**

Roy c. *Société immobilière du Cours Le Royer*, [1987] R.D.I. 392 (C.S.). **238**

Roy c. *Usinage Nado Inc.*, C.S. Saint-François, nº 450-05-000077-855, 16 janvier 1986 (J.-E. 1986-186). **102**

Royal Trust Co. c. *Tucker*, [1982] 1 R.C.S. 250. **19, 323, 324, 334**

Royer c. *Lachance*, (1890) 16 Q.L.R. 179 (C. de rév.). **261**

Ruco Entreprises Inc. c. *Shink*, [1967] B.R. 638. **56**

Ruest c. *Groupe Gestion 2000 Inc.*, [1997] R.D.I. 237 (C.S.). **125**

Ruggieri c. *Champagne*, [1999] R.D.I. 265 (C.S.). **142**

Saar Fondation Canada c. *Baruchelm*, [1990] R.J.Q. 2325 (C.S.). **18**

Sacchetti c. *Lockheimer*, [1988] 1 R.C.S. 1049. **281**

Samson c. *Fondation Joie d'enfants*, C.S. Trois-Rivières, nº 400-05-000034-927, 21 avril 1994 (J.E. 94-794). **358**

Sasseville c. *Ville de Dolbeau*, C.Q. Roberval, nº 175-32-000181-969 et 175-32-000188-964, 20 juin 1997 (J.E. 97-1594). **133**

Saucier c. *Cloutier*, [1987] R.D.I. 417 (C.S.). **109**

Schrankler c. *Schroeder*, [1997] R.D.I. 337 (C.A.). **365**

Sénécal-Crevier c. *Limoges*, [1975] C.S. 199. **187, 191**

Shaink c. *Dussault*, [1956] C.S. 164. **300, 302, 304, 306, 307, 308**

Sivret c. *Giroux*, [1997] R.D.I. 163 (C.A.). **304, 308**

Syndic de la faillite de Robert Sierzant c. *Caisse populaire Desjardins*, [1995] R.D.I. 354 (C.S.). **139**

Syndicat de condo de la Rive c. *Thellens*, [1995] R.D.I. 400 (C.Q.). **172, 176**

Syndicat des copropriétaires de « Le St-Mathieu enrg. » c. *3096-0876 Québec Inc.*, [1995] R.D.I. 492 (C.S.). **177, 178**

Syndicat des copropriétaires de The Meadows Condominium c. *Blair*, [1994] R.D.I. 627 (C.S.). **171**

Syndicat des copropriétaires des condos Ste-Anne c. *Arel*, [1995] R.D.I. 437 (C.Q.). **173**

Syndicat des copropriétaires du domaine du Barrage c. *Lebel*, [1995] R.D.I. 610 (C.Q.). **177**

Syndicat des copropriétaires du Mont St-Louis c. *Bergeron*, [1994] R.D.I. 663 (C.S.). **172**

Syndicat des copropriétaires Les immeubles Les Cascades St-Laurent c. *Zrihen*, [1999] R.D.I. 43 (C.S.). **158, 164, 168**

Syndicat des copropriétaires Place Jean-Paul Vincent c. *Do*, [1995] R.D.I. 462 (C.Q.). **161, 180**

Syndicat Northcrest c. *Amselem*, [1998] R.J.Q. 1892 (C.S.). **154, 155, 157, 168, 174**

Syndicat Roseraies d'Anjou étape III c. *Habitat Les Roseraies d'Anjou Inc.*, [1996] R.D.I. 336 (C.S.). **178**

Talbot c. *Gilbert*, [1996] R.D.I. 545 (C.S.). **225**

Talbot c. *Guay*, [1992] R.D.I. 656 (C.A.). **157**

Talbot c. *Lake St-John Power and Paper Company Ltd.*, (1937) 43 R.L.n.s. 107 (C.S.). **302, 303, 307, 308**

Tang c. *Murraine*, [1997] R.D.I. 556 (C.S.). **119**

Tanguay c. *Canadian Electric Light Company*, (1908) 40 R.C.S. 1. **365, 367, 368**

Tanguay c. *Simard*, C.A.Q. n° 200-09-000257-870, 26 septembre 1989 (J.E. 89-1467). **304**

Tanguay-Bédard c. *Procureur général du Québec*, C.S.Q. n° 8783, 24 mars 1975, [1975] C.S. 593 (résumé). **369**

Texaco Canada Inc. c. *Communauté urbaine de Montréal*, [1995] R.J.Q. 602 (C.Q.). **191**

Thémens c. *Royer*, (1937) 62 B.R. 248. **88**

Thibault c. *Chabot*, C.A.Q. n° 200-09-000774-932, 10 mars 1998 (J.E. 98-672). **303, 314**

Thibault c. *Thibault*, C.S.Q. n° 200-05-002563-943, 11 janvier 1995, [1995] A.Q. (Quicklaw) n° 2372. **352**

Thivierge c. *Lapointe*, [1994] R.D.I. 434 (C.S.). **135, 260**

Wong Lee & Associates Inc. c. *Sinomonde Holdings Inc.*, [1999] R.D.I. 343 (C.A.). **256**

Young c. *Musées nationaux du Canada*, [1984] C.S. 651. **313, 374**

Zambito-Orazio c. *Meneghini*, [1994] R.D.I. 421 (C.S.). **128**

Zappa c. *Gagnon*, (1938) 64 B.R. 433. **87**

Ziebell c. *Leblanc*, [1960] B.R. 518. **114, 115, 116**

Zigayer c. *Ruby Foo's (Montreal) Ltd.*, [1976] C.S. 1362. **273**

2967-6566 Québec Inc. c. *2847-3254 Québec inc.*, [1996] R.J.Q. 1669 (C.S.). **147, 148, 151**

137578 Canada Inc. c. *Sun Life Assurance Co. of Canada*, [1998] R.D.I. 95 (C.S.). **231**

139172 Canada c. *Ville de Laval*, C.A.M. n° 500-09-001499-949, 7 février 1997. **373**

164536 Canada Inc. c. *Lachapelle*, [1992] R.D.I. 94 (C.S.). **174**

5. DOCTRINE

5.1 Ouvrages

ABERKANE, Hassen. *Contribution à l'étude de la distinction des droits de créance et des droits réels : essai d'une théorie générale de l'obligation propter rem en droit positif français*. Paris, L.G.D.J., 1957. vii, 283 p. **35, 38, 39, 99, 167, 248, 249, 276**

ATIAS, Christian. *La copropriété des immeubles bâtis*. Paris, Sirey, 1989. vii, 179 p. vii, 179 p.

ATIAS, Christian. *Droit civil. Les biens*. Paris, Litec, 1980-1982. 2 tomes. **166**

ATIAS, Christian. *Droit civil. Les biens*. 4e éd. Paris, Litec, 1999. 422 p. **11, 82, 85, 94**

ATTALI, Jacques. *Au propre et au figuré : une histoire de la propriété*. Paris, Fayard, 1988. 553 p.

AUBRY, Charles et Frédéric-Charles RAU. *Cours de droit civil français*. 4e éd. Paris, Marchal et Billard, 1869. Tome 2. 543 p. **10**

AUBRY, Charles et Frédéric-Charles RAU. *Cours de droit civil français*. 4e éd. Paris, Marchal et Billard, 1869. Tome 3 : p. [1]-111. **10**

AUBRY, Charles et Frédéric-Charles RAU. *Cours de droit civil français*. 4e éd. Paris, Marchal et Billard, 1873. Tome 6. **14, 19, 22**

AUBRY, Charles et Frédéric-Charles RAU. *Droit civil français*. 6e éd. par Paul ESMEIN. Paris, Librairies Techniques, 1953. Tome 9. **18**

AUBRY, Charles et Frédéric-Charles RAU. *Droit civil français*. 7e éd. par Paul ESMEIN. Paris, Librairies Techniques, 1961. Tome 2. **46**

BARREAU DU QUÉBEC et CHAMBRE DES NOTAIRES. *La réforme du Code civil.* Québec, P.U.L., 1993. 3 tomes.

BAUDOUIN, Jean-Louis. *La responsabilité civile.* 4e éd. Cowansville, Les Éditions Yvon Blais Inc., 1994. xlvi, 1241 p.

BAUDOUIN, Louis. *Les aspects généraux du droit privé dans la province de Québec.* Paris, Dalloz, 1967. 1021 p.

BAUDRILARD, Jean. *La société de consommation.* Paris, Denoël, 1986. 321 p. **83**

BAUDRY-LACANTINERIE, Gabriel et M. CHAUVEAU. *Traité théorique et pratique de droit civil.* Tome 6. *Des biens.* Paris, Librairie de la Société J.-B. Sirey et du Journal du Palais, 1905. 926 p. **10**

BEAUDOIN, Lise I. *Le contrat de gestion de portefeuille de valeurs mobilières : nature juridique, rôle des règles de l'administration du bien d'autrui, obligations des parties.* Cowansville, Les Éditions Yvon Blais Inc., 1994. xvi, 206 p.

BEAULIEU, Berthier et Bernard FOURNIER. *La délimitation du domaine hydrique.* Cours exclusifs de formation continue dispensés à Montréal et à Québec aux membres de l'Ordre des arpenteurs-géomètres du Québec. Janvier 1999. 47 p.

BEAULIEU, Berthier, FERLAND Yaïves et Francis ROY. *L'arpenteur-géomètre et les pouvoirs municipaux en aménagement du territoire et en urbanisme.* Cowansville, Les Éditions Yvon Blais Inc., 1995. 450 p. **123**

BEAULIEU, Marie-Louis. *Le bornage : l'instance et l'expertise. La possession : les actions possessoires.* Québec, Le Soleil, 1961. xxxi, 670 p. **302, 308**

BEAULNE, Jacques. *Droit des fiducies.* Montréal, Wilson & Lafleur ltée, 1998. xi, 345 p. **322**

BOHÉMIER, Albert et Pierre-Paul CÔTÉ. *Droit commercial général.* 3e éd. Tome 1. Montréal, Les Éditions Thémis Inc., 1985. xiv, 422 p. **50**

BOUCHARD, Charlaine. *La personnalité morale démythifiée. Contribution à la définition de la nature juridique des sociétés de personnes québécoises.* Sainte-Foy, P.U.L., 1997. 312 p.

BOUFFARD, Jean. *Traité du domaine.* Québec, Le Soleil, 1922. 172, 227 p.

BRIÈRE, Germain. *Le nouveau droit des successions.* Montréal, Wilson & Lafleur ltée, 1994. xxv, 523 p. **23, 145**

BRIERLEY, John E.C. et Roderick A. MACDONALD (dir.). *Quebec civil law : an introduction to Quebec private law.* Toronto, Emond Montgomery Publications, 1993. lviii, 728 p. **10**

BRUN, Henri et Guy TREMBLAY. *Droit constitutionnel.* 3e éd. Cowansville, Les Éditions Yvon Blais Inc., 1997. 1403 p. **375**

CANTIN CUMYN, Madeleine. *L'administration du bien d'autrui.* Cowansville, Les Éditions Yvon Blais Inc., 2000. xxv, 467 p.

CANTIN CUMYN, Madeleine. *Les droits des bénéficiaires d'un usufruit, d'une substitution et d'une fiducie.* Montréal, Wilson & Lafleur ltée, 1980. 134 p.

CAPARROS, Ernest et Paul LAQUERRE. *Droit des biens.* Québec, Faculté de droit/Université Laval, 1976. 2 tomes.

CARBONNIER, Jean. *Droit civil.* Tome 3. *Les biens.* 16e éd. Paris, P.U.F., 1995. 438 p. **11, 15, 16, 19, 34, 39, 42, 73, 75, 94**

CARDINAL, Jean-Guy. *Le droit de superficie, modalité du droit de propriété. Étude historique et critique du concept juridique et exposé de ses applications.* Montréal, Wilson & Lafleur ltée, 1957. 286 p. **185, 187, 188, 189, 190, 193, 194, 195, 196, 197, 198, 199**

CHAUFFARDET, Marcel. *Le Problème de la perpétuité de la propriété: étude de sociologie juridique et de droit positif.* Paris, Sirey, 1933. xv, 327 p. **93**

CORNU, Gérard. *Droit civil.* Tome 1. *Introduction – Les personnes – Les biens.* 7e éd. Paris, Montchrestien, 1994. 605 p. **46**

CUGNET, François-Joseph. *Traité de la Loi des fiefs.* Québec, Brown, 1775. 71 p. **371**

DELEURY, Édith et Dominique GOUBAU. *Le droit des personnes physiques.* 2e éd. Cowansville, Les Éditions Yvon Blais Inc., 1997. xxxiii, 708 p. **17**

DELHAY, Francis. *La nature juridique de l'indivision.* Paris, L.G.D.J., 1968. xii, 520 p. **138**

DEMOLOMBE, Charles. *Cours de Code Napoléon.* 3e éd. *Traité de la distinction des biens.* Paris, Auguste Durand/L. Hachette Cie, 1866. Tome 9 : ii, 648; tome 10 : ii, 740 p. **10**

De PAGE, Henri avec la collaboration de René DEKKERS. *Traité élémentaire de droit civil belge.* Tome 5. *Les principaux contrats usuels. Les biens.* Bruxelles, Émile Bruyant, 1952. 1148 p. **14, 85**

DÉPATIE, Sylvie, LALANCETTE, Mario et Christian DESSUREAULT. *Contributions à l'étude du régime seigneurial canadien.* LaSalle, Éditions Hurtubise HMH, 1987. xv, 290 p. **78, 364**

DESLAURIERS, Jacques. *La faillite et l'insolvabilité.* Notes de cours. Québec, Université Laval – Faculté de droit, 1999-2000. **326**

DOMAT, Jean. *Les lois civiles dans leur ordre naturel : le droit public, et legum delectus.* Tome 1. Paris, Nyon, 1777. 2 vol. **227**

DUPLESSIS, Yvon, HÉTU, Jean et Jean PIETTE. *La protection juridique de l'environnement.* Montréal, Les Éditions Thémis Inc., 1982. xvi, 707 p. **84**

DUSSAULT, René. *Traité de droit administratif canadien et québécois.* 1re éd. Tome 1. Québec, P.U.L., 1974. xvi, 979 p. **365**

DUSSAULT, René et Louis BORGEAT. *Traité de droit administratif.* 2e éd. Tome II. Québec, P.U.L., 1986. xvi, 1393 p. **62, 72, 84, 118, 354, 362**

FABIEN, Claude. *Les règles du mandat.* Montréal, Chambre des notaires, 1987. 363 p. **347**

FARIBAULT, Léon. *Traité de droit civil du Québec.* Tome 4. Montréal, Wilson & Lafleur ltée, 1954. 620 p. **10, 134**

FARIBAULT, Marcel. *Traité théorique et pratique de la fiducie ou trust du droit civil dans la province de Québec.* Montréal, Wilson & Lafleur ltée, 1936. v, 459 p. **24**

FENET, P. Antoine (dir.). *Recueil complet des travaux préparatoires du Code civil.* Osnabrück, Otto Zeller, 1968 (1827). 15 tomes. **73, 79**

FERLAND, Denis et Benoît EMERY (dir.). *Précis de procédure civile du Québec.* 3e éd. Tome 2. Cowansville, Les Éditions Yvon Blais Inc., 1997. **315, 358**

FERLAND, Philippe. *Traité de procédure civile.* Montréal, Les Établissements Henri-Bourassa ltée, 1969. xxxvii, 694 p.

FILION, Michel. *Droit des associations.* Cowansville, Les Éditions Yvon Blais Inc., 1986. 373 p. **331**

FRADETTE, France. *Du changement de nature des biens et de son impact sur l'hypothèque.* Mémoire présenté à l'École des Gradués de l'Université Laval pour l'obtention du grade de maîtrise en droit. Québec, juillet 1993. v, 104, 14 p.

FRENETTE, François. *De l'emphytéose.* Montréal, Wilson & Lafleur ltée/ Sorej, 1983. xviii, 270 p. **228, 229, 305**

GALARNEAU, Marie. *La propriété des déchets biomédicaux: une étude de la pensée juridique.* Mémoire de maîtrise présenté à la Faculté des études supérieures de l'Université Laval pour l'obtention du grade de maître en droit (LL.M.), Québec, 1997. iii, 172 p. **65**

GARANT, Patrice. *Droit administratif.* 4e éd. Cowansville, Les Éditions Yvon Blais Inc., 1996. 2 vol. **372**

GAUDEMET, Jean. *Droit privé romain.* Paris, Monschrestien, 1998. vii, 415 p. **9**

GÉNY, François. *Méthode d'interprétation et sources en droit privé positif.* 2e éd. Paris, L.G.D.J., 1954. Tome 1. xxv, 446 p. **14**

GÉNY, François. *Science et technique en droit privé positif. Nouvelle contribution à la critique de la méthode juridique.* Troisième partie: *Élaboration technique du droit positif.* Paris, Sirey, [1921]. xvi, 522 p.

GINOSSAR, Shalev. *Droit réel, propriété et créance.* Paris, L.G.D.J., 1960. 212 p. **35, 42, 91, 248**

GIRARD, Paul Frédéric. *Manuel élémentaire de droit romain.* 8e éd. rev. et mise à jour par Félix Senn. Paris, A. Rousseau, 1929. xvi, 1223 p. **9**

GIVORD, François, GIVERDON, Claude et avec la collaboration de Pierre CAPOULADE. *La copropriété.* 4e éd. Paris, Dalloz, 1992. xiv, 777 p. **159**

GOUBEAUX, Gilles. *La règle de l'accessoire en droit privé.* Paris, L.G.D.J., 1969. **136**

GOULET, Jean, ROBINSON, Ann, SHELTON, Danielle et François MARCHAND. *Théorie générale du domaine privé.* 2e éd. révisée. Montréal, Wilson & Lafleur ltée/Sorej, 1986. xxvii, 343 p. **10, 46, 185**

GRENON, Aline, *Les fiducies.* Bruxelles/Cowansville, Bruylant/Les Éditions Yvon Blais Inc., 1997. xiv, 82 p.

GRIDEL, Jean-Pierre. *Le signe et le droit: les bornes, les uniformes, la signalisation routière et autres.* Paris, L.G.D.J., 1979. iv, 339 p. **123, 126**

GROTIUS, Hugo. *De la liberté des mers.* Trad. du latin par Antoine de Courtin (1703). Caen, Université de Caen, Centre de philosophie politique et juridique, URA-CNRS 1395, 1990, p. 655-717. **63**

GUINCHARD, Serge. *L'affectation des biens en droit privé français.* Paris, L.G.D.J., 1976. xxii, 429 p. **22, 156, 169**

HAMELIN, Jean et Yves ROBY. *Histoire économique du Québec, 1851-1896.* Montréal, Fides, 1971. xxxvii, 436 p. **379, 380**

INSTITUT CANADIEN DES VALEURS MOBILIÈRES. *Le placement: termes et définitions.* Montréal, Institut canadien des valeurs mobilières, 1995. 127 p. **354, 355**

INSTITUT WILSON & LAFLEUR INC. *Les fiducies dans le Code civil du Québec: une réforme radicale.* Montréal, Institut Wilson & Lafleur Inc., 1995. Paginations multiples.

JHERING, Rudolf von. *Œuvres choisies.* Trad. de l'allemand par O. de Meulanaere. Paris, A. Marcesq Aîné, 1893. 2 vol. **300**

JOBIN, Pierre-Gabriel. *La vente dans le Code civil du Québec*, Cowansville, Les Éditions Yvon Blais Inc., 1993. xx, 304 p. **281**

JOSSERAND, Louis. *Cours de droit civil positif français.* 2e éd. Tome 1. Paris, Sirey, 1932. [xxiii], 1056 p. **10, 81, 93, 94, 299**

JUGLART, Michel de. *Obligation réelle et servitudes en droit privé français.* Thèse de doctorat. Bordeaux, Fredou & Manville, 1937. 388 p. **277**

LABRECQUE, Pierre. *Le domaine public foncier au Québec: traité de droit domanial.* Cowansville, Les Éditions Yvon Blais Inc., 1997. xxxiv, 439 p. **362**

LACASSE, Jean-Paul. *Le claim en droit québécois.* Ottawa, Éditions de l'Université d'Ottawa, 1976. 254 p. **381**

LACHANCE, Paul. *Le bornage.* 3e éd. Québec, P.U.L., 1981. vi, 180 p. **123**

LAFLAMME, Lucie. *Le partage consécutif à l'indivision*. Montréal, Wilson & Lafleur ltée, 1999. xx, 306 p. **133, 135, 145**

LAFOND, Pierre-Claude. *Précis du droit des biens*. Montréal, Les Éditions Thémis Inc., 1999. xxxvii, 1308 p. **10, 180, 270**

LAMONTAGNE, Denys-Claude. *Biens et propriété*. 3e éd. Cowansville, Les Éditions Yvon Blais Inc., 1998. xiii, 549 p. **10, 32, 86, 161, 171, 250, 268, 270**

LAMONTAGNE, Denys-Claude. *Le droit minier : tentative de conciliation du Code civil du Québec, de la Loi sur les mines et d'autres lois complémentaires relativement aux droits du propriétaire dans le sol et le sous-sol*. Montréal, Les Éditions Thémis Inc., 1998. xii, 140 p. **371**

LAMONTAGNE, Denys-Claude. *La publicité foncière*. 2e éd. Cowansville, Les Éditions Yvon Blais Inc., 1996. xiv, 389 p. **228**

LANGELIER, François. *Cours de droit civil de la province de Québec*. Tome 2. Montréal, Wilson & Lafleur ltée, 1906. xxvii, 521 p. **81, 92, 134, 237, 264**

LAURENT, François. *Principes de droit civil français*. 3e éd. Bruxelles/Paris, Bruylant/Christophe & Cie/Librairie A. Marescq, 1878. Tome 5 : 676 p.; tome 6 : 717 p.; tome 7 : 696 p. et tome 8 : 693 p. **10**

LEPAGE, Henri. *Pourquoi la propriété*. Paris, Hachette, 1985. 469 p. **84, 106**

LEPAULLE, Pierre. *Traité théorique et pratique des trusts en droit interne, en droit fiscal et en droit international*. Paris, Rousseau et cie, 1932. vii, 463 p. **15**

LÉVESQUE, Louise. *L'acte de fiducie*. Cowansville, Les Éditions Yvon Blais Inc., 1991. xxiii, 244 p. **330**

L'HEUREUX, Nicole. *Précis de droit commercial du Québec*. 2e éd. Québec, P.U.L., 1975. xxvi, 290 p. **51**

LORANGER, Thomas-Jean-Jacques. *Commentaire sur le droit civil du Bas-Canada*. Tome 1. Montréal, A. Brassard, 1873. 531 p. **7**

LORD, Guy (dir.). *Le droit québécois de l'eau*. Québec, Ministère des Richesses naturelles, 1977. 2 volumes. **118, 119, 367**

MALAURIE, Philippe et Laurent AYNÈS. *Cours de droit civil : les biens, la publicité foncière*. 4e éd., par Philippe Thery. Paris, Éditions Cujas, 1998. 415 p. **11, 14, 32, 102, 275**

MARLER, William DeMontmollin et George C. MARLER. *The Law of Real Property. Quebec*. Toronto, Burroughs, 1932. xxxvi, 649 p. **40, 195, 261, 271**

MARTINEAU, Pierre. *Les biens*. 5e éd. Montréal, Les éditions Thémis Inc., 1979. 174 p.

MARTINEAU, Pierre. *La prescription*. Montréal, P.U.M., 1977. xxxii, 413 p. **289**

MARTY, Gabriel et Pierre RAYNAUD. *Droit civil.* vol. 2 : *Les biens*, par Patrice Jourdain. Paris, Dalloz, 1995. 563 p. **11**

MAYRAND, Albert. *Dictionnaire de maximes et locutions latines utilisées en droit.* 3e éd. Cowansville, Les Éditions Yvon Blais Inc., 1994. 575 p. **11, 387**

MAZEAUD, Henri, Léon et Jean. *Leçons de droit civil.* Tome II, 2e vol. 6e éd., par François Gianviti, Paris, Éditions Montchrestien, 1984. 437 p. **11, 40, 69, 187, 246**

MÉNARD, Louis. ARSENAULT, Murielle et Jean-François JOLY. *Dictionnaire de la comptabilité et de la gestion financière : anglais-français avec index français-anglais.* Toronto, Institut canadien des comptables agréés, 1994. xxii, 994 p. **356**

MIGNAULT, Pierre-Basile. *Le droit civil canadien basé sur les « Répétitions écrites sur le Code civil de Frédéric Mourlon ».* Tome 2. Montréal, C. Théoret, 1896. xxxvii, 671 p. **9, 25, 30, 40, 42, 49, 56, 57, 85, 206, 213**

MIGNAULT, Pierre-Basile. *Le droit civil canadien basé sur les « Répétitions écrites sur le Code civil de Frédéric Mourlon ».* Tome 3. Montréal, C. Théoret, 1897. xxvi, 666 p. **9, 62, 134, 135, 227, 231, 236, 241, 251, 253, 256**

MIGNAULT, Pierre-Basile. *Le droit civil canadien.* Tome 9, Montréal, Wilson & Lafleur ltée, 1916. xxxviii, 596 p. **9, 193, 254**

MOINE, Isabelle. *Les choses hors commerce : une approche de la personne humaine juridique.* Paris, L.G.D.J., 1997. xiv, 438 p. **62**

MONTPETIT, André et Gaston TAILLEFER. *Traité de droit civil du Québec.* Montréal, Wilson & Lafleur ltée, 1945. tome 3. 550 p. **10, 112, 186**

NACCARATO, Mario. *Dans quelle mesure le droit positif québécois répond-il aux besoins créés par l'institution nouvelle de la division du patrimoine du Code civil du Québec.* Mémoire de maîtrise présenté à la Faculté des études supérieures de l'Université Laval, Québec, 1996. 150 p. **322**

NADEAU, André. *Traité de droit civil du Québec.* Tome 8. Montréal, Wilson & Lafleur ltée, 1949. xxxix, 664 p. **101**

OFFICE DE LA PROPRIÉTÉ INTELLECTUELLE DU CANADA. *Le guide des droits d'auteur.* Hull, Office de la propriété intellectuelle du Canada, 1994, 23 p. **52**

OFFICE DE LA PROPRIÉTÉ INTELLECTUELLE DU CANADA. *Le guide des marques de commerce.* Hull, Office de la propriété intellectuelle du Canada, 1997. 26 p. **51**

ORGANISATION INTERNATIONALE DE NORMALISATION. *Recueil des normes ISO.* Tome 4. *Acoustique, vibrations et chocs.* Genève, ISO, 1980. viii, 530 p. **102**

OUELLET, Fernand. *Éléments d'histoire sociale du Bas-Canada*. Montréal, Hurtubise HMH Ltée, 1972. 379 p. **79**

OURLIAC, Paul et Jehan de MALAFOSSE. *Histoire du droit privé*. 2e éd. Tome 2. *Les biens*. Paris, P.U.F., 1971. 452 p. **7, 9, 53, 82, 227, 245, 248, 249, 299**

PAGÉ, Maurice. *Sur le Saint-Maurice, le flottage du bois ou le transport par camion?* Mémoire présenté à la Faculté de foresterie et de géodésie de l'Université Laval pour l'obtention du grade de bachelier ès sciences appliquées. Québec, mai 1979. [v], [70] p. **120**

PATAULT, Anne-Marie. *Introduction historique au droit des biens*. Paris, P.U.F., 1989. 336 p. **7, 9, 15, 32, 49, 77, 78, 79, 99, 227**

PERRAULT, Antonio. *Traité de droit commercial*. Tome 2. Montréal, Éditions Albert Lévesque, 1936. 829 p. **50**

PETRELLA, Riccardo. *Le manifeste de l'eau : pour un contrat mondial*. Bruxelles, Labor, 1998. 150 p. **63**

PHILONENKO, Maximilien. *La divisibilité du patrimoine et l'entreprise d'une personne*. Paris/Liège, L.G.D.J./DESOER, 1957. xlvi, 341 p.

PLANIOL, Marcel. *Traité élémentaire de droit civil*. 2e éd. Paris, F. Pichon, 1901, Tome 1. xv, 998, 8 p. **41**

PLANIOL, Marcel et Georges RIPERT. *Traité pratique de droit civil français*. Tome 3. *Les biens*, par Maurice Picard. Paris, L.G.D.J., 1925. viii, 1035 p. **10**

PLANIOL, Marcel et Georges RIPERT. *Traité pratique de droit civil français*. 2e éd. Tome 3, *Les biens*, par Maurice Picard. Paris, L.G.D.J., 1952. viii, 1035 p. **21, 22**

POTHIER, Robert-Joseph. *Traités sur différentes matières de droit civil, appliquées à l'usage du Barreau; et de jurisprudence française*. Tome 4. Paris/Orléans, Jean Dubure/Veuve Rouzeau-Montaut, 1774. xx, 694, 136 p. **78, 80, 83, 94, 216, 299**

PRATTE, Denise. *Priorités et hypothèques*. Sherbrooke, Éditions de la Revue de droit de l'Université de Sherbrooke, 1995. xxx, 466 p. **23**

PROUDHON, Jean-Baptiste Victor. *Le domaine public*. Tome 3. Dijon, Victor Lagier, 1834. 576 p. **367**

PROUDHON, Jean-Baptiste Victor. *Traité des droits d'usufruit, d'usage personnel, et d'habitation*. Dijon, vol. Lagier, 1836-48. 8 vol.

REID, Hubert. *Dictionnaire de droit canadien et québécois avec lexique anglais-français*. Montréal, Wilson & Lafleur ltée, 1994. xiv, 769 p. **282**

ROBARDET, Patrick. *Servitudes réelles et limitations de droit public en matière d'affectation du sol et d'implantation des bâtiments*. Thèse de doctorat présentée à la Faculté des études supérieures de l'Université Laval. Québec, 1986. xvi, 858 p.

ROLAND, Henri et Laurent BOYER. *Adages du droit français*. 2e éd. Lyon, L'Hermès, 1986. 2 vol. 1214 p. **8, 11**

ROLAND, Henri et Laurent BOYER. *Locutions latines du droit français*. 4e éd. Paris, Litec, 1998. xvii, 566 p. **11, 137**

ROUSSEAU-HOULE, Thérèse. *Précis du droit de la vente et du louage*, 2e éd. Québec, P.U.L., 1986. 471 p. **49**

ROYER, Pierre et James DREW. *Impôts et planification*. Montréal, Science et culture, 1999. xiv, 570 p. **328**

SALEILLES, Raymond. *De la personnalité juridique, histoire et théories*. 2e éd. Paris, Librairie Arthur Rousseau, 1922. 6, 684 p. **24**

SAVATIER, René. *Les métamorphoses économiques et sociales du droit privé d'aujourd'hui*. 3e série. Paris, Dalloz 1959. 268 p. **97**

SAVIGNY, Frédéric Charles de. *Traité de la possession en droit romain*. Trad. de l'allemand par Henri Staedtler. 7e éd. Paris, A. Durand, 1866. xxxi, 782 p. **300**

SCHWAB, Wallace avec la collaboration de Roch PAGÉ. *Les locutions latines et le droit positif québécois*. Québec, Éditeur officiel du Québec, 1981. 246 p.

SIMON, Henri. *Le nom commercial*. Montréal, Wilson & Lafleur ltée/Sorej, 1984. xv, 147 p. **51**

SMITH, James et Yvon RENAUD. *Droit québécois des corporations commerciales*. Tome 2. Montréal, Judico, 1977. **330**

STONE, Christopher D. *Should trees have standing? : and other essays on law, morals, and the environment*. Dobbs Ferry, Oceana Publications, 1996. xiv, 181 p. **46**

TANCELIN, Maurice. *Des obligations. Actes et responsabilités*. 6e éd. Montréal, Wilson & Lafleur ltée, 1997. xxxvi, 836 p. **32, 39, 190, 256, 268**

TERRÉ, François et Philippe SIMLER. *Droit civil. Les biens*. 5e éd. Paris, Dalloz, 1998. 748 p. **11, 14, 86**

TREMBLAY, Guy. *Une grille d'analyse pour le droit du Québec*. 2e éd. Montréal, Wilson & Lafleur ltée, 1989. vi, 58 p. **6**

TRIGEAUD, Jean-Marc. *La possession des biens immobiliers : nature et fondement*. Paris, Economica, 1981. x, 631 p. **300**

VINCELETTE, Denis. *La possession*. Montréal, Chambre des notaires, 1989. 264 p.

WATERS, Donovan W. M. *Laws of Trusts in Canada*. 2e éd. Toronto, Carswell, 1984. cxvi, 1240 p. **337**

ZACHARIÆ, Karl-Salomo. *Le droit civil français*. Trad. de l'allemand par G. Massé et C. Vergé. Paris, Auguste Durand, 1855. 455 p. **14**

ZÉNATI, Frédéric. *Les biens*. Paris, P.U.F., 1988. 397 p. **11**

ZIFF, Bruce. *Principles of Property Law*. 2e éd. Toronto, Carswell, 1996. xlviii, 443 p. **11**

5.2 Articles

ALLARD, Serge. « La valeur relative des fractions en copropriété divise », [1990] 2 *C.P. du N.* 1-41. **159**

ALTRO, David A. « La copropriété à temps partagé : développements récents et étude du nouveau *Code civil du Québec* », [1992] 2 *C.P. du N.* 533-571. **204**

ALTSHUL, Susan. « Condominium for Social Purposes », (1989-1990) 92 *R. du N.* 219-234.

BATIFFOL, Henri. « Problèmes contemporains de la notion de biens », (1979) 24 *Archives de philosophie du droit* 9-16. **48**

BEAUCHEMIN, Lucie. « La fiducie, véhicule de planification hors pair dans un contexte familial », (1996) 18 *Revue de planification fiscale et successorale* 873-921. **328**

BEAUDOIN, Lise I. « La gestion de portefeuille pour autrui et les dispositions nouvelles du Code civil du Québec », (1989) 68 *R. du B. can.* 480-537. **344, 346, 354, 356**

BEAUDOIN, Pierre et Benoît MORIN. « La copropriété des immeubles au Québec », (1970) 30 *R. du B.* 4. **152, 159, 172, 173**

BEAULNE, Jacques. « Aspects théoriques et pratiques de la fiducie testamentaire au Québec », dans Jacques et Michel Verwilghen (dir.). *Points de droit familial. Rencontres universitaires notariales belgo-québécoises*. Montréal, Wilson & Lafleur ltée, 1997, p. 5-35.

BEAULNE, Jacques. « La nouvelle fiducie judiciaire au service du droit de la famille », (1996) 27 *R.G.D.* 55-68. **327**

BÉLANGER, Albert. « La description légale d'un emplacement », (1980-1981) 83 *R. du N.* 517-578. **283**

BERTREL, Jean-Pierre. « L'accession artificielle immobilière. Contribution à la définition de la nature juridique du droit de superficie », [1994] *Rev. trim. dr. civ.* 731-775.

BINETTE, Serge. « De la copropriété indivise et divise et de la propriété superficiaire », [1988] 3 *C.P. du N.* 107-212. **142**

BINETTE, Serge. « La notion de la destination et le régime de l'article 442f du *Code civil* en matière de copropriété divise », [1990] 2 *C.P. du N.* 67-116. **142, 146, 156, 158, 168**

BISSONNETTE, Alain. « Droits autochtones et droit civil : opposition ou complémentarité ? Le cas de la propriété foncière », dans Association Henri-Capitant (section québécoise). *Autochtones et droit*. S.l. : 1991. 18 p. **82**

BRETON, André. « Théorie générale de la renonciation aux droits réels : le déguerpissement en droit civil français », (1928) 27 *Rev. trim. dr. civ.* 261-364. **38, 128**

BRIÈRE, Jules. « La dualité domaniale au Québec », dans Raoul-P. Barbe (dir.), *Droit administratif canadien et québécois*. Ottawa, Éditions de l'Université d'Ottawa, 1969, p. 313-363. **372**

BRIERLEY, John E.C. « The Gratuitous Trust : A New Liberality in Quebec Law », (1997-1998) 100 *R. du N.* 213-250. **326**

BRIERLEY, John E.C. « The New Quebec Law of Trusts : The Adaptation of Common Law Thought to Civil Law Concepts », dans H. Patrick Glenn (dir.). *Droit québécois et droit français : communauté, autonomie, concordance*. Cowansville, Les Éditions Yvon Blais Inc., 1993, p. 382-397. **7**

BRIERLEY, John E.C. « Regards sur le droit des biens dans le nouveau Code civil du Québec », [1995] *Revue internationale de droit comparé* 33-49. **96, 239**

BRIERLEY, John E.C. « Le régime juridique des fondations au Québec », dans René-Jean Dupuy (dir.). *Le droit des fondations en France et à l'étranger*. Paris, La documentation française, 1989, p. 81-96 (Coll. La documentation fançaise, n° 4879). **331**

BRIERLEY, John E.C. « Substitutions, stipulations d'inaliénabilité, fiducies et fondations », [1988] 3 *C.P. du N.* 253-279.

BRIERLEY, John E.C. « Titre sixième. De certains patrimoines d'affectation. Les articles 1256-1298 », dans Barreau du Québec et Chambre des notaires (dir.), *La réforme du Code civil*, Québec, P.U.L., 1993, tome 1, p. 745-782. **323, 325, 338**

BROCHU, François. « Le mécanisme de fonctionnement de la publicité des droits en vertu du nouveau *Code civil du Québec* et le rôle des principaux intervenants », (1993) 34 *C. de D.* 949-1061. **281, 288**

BROCHU, François. « Les nouveaux effets de la publicité foncière : du rêve à la réalité? », (1999) 40 *C. de D.* 267-321.

BROCHU, François. « La prescription », *Répertoire de droit / Nouvelle série* – section doctrine, Biens (http://www.cdnq.org/cnq/recherch/framnota.html). **311, 314, 315**

BROCHU, François. « Les hauts et les bas de la rénovation cadastrale », (1999) 101 *R. du N.* 11-53. **282, 283**

BRUN, Henri. « Le droit québécois et l'eau (1663-1969) », dans *Le territoire du Québec : six études juridiques*. Sainte-Foy, P.U.L., 1973, p. 147-203.

CANTIN, Danielle. « Portrait statistique des fôrets québécoises : de la foresterie à la conservation », dans Danielle Cantin et Catherine Potvin (dir.). *L'utilisation durable des forêts québécoises : de l'exploitation à la protection*. Québec, P.U.L. 1996, p. 5-26. **377**

CANTIN CUMYN, Madeleine. « De l'administration du bien d'autrui », [1988] 3 *C.P. du N.* 283-313.

CANTIN CUMYN, Madeleine. « De l'existence et du régime juridique des droits réels de jouissance innommés : essai sur l'énumération limitative des droits réels », (1986) 46 *R. du B.* 3-56. **32, 197, 269, 270, 271, 276**

CANTIN CUMYN, Madeleine. « De l'usufruit, de l'usage et de l'habitation », dans *Répertoire de droit – Biens – Doctrine*, document 3, 1984. **206, 211, 215, 221**

CANTIN CUMYN, Madeleine. « Essai sur la durée des droits patrimoniaux », (1988) 48 *R. du B.* 3-46. **197**

CANTIN CUMYN, Madeleine. « La fiducie en droit québécois, dans une perspective nord-américaine », dans J. Herbots et D. Philippe (dir.). *Le trust et la fiducie : implications pratiques*. Bruxelles, Bruylant, 1997, p. 71-81.

CANTIN CUMYN, Madeleine. « L'indivision », dans Ernest Caparros (dir.). *Mélanges Germain Brière*. Montréal, Wilson & Lafleur ltée, 1993, p. 325-342. **134, 137, 138, 141, 142, 150, 151**

CANTIN CUMYN, Madeleine. « L'origine de la fiducie québécoise », dans *Mélanges offerts par ses collègues de McGill à Paul-André Crépeau*. Cowansville, Les Éditions Yvon Blais Inc., 1997, p. 199-219. **321**

CANTIN CUMYN, Madeleine. « Les principaux éléments de la révision des règles de la prescription », (1989) 30 *C. de D.* 611-625.

CANTIN CUMYN, Madeleine. « The Trust in a Civilian Context : The Quebec Case », [1994] 2 *Journal of International Trust and Corporate Planning* 69-77.

CAPARROS, Ernest. « La Cour suprême et le Code civil », dans Gérald-A. Beaudoin (dir.). *The Supreme Court of Canada / La Cour suprême du Canada*. Cowansville, Les Éditions Yvon Blais Inc., 1985, p. 117-113. **5**

CARDINAL, Jean-Guy. « Droit de chasse – Servitude – Occupation et accession – Louage », (1958-1959) 61 *R. du N.* 79-82. **254**

CARDINAL, Jean-Guy. « Le droit de superficie », (1956-1957) 59 *R. du N.* 377-387. **186**

CARDINAL, Jean-Guy. « Un cas singulier de servitude réelle », (1954-1955) 57 *R. du N.* 478-492. **246, 247, 269, 271, 274**

CATALA, Pierre. « Ébauche d'une théorie juridique de l'information », *Recueil Dalloz Sirey*, 1984.97 (n° 17). **53**

CHAIT, Samuel, « Contractual Land Use Control », [1962] *Meredith Memorial Lectures* 52-65.

CHARBONNEAU, Pierre. « Les patrimoines d'affectation : vers un nouveau paradigme en droit québécois du patrimoine », (1982-1983) 85 *R. du N.* 491-530.

CHARRON, Camille. « Ce droit réel méconnu : la servitude personnelle », (1982) 42 *R. du B.* 446-451. **269, 273, 276**

CHARRON, Camille. « De la publicité des droits », dans Barreau du Québec et Chambre des notaires. *La réforme du Code civil*, Québec, P.U.L., 1993. Tome 3, p. 589-668.

CHÂTILLLON, Pierre-Yves et Martin CLOUTIER., « La fiducie comme véhicule de fonds commun de placement », (1997) 19 *Revue de planification fiscale et successorale* 69-117. **329, 351**

CHÉNARD, Viateur. « La théorie de l'abandon », dans Barreau du Québec. *Développements récents en droit commercial (1993)*. Cowansville, Les Éditions Yvon Blais Inc., 1993, p. 151-166. **38**

CIOTOLA, Pierre. « L'influence de la pratique notariale sur l'évolution des droits réels », [1989] R.D.I. 673-707. **5**

CLAXTON, John B. « The Corporate Trust Deed under Quebec Law: Article 2692 of the *Civil Code of Quebec* », (1997) 42 *McGill L. J.* 797-859. **330**

CLAXTON, John B. « Emphyteusis: A Suggested Fresh Approach (Weissbourd and Nuns' Island Revisited », (1989) 31 *R. du B.* 345-373.

CLAXTON, John B., « Superficie: problèmes, solutions et précautions », (1975) 35 *R. du B.* 626-629. **186, 229**

COHET-CORDEY, Frédérique. « La valeur explicative de la théorie du patrimoine en droit positif français », (1996) 95 *Rev. trim. dr. civ.* 819-839.

COMMISSION ROYALE D'ENQUÊTE SUR LES PEUPLES AUTOCHTONES. « Les terrres et les ressources », dans *Une relation à redéfinir.* vol. 2, deuxième partie. Ottawa, 1996, p. 463-870. **82**

COMTOIS, Roger. « Le budget de la copropriété et l'assemblée générale des copropriétaires », [1990] 2 *C.P. du N.* 117-131. **174**

COMTOIS, Roger. « Le droit de la copropriété selon le *Code civil du Québec* », (1993-1994) 96 *R. du N.* 323-355 et 443-473. **161, 175**

COSSETTE, André. « La copropriété des étangs et des lacs artificiels (y compris des barrages dans certains cas) », (1973-1974) 76 *R. du N.* 236-245. **153**

COSSETTE, André. « Essai sur le droit de pêche dans les cours d'eau non navigables », (1997-1998) 100 *R. du N.* 3-47. **96, 271**

COSSETTE, André. « Jurisprudence », (1969-1970) 72 *R. du N.* 28-32. **188**

COSSETTE, André. « Le sens de la locution *usque ad medium filum aquœ* », (1992-1993) 95 *R. du N.* 360-381. **368**

COSSETTE, André. « La servitude de tour d'échelle », (1958-1959) 61 *R. du N.* 324-329. **109**

DABIN, Jean. « Une définition du droit réel », (1962) 60 *Rev. trim. dr. civ.* 20-44.

DÉCARY, Robert. « De la validité d'une *servitude* de non-usage à des fins commerciales dans une zone commerciale », (1977) 80 *R. du B.* 63-82 et 137-160. **275**

DECHÊNE, Louise. « L'évolution du régime seigneurial au Canada. Le cas de Montréal aux XVIIe et XVIIIe siècles », (1971) 12 *Recherches sociographiques*, 143-183. **364**

DELAGE, Jean-François, DESJARDINS, Yvan, LAMONTAGNE, Denys-Claude, MARQUIS, Paul-Yvan et Claude ROCH. « La publicité des droits », *Répertoire de droit – Titres immobiliers*, doctrine, document 2.

DELEURY, Édith. « Le personne en son corps : l'éclatement du sujet », (1991) 70 *R. du B. can.* 448-472. **46**

DESCHAMPS, Marie. « Vers une approche renouvelée de l'indivision », (1983-1984) 29 *McGill L. J.* 215-259.

DESCHAMPS, Michel. « La fiducie pour fins de garantie », dans *La Conférence Meredith 1997. Les sociétés, les fiducies et les entités hybrides en droit commercial contemporain.* Montréal, Faculté de droit de l'Université McGill, 1997. 39 p. **330**

DOCKÈS, Emmanuel. « Essai sur la notion d'usufruit », (1995) 94 *Rev. trim. dr. civ.* 479-507. **209, 210**

DUCHARME, Gérard. « Copropriété horizontale : un terrain nu peut-il être une partie exclusive? », [1988] 4 *C.P. du N.* 131-137.

DUTOIT, Bernard. « Du Québec aux Pays-Bas : les mues du droit de la propriété dans deux codes civils récents », dans Institut suisse de droit comparé, *Rapports suisses présentés au XV*^e^ *Congrès international de droit comparé*, Zurich, Schulthess Polygraphischer Vergag, 1998, p. 199-216. **96**

FIORINA, Dominique. « L'usufruit d'un portefeuille de valeurs mobilières », (1995) 94 *Rev. trim. dr. civ.* 43-67. **206**

FRENETTE, François. « L'affaire Weissbourd : une interprétation des intentions du législateur qui suscite sa réaction », (1984-1985) 87 *R. du N.* 580-588. **237**

FRENETTE, François. « Commentaires sur le rapport de l'O.R.C.C. sur les biens », (1976) 17 *C. de D.* 991-1012. **46**

FRENETTE, François. « La copropriété divise et le rôle ambivalent de la déclaration », dans Barreau du Québec – Service de la Formation permanente. *Congrès annuel du Barreau du Québec (1998)*. Montréal, Barreau du Québec, 1998, p. 71-82. **158**

FRENETTE, François. « La copropriété par indivision : souplesse et déficience de la réglementation d'un état désormais durable », dans Barreau du Québec – Service de la Formation permanente. *Développements récents en droit immobilier.* vol. 103. Cowansville, Les Éditions Yvon Blais Inc., 1998, p. 87-111. **141, 142**

FRENETTE, François. « De l'emphytéose », dans *Répertoire de droit – Biens – Doctrine*, document 1, 1986. **228**

FRENETTE, François. « De l'emphytéose au louage ordinaire par la voie mal éclairée du doute », (1977) 18 *C. de D.* 557-565. **230, 270**

FRENETTE, François. « De l'hypothèque : réalité du droit et métamorphose de l'objet », (1998) 39 *C. de D.* 803-822. **33, 34**

FRENETTE, François. « De la prescription », dans Barreau du Québec et Chambre des notaires. *La réforme du Code civil*, Québec, P.U.L., 1993. Tome 3, p. 565-587.

FRENETTE, François. « De la propriété superficiaire, de l'usufruit, de l'usage et de l'emphytéose », dans Barreau du Québec et Chambre des notaires. *La réforme du Code civil*, Québec, P.U.L., 1993. Tome 1, p. 669-709. **194, 199, 222, 223, 229**

FRENETTE, François. « Les démembrements du droit de propriété : traits saillants d'une réforme », [1988] 3 *C.P. du N.* 215.

FRENETTE, François. « Des améliorations à l'immeuble d'autrui », [1980] *C.P. du N.* 1-42. **86, 87, 88**

FRENETTE, François. « Du droit de propriété : certaines de ses dimensions méconnues », (1979) 20 *C. de D.* 439-447. **82, 83, 85**

FRENETTE, François. « Les empiétements sur l'héritage d'autrui », (1986) R.D.I. 181-191. **188**

FRENETTE, François. « L'illusion de propriété superficiaire », (1976) 17 *C. de D.* 229-233.

FRENETTE, François. « Note sur la copropriété par phases, (1988-1989) 91 *R. du N.* 200-204.

FRENETTE, François. « Prescription acquisitive et rétroactivité », (1985-1986) 88 *R. du N.* 367-378.

FRENETTE, François. « Le problème de l'empiétement », (1998-1999) 101 *R. du N.* 97-113.

FRENETTE, François. « Propos et considérations en droit des biens six mois après la mise à l'épreuve du nouveau code », (1993-1994) 96 *R. du N.* 492-502. **111, 127**

FRENETTE, François. « Les troubles de voisinage », dans Barreau du Québec – Service de la Formation permanente. *Développements récents en droit immobilier*. Cowansville, Les Éditions Yvon Blais Inc., 1999, p. 145-153. **104, 105**

GALLOUX, Jean-Christophe. « Réflexions juridiques sur la catégorie des choses hors du commerce : l'exemple des éléments et des produits du corps humain en droit français », (1989) 30 *C. de D.* 1011-1032. **72**

GAUDET, Serge, « Le droit à la réparation en nature en cas de violation d'un droit personnel Ad Rem », (1989) 19 *R.D.U.S.* 473-494. **41**

GAUTHIER, Wilbrod. « L'avenir du bail emphytéotique », (1975) 35 *R. du B.* 602-613. **227, 230**

GINOSSAR, Shalev. « Pour une meilleure définition du droit réel et du droit personnel », (1962) 60 *Rev. trim. dr. civ.* 573-589.

GIRARD, Grégoire. « Le certificat de localisation », dans *Répertoire de droit : Titres immobiliers – Doctrine*. Document 5. **123**

GIROUX, Lorne. « La loi sur la qualité de l'environnement : grands mécanismes et recours civils », dans Barreau du Québec – Service de la

Formation permanente. *Développements récents en droit de l'environnement (1996)*. Cowansville, Les Éditions Yvon Blais Inc., 1996, p. 263-349. **129**

GIROUX, Lorne. « La protection juridique contre l'agression sonore », (1994) 5 *Journal of Environmental Law and Practice* 23-57. **103**

GIROUX, Lorne, DUCHAÎNE, Marie, NOREAU, Gilbert-M. et Johanne VÉZINA. « Le régime juridique applicable aux ouvrages de retenue des eaux au Québec », (1997) 38 *C. de D.* 3. **382**

GLENN, H. Patrick. « Le droit comparé et l'interprétation du Code civil du Québec », dans *Le nouveau Code civil : interprétation et application*. Montréal, Les Éditions Thémis Inc., 1993, p. 175-222. **6**

GODIN, Robert-P. « L'emphytéose : son avenir », (1975) 35 *R. du N.* 614-620. **228**

GOODMAN, Joy. « Stipulations de restriction d'usage, clauses de non-concurrence, d'exclusivité et de « rayon », (1999) 59 *R. du B.* 289-305.

GOUBAU, Dominique. « Le Code civil du Québec et les concubins : un mariage discret », (1995) 74 *R. du B. Can.* 474-483. **224**

GOULET, Jean. « S'approprier l'être humain : Essai sur l'appropriation du corps humain et de ses parties », dans Commission royale sur les nouvelles techniques de reproduction. *Les aspects juridiques liés aux nouvelles techniques de reproduction*. Tome 3. Ottawa, Ministre des Approvisionnements et Services Canada, 1993, p. 661-691. **46, 71**

GOULET, Jean. « Un requiem pour les choses sacrées : un commentaire sur la disparition des choses sacrées au *Code civil du Québec* », dans Ernest Caparros (dir.), *Mélanges Germain Brière*. Montréal, Wilson & Lafleur ltée, 1993, p. 383-396. **73**

GRAHAM, Peter E. « Evolution of Quebec Trust Law : Common Law Influence seen from 1962 to 1992 is likely to continue in relation to the New *Civil Code of Quebec* », (1993-1994) 96 *R. du N.* 474-491. **323**

GRAY, Christopher B. « Patrimony », (1981) 22 *C. de D.* 81-157. **14**

GUAY, François. « La propriété intellectuelle : une vue d'ensemble », dans *Développements récents en droit de la propriété intellectuelle (1995)*. Cowansville, Les Éditions Yvon Blais Inc., 1995, p. 293-334. **51**

HALLÉ, Michel. « La pêche dans le droit romain », (1980) 21 *C. de D.* 985-992. **63**

HERMITTE, Marie-Angèle. « Le concept de diversité biologique et la création d'un statut de la nature », dans Bernard Edelman et Marie-Angèle Hermitte (dir.). *L'homme, la nature et le droit*. Paris, Christian Bourgeois, 1988, p. 238-286. **46**

HÉTU, Jean. « Les recours du citoyen pour la protection de son environnement », (1989-1990) 92 *R. du N.* 168-203. **107**

HÉTU, Jean et Jean PIETTE. « Le droit de l'environnement du Québec », (1976) 36 *R. du B.* 621-671. **105, 106**

HUTCHINS, Peter et Patrick J. KENNIFF. « La dualité domaniale en matière municipale », (1971) 12 *C. de D.* 477-501.

JOBIDON, Normand. « La réforme du Code civil et le cadastre », *Arpenteur-géomètre*, vol. 20, n° 2 (juillet 1993), p. 8-12.

JOBIN, Pierre-Gabriel. « Précis sur la vente », dans Barreau du Québec et Chambre des notaires. *La réforme du Code civil.* Tome 2. Sainte-Foy, P.U.L., 1993. p. 359-619. **317**

KASIRER, Nicholas. « La mort du positivisme? L'exemple du cimetière », dans Bjarne Melkevik (dir.). *Transformation de la culture juridique québécoise.* Sainte-Foy, P.U.L., 1998, p. 199-220. **73**

KIERAN, Yvette Marie. « Histoire d'eau. Guide à l'intention des notaires », (1995-1996) 98 *R. du N.* 145-202.

KIERANS, David B. et David PEREZ. « La fiducie à l'aide de l'entreprise », dans Institut Wilson et Lafleur Inc., *Les fiducies dans le Code civil du Québec: une réforme radicale.* Montréal, Institut Wilson et Lafleur Inc. 1995. 22 p. **329, 330**

LA FONTAINE, Louis-Hippolyte. « De la codification des lois du Canada », (1846) *R. de L.* 337-341. **79**

LAFERRIÈRE, J.-André. « Le cadastre, désuétude et rénovation », [1967] *C. P. du N.* 99.

LAMONTAGNE, Denys-Claude. « Distinction des biens, domaine, possession et droit de propriété », dans Barreau du Québec et Chambre des notaires. *La réforme du Code civil*, Québec, P.U.L., 1993. Tome 1, p. 467-512.

LAMONTAGNE, Denys-Claude. « L'imbrication du possessoire au pétitoire », (1995) 55 *R. du B.* 661-666. **308**

LANDRY, Barry. « L'achalandage en droit québécois et les obligations implicites le protégeant », dans *Développements récents en droit commercial (1991).* Cowansville, Les Éditions Yvon Blais Inc. 1991, p. 155-178. **50**

LANGLOIS, Denis. « Le bruit et la fureur: les réglementations municipale et provinciale en matière de bruit », dans *Développements récents en droit municipal (1992).* Cowansville, Les Éditions Yvon Blais Inc., 1992, p. 163-190. **102**

LAURENDEAU, Olivier. « Droits riverains: le cas des battures », (1980-1981) 83 *R. du N.* 251-311. **369**

LE ROY, Étienne. « L'appropriation et les systèmes de production », dans Émile Le Bris, Étienne Le Roy et Paul Mathieu (dir.). *L'appropriation de la terre en Afrique noire.* Paris, Éditions Karthala, 1991 p. 27-35. **365**

LEGENDRE, Michel. « L'utilisation de la fiducie à titre de mécanisme de protection des actifs dans un contexte de difficultés financières », (1996) 18 *Revue de planification fiscale et successorale* 11-67. **323**

LEMIEUX, Charlotte. « La protection de l'eau en vertu de l'article 982 C.c.Q. : problèmes d'interprétation », (1992) 23 *R.D.U.S.* 191-201. **120, 122**

LOISEAU, Grégoire. « Des droits patrimoniaux de la personnalité en droit français », (1996-1997) 42 *R.D. McGill* 319-353. **17**

LOYSEAU, Charles. « Les traitez des seigneuries », dans *Les œuvres de maistre Charles Loyseau, avocat en Parlement.* Lyon, Compagnie des Libraires, 1701. **366**

MACDONALD, Roderick A. « Reconceiving the Symbols of Property : Universalities, Interests and Other Heresies », (1994) 39 *McGill L. J.* 761-812. **330**

MAILHOT, José et Sylvie VINCENT. « Le droit foncier montagnais », *Interculture*, vol. 15, n°s 2-3 (avril-septembre 1982), p. 65-74. **82**

MARCIL, Isabelle. « La ligne des hautes eaux, critère de délimitation du domaine hydrique québécois », *Arpenteur-géomètre*, vol. 23, n° 5 (février 1997), p. 3-8. **368**

MARQUIS, Paul-Yvan. « La tenure seigneuriale dans la province de Québec », dans *Répertoire de droit – Titres immobiliers*, doctrine, document 4 (1987).

MARTINEAU, Pierre. « Considérations sur les servitudes de vue », (1980-1981) 15 *R.J.T.* 101-112. **112**

MASSE, Claude. « La responsabilité civile (Droit des Obligations III) », dans Barreau du Québec et Chambre des notaires du Québec. *La réforme du Code civil.* Sainte-Foy, P.U.L., 1993. Tome 2, p. 235-357. **104**

MASSÉ, Luc. « L'usufruit et l'impôt sur le revenu », (1992) 14 *Revue de planification fiscale et successorale* 1-43. **204**

MATHIEU, Paul-André. « Les clauses de non-concurrence dans les contrats de franchise : ou qui trop embrasse mal étreint », (1999) 11 *Les cahiers de la propriété intellectuelle* 701-727.

MELKEVIK, Bjarne. « La nature un sujet de droit ? Interrogation philosophique et critique », *Cahiers Dikè*, série 2, 1999, p. 29-38. **47**

MIGNAULT, Pierre-Basile. « À propos de fiducie », (1933-1934) 12 *R. du D.* 73-79. **24, 324**

MORRISSETTE, André. « Utilisation des fiducies dans un contexte commercial », (1996) 18 *Revue de planification fiscale et successorale* 925-958. **329**

NORMAND, Sylvio. « La codification de 1866 : contexte et impact », dans H. Patrick Glenn (dir.). *Droit québécois et droit français : communauté, autonomie, concordance.* Cowansville, Les Éditions Yvon Blais Inc., 1993, p. 43-62. **8**

NORMAND, Sylvio. « La propriété spatio-temporelle », (1987) 28 *C. de D.* 261-340. **136, 204**

NORMAND, Sylvio. « La servitude de lignes téléphoniques : une incongruité juridique tenace », (1987) 28 *C. de D.* 999-1009.

NORMAND, Sylvio. « Une relecture de l'arrêt *Matamajaw Salmon Club* », (1988) 29 *C. de D.* 807-813. **97, 271**

NORMAND, Sylvio et Alain HUDON. « Confection du cadastre seigneurial et du cadastre graphique », (1988-1989) 91 *R. du N.* 184-199. **282**

NORMAND, Sylvio et Alain HUDON. « Le contrôle des hypothèques secrètes au XIXe siècle : ou la difficile conciliation de deux cultures juridiques et de deux communautés ethniques », [1990] R.D.I. 169-201. **279, 280**

NORMAND, Sylvio et Jacques GOSSELIN. « La fiducie du *Code civil* : un sujet d'affrontement dans la communauté juridique québécoise », (1990) 31 *C. de D.* 681-729. **6, 24, 321**

OTIS, Ghislain. « Le diptyque Côté-Adams ou la préséance de l'ordre établi dans le droit postcolonial des peuples autochtones », (1997) 8 *Forum constitutionnel* 70-78. **363**

OTIS, Ghislain. « Les sources des droits ancestraux des peuples autochtones », (1999) 40 *C. de D.* 591-620. **363**

PATAULT, Anne-Marie. « La propriété non exclusive au XIXe siècle : histoire de la dissociation juridique de l'immeuble », (1983) 61 *Rev. hist. dr. fr. et ét.* 217-237. **186, 272**

PAYETTE, Louis. « Des priorités et des hypothèques », dans Barreau du Québec et Chambre des notaires. *La réforme du Code civil*, Québec, P.U.L., 1993. Tome 3, p. 9-301. **34**

PAYETTE, Louis. « Hypothèque et fiducie pour fins de garantie : comparaisons », dans *La Conférence Meredith 1997. Les sociétés, les fiducies et les entités hybrides en droit commercial contemporain.* Montréal, Faculté de droit de l'Université McGill, 1997. 62 p. **330, 339**

PINEAULT, Laval. « Le cadastre et son contexte », [1986] *C. P. du N.* 485-497.

PINEAULT, Laval. « EDIT, la réforme de la publicité foncière sur les terres publiques », *Géomatique*, vol. 25, n° 5 (février 1999). **376**

POIRIER, Michel. « La convention d'emphytéose peut-elle être à titre gratuit ? » (1998) 58 *R. du B.* 401-405. **237**

POPOVICI, Adrian. « La poule et l'homme : sur l'article 976 C.c.Q. », (1997) 99 *R. du N.* 214-255. **102, 104, 105**

POURCELET, Michel. « L'évolution du droit de propriété depuis 1866 » dans Jacques Boucher et André Morel (dir.). *Livre du centenaire du Code civil*, tome 2, Montréal, P.U.M., 1970, p. 3-19. **80**

POURCELET, Michel. « Le fonds enclavé », (1965-1966) 68 *R. du N.* 250-268. **115, 117**

PRATTE, Pierre. « L'action possessoire est-elle moins protégée sous le Code civil du Québec », (1995) 55 *R. du B.* 403-417. **308**

PROTT, Lyndel vol. « Les normes internationales pour le patrimoine culturel », dans *Rapport mondial sur la culture : culture, créativité et marchés*, Paris, Éditions Unesco, 1998, p. 247-264.

QUESNEL, Lucie et Michel B. PARÉ, « Les fondations de charité », [1982] *C. de P. N.* 277-412. **331**

RAINVILLE, François. « De l'administration du bien d'autrui », dans Barreau du Québec et Chambre des notaires. *La réforme du Code civil*, Québec, P.U.L., 1993. Tome 1, p. 783-812.

RAPPAPORT, N.L. « Emphyteutic Lease », (1963) 23 *R. du B.* 265-275.

RÉMOND-GOUILLOUD, Martine. « Ressources naturelles et choses sans maître », *Recueil Dalloz Sirez*, 1985.27 (n° 5 : 31 janvier 1985).

ROULAND, Norbert. « Le droit de propriété des esquimaux et son intégration aux structures juridiques occidentales : problèmes d'acculturation juridique », dans *Actes du XLIIe congrès international des américanistes*, Paris 2-9 septembre 1976, Paris, 1978, tome 5, p. 131-138. **1**

ROUSSEAU-HOULE, Thérèse. « Les récents développements dans le droit de la vente et du louage de choses au Québec », (1985) 15 *R.D.U.S.* 307. **281**

SAINT-ALARY-HOUIN, C. « Les critères distinctifs de la société et de l'indivision depuis les réformes récentes du Code civil », (1979) 32 *Rev. trim. dr. comm.* 646-695. **138**

SAVATIER, René. « La propriété de l'espace », *Recueil Dalloz Sirey*, 1965.213 (n° 36). **188**

SAVATIER, René. « La propriété des volumes dans l'espace et la technique des grands ensembles immobiliers », *Recueil Dalloz Sirey*, 1976.103 (n° 15). **188**

SÉRIAUX, Alain. « La notion juridique de patrimoine : brèves notations civilistes sur le verbe avoir », (1994) 93 *Rev. trim. dr. civ.* 801-813. **16**

SÈVE, René. « Détermination philosophique d'une théorie juridique : *La Théorie du patrimoine* d'Aubry et Rau », (1979) 24 *Archives de philosophie du droit* 247-257.

SHEAHAN, Anne-Marie. « Le nouveau Code civil du Québec et l'environnement », dans *Développements récents en droit de l'environnement (1994)*. Cowansville, Les Éditions Yvon Blais Inc., 1994, p. 1-28. **122**

SPORNS, Norbert. « The Mutability of Emphyteusis », (1980-1981) 83 *R. du N.* 3-69. **231**

TASCHEREAU, André. « Les rivières de la province de Québec », (1964) 10 *McGill L. J.* 203-216.

TASCHEREAU, Jacques. « Les fiducies entre vifs », [1995] 1 *C.P. du N.* 284-312.

TERRÉ, François. « Variation de sociologie juridique sur les biens », (1979) 24 *Archives de philosophie du droit* 17-29.

TRUDEAU, Raymond. « Réforme du droit sur les brevets et récents développements », dans *Développements récents en droit de la propriété intellectuelle (1995)*, Cowansville, Les Éditions Yvon Blais Inc., 1995, p. 225-237. **51**

TURGEON, Henri. « La destination du père de famille dans le droit québécois », (1950-1951) 53 *R. du N.* 607-618. **252**

VALLÉE-OUELLET, Francine. « Les droits et obligations des copropriétaires », (1978) 24 *McGill L.J.* 196-235 et 359-394. **134, 158, 168**

VAREILLES SOMMIÈRES, De. « La définition et la notion juridique de la propriété », (1905) 4 *Rev. trim. dr. civ.* 443. **81, 82, 84, 91, 92, 93**

ZÉNATI, Frédéric. « Pour une rénovation de la théorie de la propriété », (1993) 92 *Rev. trim. dr. civ.* 305-323. **96**

Index analytique

– D –

– S –

– T –

– U –

– V –

Québec, Canada
2002